Contents

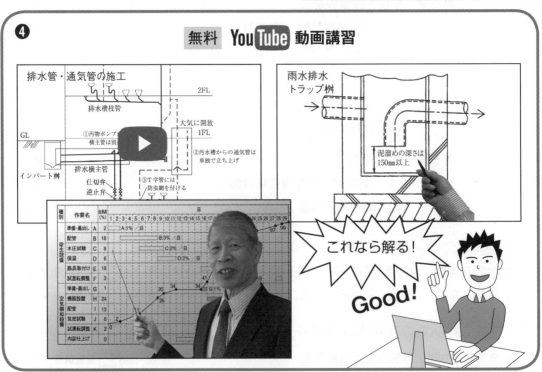

https://get-ken.jp/

GET 研究所　検索　➡　無料動画公開中 　➡　動画を選択

6日間の集中学習で完全攻略！

本書は最短の学習時間で国家資格を取得できる自己完結型の学習システムです！

本書「スーパーテキストシリーズ 分野別 問題解説集」は、本年度の第二次検定を攻略するために必要な学習項目をまとめた**虎の巻（精選模試）**と**YouTube 動画講習**を融合させた、短期間で合格力を獲得できる自己完結型の学習システムです。

**2 日間で 問題6 の施工経験記述が攻略できる！
YouTube 動画講習を活用しよう！**

YouTube 動画講習を視聴し、施工経験記述の練習を行うことにより、工事概要・工程管理・安全管理・品質管理の書き方をすべて習得できます。

**1 日間で第二次検定の要点が分かる！
最新問題の一括要約リストを利用しよう！**

最新問題の一括要約リストには、過去 10 年間の試験に出題された項目の要点がまとめられています。

2 日間で 問題1 ～ 問題5 の記述問題が攻略できる！虎の巻（精選模試）に取り組もう！

本書の虎の巻（精選模試）には、本年度の第二次検定に解答するために必要な学習項目が包括整理されています。

**1 日間で 新規出題分野 の対策ができる！
施工管理知識の学習に取り組もう！**

本書の巻末には、第二次検定の新規出題分野である施工管理知識に対応するための重要事項と演習問題が掲載されています。

令和 6 年度以降の第二次検定では、試験問題の見直しが実施されることが、試験実施団体から発表されています。受検にあたっては、本書 490 ページに掲載されている特集記事「令和 6 年度以降の試験問題の見直しについて」を必ず確認し、その内容を把握してください。

 **無料 YouTube 動画講習 受講手順**

スマホから

https://get-ken.jp/
GET研究所 検索

◀ **スマホ版無料動画コーナー QRコード**
　URL　https://get-supertext.com/
　(注意)スマートフォンでの長時間聴講は、Wi-Fi環境が整ったエリアで行いましょう。

① スマートフォンのカメラでこの
　 QRコードを撮影してください。

② 画面右上の「動画を選択」を
　 タップしてください。

③ 受講したい受検種別をタップ
　 してください。

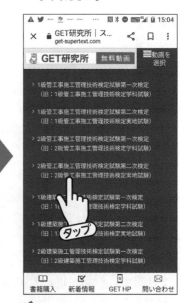

④ 受検種別に関する動画が抽出されます。

画面中央の再生ボタン
をクリックすると動画が
再生されます。

※ 動画の視聴について疑問がある場合
　 は、弊社ホームページの「よくある質問」
　 を参照し、解決できない場合は「お問い
　 合わせ」をご利用ください。

 https://get-ken.jp/

GET研究所 検索

①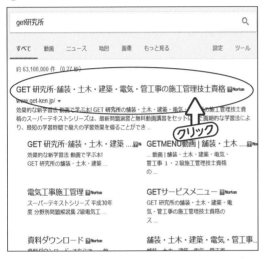

②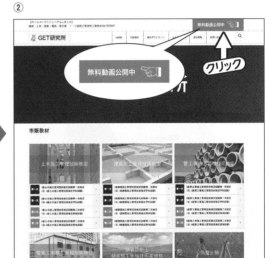

③画面右上の「動画を選択」をクリックしてください。

④受講したい受検種別をクリックしてください。

⑤受検種別に関する動画が抽出されます。

画面中央の再生ボタンをクリックすると動画が再生されます。

※動画下のYouTubeボタンをクリックすると、大きな画面で視聴できます。

２級管工事施工管理技術検定試験 受検ガイダンス

1 ２級管工事施工管理技士の資格取得までの流れ

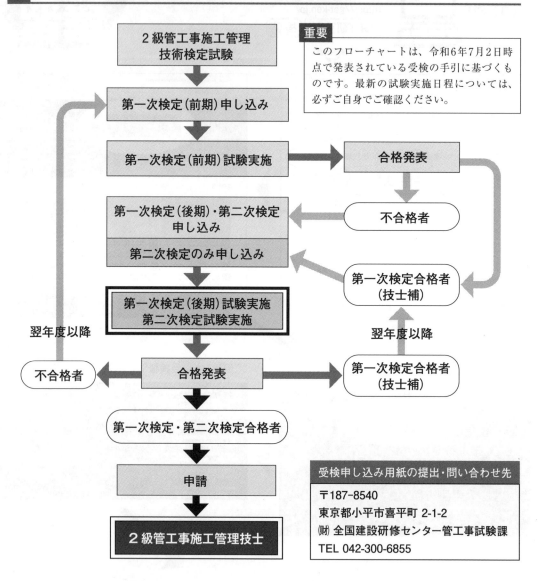

重要

このフローチャートは、令和6年7月2日時点で発表されている受検の手引に基づくものです。最新の試験実施日程については、必ずご自身でご確認ください。

```
２級管工事施工管理
技術検定試験
   ↓
第一次検定（前期）申し込み
   ↓
第一次検定（前期）試験実施 → 合格発表
                              ↓
第一次検定（後期）・第二次検定 ← 不合格者
申し込み
第二次検定のみ申し込み ← 第一次検定合格者（技士補）
   ↓
第一次検定（後期）試験実施
第二次検定試験実施
   ↓                         翌年度以降
不合格者 ← 合格発表 → 第一次検定合格者（技士補）
翌年度以降
   ↓
第一次検定・第二次検定合格者
   ↓
申請
   ↓
２級管工事施工管理技士
```

受検申し込み用紙の提出・問い合わせ先

〒187-8540
東京都小平市喜平町 2-1-2
㈶ 全国建設研修センター管工事試験課
TEL 042-300-6855

※令和6年7月2日時点で発表されている令和6年度の試験実施日程は、下記の通りです。最新の試験実施日程については、必ずご自身でご確認ください。

７月９日（火曜日）	受検申込みの受付けが開始されます。
７月23日（火曜日）	受検申込みの受付けの締切り日です。
11月17日（日曜日）	第一次検定・第二次検定が実施されます。
翌年３月５日（水曜日）	第二次検定の合格発表が行われます。

2 2級管工事施工管理技術検定試験第二次検定の概要

(1) 試験問題の構成

問題1（必須）	**設問1**	施工管理知識 ……	各種の管工事の施工管理に関する記述の正誤を判断する。
	設問2 以降	施工要領図 …	空気調和設備・給排水設備の材料・機器の取付けについて、図中の誤りを発見し、その改善策を文章で記述する。

いずれか一方を選択
問題2（選択）	空気調和設備の施工 …………	空気調和設備の加工・据付け・取付け・試運転などについて、留意事項を4つ、文章で記述する。
問題3（選択）	給排水設備の施工 ……………	給排水設備の加工・据付け・取付け・試運転などについて、留意事項を4つ、文章で記述する。

いずれか一方を選択
問題4（選択）	バーチャート工程表 ………	空気調和設備・給排水設備の施工条件から、バーチャート工程表と累積出来高曲線を作成し、工期・累積出来高・作業日程などを記入する。
問題5（選択）	労働安全衛生法 ………………	安全管理体制・架設通路・掘削勾配・酸素欠乏症などについて、労働安全衛生法に定められている数値・語句を記入する。

問題6（必須）	管工事施工経験記述 …………	あなたが経験した管工事について、安全管理・工程管理・品質管理の観点から、施工経験を記述する。

(2) 受検に向けた対策

① **問題6**の管工事施工経験記述は、必須問題である。この問題で、管工事経験がないと判断されたり、必要事項が欠落していたりした場合、**問題1**〜**問題5**が十分得点できていたとしても、第二次検定は不合格となるおそれがある。そのため、**問題6**は、最重要問題であるといえる。

② **問題1**の**設問1**の施工管理知識は、令和3年度の第二次検定からの新規出題分野である。この問題は、各種の管工事の施工管理に関する記述の正誤（○×）を判断する問題から構成されている。その出題目的は、受検者が主任技術者として、管工事の施工の管理を適確に行うために必要な知識を有することを確かめるためである。本書では、この施工管理知識に対応するための重要事項と演習問題を441ページ以降にまとめている。この問題は必須問題になるので、その内容をしっかりと理解しておく必要がある。

③ **問題1**の**設問2**以降の施工要領図は、必須問題である。この問題は、他の問題よりも配点が高いため、ここで十分な得点が取れない場合、合格は困難となる。管工事に使用する機材の用途を理解すると共に、機器の取付け方法の誤りなどを見出し、どのように修正すべきかを文章で記述できるよう、施工要領図の重点的な学習が必要となる。

> **重要**
> このページの内容は、令和5年度までの第二次検定に基づくものです。令和6年度の第二次検定では、**問題4**と**問題5**がどちらも必須問題になるなど、出題方式が変更されます。詳しくは、本書490ページの「令和6年度以降の試験問題の見直しについて」を参照してください。

3 初学者向けの標準的な学習手順

※この勉強法は、初めて第二次検定を受ける方に向けたものです。これまでに2級管工事施工管理技術検定試験第二次検定や実地試験（第二次検定の旧称）を受けたことがあるなど、既に自らの勉強法が定まっている方は、その方法を踏襲してください。しかし、この勉強法は本当に効率的なので、勉強法が定まっていない方は、活用することをお勧めします。

　本書では、第二次検定を6日間の集中学習で完全攻略することを目標にしています。各学習日の学習時間は、5時間を想定しているので、長期休暇を利用して一気に学習することを推奨しますが、毎週末に少しずつ学習することもできます。

　この学習手順は、第二次検定を初めて受検する方が、最短の学習時間で合格できるように構築されています。より詳しい学習手順については、「受検ガイダンス＆学び方講習」のYouTube動画講習を参照してください。

1日目 の学習手順（最新問題の重要ポイントを把握します）

①完全合格のための学習法（YouTube動画講習）を視聴してください。

②本書11ページに掲載されている「最新問題の一括要約リスト」を熟読してください。

2日目 の学習手順（新規出題分野である施工管理知識を集中学習します）

①施工管理知識の総まとめ（YouTube動画講習）を視聴してください。

②「虎の巻」解説講習（YouTube動画講習）の 問題1 の 設問1 を視聴してください。

③虎の巻（精選模試）第一巻及び第二巻の 問題1 の 設問1 を学習してください。

④本書443ページに掲載されている「施工管理知識の重要事項」を熟読してください。

⑤本書452ページに掲載されている「施工管理知識の演習問題」に取り組んでください。

3日目 の学習手順（施工要領図を集中学習します）

①施工要領図の読み方講習（YouTube動画講習）を視聴してください。

②「虎の巻」解説講習（YouTube動画講習）の 問題1 の 設問2 以降を視聴してください。

③虎の巻（精選模試）第一巻及び第二巻の 問題1 の 設問2 以降を学習してください。

④本書第Ⅱ編の第1章「施工要領図」を学習してください。

4日目 の学習手順（第二次検定の選択問題を集中学習します）

① 問題2 ～ 問題5 の選択問題のうち、学習する2つの問題を選択してください。

②「虎の巻」解説講習（YouTube動画講習）の 問題2 ～ 問題5 （選択した問題のみ）を視聴してください。

③虎の巻（精選模試）第一巻及び第二巻の 問題2 ～ 問題5 （選択した問題のみ）を学習してください。

④本書第Ⅱ編の第2章～第5章（選択した分野のみ）を学習してください。

※ 問題4 と 問題5 は、令和6年度は必須問題となる可能性があります。（両方学習することを推奨します）

5日目 の学習手順（施工経験記述を書くための準備をします）

①施工経験記述の考え方・書き方講習（YouTube動画講習）を視聴してください。

②第Ⅰ編「管工事施工経験記述講座」を通読し、だいたいの内容を把握してください。

③試験問題の見直しについて（YouTube動画講習）を視聴してください。

④あなたが記述する工事について、施工管理に関する資料を収集・整理してください。

6日目 の学習手順（施工経験記述を実際に書いてみます）

①本書426ページと437ページの解答欄に、あなたの施工経験記述を書き込んでください。

②本書492ページ～502ページの「施工経験記述の予想問題」に取り組んでください。

4 学習手順の補足

①この学習手順では、6日間のうち、問題6の施工経験記述には2日間を費やしています。毎年度の試験の傾向から見ると、問題6で不合格と判定された場合、他の問題は採点されないおそれがあるからです。問題6の施工経験記述は、それだけ重要なのです。

②4日目の学習手順では、問題2または問題3の「動画講習視聴→虎の巻学習→本編学習」を行ってから、問題4または問題5の「動画講習視聴→虎の巻学習→本編学習」を行うと、分野別に学習を進めることができるので、より効果的です。学習する問題は、空気調和設備工事を専門とする方は問題2を、給排水設備工事を専門とする方は問題3を、計算が得意な方は問題4を、暗記が得意な方は問題5を選択することをお勧めします。ただし、問題4と問題5については、令和6年度の試験ではその両方が必須問題となる可能性があるので、問題4と問題5はどちらも学習することを推奨します。

③2日目〜4日目の学習手順②・③では、「虎の巻」解説講習（YouTube動画講習）を見てから、虎の巻（精選模試）を学習することになっていますが、この方法では、虎の巻（精選模試）を自らの力だけで解いてみる前に、その答えが分かってしまいます。これを避けたいと思う方は、動画を見る前に、自らの力だけで虎の巻（精選模試）に挑戦してみるという学習方法も考えられます。こちらの方法は、何度か第二次検定や実地試験（第二次検定の旧称）を受けたことがあるなど、既に学習経験のある方にお勧めです。

5 最新問題の一括要約リスト

　本書の11ページ〜19ページでは、平成26年度以降に出題された問題1〜問題5の全問題について、その要点を集約しています。これを数回通読すると、学習をより確かなものにすることができます。「最新問題の一括要約リスト」は、YouTube動画講習（完全合格のための学習法）としても提供しているため、手元にスマートフォンなどがあれば、ちょっとした隙間時間（通勤電車の中や休憩時間など）にも、効率よく学習を進めてゆくことができます。

6 超特急コースの学習手順

　この学習手順は、6日間の学習時間を取ることができない受検者のために、標準的な学習手順を3日間に短縮したものです。1日あたりの学習にかかる時間についても、標準的な学習手順よりも短めになっています。この学習手順では、本書の「最新問題の一括要約リスト」と第二次検定の要点だけに絞り込んで学習を進めていきます。

1日目の学習手順（施工経験記述を1日で学習します）
①試験問題の見直しについて（YouTube動画講習）を視聴してください。
②本書の426ページに掲載されている虎の巻（精選模試）第一巻の問題6を学習してください。
③本書の437ページに掲載されている虎の巻（精選模試）第二巻の問題6を学習してください。

2日目の学習手順（最も重要度の高い問題だけを学習します）
①虎の巻（精選模試）第一巻の問題1を学習してください。
②問題2〜問題5の選択問題のうち、学習する2つの問題を選択してください。
③虎の巻（精選模試）第一巻の問題2〜問題5（選択した問題のみ）を学習してください。
④「虎の巻」解説講習（YouTube動画講習）を視聴してください。
※問題4と問題5は、令和6年度は必須問題となる可能性があります。（両方学習することを推奨します）

3日目の学習手順（第二次検定の要点だけを一読しておきます）
①本書11ページに掲載されている「最新問題の一括要約リスト」を一読してください。
②本書443ページに掲載されている「施工管理知識の重要事項」の最重要事項を一読してください。

7 「 無料 You Tube 動画講習」の活用

　本書の学習を始める前に、 無料 **YouTube** 動画講習 を視聴して学習の要点を把握すると、理解力を高めることができます。是非ご活用ください。本書は、書籍と動画講習の2本柱で学習を行えるようになっています。

GET研究所の動画サポートシステム

書籍	無料 You Tube 動画講習
受検ガイダンス	受検ガイダンス＆学び方講習 無料 You Tube 動画講習
最新問題の一括要約リスト	完全合格のための学習法 無料 You Tube 動画講習
施工経験記述	施工経験記述の考え方・書き方講習 無料 You Tube 動画講習
施工要領図 空気調和設備の施工 給排水設備の施工 工程管理 管工事法規	施工要領図の読み方講習 無料 You Tube 動画講習
虎の巻（精選模試）	「虎の巻」解説講習 無料 You Tube 動画講習
第二次検定の新規出題分野	施工管理知識の総まとめ 試験問題の見直しについて 無料 You Tube 動画講習

※この表は、「書籍」に記載されている各学習項目（左欄）に対応する「動画講習」のタイトル（右欄）を示すものです。

　無料 **You Tube** 動画講習 は、GET研究所ホームページから視聴できます。

https://get-ken.jp/

GET研究所 (検 索) ➡ 無料動画公開中 ➡ 動画を選択

最新問題の一括要約リスト

２級管工事施工管理技術検定試験第二次検定
完全合格のための学習法

この学習法で一発合格を手にしよう！

　「最新問題の一括要約リスト」は、令和5年度から平成26年度までの10回の第二次検定および実地試験（第二次検定の旧称）に出題された 問題1 ～ 問題5 について、その問題を解くために最低限必要な事項だけを徹底的に集約したものです。2級管工事施工管理技術検定試験では、過去問題から繰り返して出題されている問題が多いので、このリストを覚えておくだけでも一定の学習効果が期待できます。また、このリストを本書の最新問題解説と照らし合わせながら学習を進めることで、短時間で効率よく実力を身につけることができるようになっています。

　 問題6 の施工経験記述については、受検者自身の管工事の経験に基づく解答を求めるものであり、参考書などに書かれている解答例の丸写しは認められていないため、「最新問題の一括要約リスト」には記載がありません。施工経験記述の学習方法については、本書の20ページに掲載されている「管工事施工経験記述講座」を参照してください。

　このリストに付随する無料動画「完全合格のための学習法」では、このリストの活用法や着目ポイントについての解説を行っています。

← スマホ版無料動画コーナー QRコード
URL　https://get-supertext.com/
（注意）スマートフォンでの長時間聴講は、Wi-Fi 環境が整ったエリアで行いましょう。

「完全合格のための学習法」の動画講習を、GET 研究所ホームページから視聴できます。
https://get-ken.jp/

GET 研究所　検 索 ➡ 無料動画公開中 ➡ 動画を選択

２級管工事施工管理技術検定試験第二次検定　最新問題の一括要約リスト

※ここに書かれている内容は、解答の要点をできる限り短縮してまとめたものなので、一部の表現が必ずしも正確ではない可能性（前提条件や例外規定を省略しているなど）があります。詳細な解説については、本書の当該年度の最新問題解説を参照してください。

問題1　施工要領図

主として施工要領図の問題点または改善策を指摘する問題が出題される。

令和5年度	設問1	(1)	コーナーボルト工法の板厚は、アングルフランジ工法と**同じ**にする。
		(2)	温水配管の熱収縮を吸収するために、**スイベルジョイント**を使用する。
		(3)	洗面器のバックハンガーは、軽量鉄骨ボード壁の**下地材**に取り付ける。
		(4)	風量測定口は、送風機の吐出し口から**離れた位置**に取り付ける。
		(5)	排水用硬質塩ビライニング鋼管は、**排水鋼管用可とう継手**で接続する。
	設問2	(6)	ドレンアップ配管は、排水の流入を防ぐため、ドレン管の**上方**に繋ぐ。
		(7)	通気管は、排水の流入を防ぐため、**垂直または斜め上**（鋭角）に取り出す。
		(8)	給水管は、他の配管に荷重を掛けないよう、**天井から直接**吊り下げる。
		(9)	立て管（保温筒）のテープは、水みちを防ぐため、**下方から上方**に巻く。
令和4年度	設問1	(1)	縦横比が大きい自立機器の頂部支持材の取付けは、**2箇所以上**とする。
		(2)	汚水槽の通気管は、他の排水系統の通気管を**介さずに大気に開放**する。
		(3)	パイプカッターは、管径が**小さい**銅管・ステンレス鋼管を切断できる。
		(4)	送風機のたわみ継手の両端のフランジ間隔は、**150mm以上**とする。
		(5)	長方形ダクトの角の継目（はぜ）は、強度を保つため、**2箇所以上**とする。
	設問2	(6)	送風機の風量調節ダンパーは、ダクトの拡大部よりも**下流側**に設ける。
		(7)	空気調和機の屋外機の吸排気口の周囲には、**十分な空間を確保**する。
	設問3	(8)	給水管をT字分岐させると、分岐点に渦が生じて**流れが妨げられる**。
			ループ通気管は、器具の**利用者の邪魔にならない位置**から立ち上げる。
令和3年度	設問1	(1)	アンカーボルト頂部のねじ山は、ナットから**3山程度**出る長さとする。
		(2)	硬質ポリ塩化ビニル管は、**受口側と差口側の両方**に接着剤を塗布する。
		(3)	鋼管のねじ加工の検査では、テーパねじリングゲージを**手で締め込む**。
		(4)	ダクトの断面寸法を小さくすると、必要となる送風動力は**大きくなる**。
		(5)	吐出口近くのダクトの曲がりは、送風機の回転方法と**同じ方向**とする。
	設問2	(6)	天井設置の空気調和機は、**上階の床スラブから吊りボルトで支持**する。
		(7)	通気管と外気口との離隔は、**水平3m以上**又は**垂直0.6m以上**とする。
		(8)	最初に締め付けたボルトの次に、**対角方向にあるボルト**を締め付ける。
	設問3	(9)	オーバーフロー管の排水口空間の必要最小寸法は、**150mm**である。

令和2年度	設問1	(1)	つば付き鋼管スリーブは、配管の**貫通部における水密性を確保**する。
		(2)	合成樹脂製支持受け付きUバンドは、**冷温水配管の結露を防止**する。
	設問2	(3)	汚水桝には、**インバート**(誘導水路)を設ける。(泥溜めは設けない)
		(4)	排気チャンバーの底部には、外壁側に向かって**下り勾配**を付ける。
		(5)	外径9.52mm以下の冷媒管の吊りボルト間隔は、**1500mm以下**とする。
令和元年度	設問1	(1)	加工ねじの管端面が、リングゲージの**切欠きの間にあれば合格**となる。
	設問2	(2)	送風機の回転方向は、ダクトの屈曲部における**風の流れと一致**させる。
		(3)	保温施工のテープは、テープ幅の半分を重ねて、**下方から上方**に巻く。
		(4)	汚水桝のインバートの屈曲半径は、汚水管の管径よりも**大きくする**。
		(5)	水飲み器からの排水管と水受け容器の間には、**排水口空間を確保**する。
平成30年度	設問1	(1)	**ねじ込み式排水管継手は、排水用鋼管のねじ接合**に用いられる。
	設問2	(2)	一方の板金だけを折り曲げるはぜを、**ピッツバーグはぜ**という。
			板金の凸部に引っ掛けるはぜを、**ボタンパンチスナップはぜ**という。
		(3)	冷媒管を支持金具で吊る部分には、**断熱粘着テープを二層巻き**する。
	設問3	(4)	ドラムトラップは、**管トラップ排水管の接合点よりも上流側**に設ける。
		(5)	通気管末端から外気取入れ口までの**水平距離は、3.0m以上**とする。
平成29年度	設問1	(1)	給気口と排気ファンによる換気は、**第3種機械換気方式**である。
	設問2	(2)	フレキシブルジョイントは、**屋外埋設配管の建物導入部**で使用される。
	設問3	(3)	ポンプ吸込み管の水平部には、ポンプに向かって**上り勾配**を付ける。
		(4)	汚水桝には、**インバート**(誘導水路)を設ける。(泥溜めは設けない)
		(5)	ループ通気管は、最上流の洋風便器の**下流側**(直後)から立ち上げる。
平成28年度	設問1	(1)	つば付き鋼管スリーブは、**特に水密を要する貫通部**で使用される。
		(2)	フート弁は、排水中の**異物除去**および**逆流防止**のために使用される。
	設問2	(3)	給水管をT字分岐させると、**分岐点に渦が生じて流れが妨げ**られる。
		(4)	給水管から別の給水管を吊ると、荷重により上側の**給水管が破損**する。
		(5)	防火ダンパーに吊りボルトが設けられていないと、**火災時に脱落**する。
平成27年度	設問1	(1)	排水管のねじ込み式継手には、**リセスと肩**を設けて、勾配を付ける。
		(2)	冷温水管の鋼製吊り金物は、**ロックウール**などで保温する。
		(3)	ドロップ桝の流入管と流出管は、**連結**させる。(桝内で開放しない)
		(4)	Y形ストレーナーの流入口は、**上流側に向けて**取り付ける。
		(5)	ループ通気管は、**最上流の器具のあふれ縁から150mm以上**立ち上げる。

平成26年度	設問1	(1)	通気管は、**斜め上に向かって取り出す。**（水平方向には取り出さない）
		(2)	グリストラップの流出管の先端には、**T字管を取り付ける。**
		(3)	防火区画を貫通する配管は、**貫通部とその前後を断熱材で被覆**する。
		(4)	防振吊り金具の防振ゴムの下に、**ナットを取り付けてはならない。**
		(5)	テーパねじの管端は、ねじゲージの**切欠きの間**に来るようにする。

※令和5年度〜令和3年度の第二次検定では、**問題1**の**設問1**は、施工要領図に関する問題ではなく、施工管理知識に関する問題（各種の管工事の施工管理に関する記述の正誤を判断する問題）が出題されています。令和6年度の第二次検定においても、このような出題が継続されると考えられます。この施工管理知識に関する問題に対応するための重要事項と演習問題は、本書の441ページに掲載されています。

問題2　空気調和設備の施工

主として空気調和設備の施工上の留意事項を記述する問題が出題される。

	機器（出題内容）	**空気調和機と全熱交換ユニット（設置上の留意事項）**
令和5年度	(1) 冷媒銅管の吊り	吊り金物の間隔は、管径9.52mm以下なら**1.5m以下**とする。
	(2) 配管後の試験	冷媒管を加圧し、**24時間後**も圧力低下がないことを確認する。
	(3) 給排気ダクト	外部に向かって**下り勾配**で施工し、隙間を不燃材料で埋める。
	(4) 外壁の給排気口	雨水の浸入を防ぐため、ガラリに**ベンドキャップ**を設ける。
	機器（出題内容）	**換気設備のスパイラルダクト（施工上の留意事項）**
令和4年度	(1) 接続（差込接合）	差込長さ以上の長さを、ダクト用テープで**二重巻き**する。
	(2) 吊り又は支持	吊り間隔は**4m以下**、振止め支持の間隔は**12m以下**とする。
	(3) 風量調節ダンパ	ハンドルが**操作しやすく**、開度の指標が**見やすい**ようにする。
	(4) 防火区画貫通部	防火区画貫通部とダクトとの隙間に、**不燃材料を充填**する。
	機器（出題内容）	**空気調和機の冷媒管（施工上の留意事項）**
令和3年度	(1) 銅管の切断	**銅管用パイプカッター**などで、管軸に対して**直角**に切断する。
	(2) 銅管の曲げ加工	**ベンダー**による曲げでは、曲げ半径は管径の**4倍以上**とする。
	(3) 銅管の差込接合	管内の酸化防止のため、**不活性ガス**を流しながら接合する。
	(4) 銅管の気密試験	設計圧力以上で**24時間**が経過後、圧力低下なしを確認する。
	機器（出題内容）	**床置きのパッケージ形空気調和機（施工上の留意事項）**
令和2年度	(1) 屋内機の配置	屋内機の前面に、**1m程度**の保守スペースを確保する。
	(2) 屋内機の基礎	基礎の高さは**150mm程度**とし、屋内機は水平に固定する。
	(3) ドレン配管	**機内静圧相当以上**の封水深さを持つ排水トラップを設ける。
	(4) 屋外機の配置	空気の吸込み面や吹出し面は、季節風の方向に**正対させない。**

		機器(出題内容)	換気設備のダクト(施工上の留意事項)
令和 元年度	(1)	コーナーボルト	四隅をボルトとナットで締め、押さえ金具で接合する。
	(2)	拡大部・縮小部	拡大部の傾斜は **15 度以内**、縮小部の傾斜は **30 度以内**とする。
	(3)	風量調整ダンパ	エルボ部からダクト幅の **8 倍以上離れた**直線部分に設ける。
	(4)	天井面の吹出口	吹出口上端と天井面との垂直距離は、**150㎜以上**とする。
		機器(出題内容)	空調用渦巻ポンプ(施工上の留意事項)
平成 30 年度	(1)	ポンプの配置	空調用渦巻ポンプの周囲に、**保守点検用の空間**を確保する。
	(2)	ポンプの基礎	コンクリートの打設後、**10 日以上養生**してから据え付ける。
	(3)	設置レベル調整	ポンプとモーターの軸をカップリングで**一致させる**。
	(4)	アンカーボルト	**ダブルナット**の頂部に、ねじ山が **3 山程度出る**ようにする。
		機器(出題内容)	多翼送風機(施工上の留意事項)
平成 29 年度	(1)	据付けに関する 留意事項	多翼送風機の周囲に、**保守点検用の空間**を確保する。
	(2)		多翼送風機の据付け後に、**再心出し**を行って確認する。
	(3)		V ベルトの張りは、電動機の**スライドベース上**で調整する。
	(4)		V ベルトの引張り側が**下側**となるように電動機を配置する。
		機器(出題内容)	パッケージ形空気調和機(施工上の留意事項)
平成 28 年度	(1)	ドレン配管に関 する留意事項	ドレン管は、**トラップを介して**雑排水管に接続する。
	(2)		天井ユニット方式の場合は、**ドレンアップ**可能な方式とする。
	(3)		空気調和機の**機内静圧**に相当する排水トラップを設ける。
	(4)		排水トラップの封水が切れた場合に、**注水できる**構造とする。
		機器(出題内容)	パッケージ形空気調和機(施工上の留意事項)
平成 27 年度	(1)	据付けに関する 留意事項	防振ゴムパッドを敷いた上に、**水平に**据え付ける。
	(2)		屋外機の騒音対策として、**防音壁**を設置する。
	(3)		季節風が吹いてくる方向には、屋外機の**側面**を正対させる。
	(4)		ショートサーキットを防止するための**空間を確保**する。
		機器(出題内容)	空調用渦巻ポンプ(単体試運転の留意事項)
平成 26 年度	(1)	単体試運転に関 する留意事項	定規などを用いて、**カップリングの水平度**を確認する。
	(2)		弁を**閉じた**状態で起動し、徐々に弁を**開いて**水量を調整する。
	(3)		グランドパッキンからの**漏水がある**ことを確認する。
	(4)		メカニカルシールからの**漏水がほぼない**ことを確認する。

問題3　給排水設備の施工

主として給排水設備の施工上の留意事項を記述する問題が出題される。

		機器（出題内容）	硬質ポリ塩化ビニル製の排水管（屋内施工の留意事項）
令和 5年度	(1)	管の切断	発熱が少ない帯鋸盤などで、管軸に対して**直角**に切断する。
	(2)	管の接着接合	差込み後の保持時間は、呼び径65以上なら**60秒以上**とする。
	(3)	勾配又は吊り	横走り管の吊り間隔は、呼び径80以下なら**1.0m以下**とする。
	(4)	配管後の試験	管を満水にし、**30分が経過後**も減水がないことを確認する。
		機器（出題内容）	水道用硬質ポリ塩化ビニル製の給水管（屋外埋設の留意事項）
令和 4年度	(1)	管の埋設深さ	車両道路では**600mm以上**、それ以外では**300mm以上**とする。
	(2)	排水管との離隔	給水管と排水管との水平実間隔は、**500mm以上**とする。
	(3)	水圧試験	埋戻しの前に、1.75MPaの試験水圧を**1分間**保持して行う。
	(4)	管の埋戻し	管に偏土圧がかからないよう、**左右対称**に薄層で埋め戻す。
		機器（出題内容）	屋外壁掛け形のガス瞬間湯沸器（設置上の留意事項）
令和 3年度	(1)	湯沸器の配置	開口部との離隔は、上面**30cm以上**、側面**15cm以上**とする。
	(2)	湯沸器の据付け	**2本以上**のアンカー又は**4本以上**の木ねじで躯体に緊結する。
	(3)	給湯管の敷設	下向き供給方式の給湯管・返湯管は、共に**先下り勾配**とする。
	(4)	試運転調整	湯沸器のガス配管の**空気抜き**を行い、ガス圧の調整を行う。
		機器（出題内容）	硬質ポリ塩化ビニル製の排水管（屋外埋設の留意事項）
令和 2年度	(1)	管の切断	帯鋸盤などを用いて、管軸に対して**直角**に切断する。
	(2)	管の接着接合	配管の**受口側と差口側の両方**に、接着剤を均一に塗布する。
	(3)	埋設配管の敷設	給水管から**500mm以上**離し、給水管の**下**に敷設する。
	(4)	埋戻し	偏土圧がかからないよう、管の両側から**左右対称**に埋め戻す。
		機器（出題内容）	車椅子使用者用洗面器（設置上の留意事項）
令和 元年度	(1)	設置高さ	床面から洗面器下端までの垂直距離を**65cm程度**とする。
	(2)	取付け	軽量鉄骨ボード壁の**補強部材**に、バックハンガーを固定する。
	(3)	排水管との接続	洗面器と排水管との接合部には、**シール材**を用いる。
	(4)	器具の調整	設置後に位置を調整するときは、**ルーズホール**を利用する。
		機器（出題内容）	水道用硬質塩化ビニルライニング鋼管（施工上の留意事項）
平成 30年度	(1)	管の切断	帯鋸・丸鋸などを用いて、管軸に対して**直角**に切断する。
	(2)	ねじ加工	ねじの管端が、リングゲージの**切欠きの間**に来るようにする。
	(3)	管継手	接合部の腐食を防止するため、**管端防食継手**を使用する。
	(4)	ねじ込み	ペーストシール剤を使う場合は、**硬化前**にねじ込みを行う。

		機器(出題内容)	硬質塩化ビニル管による排水管(施工上の留意事項)
平成 29年度	(1)	施工に関する留意事項	目の細かい鋸を用いて、管軸に対して**直角**に切断する。
	(2)		切断面に生じたバリは、スクレーパーで**平滑**に仕上げる。
	(3)		管径に応じて、1/50以上〜1/200以上の**勾配**を付ける。
	(4)		管径に応じて、15m以内〜30m以内ごとに**掃除口**を設ける。
		機器(出題内容)	洗面器・手洗器(設置上の留意事項)
平成 28年度	(1)	据付けに関する留意事項	給水栓は、壁面の手前端から**30cm**程度の位置に取り付ける。
	(2)		軽量鉄骨ボード壁の**補強部材**に、バックハンガーを固定する。
	(3)		洗面器と排水管との接合部には、**シール材**を用いる。
	(4)		設置後に位置を調整するときは、**ルーズホール**を利用する。
		機器(出題内容)	敷地内に埋設する給水管(施工上の留意事項)
平成 27年度	(1)	埋設管に関する留意事項	給水管の上端から地面までの垂直距離を、**30m以上**とする。
	(2)		排水管との交差部では、給水管を排水管よりも**上**に埋設する。
	(3)		給水管を埋め戻す前に、区画ごとに**水圧試験**を行う。
	(4)		給水管を埋め戻すときは、山砂などの**良質土**を用いる。
		機器(出題内容)	屋外排水設備(施工上の留意事項)
平成 26年度	(1)	桝の施工に関する留意事項	屋外排水管の**方向変換箇所**には、原則として、桝を設ける。
	(2)		直管部には、管径の**120倍以下**の間隔ごとに排水桝を設ける。
	(3)		汚水が流入する桝は、臭気を遮断するため、**密閉構造**とする。
	(4)		排水管と雨水管との接続は、**トラップ桝**を介して行う。

主としてバーチャート工程表と累積出来高曲線の作成と読解に関する問題が出題される。また、工程管理に使用する工程表の名称や特徴などを記述する問題が出題される。

出題内容	解答のポイント	出題年度
空調設備工事の作業順	準備➡墨出し➡基礎打設➡屋外機設置➡屋内機設置➡配管➡試験➡保温➡器具取付け➡試運転調整 ※この作業順に例外がある場合は、問題文中に明記されている。	R 5～R元、H29、H27（7回）
衛生設備工事の作業順	準備➡墨出し➡配管➡試験➡保温➡建築仕上げ➡器具取付け➡試運転調整 ※この作業順に例外がある場合は、問題文中に明記されている。	R元、H30、H28、H26（4回）
バーチャート工程表の作成・読解	①各作業の作業順・作業日数・施工条件を確認する。 ②どの作業を何日目に行うかを確定させて工期を求める。 ③バーチャート工程表の該当する部分に横線を記入する。	R 5～H26（10回）
累積出来高曲線の作成・読解	①「各作業の1日あたり出来高＝工事比率÷作業日数」である。 ②累積出来高は、その日までの出来高を合計したものである。 ③バーチャート工程表に、各作業日の累積出来高を記入する。	R 5～H26（10回）
作業日程の変更	並行作業の可否などの施工条件の変更により、各作業の開始日・終了日が変更された場合は、バーチャート工程表を再作成し、各作業の開始日・工期・各作業日の累積出来高を再計算する。	R 5～R元、H29（6回）
工程表の名称	横軸に各作業の達成度をとり、各作業の現在の進行状況を示す工程表を、ガントチャート工程表という。	H28、H26（2回）
曲線式工程表の別名	①累積出来高曲線は、その形状から、S字曲線とも呼ばれる。 ②許容限界曲線を用いた工程表は、バナナ曲線とも呼ばれる。	R 4、H28、H26（3回）
バーチャート工程表の特徴	工期に影響する重点管理作業が不明であり、作業の相互関係が漠然としか分からないため、作業日程変更への対応が難しい。	H29（1回）
ネットワーク工程表の特徴	工期に影響する重点管理作業が判明するため、工程が遅れたときに、どの作業を何日短縮すべきかが明確になる。	H27（1回）
タクト工程表の特徴	①各階の工程を、一繋ぎの実線(作業日)と点線(休止日)で表す。 ②各階で同一作業が繰り返される工事(高層建築物)に適している。 ③適切に使用すると、工程短縮・品質向上を図ることができる。	R 3、H30、（2回）

※令和5年度～令和2年度の第二次検定や実地試験では、令和元年度以前の実地試験とは異なり、バーチャート工程表や累積出来高曲線の作成そのものは、採点対象外となっている。

主として労働安全衛生法とその関係法規の条文について、空欄を埋める問題が出題される。

出題内容	解答のポイント	出題年度
安全管理体制	10人以上50人未満の事業場には、安全衛生推進者を選任する。	H29、H26
	安全衛生推進者は、都道府県労働局長の登録講習修了者とする。	R 3
	安全衛生推進者は、選任事由発生日から14日以内に選任する。	R 3

出題内容	解答のポイント	出題年度
作業主任者の選任	高さが5m以上の足場の組立には、**作業主任者**を選任する。	R元
	高さが2m以上の地山の掘削には、**作業主任者**を選任する。	H29、H27
	型枠支保工の組立や解体には、**作業主任者**を選任する。	H28、H26
技能講習	3t以上の油圧ショベルによる掘削は、**技能講習修了者**が行う。	R4
	1t以上の移動式クレーンの運転者は、**技能講習修了者**とする。	H27
	10m以上の高所作業車の運転者は、**技能講習修了者**とする。	H26
特別の教育	1t未満の移動式クレーンの運転者には、**特別の教育**を行う。	R元
	石綿等の解体作業に係る労働者には、**特別の教育**を行う。	H28
職長教育	職務に就く**職長**（作業主任者を除く）には、安全衛生教育を行う。	R3
年少者の就業制限	**18歳未満**の者は、クレーンの運転業務に就かせてはならない。	R4
	18歳未満の者は、高さが**5m以上**の場所に就かせてはならない。	R4
届出	小型ボイラー設置報告書は、**労働基準監督署長**に提出する。	R2
高所作業	高さが**2m以上**の作業場所では、危険防止設備が必要になる。	R3、H30、H28
	高さが**2m以上**の箇所での作業では、必要な照度を保持する。	H27
	高さまたは深さが**1.5mを超える**箇所には、昇降設備を設ける。	R3
	作業床の幅は**40cm以上**、床材間の隙間は3cm以下とする。	R4
	作業床の床材と建地との隙間は、**12cm未満**とする。	R2
脚立	脚立の脚と水平面との角度は、**75度以下**とする。	R元、H29
移動はしご	移動はしごを使用するときは、**すべり止め装置**を取り付ける。	H30
	移動はしごの幅は、**30cm以上**とする。	H26
架設通路	勾配は、階段を設けたものなどを除き、**30度以下**とする。	R5、R元、H29、H27
	高さ**2m未満**で手掛を設けたものは、上記の「など」に該当する。	R5
	勾配が**15度**を超える架設通路には、滑止めを設ける。	R元
屋内通路	作業場には、安全な**通路**を設け、これを常時有効に**保持**する。	R5
	通路面から**1.8m以内**の高さに、障害物を置いてはならない。	H30、H27
地山掘削	砂の地山では、勾配を**35度以下**または高さを5m未満とする。	H30、H26
建設機械	移動式クレーン検査証の有効期間は、**2年**とする。	R2
	移動式クレーン検査証は、**当該移動式クレーン**に備え付ける。	R2
	移動式クレーンには、**定格荷重**を表示する。	H29
	油圧ショベルでの吊上げは、**移動式クレーンの有資格者**が行う。	R4
	転落のおそれがあるときは、**誘導者**を配置する。	H28
作業環境	回転刃に手が巻き込まれやすい作業では、**手袋**を使用させない。	R5
	強烈な光線を発散するアーク溶接の場所には、**保護具**を備える。	R2
	高温多湿作業場所では、**熱中症**予防に努める。	H30
	金属の溶接作業に使うガス容器の温度は、**40度以下**に保つ。	H28

第Ⅰ編

管工事施工経験記述講座

1　施工経験記述の分析
2　施工経験記述の考え方・書き方
3　最新問題解説

施工経験記述の考え方・書き方講習

無料 You Tube 動画講習

←スマホ版無料動画コーナー QRコード
URL　https://get-supertext.com/
(注意)スマートフォンでの長時間聴講は、Wi-Fi環境が整ったエリアで行いましょう。

「施工経験記述の考え方・書き方講習」の動画講習を、GET研究所ホームページから視聴できます。
https://get-ken.jp/
GET研究所 | 検索 ➡ 無料動画公開中 ☞ ➡ 動画を選択 ☞

　２級管工事の施工経験記述は、過去10年間の試験では、３種類(工程管理・安全管理・品質管理)の出題テーマのうち、２種類が出題されています。施工経験記述は、無料 You Tube 動画講習 で考え方・書き方を見れば、誰にでもすぐに理解でき、記述できるようになります。

※令和6年度については、試験制度が大幅に変更されることが発表されているため、施工経験記述の解答を事前に準備しておくことができません。そのため、前年度以前に実施されていた施工経験記述添削講座は休止し、その代替として施工経験記述予想問題の採点講座を開催します。試験制度の変更の詳細については、本書の490ページに掲載されている特集記事「令和6年度以降の試験問題の見直しについて」を参照してください。

1 施工経験記述の分析

① 最新 10 年間の出題分析表

出題テーマ	令和 5	令和 4	令和 3	令和 2	令和元	平成 30	平成 29	平成 28	平成 27	平成 26
工程管理		◯	◯		◯	◯	◯		◯	
安全管理	◯		◯	◯		◯		◯		◯
品質管理	◯	◯		◯	◯		◯	◯	◯	◯

② 施工経験記述の内容

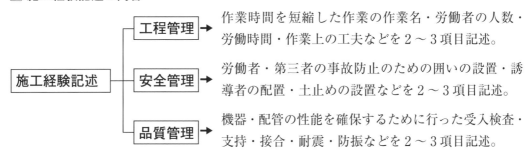

施工経験記述 ── 工程管理 → 作業時間を短縮した作業の作業名・労働者の人数・労働時間・作業上の工夫などを 2 ～ 3 項目記述。

── 安全管理 → 労働者・第三者の事故防止のための囲いの設置・誘導者の配置・土止めの設置などを 2 ～ 3 項目記述。

── 品質管理 → 機器・配管の性能を確保するために行った受入検査・支持・接合・耐震・防振などを 2 ～ 3 項目記述。

③ 出題のポイント

　過去 10 年間の出題テーマは、ほぼ規則正しく「工程管理」「安全管理」「品質管理」が繰り返されています。そのため、上表を見た限りでは、今年度は「工程管理」と「安全管理」が出題されると思われがちです。しかし、近年の施工管理技術検定試験では、この規則から外れることも多くなっています。したがって、「工程管理」「安全管理」「品質管理」のすべての施工経験記述に対応できるよう、準備する必要があります。

④ 令和 6 年度以降の試験問題の見直しについて

　令和 6 年度以降の第二次検定では、「受検者自身の経験に基づかない解答を防ぐ観点から、経験に基づく解答を求める設問をとりやめ、空調・衛生の施工に関する選択問題において、経験で得られた知識・知見を幅広い視点から確認するものとして見直しを行う」ことが試験実施団体から発表されています。そのため、令和 5 年度以前の第二次検定における 問題 6「施工経験記述」（経験に基づく解答を求める設問）に相当する問題は、令和 6 年度以降の第二次検定では廃止となる可能性があります。その場合は、問題 2「空気調和設備の施工」または 問題 3「給排水設備の施工」が、受検者自身の経験に基づく解答を求める内容の問題に改変されると思われます。詳しくは、本書の 490 ページに掲載されている特集記事「令和 6 年度以降の試験問題の見直しについて」を参照してください。

2 施工経験記述の考え方・書き方

2-1 出題形式（これまでの試験における出題形式）

① 設問1 は各1行で記述する。(1)・(3)は、はみ出しやすいので、必要なら小さい文字で記述してよい。なお、(3)設備工事概要は、年度によっては1行になっている場合もある。

② 設問2 、 設問3 は5行の場合と4行の場合があるので、行数に応じて最後まで文章を書き込み、空白行はできるだけ残さない。とった措置を2～3項目、箇条書きで記述する。

A , B には、**工程**、**安全**、**品質**のいずれかが入る。

| 問題6 | あなたが経験した**管工事**のうちから、**代表的な工事**を1つ選び、次の 設問1 ～ 設問3 の答えを解答欄に記述しなさい。 |

設問1 その工事につき、次の事項について記述しなさい。

(1) **工事名**
(2) **工事場所**
(3) **設備工事概要**

(4) **現場でのあなたの立場又は役割**

設問2 上記工事を施工するにあたり、A ____ 管理上、あなたが**特に重要**と考えた事項を解答欄の(1)に記述しなさい。また、それについて**とった措置又は対策**を解答欄の(2)に簡潔に記述しなさい。

(1) **特に重要と考えた事項**

(2) **とった措置又は対策**

設問3 上記工事を施工するにあたり、B ____ 管理上、あなたが**特に重要**と考えた事項を解答欄の(1)に記述しなさい。また、それについて**とった措置又は対策**を解答欄の(2)に簡潔に記述しなさい。

(1) **特に重要と考えた事項**

(2) **とった措置又は対策**

| 記入上の注意 | 設問2 の「**とった措置又は対策**」は、①, ②又は①, ②, ③として箇条書きにする。
 設問3 の「**とった措置又は対策**」は、①, ②又は①, ②, ③として箇条書きにする。 |

2-2 　設問 1 の考え方・書き方

1　工事名の書き方

　まず、記述しようとする、あなたが経験した工事の仕様書や図面を収集し、工事概要を理解することが最低限必要である。〔書き方の例：◎◎ビル（◇◇邸）□□設備工事〕

① 管工事と認められる工事と工事名

　表 -1 に示す工事が、管工事施工管理に関する実務経験として認められている。

表 -1 管工事施工管理に関する実務経験として認められる工事種別・内容等

工事種別	工事内容
冷暖房設備工事	冷温熱源機器据付および配管工事、ダクト工事、蒸気配管工事、燃料配管工事、TES（東京ガスの温水暖房システム）据付および配管工事、冷暖房機器据付および配管工事、圧縮空気管設備工事、熱供給設備配管工事、ボイラー据付および配管工事、コージェネレーション設備工事 等
冷凍冷蔵設備工事	冷凍冷蔵機器据付および冷媒配管工事、冷却水・エアー設備工事、自動計装工事 等
空気調和設備工事	冷温熱源機器・空気調和機器据付工事、ダクト工事、冷温水配管工事、自動計装工事、クリーンルーム設備工事 等
換気設備工事	給・排風機器据付およびダクト工事、排煙設備工事 等
給排水・給湯設備工事	給排水配管工事、給湯器据付および配管工事、簡易水道工事、ゴルフ場散水配管工事、散水消雪設備工事、プール・噴水施設配管工事、ろ過器設備工事、給排水配管布設替工事、受水槽および高置水槽設置工事、さく井工事 等
厨房設備工事	厨房機器据付および配管工事 等
衛生器具設備工事	衛生器具取付工事 等
浄化槽設備工事	浄化槽設置工事、浄化槽補修工事、農業集落排水設備工事 等 ※終末処理場等は除く
ガス配管設備工事	都市ガス配管工事、プロパンガス配管工事、LPG（液化石油ガス）配管、LNG（液化天然ガス）配管、液化ガス供給配管、医療ガス設備工事 等 ※道路本管工事を含む
管内更生工事	給水管・排水管ライニング更生工事 等 ※敷地外の公道下等の下水道の管内更生工事は除く
消火設備工事	屋内・屋外消火栓ポンプ据付・消火栓箱取付および配管工事、スプリンクラーポンプ据付および配管工事、不活性ガス消化配管 等

配水支管工事	給水装置の分岐を有する配水小管工事、小支管工事、本管からの引込工事(給水装置)等
下水道配管工事	施設の敷地内の配管工事、公共下水道切替・接続工事 等 ※公道下の工事は除く

(注) 施工に直接的に関わらない設計のみの経験は除く。

2 **管工事施工管理に関する実務経験とは認められない工事・業務等の工事名**

① 管渠、暗渠、開渠、用水路、灌漑、しゅんせつ等の土木工事

② 敷地外の公道下等にある上下水道の配管工事

③ プラント、内燃力発電設備、集塵機器設備、揚排水機等の設置工事、工場での配管プレハブ加工

④ 電気、電話、通信、電気計装、船舶、航空機等の配管工事

⑤ 保守・点検、保安、営業、事務、積算

⑥ 官公庁における行政および行政指導、教育機関および研究所等における教育・指導および研究等

⑦ 工程管理、品質管理、安全管理等を含まない単純な労務作業等(配管作業の補助者等)

　以上から、表-1 に含まれる工事についての固有名詞のついた工事名を記述する。管工事ではなく土木工事・建築工事等に関する工事名を記述した場合は、その内容の良否に関係なく、不合格となる可能性が高い。合否を決定する項目なので注意が必要である。

2 工事場所の書き方

　県・市町村まで、可能な限り正確に記述する。(番地等は書いても書かなくてもよい)
〔書き方の例：◎◎県◇◇市〕

3 設備工事概要の書き方

　工事仕様書を参考にして、実施した設備工事の概要を、指定された行数以内で記述する。「工事種目」・「工事内容」・「主要機器の能力・台数」は、必ず記述する必要がある。解答欄に余裕がある場合は、配管などに関することも記述するとよい。

記入項目	空調設備工事の記述例	衛生設備工事の記述例
①工事種目	空調設備工事	給水管工事・給湯管工事
②工事内容	空調機の据付け	水槽の据付け、配管作業
③主要機器の能力・台数	パッケージ空調機 (250kW,6 台)	高置水槽 (8m³,1 台)、 受水槽 (3m³,1 台)
④配管	冷媒管(径 6mm, 延長 240 m)、 ドレン管(径 12mm, 延長 450 m)	給水管(20A, 延長 820 m)、 給湯管(径 8mm, 延長 250 m)
⑤その他(基礎・被覆等)	室外機基礎ブロック(12 個) 冷媒配管カバー(420 m)	給湯管の保温(140 m) 貫通部の処理(260 箇所)

※工事内容と主要機器は、まとめて記述してもよい。そうする場合は、「パッケージ空調機の据付け(250kW,6 台)」などと記述する。

4 現場でのあなたの立場または役割

① 請負者であれば、現場監督、主任技術者、現場主任、現場代理人等と記述する。

② 発注者であれば、監督員、主任監督員等と記述する。

　作業主任者、運転手、学校・研究所の研究職、会社の役職(部長課長)などを記述した場合、不合格となるので注意が必要である。

5 設問1 の記入例

設問1 の記入例 -1(空調設備工事の場合)

(1) 工事名　　○○商社新築工事(設備工事) ※(設備工事)を補記する

(2) 工事場所　　○○県○○市○○町○丁目○番○号

(3) 設備工事概要　　空調設備工事、冷凍機の据付け(1000kW,1台)、エアハンドリング

　　　　　　　　ユニットの設置(24台)、冷媒配管(620m)、ドレン配管(108m)

(4) 現場でのあなたの立場又は役割　　現場代理人

注:(3)は、行をはみ出さないよう、つめて重要事項だけを具体的に示す。

設問1 の記入例 -2(給水設備工事の場合)

(1) 工事名　　○○高等学校給水設備工事

(2) 工事場所　　○○県○○市○○町○丁目○番○号

(3) 設備工事概要　　給水設備工事、受水槽の据付け($20m^3$,1台)、給水配管(20A,1200m)、

　　　　　　　　受水槽設置用コンクリートブロック(48個)、給水栓(280個)

(4) 現場でのあなたの立場又は役割　　現場主任

注:(3)は、行をはみ出さないよう、重要事項だけを具体的に示す。

◉平成29年度以前の施工経験記述では、「設備工事概要」として「建物の階数・延べ面積」等を1行で記述することになっていたが、平成30年度以降の実地試験(第二次検定の旧称)からはこの記述が削除されており、代わりに「工事内容や主要機器の能力・台数等」を2行で記述することになった。

参考		
平成29年度の 設問1 (3) に記述されている文章	設備工事概要〔例:工事種目、機器の能力・台数等、建物の階数・延べ面積等〕	
平成30年度の 設問1 (3) に記述されている文章	設備工事概要〔例:工事種目、工事内容、主要機器の能力・台数等〕	

施工経験記述

2-3 設問2 設問3 の考え方・書き方 工程管理 分野

1 工程管理 の書き方

1 工程短縮

工程管理では、設計変更・先行作業の遅れ・天候不順・下請能力の不足などの影響により、工程が遅れたり、遅れるおそれがあったりしたとき、遅れを防ぐために、**特に重要と考えた作業名**を示し、あなたの工事の**工程に対してどのような措置又は対策をとって工程短縮**したのかを記述する。

2 工程短縮の記述の視点

工期や工程を確保するために短縮する作業名を特定し、以前の計画を変更して新しい計画に変更するために、次の A ～ F の視点から措置・対策を考える。

表 -2 工程管理 の視点

	視点	措置又は対策の要点
A	工程表修正	工程会議により短縮工程の工程表に変更
B	材料変更	現場加工を工場加工に変更
C	並行工程	同一時間に 2 つの作業を並行して行う工程に変更
D	工程補強	作業班の人員の増加または作業班の数が増加する工程に変更
E	工法変更	作業工具や作業手順の変更

3 工程管理 分野が出題されたときの具体的な行数の使い方

工程管理 は、5 行程度で記述することになるので、特に重要と考えた事項を 2 行で記述し、とった措置又は対策を 2 ～ 3 項目・3 行で記述する。

例

特に重要と考えた事項 　給水管の施工の工程を確保するため、配管作業を短縮することが重要であると考えた。　　　　　　　　　　　　　　　　　　　　　　　　　　（2行）

とった措置又は対策 　①配管の加工方法を、現場加工から工場加工に変更し、配管作業を短縮した。　②1 階・2 階の配管作業と、3 階・4 階の配管作業を、同時並行作業として工程を短縮した。　　　　　　　　　　　　　　　　　　　　　　　　（3行）

---

② 工程管理の記述の模範例

　施工経験記述では、設問1であなたが記述した工事概要の工事について、まず、何の工程について記述するのかを示す。工事概要に空調設備工事を示したのなら、空調設備工事において特に重要と考えた工程・事項・作業名等を具体的に示し、その工程等を短縮する措置・対策に集中して解答する。

　解答は、特に重要と考えた事項を2行程度で記述し、とった措置又は対策を3行程度で記述する。とった措置又は対策は、表-2のA・B・C・D・E・Fの視点から2〜3項目を選択し、記述するとよい。

① 工程管理の模範例-1（空調設備工事における措置又は対策）（4〜5行）

　上記工事を施工するに当たり、**工程管理**上、あなたが**特に重要と考えた事項**（作業名）について、**とった措置又は対策**を簡潔に記述しなさい。

特に重要と考えた事項	空気調和機の配管工事について、材料加工の工程と配管取付け作業の工程を短縮することが重要と考えた。
措置又は対策 ①：視点B ②：視点C	①配管材料は、現場加工ではなく工場加工にして搬入し、加工工程を短縮した。　②配管取付けは、偶数階と奇数階を2班同時施工として、その工程を短縮した。

② 工程管理の模範例-2（給排水設備工事における措置又は対策）（4〜5行）

　上記工事を施工するに当たり、**工程管理**上、あなたが**特に重要と考えた事項**（作業名）について、**とった措置又は対策**を簡潔に記述しなさい。

特に重要と考えた事項	給排水設備工事において、基礎工程と配管工程を短縮することにより、工程を短縮することが重要と考えた。
措置又は対策 ①：視点E ②：視点D	①ポンプの基礎の工法を、打込みではなくプレキャストコンクリート台に変更した。　②コンクリート作業の余剰労働者を配管作業に振り分け、工程を短縮した。

以上のように、管工事の各種の作業工程で、表-2の**A、B、C、D、E、F**の視点から2〜3項目を選択し、3行で記述するとよい。

2-4 　設問 2 　設問 3 　の考え方・書き方 　安全管理 　分野

1 　安全管理 の書き方

1 安全の確保

　　安全管理では、労働者の安全を確保するために、①労働者の墜落防止、②物体の飛来落下の防止、③酸素欠乏症の防止、④感電防止、⑤溶接時の火災防止、⑥地盤掘削時の土砂崩壊の防止、⑦移動式クレーンの転倒による労働災害防止、などについて考える。こうした労働災害の要因に対して、あなたがどのようにして労働者の安全を確保したのかを、措置又は対策として記述する。その3つのキーワードは①仮設備、②点検、③労働者の安全衛生教育である。

2 安全管理の記述の視点

　　安全管理において最も重要なことは、工事現場における労働者の災害を防止することであるため、特に重要と考えた事項には、そのことを記述する。そして、労働者の災害を防止するため、次のA～Cの視点から措置・対策を考える。

表 -3 　安全管理 の視点

	視点	措置又は対策の要点
A	使用する仮設備	労働者の安全を確保するため、○○○を設置した。(○○○には、足場・移動足場・脚立・はしご・囲い・養生幕・土止め支保工・要求性能墜落制止用器具(安全帯)・架設通路などが入る)
B	仮設備の点検	作業開始前および作業中に、常時、○○○の仮設備の安全点検をした。
C	労働者の安全衛生教育	作業開始前にミーティングを行って、労働者に作業内容および危険防止方法を周知した。

法改正情報	平成30年の法改正により、現在では、労働安全衛生規則上の「安全帯」の名称は「要求性能墜落制止用器具」に置き換えられている。ただし、工事現場で「安全帯」の名称を使い続けることに問題はないとされている。古い時代の過去問題では、その時代の法令に基づいた解答とするため、「安全帯」を解答としているものもあるが、同じ問題が再度出題された場合には「要求性能墜落制止用器具」と解答する必要がある。

② 安全管理 の記述の模範例

　解答は、特に重要と考えた事項を2行程度で記述し、とった措置又は対策を3行程度で記述する。とった措置又は対策は、表-3の A ・ B ・ C の視点から2～3項目を選択し、記述するとよい。

1 **安全管理の模範例 -1**（配管工事における措置又は対策）（4～5行）

　　　上記工事を施工するに当たり、**安全管理**上、あなたが特に**重要と考えた事項**（作業名）について、**とった措置又は対策**を簡潔に記述しなさい。

特に重要と考えた事項	高所配管作業の安全を確保するため、ローリングタワーの使用と、安全な作業方法の徹底が重要と考えた。
措置又は対策 ①：視点 B ②：視点 C	①ローリングタワーの脚部の固定状態や、手すりの取付け状態などを、作業前に点検した。　②作業開始前に安全朝礼を行い、労働者に高所での安全な作業方法を周知した。

2 **安全管理の模範例 -2**（空調設備工事における措置又は対策）（4～5行）

　　　上記工事を施工するに当たり、**安全管理**上、あなたが特に**重要と考えた事項**（作業名）について、**とった措置又は対策**を簡潔に記述しなさい。

特に重要と考えた事項	高所作業のため、飛来・落下の防止対策を講じて、工具や端材などの落下を防止することが重要と考えた。
措置又は対策 ①：視点 B ②：視点 C	①工具や端材が足場から落下しないよう、工具に紐が付いていることを確認した。　②労働者には安全朝礼で作業手順と方法を周知し、物体の落下を防ぐことができる方法で作業を実施した。

2-5 設問2 設問3 の考え方・書き方 品質管理 分野

1 品質管理 の書き方

1 品質の確保

品質管理では、工事の段階に応じて、以下の3点を考慮する。

① 工事施工前：使用機器・材料を搬入したときに、その材料品質を点検する。

② 工事施工中：支持点・接合部・継手の品質、配管の設置の精度、機器の据付け精度を確保する。

③ 工事施工後：配管の施工勾配・耐漏水性・耐震性を点検し、試運転等により機器の性能を確認する。

2 品質管理の記述の視点

品質管理では、次の A ～ C の視点に立って措置・対策を考える。

表 -4 品質管理 の視点

工事の段階 / 視点		措置又は対策の要点
A	機材搬入/材料品質の点検	① 機材の搬入にあたり、設計図書をリスト化し、ひとつひとつの機材を設計図書と照合した。
		② 機器ごとに成績表を確認し、仕様書を基準とした適合検査を行った。
		③ 不適格品にはラベルを貼り、直ちに現場の外に搬出した。
B	取付け・据付け/施工品質の確保	① 配管の勾配・支持・接合に関する品質を、ひとつひとつ施工図面と照合して確認した。
		② 機器により基礎を点検するとき、その機器の水平精度を確認してから据え付けた。
		③ 埋設管の埋設深さを施工図で確認し、埋め戻した。
C	確認・検査/試運転による確認	① 配管が壁・床を貫通するときの耐火性能が、設計図書と適合しているかを確認した。
		② 機器の転倒を防止するために用いるボルトの径・本数・締付け力を確認した。
		③ 空調機器を試運転し、吐出量・風量・温度の性能が仕様書を満たしているかを確認した。

2　品質管理 の記述の模範例

　解答は、特に重要と考えた事項を 2 行程度で記述し、とった措置又は対策を 3 行程度で記述する。とった措置又は対策は、表 -4 の Ａ ・ Ｂ ・ Ｃ の視点から 2 〜 3 項目を選択し、記述するとよい。

１　**品質管理の模範例 -1** （給排水設備工事における措置又は対策）（4 〜 5 行）

　　　上記工事を施工するに当たり、**品質管理**上、あなたが特に**重要と考えた事項**（作業名）について、**とった措置又は対策**を簡潔に記述しなさい。

特に重要と考えた事項	設計図書に示された給排水管の継手部が仕様と合致するよう、配管工事の品質を確保することが重要と考えた。
措置又は対策 ①：視点Ｂ ②：視点Ｃ	①排水管の配管は、施工図の継手部の指示を基にして、勾配や継手を確認しながら行った。　②オーバーフロー管の吐水口空間が 150㎜ 以上になっていることを確認した。

２　**品質管理の模範例 -2** （空調設備工事における措置又は対策）（4 〜 5 行）

　　　上記工事を施工するに当たり、**品質管理**上、あなたが特に**重要と考えた事項**（作業名）について、**とった措置又は対策**を簡潔に記述しなさい。

特に重要と考えた事項	空気調和機の工事品質を確認するため、気密試験などを行い、仕様書に示された気密性能を確保することが重要と考えた。
措置又は対策 ①：視点Ｂ ②：視点Ｃ	①冷媒管の接合部の耐漏水性を、気密試験を行って確認した。　②試運転を行い、室内の風量・温度などを調整した後の性能が、仕様書に適合していることを確認した。

2-6　あなただけのオリジナル文章の書き方

(1) 記述する工事が、空気調和設備工事なのか、給排水設備工事なのかを区別する。

(2) 表-2「工程管理」(26ページ)・表-3「安全管理」(28ページ)・表-4「品質管理」(30ページ)に挙げた各視点からを2つ～3つ、①・②又は①・②・③として、本テキストの例文をそのまま転写する。

(3) 転写した文章に数値や専門用語などを代入し、あなただけのオリジナル文章にする。転写した文章を変えて、少し違った措置又は対策について記述するのもよい。

表-5「工程管理」（オリジナル文章化した例）

本テキストの例文	オリジナル文章に書き換え	ポイント
①工程の遅れを回復するため、建築業者との間で工程会議を開催し、FCUの取付け工程を短縮するよう工程表を変更した。	①工程の遅れを回復するため、建築業者との間で工程会議を開催し、**給水管**の取付け工程を**4日間短縮**する工程に変更した。	具体的な数値を記入する。
②FCUの取付けは、偶数階と奇数階を同時並行作業として、取付け工程を短縮した。	②**排水管**の取付けは、作業員を**2人増員して2班体制**とし、2箇所を同時施工して、取付け工程を**3日短縮**した。	専門用語を使用する。
③FCUの取付けでは、資材運搬員を1人増員して、取付け作業を促進した。	③FCUの取付けでは、**午後9時までの3時間残業を3日間**行い、取付け工程を**1日短縮**した。	

表-6「安全管理」（オリジナル文章化した例）

本テキストの例文	オリジナル文章に書き換え	ポイント
① FCUの設置場所が高さ3.8mであったので、労働者の作業足場を確保するため、キャスター付きの移動足場を使用した。	① 排水横主管の設置場所が**1階ホールの天井下（高さ3.4m）**であったので、それを取り付けるために移動足場を使用した。	具体的な数値を記入する。
② 作業開始前に、移動足場のキャスターの固定および作業床の安全性を点検した。	② 作業開始前に、移動足場のキャスターの固定および**労働者の要求性能墜落制止用器具**を点検した。	専門用語を使用する。
③ 労働者に作業方法を周知し、安全作業について、作業前の朝礼で確認させた。	③ **2人共同**での配管作業を安全に行う方法を、作業前の安全朝礼で**実演により**確認させた。	

表-7「品質管理」（オリジナル文章化した例）

本テキストの例文	オリジナル文章に書き換え	ポイント
① 給排水管の材料搬入にあたり、仕様書に基づいたチェックリストを作成し、材料の管径・管種・管長・ひずみの有無を点検してから受け入れた。	① **空調機器・配管など**の搬入にあたり、事前に作成したチェックリストにより、その寸法・数量・傷の有無を点検し、**不良品は直ちに現場外へと搬出**した。	具体的な数値を記入する。
② 排水横主管の勾配が1/100となるよう、天井・スラブに固定し、高精度で取り付けた。	② **冷媒管**の支持点を保温材料の下に配置できるよう、**幅150㎜の保護プレート**を用いて取り付けた。	専門用語を使用する。
③ 水圧試験の際、給水管に1.75MPaの水圧を加え、漏水がないことを確認した。	③ **気密試験**の際、**規定圧力で1日放置**した後、圧力低下がないことを確認した。	

3 最新問題解説

令和5年度 問題6 「品質管理」「安全管理」の施工経験記述

あなたが経験した**管工事**のうちから、**代表的な工事**を1つ選び、次の設問1〜設問3の答えを解答欄に記述しなさい。

〔設問1〕 その工事につき、次の事項について記述しなさい。
- (1) 工事名〔例：◎◎ビル（◇◇邸）□□設備工事〕
- (2) 工事場所〔例：◎◎県◇◇市〕
- (3) 設備工事概要〔例：工事種目、工事内容、主要機器の能力・台数等〕
- (4) 現場でのあなたの立場又は役割

〔設問2〕 上記工事を施工するにあたり「**品質管理**」上、あなたが**特に重要と考えた事項**を解答欄の(1)に記述しなさい。

　　　　 また、それについて**とった措置又は対策**を解答欄の(2)に簡潔に記述しなさい。

〔設問3〕 上記工事を施工するにあたり「**安全管理**」上、あなたが**特に重要と考えた事項**を解答欄の(1)に記述しなさい。

　　　　 また、それについて**とった措置又は対策**を解答欄の(2)に簡潔に記述しなさい。

※令和3年度以降の試験問題では、ふりがなが付記されるようになりました。

※本書の最新問題解説に掲載されている施工経験記述の解答例は、いずれも工事場所が実存しないか現実と異なる架空の管工事であるため、本試験でそのまま転記すると不合格になります。

解答例 1 空気調和設備工事の場合

設問1 その工事につき、次の事項について記述しなさい。

(1) **工事名** 芸州市立福祉支援センター空気調和設備更新工事

(2) **工事場所** 広島県芸州市南条丘町1丁目

(3) **設備工事概要** 空気調和設備工事、空調ダクト（500m）・冷媒管（900m）・ドレン管（300m）の新設と交換、室内機（48台）・直焚き吸収冷温水機（800kW/1台）の設置

(4) **現場でのあなたの立場又は役割** 現場主任

設問2 上記工事を施工するにあたり「**品質管理**」上、あなたが**特に重要**と考えた事項を解答欄の(1)に記述しなさい。

また、それについて**とった措置又は対策**を解答欄の(2)に簡潔に記述しなさい。

ヒント 本テキストの表-4の視点から、「特に重要と考えた事項」に関連する要点を記述する。

(1)**特に重要と考えた事項** 熱輸送用の共板フランジ工法ダクトについて、脱落を防止するための適切な吊り支持と、気密漏れを防止するための継手部の品質確保が重要と考えた。

(2)**とった措置又は対策** ①横走りダクトの吊り間隔は、2000mm以下とした。②ダクトの吊りボルトが長い箇所には、揺動を抑制するための振れ止めを設けた。③継手部のガスケットは、抜け落ちを避けるため、フランジの中央部で25mm以上重ねるようにした。

設問3 上記工事を施工するにあたり「**安全管理**」上、あなたが**特に重要**と考えた事項を解答欄の(1)に記述しなさい。

また、それについて**とった措置又は対策**を解答欄の(2)に簡潔に記述しなさい。

ヒント 本テキストの表-3の視点から、「特に重要と考えた事項」に関連する要点を記述する。

(1)**特に重要と考えた事項** 地下に直焚き吸収冷温水機を据え付ける作業で、石綿が張られた古いダクトを撤去する際に、労働者が石綿を吸引しないようにすることが重要と考えた。

(2)**とった措置又は対策** ①改修部の全材料について、設計図書と目視で、石綿の使用の有無を確認した。②石綿の撤去作業に就く労働者には、衛生のための特別の教育を行った。③同時に就業する労働者の人数以上の呼吸用保護具を備え、常時有効かつ清潔に保持した。

※ **ヒント** については本書の26ページ～31ページを参照してください。

共板フランジ工法ダクトの継手部におけるガスケットの適切な施工方法

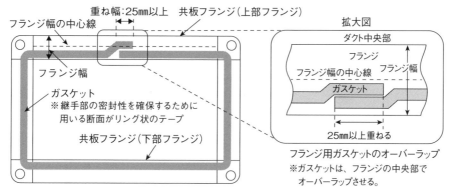

35

解答例 2 給排水設備工事の場合

設問1 その工事につき、次の事項について記述しなさい。

(1) **工事名** 美郷市立西山町中学校給排水設備更新工事

(2) **工事場所** 群馬県美郷市西山町2丁目

(3) **設備工事概要** 給排水管工事、給水管(20A)の撤去(820m)と更新(880m)、排水管(硬質ポリ塩化ビニル管/接着接合/屋外埋設等/50A)の撤去(210m)と更新(360m)

(4) **現場でのあなたの立場又は役割** 主任技術者

設問2 上記工事を施工するにあたり「**品質管理**」上、あなたが**特に重要と考えた事項**を解答欄の(1)に記述しなさい。

また、それについてとった**措置又は対策**を解答欄の(2)に簡潔に記述しなさい。

ヒント 本テキストの表-4の視点から、「特に重要と考えた事項」に関連する要点を記述する。

(1)**特に重要と考えた事項** 排水管の接着接合部において、接合面に隙間を生じさせない適切な切断方法と、接着力不足による脱落を防ぐための適切な接合方法が重要と考えた。

(2)**とった措置又は対策** ①発熱が少ない帯鋸盤で、管軸に対して直角に切断した。②切断面は、バリ(切削屑)をリーマーで除去して滑らかにした。③受け口と差し口の両方に、接着剤を均一に塗布し、直ちに継手を挿入した。④差込み保持時間は、30秒以上とした。

設問3 上記工事を施工するにあたり「**安全管理**」上、あなたが**特に重要と考えた事項**を解答欄の(1)に記述しなさい。

また、それについてとった**措置又は対策**を解答欄の(2)に簡潔に記述しなさい。

ヒント 本テキストの表-3の視点から、「特に重要と考えた事項」に関連する要点を記述する。

(1)**特に重要と考えた事項** 排水管の切断に使用する帯鋸盤は、切削屑の飛散や作業者の身体の巻き込まれのおそれがあるので、その安全な使用方法を徹底することが重要と考えた。

(2)**とった措置又は対策** ①帯鋸盤には、覆いを設けた。この覆いを臨時に取り外すときは、作業者に保護具を着用させた。②頭髪や衣服の巻き込まれを防ぐため、作業帽と作業服の着用を義務化した。③鋸刃に巻き込まれるおそれのある手袋の使用禁止を徹底させた。

※ **ヒント** については本書の26ページ～31ページを参照してください。

硬質ポリ塩化ビニル管の接着接合(TS接合/Tapered Solvent Joint)

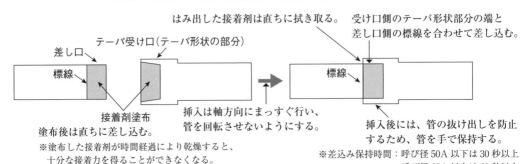

はみ出した接着剤は直ちに拭き取る。　受け口側のテーパ形状部分の端と差し口側の標線を合わせて差し込む。

テーパ受け口(テーパ形状の部分)

差し口

標線

接着剤塗布
塗布後は直ちに差し込む。

挿入は軸方向にまっすぐ行い、管を回転させないようにする。

標線

挿入後には、管の抜け出しを防止するため、管を手で保持する。

※塗布した接着剤が時間経過により乾燥すると、十分な接着力を得ることができなくなる。

※差込み保持時間:呼び径50A以下は30秒以上
呼び径65A以上は60秒以上

令和4年度 問題6 「工程管理」「品質管理」の施工経験記述

あなたが経験した**管工事**のうちから、**代表的な工事**を1つ選び、次の設問1〜設問3の答えを解答欄に記述しなさい。

〔設問1〕 その工事につき、次の事項について記述しなさい。
  (1) 工事名〔例：◯◯ビル（◇◇邸）□□設備工事〕
  (2) 工事場所〔例：◯◯県◇◇市〕
  (3) 設備工事概要〔例：工事種目、工事内容、主要機器の能力・台数等〕
  (4) 現場でのあなたの立場又は役割

〔設問2〕 上記工事を施工するにあたり「**工程管理**」上、あなたが**特に重要と考えた事項**を解答欄の(1)に記述しなさい。
  また、それについて**とった措置又は対策**を解答欄の(2)に簡潔に記述しなさい。

〔設問3〕 上記工事を施工するにあたり「**品質管理**」上、あなたが**特に重要と考えた事項**を解答欄の(1)に記述しなさい。
  また、それについて**とった措置又は対策**を解答欄の(2)に簡潔に記述しなさい。

※令和3年度以降の試験問題では、ふりがなが付記されるようになりました。

解答例 1 空気調和設備工事の場合

設問1 その工事につき、次の事項について記述しなさい。

(1) **工事名** 都塚山第三ビル改修工事(空気調和設備工事)

(2) **工事場所** 大阪府大阪市北住吉区都塚山3丁目

(3) **設備工事概要** 空気調和設備工事、マルチパッケージ形空気調和機(80kW・1基)の交換、冷媒管(150m)の交換、冷温水配管(260m)の交換、換気扇(8台)の交換

(4) **現場でのあなたの立場又は役割** 現場主任

設問2 上記工事を施工するにあたり「工程管理」上、あなたが特に重要と考えた事項を解答欄の(1)に記述しなさい。
また、それについてとった措置又は対策を解答欄の(2)に簡潔に記述しなさい。

ヒント 本テキストの表-2の視点から、「特に重要と考えた事項」に関連する要点を記述する。

(1)特に重要と考えた事項 注文者から空気調和機の機種変更の要請があり、室外機の納入日が遅れたので、作業順序の変更などによる工程調整をすることが重要であると考えた。

(2)とった措置又は対策 ①室外機の機種変更にあたり、材料や寸法などに変更がない配管や換気扇の施工を、室外機の据付け前に行う工程に変更した。②冷温水配管の水圧試験は、1階から順に行う予定であったが、作業班を2つに分割し、2つの階ごとに行うことにした。

設問3 上記工事を施工するにあたり「品質管理」上、あなたが特に重要と考えた事項を解答欄の(1)に記述しなさい。
また、それについてとった措置又は対策を解答欄の(2)に簡潔に記述しなさい。

ヒント 本テキストの表-4の視点から、「特に重要と考えた事項」に関連する要点を記述する。

(1)特に重要と考えた事項 室内機と室外機を繋ぐ冷媒管は、気密が破れていると冷媒が漏れ出すので、施工不良が生じやすい冷媒管の継手部分の品質確保が重要であると考えた。

(2)とった措置又は対策 ①冷媒管の継手は、保守点検が容易な位置に設けた。②冷媒管の支持金具の断熱テープは、二層巻きとした。③冷媒管の壁貫通部の空隙は、ロックウール保温材で充填した。④漏気の有無は、聴覚・手触り・石鹸水の3つの方法で確認した。

※ ヒント については本書の26ページ～31ページを参照してください。

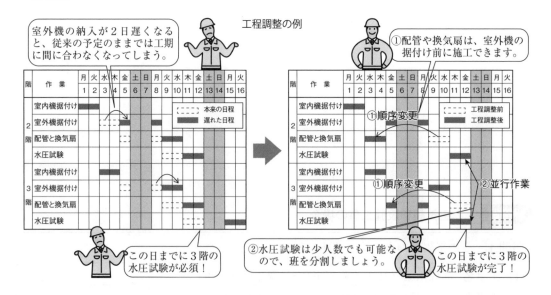

工程調整の例

解答例 ② 給排水設備工事の場合

| 設問1 | その工事につき、次の事項について記述しなさい。 |

(1) **工事名** 里宮小学校給排水設備改修工事

(2) **工事場所** 福島県松若市東町5丁目

(3) **設備工事概要** 給排水設備工事、給水管(20A·460m)の布設替え、給水管の新設(20A·192m)、排水管(50A〜100A·290m)の布設替え、排水管(50A〜100A·125m)の新設

(4) **現場でのあなたの立場又は役割** 現場代理人

| 設問2 | 上記工事を施工するにあたり「**工程管理**」上、あなたが**特に重要**と考えた事項を解答欄の(1)に記述しなさい。
また、それについて**とった措置又は対策**を解答欄の(2)に簡潔に記述しなさい。 |

| ヒント | 本テキストの表-2の視点から、「特に重要と考えた事項」に関連する要点を記述する。

(1)**特に重要と考えた事項** 台風接近による運動会の延期により、学校側から工事予定日のうち2日間の作業中止要請を受けたので、給水管新設工事の短縮が重要であると考えた。

(2)**とった措置又は対策** ①上階の給水管新設工事は、重機を使用せずに作業ができるので、作業班を2つに分割し、2階と3階の作業を並行して行った。②給水管・排水管の一部は、管の切断加工や継手の溶接を工場で行うものとし、現場では継手の接続のみを行った。

| 設問3 | 上記工事を施工するにあたり「**品質管理**」上、あなたが**特に重要**と考えた事項を解答欄の(1)に記述しなさい。
また、それについて**とった措置又は対策**を解答欄の(2)に簡潔に記述しなさい。 |

| ヒント | 本テキストの表-4の視点から、「特に重要と考えた事項」に関連する要点を記述する。

(1)**特に重要と考えた事項** 交換および新設する給水管の一部は、隠蔽配管となり、後からの修繕が困難であるため、その継手部からの漏水を防止することが重要であると考えた。

(2)**とった措置又は対策** ①硬質ポリ塩化ビニル製の曲管部の継手は、異形管防護を確実にするため、離脱防止継手とした。②給水管の水圧試験は、区画ごとに行い、1.75MPaの試験水圧を1分間保持しても、継手部の漏水・変形・破損が生じないことを目視で確認した。

※ ヒント については本書の26ページ〜31ページを参照してください。

給排水設備改修工事における工程管理と品質管理の例

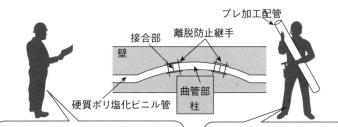

隠蔽配管に不備があると、確認や修理が困難になる。接合部が抜け落ちないように離脱防止継手を使用しよう。

プレ加工(工場で施工された)配管は、工程短縮に繋がりますし、品質も良いですよ。

硬質ポリ塩化ビニル製の給水管に使用する離脱防止継手の例

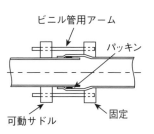

令和3年度 問題6 「工程管理」「安全管理」の施工経験記述

あなたが経験した管工事のうちから、**代表的な工事を1つ選び**、次の設問1～設問3の
答えを解答欄に記述しなさい。

〔設問1〕 その工事につき、次の事項について記述しなさい。

(1) 工事名〔例：◎◎ビル（◇◇邸）□□設備工事〕

(2) 工事場所〔例：◎◎県◇◇市〕

(3) 設備工事概要〔例：工事種目、工事内容、主要機器の能力・台数等〕

(4) 現場でのあなたの立場又は役割

〔設問2〕 上記工事を施工するにあたり「**工程管理**」上、あなたが**特に重要と考えた事項**を
解答欄の(1)に記述しなさい。

また、それについて**とった措置又は対策**を解答欄の(2)に簡潔に記述しなさい。

〔設問3〕 上記工事を施工するにあたり「**安全管理**」上、あなたが**特に重要と考えた事項**を
解答欄の(1)に記述しなさい。

また、それについて**とった措置又は対策**を解答欄の(2)に簡潔に記述しなさい。

※令和3年度以降の試験問題では、ふりがなが付記されるようになりました。

解答例 1 空気調和設備工事の場合

設問1 その工事につき、次の事項について記述しなさい。

(1) **工事名** 楢和産業ビル空気調和設備工事

(2) **工事場所** 埼玉県川口市旭町

(3) **設備工事概要** 空気調和機据付けと配管工事、空気調和機(14kW×6台・40kW×1台)、冷媒配管(径9.25㎜×120m・径50.8㎜×38.5m)、ドレン管(径30㎜×180m)

(4) **現場でのあなたの立場又は役割** 現場主任

設問2 上記工事を施工するにあたり「工程管理」上、あなたが特に重要と考えた事項を解答欄の(1)に記述しなさい。
また、それについてとった措置又は対策を解答欄の(2)に簡潔に記述しなさい。

ヒント 本テキストの表-2の視点から、「特に重要と考えた事項」に関連する要点を記述する。

(1)**特に重要と考えた事項** 空気調和機の性能変更の要請があり、要請された性能を満たせないことが判明したので、機器の一部変更に伴う機器搬入の遅れの回復が重要と考えた。

(2)**とった措置又は対策** ①冷媒配管とドレン管の取付けは、空気調和機の据付け位置を確定させたうえで、空気調和機の据付け前に行う工程とした。 ②現場の動線を占用する空気調和機の搬入は、夜間に行う工程とすることで、配管工事の工程を確保した。

設問3 上記工事を施工するにあたり「安全管理」上、あなたが特に重要と考えた事項を解答欄の(1)に記述しなさい。
また、それについてとった措置又は対策を解答欄の(2)に簡潔に記述しなさい。

ヒント 本テキストの表-3の視点から、「特に重要と考えた事項」に関連する要点を記述する。

(1)**特に重要と考えた事項** ドレン管の配管工事は、夏季に行われる工程であり、高温多湿の天井裏における作業となるので、作業者の熱中症を予防することが重要と考えた。

(2)**とった措置又は対策** ①作業者に透湿性・通気性の良い服装を着用させると共に、天井裏に送風機と排風機を1台ずつ設置し、通風を良くして作業環境を改善した。 ②2時間の作業の途中に10分間の休憩時間を確保し、作業者に塩分と水分を定期的に摂取させた。

※ **ヒント** については本書の26ページ〜31ページを参照してください。

熱中症予防のための安全管理

職場における熱中症の予防（5つの重要事項）
①作業時間の短縮
②熱への馴化
③水分と塩分の摂取
④透湿性と通気性の良い服装
⑤作業場所の巡視

作業着の透湿性と通気性を確保しよう。もちろん、安全の確保は大前提だよ。

熱中症のかかりやすさには、温度だけでなく湿度や輻射熱も影響するので、通風を確保することは重要です。

吊りボルト

夏の天井裏は高温多湿！

休憩や補給については、労働者任せにせず、巡視して健康状態の確認に努めます。

送風機 排風機 空気調和機 ドレン管

休憩と水分補給は大切だよ。

塩分補給も忘れずに！

塩飴

熱への馴化期間を設けましょう。
（涼しい地域で活動していた作業員を、いきなり高温多湿作業に従事させないようにする）

解答例 ② 給排水設備工事の場合

設問1 その工事につき、次の事項について記述しなさい。

(1) **工事名** 目白谷小学校給排水設備改修工事

(2) **工事場所** 東京都豊島区目白谷5丁目

(3) **設備工事概要** 給水管工事（交換 20A×420m・新設 20A×140m）、排水管工事（交換 30A×260m・新設 30A×22m）

(4) **現場でのあなたの立場又は役割** 現場主任

設問2 上記工事を施工するにあたり「**工程管理**」上、あなたが**特に重要と考えた事項**を解答欄の(1)に記述しなさい。

また、それについてとった**措置又は対策**を解答欄の(2)に簡潔に記述しなさい。

ヒント 本テキストの表-2の視点から、「特に重要と考えた事項」に関連する要点を記述する。

(1)特に重要と考えた事項 課外授業の開催により、着工日が遅れたため、当初の期日通りに工事を終わらせられるよう、給排水設備の改修工程を短縮することが重要と考えた。

(2)とった措置又は対策 ①関連工事業者との協議を行い、短縮された配管工程表を作成すると共に、2班で行う予定の配管作業を3班体制で行うため、2人1組の1班を増員した。

②配管継手および配管切断加工は、現場加工の予定であったが、工場加工に変更した。

設問3 上記工事を施工するにあたり「**安全管理**」上、あなたが**特に重要と考えた事項**を解答欄の(1)に記述しなさい。

また、それについてとった**措置又は対策**を解答欄の(2)に簡潔に記述しなさい。

ヒント 本テキストの表-3の視点から、「特に重要と考えた事項」に関連する要点を記述する。

(1)特に重要と考えた事項 給排水設備工事の一部が、児童の通学路に沿って行われるので、掘削・埋戻し作業における重機と児童との接触による公衆災害の防止が重要と考えた。

(2)とった措置又は対策 ①重機を使用する作業の時間を、児童が通学する時間帯を避けることのできる工程に組み替えた。 ②児童が工事現場内に立ち入ることを防止するため、立入禁止を標示した柵を連続して設置し、子供が見ても分かりやすい案内板を併置した。

※ **ヒント** については本書の26ページ〜31ページを参照してください。

着工日の遅れに対応するための工程管理

私たちは課外授業中の1週間は別の現場に行き、その後に別の現場から応援を連れて来よう。

課外授業中

課外授業中の1週間は工事ができない。配管の加工は工場で行ってもらおう。

感染症による学校閉鎖

課外授業

予定されていた着工日

建築工事業者と打合せて短期工程表を作成します。

令和2年度 問題6 「品質管理」「安全管理」の施工経験記述

あなたが経験した**管工事**のうちから、**代表的な工事を1つ選び**、次の 設問1 ～ 設問3 の答えを解答欄に記述しなさい。

設問1	その工事につき、次の事項について記述しなさい。

(1) 工事名〔例：◎◎ビル(◇◇邸)□□設備工事〕
(2) 工事場所〔例：◎◎県◇◇市〕
(3) 設備工事概要〔例：工事種目、工事内容、主要機器の能力・台数等〕
(4) 現場でのあなたの立場又は役割

設問2	上記工事を施工するにあたり「**品質管理**」上、あなたが特に**重要と考えた事項**を解答欄の(1)に記述しなさい。 また、それについて**とった措置又は対策**を解答欄の(2)に簡潔に記述しなさい。

設問3	上記工事を施工するにあたり「**安全管理**」上、あなたが特に**重要と考えた事項**を解答欄の(1)に記述しなさい。 また、それについて**とった措置又は対策**を解答欄の(2)に簡潔に記述しなさい。

解答例 1 空気調和設備工事の場合

設問1 その工事につき、次の事項について記述しなさい。

(1) **工事名** 練馬区立南泉台図書館空調設備更新工事

(2) **工事場所** 東京都練馬区南泉台

(3) **設備工事概要** 空気調和設備工事、冷却塔の据付け、冷却塔廻りの配管、開放式冷却塔(循環水量 $10\text{m}^3/\text{h}$・低騒音型)2台、一般配管用ステンレス鋼管(75 m)

(4) **現場でのあなたの立場又は役割** 現場主任

設問2 上記工事を施工するにあたり「**品質管理**」上、あなたが**特に重要と考えた事項**を解答欄の(1)に記述しなさい。
また、それについてとった**措置又は対策**を解答欄の(2)に簡潔に記述しなさい。

ヒント 本テキストの表-4の視点から、「特に重要と考えた事項」に関連する要点を記述する。

(1)**特に重要と考えた事項** 低層建築物の屋上に、2台の冷却塔を近接して設置する必要があったため、その性能を十全に発揮できるように据え付けることが重要と考えた。

(2)**とった措置又は対策** ①ショートサーキットを避けるため、2台の冷却塔は、冷却塔本体のルーバー面の高さの2倍以上離して設置した。 ②必要な水頭圧を確保するため、補給水口の高さが、高置タンクの低水位よりも3m以上低くなるように据え付けた。

設問3 上記工事を施工するにあたり「**安全管理**」上、あなたが**特に重要と考えた事項**を解答欄の(1)に記述しなさい。
また、それについてとった**措置又は対策**を解答欄の(2)に簡潔に記述しなさい。

ヒント 本テキストの表-3の視点から、「特に重要と考えた事項」に関連する要点を記述する。

(1)**特に重要と考えた事項** 冷却塔廻りの配管作業にあたり、折り畳み式の脚立を使用する必要があったので、使用前に、その適合性を確認することが重要と考えた。

(2)**とった措置又は対策** ①脚立の材料に著しい損傷・腐食等がなく、その踏面が安全作業のために必要な面積を有することを確認した。 ②脚と水平面との角度が75度以下であり、水平面との角度を確実に保つための金具が備えられていることを確認した。

※ **ヒント** については本書の26ページ～31ページを参照してください。

冷却塔の据付け　　　　　　　　　　複数の冷却塔の設置要領

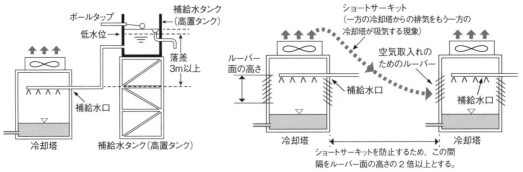

解答例 ② 給排水設備工事の場合

| **設問1** | その工事につき、次の事項について記述しなさい。 |

(1) **工事名** 徳島県立中央図書館給排水設備改修工事

(2) **工事場所** 徳島県徳島市七万町

(3) **設備工事概要** 給排水設備工事、給排水配管の設置、既存配管の撤去、屎尿浄化槽（地下配置）の撤去、給水管（150 m）、給湯管（80 m）、排水管（120 m）

(4) **現場でのあなたの立場又は役割** 現場主任

設問2 上記工事を施工するにあたり「**品質管理**」上、あなたが**特に重要と考えた事項**を解答欄の(1)に記述しなさい。
また、それについて**とった措置又は対策**を解答欄の(2)に簡潔に記述しなさい。

ヒント 本テキストの表-4の視点から、「特に重要と考えた事項」に関連する要点を記述する。

(1)**特に重要と考えた事項** 給排水配管からの水漏れがあると、図書館の蔵書に甚大な被害を及ぼすおそれがあるため、配管の腐食を防止することが重要と考えた。

(2)**とった措置又は対策** ①銅管を鋼製金物で支持する部分には、合成樹脂を被覆した支持金具を用いて絶縁措置を講じた。 ②水道用硬質塩化ビニルライニング鋼管のねじ接合には、管端防食管継手を使用した。

設問3 上記工事を施工するにあたり「**安全管理**」上、あなたが**特に重要と考えた事項**を解答欄の(1)に記述しなさい。
また、それについて**とった措置又は対策**を解答欄の(2)に簡潔に記述しなさい。

ヒント 本テキストの表-3の視点から、「特に重要と考えた事項」に関連する要点を記述する。

(1)**特に重要と考えた事項** 地下に配置された屎尿浄化槽を撤去し、排水管を公共下水道に接続する工事において、労働者の酸素欠乏症等を防止することが重要と考えた。

(2)**とった措置又は対策** ①作業主任者を選任し、作業開始前に、作業場の酸素濃度が18%以上かつ硫化水素濃度が10ppm以下であることを確認させた。 ②作業場への入場時および退場時に、確認表を用いて、入場者数および退場者数を点検させた。

※ **ヒント** については本書の26ページ〜31ページを参照してください。

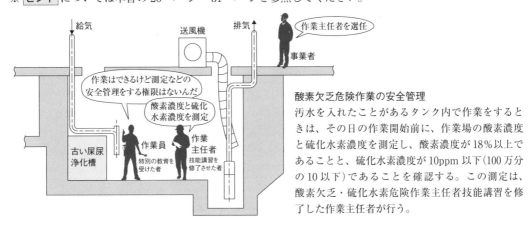

酸素欠乏危険作業の安全管理
汚水を入れたことがあるタンク内で作業をするときは、その日の作業開始前に、作業場の酸素濃度と硫化水素濃度を測定し、酸素濃度が18%以上であることと、硫化水素濃度が10ppm以下（100万分の10以下）であることを確認する。この測定は、酸素欠乏・硫化水素危険作業主任者技能講習を修了した作業主任者が行う。

令和元年度 問題6 「品質管理」「工程管理」の施工経験記述

あなたが経験した**管工事**のうちから、**代表的な工事を1つ選び**、次の 設問1 ～ 設問3 の答えを解答欄に記述しなさい。

設問1 その工事につき、次の事項について記述しなさい。

(1) 工事名〔例：◎◎ビル（◇◇邸）□□設備工事〕
(2) 工事場所〔例：◎◎県◇◇市〕
(3) 設備工事概要〔例：工事種目、工事内容、主要機器の能力・台数等〕
(4) 現場でのあなたの立場又は役割

設問2 上記工事を施工するにあたり「**品質管理**」上、あなたが**特に重要と考えた事項**をあげ、それについて**とった措置又は対策**を簡潔に記述しなさい。

設問3 上記工事を施工するにあたり「**工程管理**」上、あなたが**特に重要と考えた事項**をあげ、それについて**とった措置又は対策**を簡潔に記述しなさい。

解答例 1 空気調和設備工事の場合

| 設問1 | その工事につき、次の事項について記述しなさい。 |

(1) **工事名** 神戸市立福祉支援センター設備工事(空調設備工事)

(2) **工事場所** 兵庫県神戸市北区

(3) **設備工事概要** 熱源機器据付けと配管工事、直焚き吸収冷温水機(800kW,1台)、冷媒配管(径28㎜,総延長802m)

(4) **現場でのあなたの立場又は役割** 現場主任

| 設問2 | 上記工事を施工するにあたり「**品質管理**」上、あなたが**特に重要と考えた事項**をあげ、それについて**とった措置又は対策**を簡潔に記述しなさい。 |

ヒント 本テキストの表-4の視点から、「特に重要と考えた事項」に関連する要点を記述する。

特に重要と考えた事項 現場に搬入した材料・機器のチェックリストを作成し、機材搬入時の現場受入検査を徹底することが重要であると考えた。

とった措置又は対策 ①各機材について、寸法・メーカー・品質記号・数量を検査した。

②材料の傷・歪み・潰れの有無を検査し、機器については外装面の傷の有無を検査した。

③各機器の性能が、仕様書の基準通りであるかを、試験成績表と照らし合わせて検査した。

| 設問3 | 上記工事を施工するにあたり「**工程管理**」上、あなたが**特に重要と考えた事項**をあげ、それについて**とった措置又は対策**を簡潔に記述しなさい。 |

ヒント 本テキストの表-2の視点から、「特に重要と考えた事項」に関連する要点を記述する。

特に重要と考えた事項 配管工事の工程と機材搬入の工程が重なっていたため、配管工事や機材搬入に遅れを生じさせないことが重要であると考えた。

とった措置又は対策 ①直焚き吸収冷温水機の搬入は、現場の動線を占用して行う必要があるため、午後10時～午前3時(夜間)に行い、配管工事を阻害しないようにした。

②冷媒配管の取付けを、直焚き吸収冷温水機の据付けよりも先行させる計画として実施した。

※ **ヒント** については本書の26ページ～31ページを参照してください。

①搬入した機材の数量を確認する。

②外装に傷がある機材は搬入しない。

③機器の性能を確認する。

試験成績表

解答例 ② 給排水設備工事の場合

| 設問1 | その工事につき、次の事項について記述しなさい。 |

(1) **工事名** 新宿三丁目ビルディング新築工事(給排水設備工事)

(2) **工事場所** 東京都新宿区新宿

(3) **設備工事概要** 給排水配管工事、給水管 (20A,180 m)、排水管 (VU,100A,160m)、高架水槽 (18m³,1 台)、屋内消火栓設備の加圧送水装置 (6kW,1 台)

(4) **現場でのあなたの立場又は役割** 現場主任

| 設問2 | 上記工事を施工するにあたり「**品質管理**」上、あなたが**特に重要と考えた事項**をあげ、それについてとった**措置又は対策**を簡潔に記述しなさい。 |

ヒント 本テキストの表-4の視点から、「特に重要と考えた事項」に関連する要点を記述する。

特に重要と考えた事項 高架水槽方式の加圧送水装置は、火災発生時における消火設備として重要であるため、その運転に異常がないことを確認することが重要であると考えた。

とった措置又は対策 ①加圧送水装置のポンプ廻りの接合部から漏水がないことを確認した。

②ノズルの先端における放水圧力が、0.17MPa 以上 0.7MPa 以下であることを確認した。

③配管耐力が、加圧送水装置の締切圧力の1.5 倍以上であることを水圧試験で確認した。

| 設問3 | 上記工事を施工するにあたり「**工程管理**」上、あなたが**特に重要と考えた事項**をあげ、それについてとった**措置又は対策**を簡潔に記述しなさい。 |

ヒント 本テキストの表-2の視点から、「特に重要と考えた事項」に関連する要点を記述する。

特に重要と考えた事項 施工用地の取得の遅れにより、着工日が遅れたため、当初の期日通りに工事を終わらせられるよう、給排水設備の配管工程を短縮することが重要と考えた。

とった措置又は対策 ①関連工事業者との協議を行い、短縮された配管工程表を作成した。

②配管継手と配管切断加工は、現場加工の予定であったが、工場加工にして工程を短縮した。

③配管作業は2 班で行う予定であったが、3 人1 組の1 班を増員し、3 班体制で行った。

※ **ヒント** については本書の26 ページ～31 ページを参照してください。

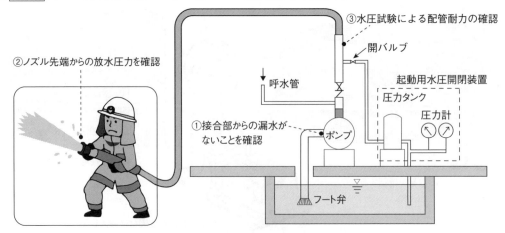

加圧送水設備の完成に伴う自主検査

平成30年度 問題6 「工程管理」「安全管理」の施工経験記述

　あなたが経験した**管工事**のうちから、**代表的な工事を1つ選び**、次の 設問1 ～ 設問3 の答えを解答欄に記述しなさい。

設問1　その工事につき、次の事項について記述しなさい。

(1)　工事名〔例：◎◎ビル（◇◇邸）□□設備工事〕
(2)　工事場所〔例：◎◎県◇◇市〕
(3)　設備工事概要〔例：工事種目、工事内容、主要機器の能力・台数等〕
(4)　現場でのあなたの立場又は役割

設問2　上記工事を施工するにあたり「**工程管理**」上、あなたが**特に重要と考えた事項**をあげ、それについて**とった措置又は対策**を簡潔に記述しなさい。

設問3　上記工事を施工するにあたり「**安全管理**」上、あなたが**特に重要と考えた事項**をあげ、それについて**とった措置又は対策**を簡潔に記述しなさい。

※平成29年度以前の施工経験記述では、「設備工事概要」として「建物の階数・延べ面積」等を記述することになっていたが、平成30年度以降の施工経験記述ではこの記述が削除されており、代わりに「工事内容」等を記述することになった。このため、建物の階数や延べ面積ではなく、どのような工事を行ったかを中心に、冷暖房設備工事・給排水配管の更新工事等と記述することが望ましくなったと考えられる。

解答例 1 空気調和設備工事の場合

設問1 その工事につき、次の事項について記述しなさい。

(1) **工事名** GET オフィス事務所ビル空調設備工事

(2) **工事場所** 東京都豊島区池袋

(3) **設備工事概要** 冷暖房設備工事、ファンコイルダクト併用の地域冷暖房、FCU88台取付け作業、冷媒配管 680m、ドレン配管 108m

(4) **現場でのあなたの立場又は役割** 現場主任

設問2 上記工事を施工するにあたり「**工程管理**」上、あなたが**特に重要と考えた事項**をあげ、それについてとった**措置又は対策**を簡潔に記述しなさい。

ヒント 本テキストの表-2 の視点から、「特に重要と考えた事項」に関連する要点を記述する。
特に重要と考えた事項 地域冷暖房用の電源取入口の損傷により、躯体工事が遅延したため、ファンコイルユニット(FCU)の取付け工程を短縮することが重要であると考えた。
措置又は対策 ①ファンコイルユニットの取付けを、偶数階と奇数階の同時並行作業とした。
②ファンコイルユニットの取付けの短縮工程表を作成するため、工程会議を開催した。
③資材運搬員を 1 名増員することで、ファンコイルユニットの取付け作業を速く進めた。

設問3 上記工事を施工するにあたり「**安全管理**」上、あなたが**特に重要と考えた事項**をあげ、それについてとった**措置又は対策**を簡潔に記述しなさい。

ヒント 本テキストの表-3 の視点から、「特に重要と考えた事項」に関連する要点を記述する。
特に重要と考えた事項 空調機を床から 3 mの高さに取り付けるため、各階における水平移動が多くなったので、ローリングタワーからの墜落を防止することが重要であると考えた。
措置又は対策 ①作業床の周囲には、適切な高さの手すり・中桟・幅木を取り付けた。
②作業の開始前に、車輪のストッパー・安全帯・手すりの状態を点検し、安全性を確認した。
③ローリングタワーを移動させる際、労働者が載ったままでないことの確認を徹底した。

参考

高所作業を行う必要がある箇所が多いときは、ローリングタワーなどの移動式足場を使用すると、効率よく作業を行うことができる。ただし、ローリングタワーを移動させるときは、すべての作業員を作業床から降ろさなければならない。いかなる場合においても、作業員を乗せたまま移動式足場を移動させてはならない。

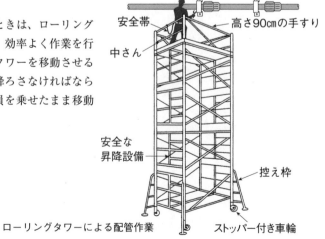

安全帯　高さ90cmの手すり
中さん
安全な昇降設備
控え枠
ローリングタワーによる配管作業　ストッパー付き車輪

解答例 2 給排水設備工事の場合

設問1 その工事につき、次の事項について記述しなさい。

(1) **工事名** 新宿三丁目高等学校給排水設備工事

(2) **工事場所** 東京都新宿区新宿

(3) **設備工事概要** 給排水配管の更新工事、給水管 20A〜30A(撤去)600m、排水管 30A 〜50A(撤去)600m、給水管 20A(新設)620m、排水管 30A(新設)660m

(4) **現場でのあなたの立場又は役割** 現場主任

設問2 上記工事を施工するにあたり「**工程管理**」上、あなたが**特に重要**と考えた事項をあげ、それについて**とった措置又は対策**を簡潔に記述しなさい。

ヒント 本テキストの表-2の視点から、「特に重要と考えた事項」に関連する要点を記述する。

特に重要と考えた事項 悪天候が続いたことにより、着工日が遅れたため、当初の竣工日を順守するため、給排水設備の更新工事の工程を短縮することが重要と考えた。

措置又は対策 ①関連工事業者との協議を行い、短縮された配管工程表を作成した。

②作業グループを2班編成にして、複数階の給排水設備の配管工事を同時に行った。

③配管の加工を搬入前に工場で行い、現場での取付け作業の工程を短縮した。

設問3 上記工事を施工するにあたり「**安全管理**」上、あなたが**特に重要**と考えた事項をあげ、それについて**とった措置又は対策**を簡潔に記述しなさい。

ヒント 本テキストの表-3の視点から、「特に重要と考えた事項」に関連する要点を記述する。

特に重要と考えた事項 3階部分に給排水管を施工する際、高さ6mの地点で40mに渡って作業者が移動する必要があったので、墜落災害を防止することが重要であると考えた。

措置又は対策 ①移動時間が少なく、安全性の高い高所作業車を使用した。

②作業開始前に、高所作業車の制動装置・操作装置・作業装置の機能を点検した。

③作業床の最大高さが9.9mである高所作業車の運転は、特別の教育の修了者に行わせた。

参考 着工日の遅れなどにより工事期間が短くなった場合は、関連工事業者(左官工事業者や電気工事業者など)との協議(工程会議)を行い、様々な意見を出し合うことで、従来の予定よりも短縮された工程表を作成することが望ましい。学校などの現に使われている公共施設の改修工事では、当初の予定よりも短い工期での完成を求められることがある。

工程会議による短縮工程表の作成

平成29年度 問題6 「品質管理」「工程管理」の経験記述

あなたが経験した**管工事**のうちから、**代表的な工事**を1つ選び、次の 設問1 ～ 設問3 の答えを解答欄に記述しなさい。

設問1 その工事につき、次の事項について記述しなさい。

(1) 工事名 〔例：◎◎ビル（◇◇邸）□□設備工事〕
(2) 工事場所 〔例：◎◎県◇◇市〕
(3) 設備工事概要 〔例：工事種目、機器の能力・台数等、建物の階数・延べ面積等〕
(4) 現場でのあなたの立場又は役割

設問2 上記工事を施工するにあたり「**品質管理**」上、あなたが**特に重要と考えた事項**をあげ、それについて**とった措置又は対策**を簡潔に記述しなさい。

設問3 上記工事を施工するにあたり「**工程管理**」上、あなたが**特に重要と考えた事項**をあげ、それについて**とった措置又は対策**を簡潔に記述しなさい。

解答例 1 空気調和設備工事の場合

設問 1 その工事につき、次の事項について記述しなさい。

(1) **工事名** 豊島区青少年交流センター空調設備工事

(2) **工事場所** 東京都豊島区池袋 3 丁目 12−9

(3) **設備工事概要** RC 造、F4/B1、延べ面積 2080m^2、空調機(40kW)12 台、冷温水管 180m

(4) **現場でのあなたの立場又は役割** 現場主任

設問 2 上記工事を施工するにあたり「**品質管理**」上、あなたが**特に重要と考えた事項**をあげ、それについて**とった措置又は対策**を簡潔に記述しなさい。

ヒント 本テキストの表 -4 の視点から、「特に重要と考えた事項」に関連する要点を記述する。

特に重要と考えた事項 冷温水管の敷設精度は、空調機の出力性能に関係するため、配管の勾配・配管の固定・漏水の防止など、各部位の品質確保が重要と考えた。

措置又は対策 ①冷温水の送り管と返り管は、共に先上り勾配とし、空気抜きを容易にした。
②冷温水管の伸縮継手は、複式伸縮管継手とし、その継手を天井スラブに固定した。
③施工後、1.5MPa の圧力を 30 分間保持する水圧試験を行い、漏水がないことを確認した。

設問 3 上記工事を施工するにあたり「**工程管理**」上、あなたが**特に重要と考えた事項**をあげ、それについて**とった措置又は対策**を簡潔に記述しなさい。

ヒント 本テキストの表 -2 の視点から、「特に重要と考えた事項」に関連する要点を記述する。

特に重要と考えた事項 発注者の設計変更に対応して間取りの配置換えがあり、建築工事に遅れが生じたため、各室の空調機据付け工事の工期を短縮することが重要と考えた。

措置又は対策 ①定格荷重が 2 トンの移動式クレーンを準備し、動線を占用できる夜 9 時〜翌朝 6 時の間に、各階の廊下に機材を吊り上げて仮置きし、機材の搬入工程を短縮した。
②空調機取付け作業は、増班して 2 班体制で並行作業を行い、その工程を 4 日間短縮した。

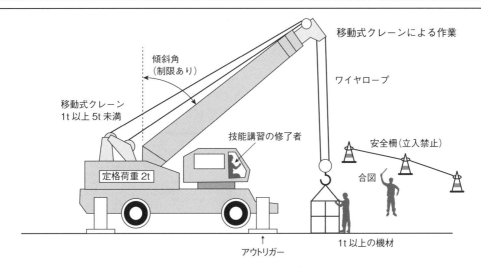

移動式クレーンによる作業

傾斜角
(制限あり)

ワイヤロープ

移動式クレーン
1t 以上 5t 未満

技能講習の修了者

安全柵(立入禁止)

合図

定格荷重 2t

1t 以上の機材

アウトリガー

解答例 2 給排水設備工事の場合

設問 1 その工事につき、次の事項について記述しなさい。

(1) **工事名** 豊島区青少年交流センター給排水設備工事

(2) **工事場所** 東京都豊島区池袋 3 丁目 12−9

(3) **設備工事概要** RC 造、F4/B1、延べ面積 2080m^2、給水管 400m、排水管 320m

(4) **現場でのあなたの立場又は役割** 現場主任

設問 2 上記工事を施工するにあたり「**品質管理**」上、あなたが**特に重要と考えた事項**をあげ、それについてとった**措置又は対策**を簡潔に記述しなさい。

ヒント 本テキストの表 -4 の視点から、「特に重要と考えた事項」に関連する要点を記述する。

特に重要と考えた事項 屋内排水管の施工では、施工後に漏水などの不良が発見されても、その原因を特定することが困難であるため、各部位の品質確保が重要と考えた。

措置又は対策 ①排水管が二重トラップとなっていないことの確認を徹底した。

②屋内横走り排水管は、その勾配を確保するため、給水管・給湯管よりも優先して施工した。

③管末端を閉止して 30 分間の満水試験を実施し、接合部からの漏水がないことを確認した。

設問 3 上記工事を施工するにあたり「**工程管理**」上、あなたが**特に重要と考えた事項**をあげ、それについてとった**措置又は対策**を簡潔に記述しなさい。

ヒント 本テキストの表 -2 の視点から、「特に重要と考えた事項」に関連する要点を記述する。

特に重要と考えた事項 発注者から、給排水設備の品質の向上を要請され、各室における配置が大きく変更されたため、給排水設備工事の工程を短縮することが重要と考えた。

措置又は対策 ①排水管→給湯管→給水管の順に施工する計画であったが、排水管の施工後、2 班体制で給湯管と給水管を同時に敷設する並行作業を行い、配管の工程を短縮した。

②変更された仕様書に基づき、資材をメーカー直送で納入し、納期を短縮した。

二重トラップの確認

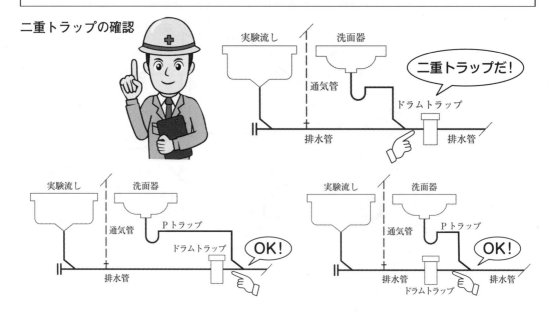

平成28年度 問題6 「品質管理」「安全管理」の施工経験記述

あなたが経験した**管工事**のうちから、**代表的な工事を1つ選び**、次の 設問1 〜 設問3 の答えを解答欄に記述しなさい。

設問1 その工事につき、次の事項について記述しなさい。

(1) **工事件名** 〔例：◯◯ビル（◇◇邸）□□設備工事〕
(2) **工事場所** 〔例：◯◯県◇◇市〕
(3) **設備工事概要** 〔例：工事種目、機器の能力・台数等、建物の階数・延べ面積等〕
(4) **現場でのあなたの立場又は役割**

設問2 上記工事を施工するにあたり「**品質管理**」上、あなたが**特に重要と考えた事項**をあげ、それについて**とった措置又は対策**を簡潔に記述しなさい。

設問3 上記工事を施工するにあたり「**安全管理**」上、あなたが**特に重要と考えた事項**をあげ、それについて**とった措置又は対策**を簡潔に記述しなさい。

解答例 1 空調設備工事の場合

設問1 その工事につき、次の事項について記述しなさい。

(1) **工事件名** 神戸市立福祉支援センター設備工事（空調設備工事）
(2) **工事場所** 兵庫県神戸市北区北長町4丁目2-1
(3) **設備工事概要** RC造、F8/B2:9800m²、直だき吸収冷温水機 800kW 1台、配管 ϕ10 × 200 m
(4) **現場でのあなたの立場又は役割** 現場主任

設問2 上記工事を施工するにあたり「**品質管理**」上、あなたが**特に重要と考えた事項**をあげ、それについて**とった措置又は対策**を簡潔に記述しなさい。

ヒント 本テキストの表-4の視点から、「特に重要と考えた事項」に関連する要点を記述する。
特に重要と考えた事項 材料・機器の品質を確保するため、搬入材料・機器のチェックリストを作成し、機材搬入時の現場受入検査を徹底することが重要と考えた。
措置又は対策 ①各材料・各機器について、寸法・メーカー・品質記号・数量を検査した。
②材料の歪み・傷、口径のつぶれ、機器外装面の傷の有無を検査した。
③機器の試験成績表の結果と、仕様書に書かれた性能を比較した。

| 設問3 | 上記工事を施工するにあたり「**安全管理**」上、あなたが**特に重要と考えた事項**をあげ、それについてとった**措置又は対策**を簡潔に記述しなさい。 |

| ヒント | 本テキストの表-3の視点から、「特に重要と考えた事項」に関連する要点を記述する。 |

特に重要と考えた事項 　地下2階における直だき吸収冷温水機の据付け作業であるため、労働者の酸素欠乏症防止対策を行う事が重要であると考えた。

措置又は対策 　①作業主任者を選任し、酸素濃度が18%以上になるよう換気した。

②作業に使用する安全帯・空気呼吸器の点検を行い、安全を確認した。

③酸素欠乏危険作業には、特別の教育を修了した労働者を就業させた。

解答例 ② 給排水設備工事の場合

| 設問1 | その工事につき、次の事項について記述しなさい。 |

(1) 　**工事件名** 　新仙台大山ホテル新築工事(給排水設備工事)
(2) 　**工事場所** 　宮城県仙台市弥生町6丁目9-2
(3) 　**設備工事概要** 　RC造、4800m^2、6階、給水管20A、排水管30A〜50A 500 m、高置水槽20m^3 1台
(4) 　**現場でのあなたの立場又は役割** 　現場監督

| 設問2 | 上記工事を施工するにあたり「**品質管理**」上、あなたが**特に重要と考えた事項**をあげ、それについてとった**措置又は対策**を簡潔に記述しなさい。 |

| ヒント | 本テキストの表-4の視点から、「特に重要と考えた事項」に関連する要点を記述する。 |

特に重要と考えた事項 　仕様書に基づいて機材を精査して搬入し、配管の支持・漏水の有無に注意しながら配管を施工することが重要と考えた。

措置又は対策 　①機材の搬入にあたり、チェックリストを作成し、照合した。

②排水横主管の勾配が1/100となるように天井・スラブに固定し、高精度で取り付けた。

③水圧試験の際、給水管に1.75MPaの水圧を加え、漏水が生じないことを確認した。

| 設問3 | 上記工事を施工するにあたり「**安全管理**」上、あなたが**特に重要と考えた事項**をあげ、それについてとった**措置又は対策**を簡潔に記述しなさい。 |

| ヒント | 本テキストの表-3の視点から、「特に重要と考えた事項」に関連する要点を記述する。 |

特に重要と考えた事項 　配管工事にあたり、労働者の高所からの転落を防止することが重要と考えた。

措置又は対策 　①高さ1.8 mの場所での脚立作業であったため、脚立の間に足場板を掛けた。

②掛け渡した足場板が移動しないよう、足場板を3箇所で緊結・固定した。

③脚立の脚部の安定性や、足場板の緊結状態を常時点検した。

平成27年度 問題6 「工程管理」「品質管理」の施工経験記述

あなたが経験した**管工事**のうちから、**代表的な工事**を1つ選び、次の 設問1 ～ 設問3 の答えを解答欄に記述しなさい。

| 設問1 | その工事につき、次の事項について記述しなさい。 |

(1) **工事件名** 〔例：◎◎ビル（◇◇邸）□□設備工事〕
(2) **工事場所** 〔例：◎◎県◇◇市〕
(3) **設備工事概要** 〔例：工事種目、工事内容（主な機器・材料等）、建物の階数・延べ面積等〕
(4) **現場でのあなたの立場又は役割**

| 設問2 | 上記工事を施工するにあたり「**工程管理**」上、あなたが特に**重要**と考えた事項をあげ、それについて**とった措置又は対策**を簡潔に記述しなさい。 |

| 設問3 | 上記工事を施工するにあたり「**品質管理**」上、あなたが特に**重要**と考えた事項をあげ、それについて**とった措置又は対策**を簡潔に記述しなさい。 |

解答例 1 空気調和設備工事の場合

| 設問1 | その工事につき、次の事項について記述しなさい。 |

(1) **工事件名** トロトビル新築工事（空調設備工事）
(2) **工事場所** 埼玉県所沢市トロト町 2-10-5
(3) **設備工事概要** RC造、8階建、延べ面積 1200m^2、パッケージ空調機 20 台、冷媒配管 400 m
(4) **現場でのあなたの立場又は役割** 現場代理人

| 設問2 | 上記工事を施工するにあたり「**工程管理**」上、あなたが特に**重要**と考えた事項をあげ、それについて**とった措置又は対策**を簡潔に記述しなさい。 |

ヒント 本テキストの表-2の視点から、「特に重要と考えた事項」に関連する要点を記述する。

特に重要と考えた事項 古家の解体工事の遅れにより、新築工事において工程を短縮する必要があった。このため、配管工程を短縮することが重要であると考えた。

とった措置又は対策 ①関係業者と打合せを行い、短縮日程の工程表を作成し、配管工程を定めた。②配管の加工を、現場加工から工場加工に変更した。③二箇所を同時に施工するため、配管取付け作業は、2人1組の2班体制で行った。

設問3　上記工事を施工するにあたり「品質管理」上、あなたが特に重要と考えた事項をあげ、それについてとった措置又は対策を簡潔に記述しなさい。

ヒント　本テキストの表-4の視点から、「特に重要と考えた事項」に関連する要点を記述する。

特に重要と考えた事項　空気調和機の設置が主な工事なので、空気調和機の性能に関する品質を確保することが重要であると考えた。

とった措置又は対策　①パッキン・防振マット・ボルト締付けの状態を確認し、運転時の騒音・振動が規定値以下となるよう調整した。②各機器のインターロック・リンケージを調整した。③室内の温度・湿度・気流が、仕様書に示された性能通りとなることを確認した。

解答例 2　給排水設備工事の場合

設問1　その工事につき、次の事項について記述しなさい。

(1)　**工事件名**　北南高等学校給排水設備工事(給排水設備工事)
(2)　**工事場所**　神奈川県横浜市港北区南町3丁目11番2号
(3)　**設備工事概要**　延べ面積6400m²、3階建、RC造、受水槽60m³、1台、給水管・排水管600m
(4)　**現場でのあなたの立場又は役割**　現場主任

設問2　上記工事を施工するにあたり「工程管理」上、あなたが特に重要と考えた事項をあげ、それについてとった措置又は対策を簡潔に記述しなさい。

ヒント　本テキストの表-2の視点から、「特に重要と考えた事項」に関連する要点を記述する。

特に重要と考えた事項　建築工事の設計変更があり、給排水管取付け工程の日程を短縮するよう要請されたため、給排水設備工事の作業日程を短縮することが重要であると考えた。

とった措置又は対策　①関係業者と打合せを行い、給排水管工事日程を調整した。②養生工程を短縮するため、受水槽の基礎工事を、現場打ちからプレキャスト基礎に変更した。③作業班のうち、コンクリート班を給排水管取付け班に変更し、2班体制とした。

設問3　上記工事を施工するにあたり「品質管理」上、あなたが特に重要と考えた事項をあげ、それについてとった措置又は対策を簡潔に記述しなさい。

ヒント　本テキストの表-4の視点から、「特に重要と考えた事項」に関連する要点を記述する。

特に重要と考えた事項　給排水設備に必要な品質・性能を確保できるよう、各設備の総合的な試運転調整を確実に行うことが重要であると考えた。

とった措置又は対策　①給水栓における遊離残留塩素濃度が0.2mg/L以上になるまで、給水系統を消毒した。②排水管に多量の水を流し、排水管からの漏水がないことを確認した。③受水槽の水位・ボールタップ・電極などが正常に作動するよう調整した。

平成26年度 問題6 「安全管理」「品質管理」の施工経験記述

　あなたが経験した管工事のうちから、代表的な工事を1つ選び、次の 設問1 〜 設問3 の答えを解答欄に記述しなさい。

| 設問1 | その工事につき、次の事項について記述しなさい。 |

(1) **工事件名** 〔例：◎◎ビル（◇◇邸）□□設備工事〕
(2) **工事場所** 〔例：◎◎県◇◇市〕
(3) **設備工事概要** 〔例：工事種目、機器の能力・台数等、建物の階数・延べ面積等〕
(4) **現場でのあなたの立場又は役割**

| 設問2 | 上記工事を施工するにあたり「**品質管理**」上、あなたが**特に重要**と考えた事項をあげ、それについて**とった措置又は対策**を簡潔に記述しなさい。 |

| 設問3 | 上記工事を施工するにあたり「**安全管理**」上、あなたが**特に重要**と考えた事項をあげ、それについて**とった措置又は対策**を簡潔に記述しなさい。 |

解答例 1 空気調和設備工事の場合

| 設問1 | その工事につき、次の事項について記述しなさい。 |

(1) **工事件名** 　ABCオフィス事務所ビル空調設備工事
(2) **工事場所** 　東京都港区新橋3丁目2-19
(3) **設備工事概要** 　S造、6800m^2、16F、熱源地域冷暖房、FCダクト併用、FCU88台
(4) **現場での施工管理上のあなたの立場または役割** 　現場代理人

| 設問2 | 上記工事を施工するにあたり「**品質管理**」上、あなたが**特に重要**と考えた事項をあげ、それについて、とった**措置又は対策**を簡潔に記述しなさい。（5行） |

ヒント 本テキストの表-4の視点から、「特に重要と考えた事項」に関連する要点を記述する。
特に重要と考えた事項 　工事の未済部分の発見・外観の検査・機器の運転状態の確認が特に重要であると考えた。
措置又は対策 　①完成した各設備を点検して未済部分の有無を確認し、未済部分を完成させた。②各機器を試運転して発停の状態を確認し、ねじ締付けの状態などを点検・補修した。③各機器の単体運転時の性能を、仕様書の性能に調整した。

設問3 　上記工事を施工するにあたり「**安全管理**」上、あなたが**特に重要と考えた事項**をあげ、それについて、とった**措置又は対策**を簡潔に記述しなさい。

ヒント　本テキストの表-3の視点から、「特に重要と考えた事項」に関連する要点を記述する。

特に重要と考えた事項　FCU の設置場所が高さ 3.8m であったので、労働者の高所からの転落を防止することが重要であると考えた。

措置又は対策　①作業足場を確保するため、キャスター付きの移動足場を使用した。

②作業開始前に、移動足場のキャスターの固定および作業床の安全性を点検した。

③労働者に作業方法を周知し、安全作業について、作業前の朝礼で確認させた。

解答例 2 　給排水設備工事の場合

設問1 　その工事につき、次の事項について記述しなさい。

(1) 　**工事件名**　新仙台大山ホテル新築工事（給排水設備工事）

(2) 　**工事場所**　宮城県仙台市弥生町 6 丁目 9-2

(3) 　**設備工事概要**　RC 造、4800m^2、6F、給水管 20A、排水管 30 ～ 50A 500m、高置水槽 20m^3、1 台

(4) 　**現場でのあなたの立場又は役割**　現場監督

設問2 　上記工事を施工するにあたり「**品質管理**」上、あなたが**特に重要と考えた事項**をあげ、それについて、とった**措置又は対策**を簡潔に記述しなさい。

ヒント　本テキストの表-4の視点から、「特に重要と考えた事項」に関連する要点を記述する。

特に重要と考えた事項　仕様書に基づいて機材を精査して搬入し、配管の支持・漏水の有無に注意しながら配管を施工することが重要と考えた。

措置又は対策　①機材の搬入にあたり、チェックリストを作成し、照合した。

②排水横主管の勾配が 1/100 となるように天井・スラブに固定し、高精度で取り付けた。

③水圧試験の際、給水管に 1.75MPa の水圧を加え、漏水が生じないことを確認した。

設問3 　上記工事を施工するにあたり「**安全管理**」上、あなたが**特に重要と考えた事項**をあげ、それについて、とった**措置又は対策**を簡潔に記述しなさい。

ヒント　本テキストの表-3の視点から、「特に重要と考えた事項」に関連する要点を記述する。

特に重要と考えた事項　配管工事にあたり、労働者の高所からの転落を防止することが重要と考えた。

措置又は対策　①高さが 1.8 m の場所での脚立作業であったため、脚立の間に足場板を掛け渡し、足場板が移動しないよう、足場板を 3 箇所で緊結・固定した。

②脚立の脚部の安定性や、足場板の緊結状態を常時点検した。

第Ⅱ編

2級管工事分野別技術力養成講座

第Ⅱ編の学び方の要点

　2級管工事の第二次検定の分野別記述は、**問題1**が必須、**問題2**と**問題3**からどちらか一方を選択、**問題4**と**問題5**からどちらか一方を選択といった形式の試験になっていました。

　必須問題である**問題1**は図上で誤りの箇所を確実に発見できるよう、本書に掲載されている施工要領図を徹底して理解する必要があります。また、令和3年度の第二次検定からの新規出題分野である施工管理知識について、本書の441ページに掲載されている重要事項と演習問題を学習する必要があります。

　選択問題は、自分に向いた方を選び、それを10年分の過去問でしっかり学習することが大切です。基本的には、空調関係の方は**問題2**を、給排水関係の方は**問題3**を選択します。また、計算が得意な方は**問題4**（累積出来形曲線を求めるために計算が必要です）を、暗記が得意な方は**問題5**（労働安全衛生法の数値と安全管理体制の名称の理解が必要です）を選択するとよいでしょう。ただし、**問題4**と**問題5**については、令和6年度の試験ではその両方が必須問題となる可能性があるので、**問題4**と**問題5**はどちらも学習することを推奨します。

第1章　施工要領図（必須問題）

　2級管工事施工管理技術検定試験第二次検定の 問題1 施工要領図の読み方は、必須問題である。過去10年間の出題の傾向は、下表の通りである。

① 最新10年間の出題分析表

出題テーマ	令和5	令和4	令和3	令和2	令和元	平成30	平成29	平成28	平成27	平成26
施工管理知識	○	○	○							
配管・埋設管	○		○	○			○○	○		
冷温水管・冷媒管				○○	○	○			○	○
ダクト・換気		○		○			○	○		
給水管		○			○		○	○○	○	○
排水管	○		○	○	○○	○○	○	○	○○	○
通気管	○		○			○				
防振・保温・固定	○	○	○							○

出題のポイント

　本年度の試験に向けて、①配管・埋設管、②冷温水管・冷媒管、③ダクト・換気、④給水管、⑤排水管、⑥通気管、⑦防振・保温・固定について、施工要領図を理解する必要がある。また、令和3年度からの新規出題分野である施工管理知識（各種の管工事の施工管理に関する記述の正誤を判断する問題）に対応できるようにする必要がある。なお、問題1 については、令和6年度の試験においても、令和3年度以降の試験と同じ出題傾向が続くと思われる。

② 施工要領図のテーマ

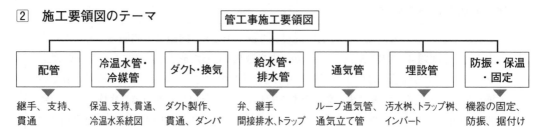

③ 施工要領図の考え方・解き方の基本

　問題1 は、施工要領図の誤りの訂正と、空調設備・給排水設備の弁・支持・継手などの使用箇所・使用目的を記述させるものである。このため、施工要領図の何をどう見てどう修正するかを図上で理解し、それを文章で表現する力を身につける必要がある。

　この流れは、①施工要領図の誤りを発見する→②図上で誤りを修正する→③その技術的修正方法を文章で表現する、といった手順を踏んでいる。この手順を習得するためには、部品の名称・誤りの理由・修正の方法を技術的に理解する必要がある。重要になるのは、誤りを見抜く方法とその修正方法をセットで、「覚える」のではなく「理解する」ことである。

1-1 技術検定試験 重要項目集（施工要領図の読み方）

施工要領図

施工要領図完全攻略

管工事の主任技術者となるためには、次の能力を身につける必要があります。

必須条件その1 誤った施工要領図を修正できる能力

必須条件その2 その修正方法を文章で表現できる能力

施工要領図完全攻略は、過去20年以上の試験問題を出題別に分類し、管工事によく使われる施工要領図を示し、その着目ポイント（改善策など）をまとめたものです。図を見ながら着目ポイント（改善策など）を覚えることが、施工要領図の理解につながります。

←スマホ版無料動画コーナー QRコード
URL　https://get-supertext.com/
（注意）スマートフォンでの長時間聴講は、Wi-Fi環境が整ったエリアで行いましょう。

「施工要領図の読み方講習」の動画講習を、GET研究所ホームページから視聴できます。

https://get-ken.jp/

GET研究所　検索 ➡ 無料動画公開中 ➡ 動画を選択

1-1-1　配管の継手・支持に関する施工要領図の読み方

	接合・支持	施工要領図	正誤	改善策など
1	鋼管のねじ接合（ねじの形状の検査）	b面 b a 管端 a面 ねじゲージ	誤	修正：ねじの管端は、ねじゲージのa～bの範囲内に入るよう加工するのが適正である。 目的：漏水を防止すること。
2	絶縁ユニオン接合	ガスケット（絶縁材） ユニオンナット 絶縁材 ユニオンねじ スリーブ	正	用途：鋼管と銅管、ステンレス管と炭素鋼鋼管など、異種管同士の接続に使用される。 目的：鋼管のイオン化を防止し、防錆すること。
3	銅管の溶接継手	2mm（余盛り） 突合せ溶接	正	基準：銅管の溶接継手の余盛は、3mm以下とする。 目的：応力集中を軽減すること。
4	ステンレス製フレキシブルジョイント	ベローズ ブレード	正	場所：建築物の接合部（エキスパンションジョイント部）や屋外配管を建築物内に引き込む箇所に設置する。 目的：その伸縮性により、耐震性を向上させること。
5	フランジのボルト締付け順序	フランジボルトの締付け順序 ① ④ ② ③ フランジボルト	誤	修正：対角線方向に締め付けるので、順序は①→③→②→④が正しい。 目的：液体・気体の漏れを防止すること。

	接合・支持	施工要領図	正誤	改善策など
6	単式伸縮管継手による配管支持	単式伸縮管継手の施工要領図 単式伸縮管継手　ガイド	誤	修正：ガイド以外にあと一箇所を固定しなければならない。 伸縮　ガイド　固定　単式伸縮管継手
7	複式伸縮管継手による配管支持	複式伸縮管継手回りの固定位置図 床スラブ 溶接固定　溶接固定 複式伸縮管継手	誤	用途：複式伸縮管継手を固定する。その両端にはガイドが必要である。 固定　伸縮 ガイド　複式伸縮管継手　ガイド
8	複数配管の管別支持	配管の支持方法 吊りボルト 給水管 吊りバンド 給水管	誤	基準：吊受台を用いるか、各給水管を天井から直接吊る。 給水管 吊受台 規定：給水管から給水管を吊る共吊りは禁止されている。
9	絶縁材付き鋼製吊りバンド	絶縁材 配管	正	目的：発錆を防止すること。鋼製のバンドで銅管やステンレス管を吊ると、発錆する。発錆を防止するためには、合成樹脂等から成る絶縁材を介して吊り支持を行う。

1-1-2 冷温水管・冷媒管の保温・支持・貫通・系統図に関する施工要領図の読み方

施工要領図

	機能・材料	施工要領図	正誤	改善策など
1	屋外冷温水管の保温	冷温水管　鉄線　ポリエチレンフィルム　グラスウール保温筒　アルミガラスクロス	誤	修正：アルミガラスクロスは屋内で使用するものなので、それをステンレス鋼板に置き換える。 備考：屋外では耐水性が必要なので、ポリエチレンフィルムで防湿する。
2	合成樹脂支持受け付き鋼製Uバンド	配管	正	目的：Uバンドの過加熱と結露を防止すること。 施工：合成樹脂を介したUバンドを用いて冷温水管を支持台に固定する。
3	蒸気管伸縮支持	ローラー支持金物	正	目的：蒸気管は熱の作用で伸縮するので、ローラを用いて支持台が回転できるようにすること。 施工：ローラの支持点では、配管の移動範囲内の保温材を切り取っておく。
4	つば付き鋼管スリーブ	つば　配管用炭素鋼鋼管（黒管）　全周片側溶接	正	場所：冷温水管が壁・床・防水層を貫通する場所に用いる。 目的：水密性を確保すること。
5	屋上を貫通する配管	モルタル防水　グラスウール　立上がり300㎜以上　防水層　躯体コンクリート　防水層押えコンクリート	誤	修正：屋上配管には、つば付き鋼管スリーブを用いる。その隙間はシーリング材で埋める。 目的：水密性を確保すること。

	機能・材料	施工要領図	正誤	改善策など
6	冷温水管の床貫通	冷温水管 グラスウール保温材 居室床 150mm ステンレス鋼板幅木 モルタル 鋼製スリーブ グラスウール保温材	誤	修正：保温材は、床を貫通する部分にも施工する。 冷温水管 グラスウール保温材 居室床 150mm ステンレス鋼板幅木 モルタル 鋼製スリーブ グラスウール保温材
7	冷媒管の支持と壁貫通	吊りボルト 防火区画 支持金具 モルタル ポリエチレンフォーム被覆銅管	誤	修正：支持金具には、保護プレートを取り付けるか、断熱粘着テープを二層巻きする。 断熱粘着テープ 保護プレート 長さ150mm以上
			誤	修正：壁を貫通する冷媒管の周囲は金具で覆い、その金具をビスで壁に留め付ける。金具の内部には熱膨張性耐熱シール材を充填する。 断熱材被覆銅管,ケーブルなど ビス 金具 熱膨張性耐熱シール材
8	ポンプの吸込み管の配管	防振継手 短管 ポンプ本体 吸込み管	誤	修正：ポンプの吸込み側に用いる短管の上面の勾配は、水平または 1/50 〜 1/100 の上り勾配とする。 短管 目的：空気だまりをなくすため。

	機能・材料	施工要領図	正誤	改善策など
9	水用自動エア抜弁	弁座／ダイヤフラム／弁体／フロート	正	場所：冷温水配管の頂部や凸部に設置する。 目的：冷温水管中のエアを自動的に抜き取ること。
10	温水配管系統図（膨張タンク）	膨張タンク／止水弁／膨張管／$h \geq 1\,m$／放熱器／温水ポンプ／温水ボイラー／B／H／HR／HR／HR	誤	修正：膨張タンクとボイラの間には、止水弁は設けない。 目的：ボイラの損傷を防止すること。
	冷却塔回り配管図	冷却塔／冷却水配管／CDR／CD／CDR／CD／CD／CDR 注：配管の支持は適切に行っているものとする。	誤	修正：鳥居配管を解消するため、冷却塔の基礎の高さを、冷却水配管の壁貫通部よりも高くする。
12	立て管の外装用テープの巻き方	立て管／保温筒／テープの幅／重ね幅＝テープの幅÷2／下方から上方に巻く	正	解説：立て管の外装用（保温施工用）テープは、立て管の下方から上方に向かって巻き上げる。また、2分の1重ね巻き（テープ幅の半分を重ねて巻くこと）とする。
13	横走り管の吊り金物の間隔	1.5m以下／1.5m以下／1.5m以下／吊り金物／保護プレート／冷媒用銅管（外径9.52mm以下）／2.0m以下／2.0m以下／吊り金物／保護プレート／冷媒用銅管（外径12.70mm以下）	正	解説：冷媒用銅管の横走り管の吊り金物の間隔は、銅管の基準外径が9.52mm以下の場合は1.5m以下、12.70mm以上の場合は2.0m以下とする。

1-1-3　ダクト・換気に関する施工要領図の読み方

	機能・措置	施工要領図	正誤	改善策など
1	ダクトの継目の名称	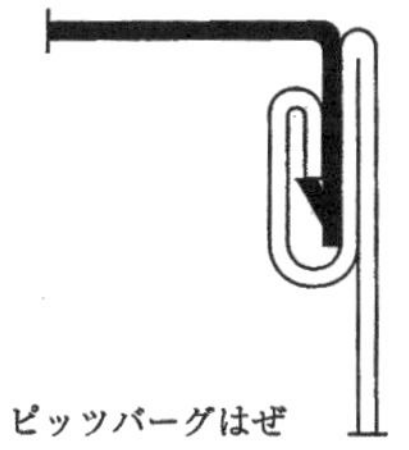 ピッツバーグはぜ	誤	修正：この継目はボタンパンチスナップはぜである。ダクトの継目の名称は、下図の通りである。 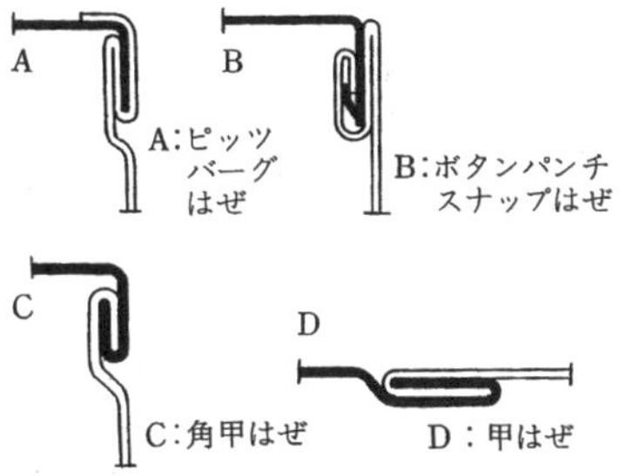 A：ピッツバーグはぜ　B：ボタンパンチスナップはぜ C：角甲はぜ　D：甲はぜ
2	ダクトの防振吊り	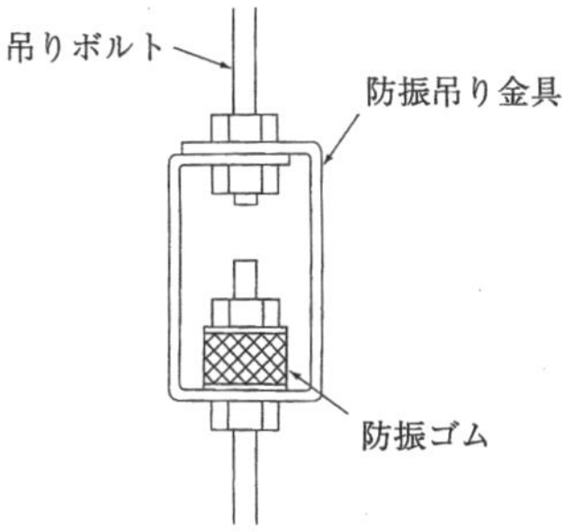 吊りボルト／防振吊り金具／防振ゴム	誤	用途：防振吊り金具には、後締めナットは設けない。 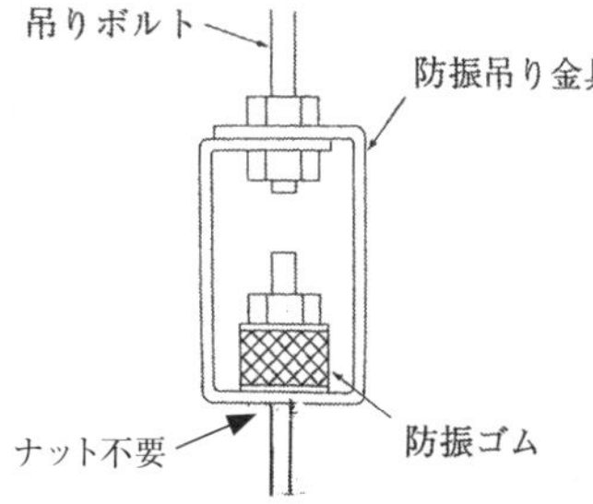 吊りボルト／防振吊り金具／ナット不要／防振ゴム
3	ダクトの防火区画貫通	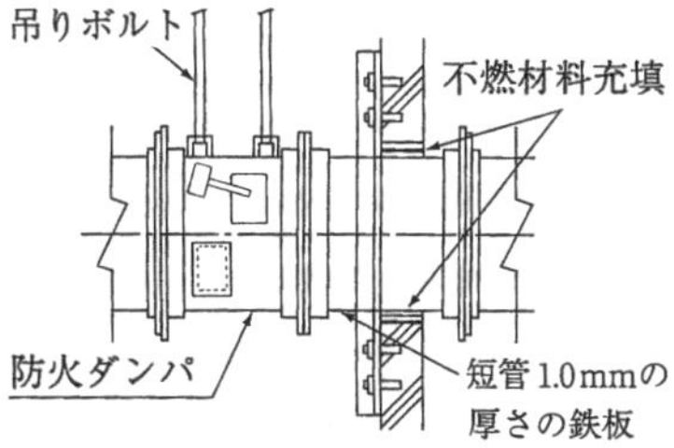 吊りボルト／不燃材料充填／防火ダンパ／短管1.0mmの厚さの鉄板	誤	基準：短管に用いる鉄板の厚さは、1.5mm以上とする。 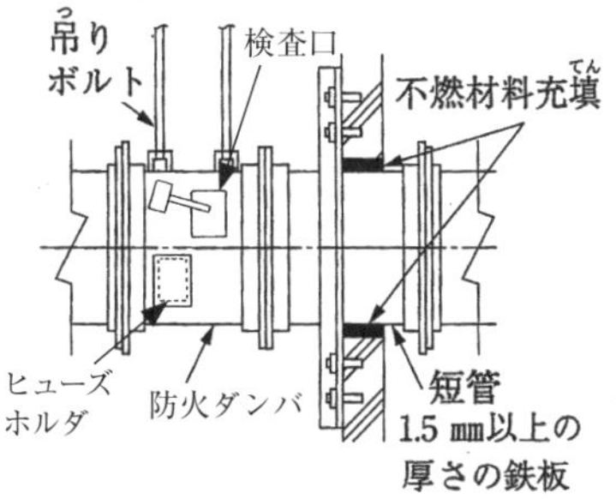 吊りボルト／検査口／不燃材料充填／ヒューズホルダ／防火ダンパ／短管1.5mm以上の厚さの鉄板
4	ダンパの取付け方向	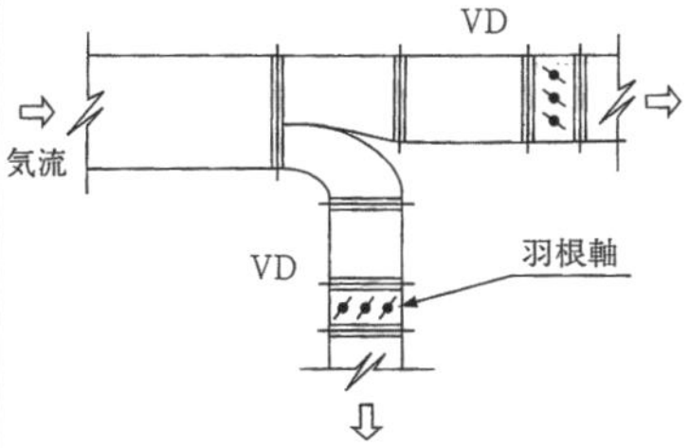 VD／気流／VD／羽根軸	誤	修正：ダンパの羽根軸は、平面図に対して水平となる方向に取り付ける。 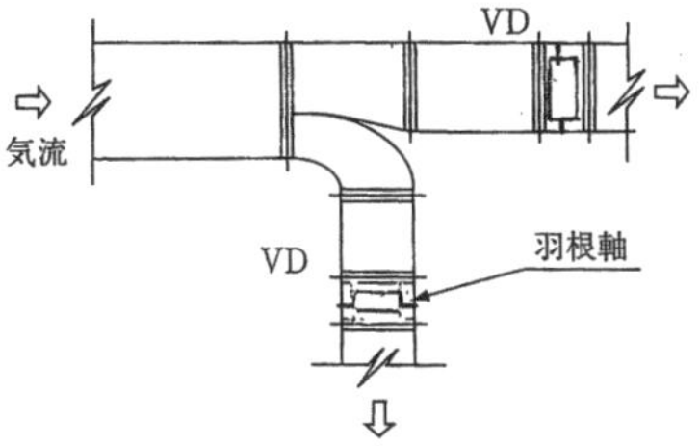 VD／気流／VD／羽根軸

施工要領図

	機能・措置	施工要領図	正誤	改善策など
5	送風機のダクトの取付け	VD／たわみ継手／回転方向／送風機	誤	修正：①送風機の回転方向を逆にする。 ②エルボには、ガイドベーンを設ける。 ガイドベーン／1.5D以上（Dは羽根車直径）
6	送風機の風量調節ダンパーの位置	風量調節ダンパー／たわみ継手／送風機	誤	修正：風量調節ダンパーは、ダクトの拡大部よりも下流側の気流が整流されているところに取り付ける。 下流側／風量調節ダンパー／ここを通過した気流は整流されている。／拡大部／たわみ継手／送風機／上流側
7	湯沸室の排気	防火ダンパ／フード／排気筒(SUS)／天井／排風機／湯沸器／給気口	誤	修正：湯沸器の排気筒には、防火ダンパは設けない。
8	第3種機械換気方式	給気機／外気／天井／天井／点検口／窓／脱衣室／浴室／ガラリ／浴槽	誤	修正：気流の向きが逆である。（外気を取り入れるのではなく排気するための機械を取り付ける。） 構造：台所・便所・浴室・湯沸室・厨房では、自然給気・機械排気による第3種機械換気方式とする。
9	湯沸室の排気トップの高さ	排気トップ／半密閉形ガス湯沸器／給気ガラリ	誤	修正：排気トップの高さは、屋根よりも600mm以上高くする。

	機能・措置	施工要領図	正誤	改善策など
10	排気混合チャンバーの区分	排気混合チャンバー／湯沸室系統 300㎥/h／機械室系統 1,000㎥/h	誤	修正：①排気混合チャンバーに排気が流入する配管には、ダンパを取り付ける。②排気混合チャンバー内には、隔壁を取り付けて、2系統の排気が混ざらないよう区分する。
11	排気チャンバーの取付け	排気チャンバー／防虫網／ガラリ／吊りボルト／点検口／外壁	誤	修正：排気チャンバーの底部に、外壁に向かって排水勾配を付けるなど、ガラリから雨水が浸入することを防止するための対策を施す。

1-1-4 給水管・排水管に関する施工要領図の読み方

	構造	施工要領図	正誤	改善策など
1	ストレーナーの取付け方向		正	構造：正しい方向の取付けである。土砂を捕捉するため、配管の下部に取り付ける。目的：泥・ごみを収集・除去すること。
2	大気圧式バキュームブレーカ	流水方向／空気／スイング弁	正	目的：大便器などからの逆流を防止すること。

施工要領図

	構造	施工要領図	正誤	改善策など
3	合成ゴム製防振継手	フランジ／伸縮ゴム	正	場所：ポンプの前後に取り付ける。 目的：振動を吸収すること。
4	スイング式逆止め弁		正	場所：給水ポンプの吐出側に取り付けることが多い。 目的：逆流を防止すること。
5	給水管のクロスコネクション	飲料用高置タンク／ファンコイルユニット／給水管／揚水管／冷温水管／水栓／空調用補給水管／冷温水ヘッダー	誤	修正：空調用補給水管と給水管は、別系統とする。これらを接続するクロスコネクションを行ってはならない。 理由：給水の汚染を防止するため。
6	排水管用エルボ	0°35'／リセス／肩／リセス／0°35'／鋳鉄製排水管継手	正	場所：ねじ式排水鋼管のエルボに用いられる。 特徴：リセス（くぼみ）と肩を有している。 目的：鋼管をねじ込んだ後に、汚物が詰まらないよう、内面を円滑にすること。
7	排水管用継手	リセス／配管／継手	正	場所：ねじ込み式排水管継手として、鋼管のねじ接合部分に用いられる。 構造：リセス（くぼみ）を有している。 目的：リセスの役割は、汚物による配管の詰まりを防止することにある。

施工要領図

	構造	施工要領図	正誤	改善策など
8	フート弁	ストレーナ	正	構造：フート弁は、逆止弁とストレーナーの機能を併せ持つ弁である。
9	給水管のT分岐	矢印は水の流れる方向を示す	誤	修正：給水管を分岐するときは、先の分岐にはT字継手を、後の分岐にはエルボを用いる。
10	洗面器の取付け		誤	修正：洗面器を取り付けるときは、軽量鉄骨に補強鋼板または形鋼を設け、そこにビスで洗面器を取り付ける。
11	二重トラップの解消①		誤	修正：Pトラップとドラムトラップは、いずれか1つのみとする。1つの器具に2つのトラップを用いてはならない。
12	二重トラップの解消②		誤	修正：トラップとホースのねじりによる二重トラップになっているので、ホースのねじりを解き、トラップを1つにする。

施工要領図

	構造	施工要領図	正誤	改善策など
13	オーバーフロー管		誤	**修正**：オーバーフロー管による排水は、金網付きの間接排水とし、150mm以上の排水口空間を設ける。オーバーフロー管を排水立て管に直接接続してはならない。 **理由**：逆流により、飲料用高置タンクに異物が混入する恐れがあるため。
14	ドロップ桝の配管		誤	**修正**：汚水管は、T字管・直管・エルボを通して、インバート桝に接続する。 ①汚水管　②T字管　③直管　④エルボ
15	空気調和機のドレンアップ配管		正	**理由**：ドレン管を自然流下している排水が、ドレンアップ配管を通して屋内機に流れ落ちないよう、ドレンアップ配管は、ドレン管の上方から取り出す。

1-1-5　通気管に関する施工要領図の読み方

施工要領図

	構造	施工要領図	正誤	改善策など
1	ループ通気管の取付け	通気管の配管 RFL　大気に開放 伸頂通気管 洋風大便器　小便器 4FL 掃除口　掃除流し　和風大便器 3FL 洗面器　排水立て管 2FL 排水横枝管 1FL　GL	誤	修正：各FL（フロアレベル／床面高）の最上流器具の接続直後に、ループ通気管を取り付ける。 RFL　大気に開放 ループ通気管　伸頂通気管 洋風大便器 4FL 掃除口　掃除流し　和風大便器 3FL 洗面器 2FL 排水横枝管 1FL　GL
2	ループ通気管の取り出し口の位置	ループ通気管図 ループ通気管　排水立て管 通気立て管 洋風大便器 掃除口	誤	修正：ループ通気管の取り出し口は、最上流の器具の直後とする。 通気立て管 ループ通気管　排水立て管 （洋風大便器）
3	ループ通気管の立ち上げ高さ	排水立て管 通気立て管 給水管 カウンター面 洗面器 床面	誤	修正：ループ通気管の立ち上げ高さは、洗面器のあふれ線よりも150mm以上高い位置とする。 排水立て管 通気立て管 給水管 カウンター面 洗面器 床面

	構造	施工要領図	正誤	改善策など
4	通気管の末端の位置	隣接建物の窓／同じ高さ／通気管の末端／建物の屋上／窓からの水平距離 2.0 m	誤	修正：通気管の末端は、隣接構造物の窓からの水平距離が 3.0m 以上の位置とするか、隣接構造物の窓の高さよりも 600mm 以上高い位置とする。
5	排水管からの通気管の取出し	通気管／雑排水横走り管	誤	修正：排水横枝管から通気管を取り出すときは、垂直または垂直から 45 度以内の角度で接続する。（水平に取り出してはならない） 通気管／垂直から45度以内（鋭角）／雑排水横走り管／垂直

1-1-6　桝に関する施工要領図の読み方

	構造	施工要領図	正誤	改善策など
1	汚水桝のインバートモルタル	管の天端よりやや低い位置／モルタル	誤	修正：インバートモルタルは、管の周辺では管の中心線まで、桝の外周では管の天端よりやや高い位置まで施工する。 do= 管の直径／モルタル／do／0.5〜0.6do
2	会合する汚水桝のインバート	汚水桝／インバート／屋外排水管	誤	修正：会合インバートには、十分な屈曲半径を有する曲線部を設け、モルタルを施工する。 汚水桝（真上から見た図）／接続点を中心からずらす／インバートの屈曲半径 R／管径 d_0／インバート／屋外配水管

	構造	施工要領図	正誤	改善策など
3	雨水排水トラップ桝の泥溜めの深さ	75mm 75mm	誤	修正：雨水桝の泥溜めの深さは、150mm以上とする。 トラップの深さは50mm以上　150mm

1-1-7　機器に関する施工要領図の読み方

	構造	施工要領図	正誤	改善策など
1	空気調和機の天井据付け	床スラブ　カセット形パッケージ形空気調和機（屋内機）　天井下地　天井	誤	修正：屋内機は、上階の床スラブから、4本の吊りボルトを用いて支持する。 理由：自重による屋内機の脱落のおそれがあるため。
2	空気調和機の屋外機の設置	ベランダ　パッケージ形空気調和機屋外機	誤	修正：屋外機の前後には、十分な空間を確保する。 理由：屋外機からの排気をそのまま吸気しないようにするため。 吊りボルト　吸気口　排気口　架台　十分な空間を確保　パッケージ型空気調和機屋外機　ベランダ　（天井吊り）

1-2　最新問題解説

令和5年度　問題1　施工管理知識と施工要領図　解答・解説

※令和3年度以降の試験問題では、ふりがなが付記されるようになりました。

【問題1】　次の設問1及び設問2の答えを解答欄に記述しなさい。

設問1　施工管理知識（管工事の施工の管理を適確に行うために必要な知識）

次の(1)〜(5)の記述について、**適当な場合には○を、適当でない場合には×を記入しな**さい。

(1)　低圧ダクトに用いるコーナーボルト工法ダクトの板厚は、アングルフランジ工法ダクトの板厚と同じとしてよい。

(2)　フレキシブルジョイントは、温水配管の熱収縮を吸収するために使用する。

(3)　洗面器を軽量鉄骨ボード壁に取り付ける場合は、ボードに直接バックハンガーを取り付ける。

(4)　送風機の接続ダクトに風量測定口を設ける場合は、送風機の吐出し口の直後に取り付ける。

(5)　排水用硬質塩化ビニルライニング鋼管の接続には、排水鋼管用可とう継手（MDジョイント）を使用する。

設問1　施工管理知識（管工事の施工の管理を適確に行うために必要な知識）　解答・解説

解答

(1)	(2)	(3)	(4)	(5)
○	×	×	×	○

解説 (1) 低圧ダクトに用いるコーナーボルト工法ダクトの板厚は、アングルフランジ工法ダクトの板厚と**同じ**としなければならない。

①管工事に使用するダクトの板厚は、ダクトの種類（使用圧力による区分）と長辺の長さに応じて、下表のように定められている。

②管工事に使用するダクトの板厚は、ダクトの工法・周長・短辺の長さなどとは無関係に定められていることには注意が必要である。

したがって、(1)の記述は適当なので、解答は〇である。

ダクトの種類（使用圧力による区分）

ダクトの種類	常用圧力における使用範囲 （通常運転時におけるダクト内圧）	
	正圧側	負圧側
低圧ダクト	＋500Pa 以内	－500Pa 以内
高圧1ダクト	＋1000Pa 以内	－1000Pa 以内
高圧2ダクト	＋2500Pa 以内	－2000Pa 以内

ダクトの長辺と短辺

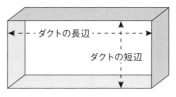

低圧ダクトの板厚（長方形ダクトの場合）

低圧ダクトの長辺の長さ	低圧ダクトの板厚
450mm以下	0.5mm
450mmを超え750mm以下	0.6mm
750mmを超え1500mm以下	0.8mm
1500mmを超え2200mm以下	1.0mm
2200mmを超える	1.2mm

高圧ダクトの板厚（長方形ダクトの場合）

高圧ダクトの長辺の長さ	高圧ダクトの板厚
450mm以下	0.8mm
450mmを超えるが1200mm以下	1.0mm
1200mmを超える	1.2mm

※低圧ダクトの工法であるコーナーボルト工法とアングルフランジ工法の違いは、ダクト接合部における継手の形状である。剛性の高いL形鋼のフランジを用いるアングルフランジ工法は、継手の強度が比較的大きい。ダクトの板を折り曲げて使用するコーナーボルト工法は、継手の強度が比較的小さい。ダクトの接合部以外は、工法に関係なく、同一の圧力を受けるので、ダクトの板厚は、同じものとする。

(2) 温水配管の熱収縮による悪影響を吸収するためには、フレキシブルジョイントではなく**スイベル**ジョイントまたは伸縮管継手を使用しなければならない。

①スイベルジョイントや伸縮管継手は、温度変化による管軸と平行する方向の伸縮を吸収するための耐熱用継手である。配管の伸縮に追従して回転または伸縮することができるので、温水配管の継手に使用することができる。

②フレキシブルジョイントは、振動による管軸と直交する方向の揺動を吸収するための耐震用継手である。温度変化による管軸と平行する方向の伸縮を吸収することはできないので、温水配管の継手に使用してはならない。

したがって、(2)の記述は適当でないので、解答は×である。

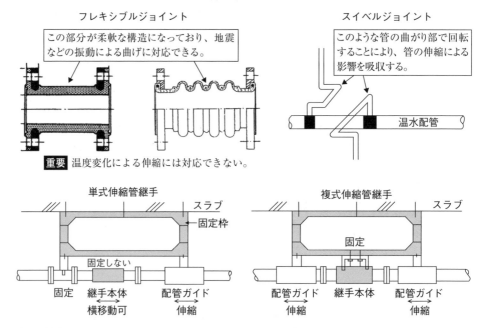

(3) 軽量鉄骨ボード壁に、洗面器などの器具を取り付ける場合は、そのバックハンガーを、軽量鉄骨ボード壁に設けた下地材(堅木またはアングル加工材)にビス止めして取り付けなければならない。ボード(仕上げボードや下地ボード)は、構造的な耐力が弱いので、バックハンガーをボードに**直接取り付けてはならない**。

したがって、(3)の記述は適当でないので、解答は×である。

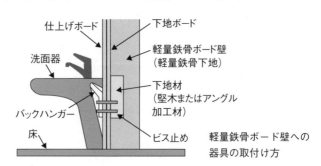

(4) 送風機の接続ダクトに設ける風量測定口は、送風機の吐出し口から**離れた位置**（気流が十分に整流されている位置）に取り付けなければならない。

　①ダクトの風量測定口は、送風機の吐出し口の直後から、ダクト径の5.5倍以上離れた直管部に取り付けることが望ましいとされている。

　②送風機の吐出し口の直後に風量測定口を設けると、吐出し口付近の乱流による風量の乱れを受けて、正確な風量が測定できなくなる。

　したがって、(4)の記述は適当でないので、解答は✕である。

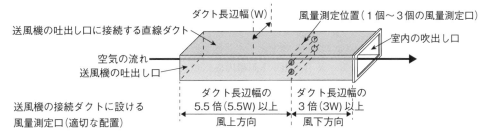

送風機の吐出し口に接続する直線ダクト
ダクト長辺幅(W)
風量測定位置（1個〜3個の風量測定口）
室内の吹出し口
空気の流れ
送風機の吐出し口
送風機の接続ダクトに設ける
風量測定口（適切な配置）
ダクト長辺幅の5.5倍(5.5W)以上
ダクト長辺幅の3倍(3W)以上
風上方向
風下方向

(5) 排水用硬質塩化ビニルライニング鋼管の接続には、**排水鋼管用可とう継手**（下図のようなMDジョイント）を使用しなければならない。この継手は、地震などによる構造物の揺動や、温度変化による配管の伸縮に、対応することができる。したがって、(5)の記述は適当なので、解答は〇である。

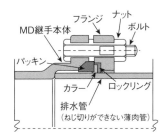

フランジ　ナット
MD継手本体　　　ボルト
パッキン
カラー　　ロックリング
排水管
（ねじ切りができない薄肉管）

排水鋼管用可とう継手
（MDジョイント/Mechanical Drainage Joint）の構造
※排水用硬質塩化ビニルライニング鋼管は、ねじ加工ができない薄肉管であるため、排水系統の圧力変動の大小に関係なく、ねじ込み式排水管継手を使用することはできない。

参考　管工事の施工の管理を適確に行うために必要な知識（施工管理知識）に関する問題は、令和3年度の第二次検定からの新規出題分野です。令和5年度の第二次検定の【問題1】〔設問1〕の(1)〜(5)の記述は、下記のように、そのすべてが令和4年度の第一次検定に出題された内容となっていました。
- 記述(1)の出典：令和4年度の第一次検定（前期）の **問題35**（本書474ページ参照）
- 記述(2)の出典：令和4年度の第一次検定（前期）の **問題51**（本書470ページ参照）
- 記述(3)の出典：令和4年度の第一次検定（後期）の **問題33**（本書454ページ参照）
- 記述(4)の出典：令和4年度の第一次検定（後期）の **問題35**（本書473ページ参照）
- 記述(5)の出典：令和4年度の第一次検定（後期）の **問題51**（本書469ページ参照）

本書では、このような出題に対応できるよう、弊社出版予定の書籍「スーパーテキストシリーズ 令和6年度 分野別問題解説集 2級管工事施工管理技術検定試験 第一次検定」から、管工事の施工の管理を適確に行うために必要な知識に関する問題を抜粋し、「施工管理知識 重要事項と演習問題」として、本書の441ページ〜489ページに採録しています。

設問2 施工要領図（図の適切でない部分の理由又は改善策）

(6)〜(9)に示す図について、**適切でない部分の理由又は改善策**を具体的かつ簡潔に記述しなさい。

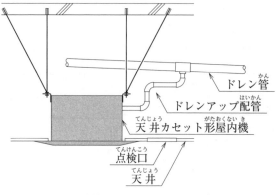

(6) 屋内機ドレン配管要領図
（吊りに関する部分は除く。）

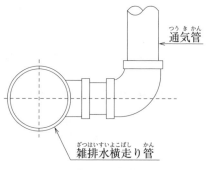

(7) 通気管取り出し要領図

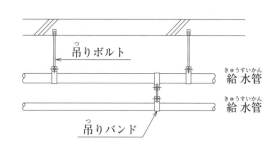

(8) 配管吊り要領図

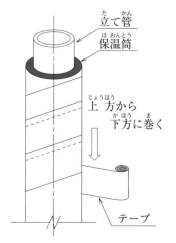

(9) 保温外装施工要領図

設問	図		解答のポイント
設問2	(6)	理由	ドレン管内の排水が、ドレンアップ配管から屋内機に流れ落ちる。
		改善策	ドレンアップ配管は、ドレン管の下方ではなく上方から取り出す。
	(7)	理由	水平に取り出された通気管には、排水が流れ込むおそれがある。
		改善策	通気管の取出しの向きは、垂直または垂直から45度以内とする。
	(8)	理由	下側の給水管の荷重を受けて、上側の給水管が変形して破損する。
		改善策	下側の給水管は、上側の給水管ではなく天井から直接吊り下げる。
	(9)	理由	上方から下方に巻くと、重ね部が水みちとなり、雨水が浸入する。
		改善策	立て管（保温筒）のテープは、下方から上方に巻くようにする。

| 設問2 | (6) 空気調和機の屋内機における適切なドレン配管の方法 | 解答・解説 |

　(6)に示す図は、天井に配置する空気調和機の屋内機について、ドレン管とドレンアップ配管の施工要領を示したものである。それぞれの配管は、次のような役割を有している。

①ドレン管は、屋内機の内部で生じた凝結水を、自然流下により排水するための管である。

②ドレンアップ配管は、ドレン管が屋内機よりも上方にある場合に、屋内機の内部で生じた凝結水を、ポンプなどを介して吸い上げるための配管である。

　この屋内機ドレン配管要領図では、ドレンアップ配管がドレン管の下方に接続されているため、ドレン管を自然流下している**排水が、ドレンアップ配管を通して屋内機に流れ落ちる**ことがある。この現象により排水が屋内機に流れ落ちると、屋内機から室内に水が垂れてきて家具が濡れるなどの被害が生じてしまう。

　このような事態を避けるため、**ドレンアップ配管は、ドレン管の上方から取り出す**（ドレン管の上部から流入するように接続する）ことが定められている。

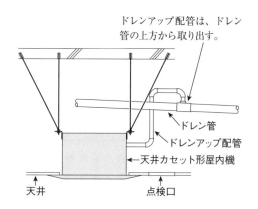

誤 ドレンアップ配管がドレン管の下方から取り出されていると……

上階の床スラブ　吊りボルト
ここから排水がドレンアップ配管を通して屋内機に流れ落ちる。
他の空気調和機からの排水
排水の流れ
凝結水
ドレン管
ドレンアップ配管
ポンプで排水
天井カセット形屋内機
天井
点検口

正 改善された屋内機ドレン配管要領図

ドレンアップ配管は、ドレン管の上方から取り出す。
ドレン管
ドレンアップ配管
天井カセット形屋内機
天井
点検口

| 解答例 | 問題1 設問2 | (6) | 理由 | ドレンアップ配管がドレン管の下方に接続されており、ドレン管内の排水が屋内機に流れ落ちるおそれがある。 |
| | | | 改善策 | ドレンアップ配管は、ドレン管の下方ではなくドレン管の上方から取り出すようにする。 |

※設問には、「適切でない部分の理由又は改善策」とあるので、どちらか一方を具体的かつ簡潔に記述する。

| 設問2 | (7) 雑排水横走り管からの通気管の適切な取り出し方 | 解答・解説 |

　(7)に示す図は、横走りする（水平方向に施工する）雑排水管に、通気管を接続するときの施工要領を示したものである。この通気管取出し要領図では、通気管が雑排水横走り管から水平に取り出されているため、雑排水管の内部を流れる**排水が、通気管の内部に流れ込む**ことになる。排水が通気管に流れ込むと、通気管の一部が水で満たされてしまう（空気の通り道が細くなる）ため、通気管としての役割を十分に果たせなくなる。

このような事態を避けるため、公共建築工事標準仕様書（機械設備工事編）では、「通気管は、排水横枝管などより**垂直ないし45度以内の角度で取り出し**、水平に取り出してはならない」ことが定められている。

施工要領図

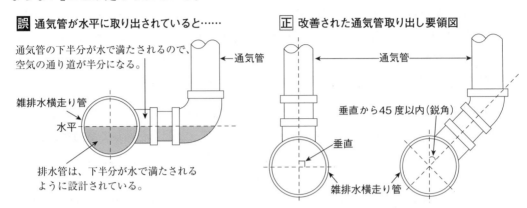

誤 通気管が水平に取り出されていると……

通気管の下半分が水で満たされるので、空気の通り道が半分になる。

通気管

雑排水横走り管

水平

排水管は、下半分が水で満たされるように設計されている。

正 改善された通気管取り出し要領図

通気管

垂直から45度以内（鋭角）

垂直

雑排水横走り管

解答例	問題1 設問2	(7)	理由	通気管が、雑排水横走り管から水平に取り出されているため、通気管の内部に排水が流れ込むおそれが生じる。
			改善策	雑排水横走り管からの通気管の取出しの向きが、垂直または垂直から45度以内となるようにする。

※設問には、「適切でない部分の理由又は改善策」とあるので、どちらか一方を具体的かつ簡潔に記述する。

設問2 (8) 複数の管を並行して配置するときの留意事項　　　　解答・解説

　(8)に示す図は、複数の給水管を上下方向に並行して配置する場合の施工要領を示したものである。この配管吊り要領図では、下側にある給水管が、上側にある給水管から吊り下げられる「共吊り」が行われている。このような共吊りを行うと、下側にある給水管の荷重を受けて、**上側にある給水管が変形し、その継手部などが破損する**ことがある。

　このような事態を避けるため、複数の給水管を上下方向に並行して配置するときは、**それぞれの給水管を、天井から直接吊りボルトで支持する**必要がある。管工事設備の配管は、配管に荷重がかかるのを防ぐため、いかなる場合においても（配管の用途や材料などに関係なく）共吊りしてはならない。

誤 給水管の「共吊り（配管から別の配管を吊る）」が行われていると……

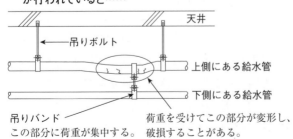

天井

吊りボルト

上側にある給水管

下側にある給水管

吊りバンド
この部分に荷重が集中する。

荷重を受けてこの部分が変形し、破損することがある。

正 改善された配管吊り要領図

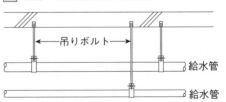

吊りボルト

給水管

給水管

			理由	給水管の共吊りが行われているため、下側にある給水管の荷重を受けて、上側にある給水管が変形・破損する。
解答例	**問題 1** **設問 2**	(8)	改善策	下側にある給水管は、上側にある給水管から吊りバンドで支持せず、天井から直接吊りボルトで支持する。

※設問には、「適切でない部分の理由又は改善策」とあるので、どちらか一方を具体的かつ簡潔に記述する。

設問 2	(9) 立て管の保温施工に使用するテープの正しい巻き方	解答・解説

　(9)に示す図は、立て管(垂直方向に施工する管)の保温施工において、保温筒を固定するための外装材として、テープを巻くときの施工要領を示したものである。この保温外装施工要領図では、テープが上方から下方に向かって巻かれている。立て管では、上方から下方に向かってテープを巻くと、次のような不都合が生じやすくなる。

①重力の影響を受けて、テープが剥がれやすくなり、その部分に埃が付きやすくなる。

②屋外に施工する立て管では、テープが重なっている部分が水みち(雨水の通り道)となり、**立て管内に雨水が浸入(浸透)しやすくなる。**(こちらの方がより重大な不都合となる)

　このような事態を避けるため、立て管の保温筒における外装材となる**テープは、下方から上方に向かって巻く**必要がある。また、テープ巻き仕上げの重ね幅は、15mm以上(ポリエチレンフィルムから成るテープの場合はテープ幅の2分の1以上)とする必要がある。この重ね幅が不足していると、保温筒の耐久性が低下しやすくなる。

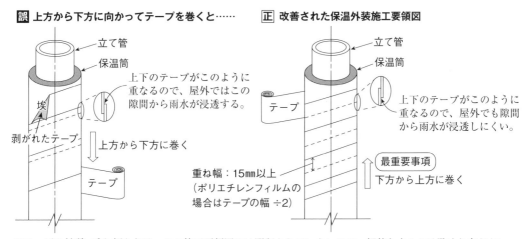

誤 上方から下方に向かってテープを巻くと……
　　立て管
　　保温筒
　　上下のテープがこのように重なるので、屋外ではこの隙間から雨水が浸透する。
　　埃
　　剥がれたテープ
　　上方から下方に巻く
　　テープ

正 改善された保温外装施工要領図
　　立て管
　　保温筒
　　テープ
　　上下のテープがこのように重なるので、屋外でも隙間から雨水が浸透しにくい。
　　重ね幅：15mm以上(ポリエチレンフィルムの場合はテープの幅÷2)
　　最重要事項
　　下方から上方に巻く

※テープの材質・重ね幅などは、この施工要領図には明記されていないので、解答とするのは避けた方がよい。
　(上記の改善された施工要領図にはテープを巻く方向と共に示している)

			理由	保温筒のテープが、上方から下方に巻かれているため、その重ね部が水みちとなり、雨水が浸入しやすくなる。
解答例	**問題 1** **設問 2**	(9)	改善策	立て管の保温筒における外装材となるテープは、下方から上方に向かって巻き上げるようにする。

※設問には、「適切でない部分の理由又は改善策」とあるので、どちらか一方を具体的かつ簡潔に記述する。

令和4年度 問題1 施工管理知識と施工要領図 解答・解説

※令和3年度以降の試験問題では、ふりがなが付記されるようになりました。

【問題1】 次の設問1～設問3の答えを解答欄に記述しなさい。

設問1 施工管理知識（管工事の施工の管理を適確に行うために必要な知識）

次の(1)～(5)の記述について、**適当な場合には○を、適当でない場合には×を**記入しなさい。

(1) 自立機器で縦横比の大きいパッケージ形空気調和機や制御盤等への頂部支持材の取付けは、原則として、2箇所以上とする。

(2) 汚水槽の通気管は、その他の排水系統の通気立て管を介して大気に開放する。

(3) パイプカッターは、管径が小さい銅管やステンレス鋼管の切断に使用される。

(4) 送風機とダクトを接続するたわみ継手の両端のフランジ間隔は、50 mm 以下とする。

(5) 長方形ダクトのかどの継目（はぜ）は、ダクトの強度を保つため、原則として、2箇所以上とする。

設問1 施工管理知識（管工事の施工の管理を適確に行うために必要な知識） 解答・解説

解答

(1)	(2)	(3)	(4)	(5)
○	×	○	×	○

解説 (1) 縦横比の大きい自立機器(縦方向の高さが横方向の幅に比べて大きいパッケージ形空気調和機や制御盤など)は、転倒しやすいという特徴がある。このような縦横比の大きい自立機器は、地震時の揺れによる転倒を防止するため、原則として、その頂部の**2箇所以上**に、支持材を取り付けなければならない。この支持材の取付けを1箇所だけにすると、その取付け箇所を中心として、自立機器に回転力が働くため、自立機器が支持材から脱落して転倒するおそれが生じる。

　　　したがって、(1)の記述は適当なので、解答は〇である。

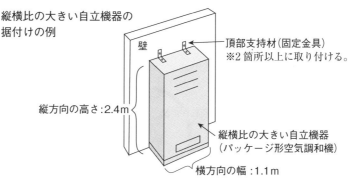

縦横比の大きい自立機器の
据付けの例

壁

頂部支持材(固定金具)
※2箇所以上に取り付ける。

縦方向の高さ:2.4m

縦横比の大きい自立機器
(パッケージ形空気調和機)

横方向の幅:1.1m

(2) 汚水槽・雑排水槽・雨水槽の通気管は、その管径を50㎜以上とし、単独で(その他の排水系統の通気立て管を**介さずに**)大気に開放しなければならない。汚水槽・雑排水槽・雨水槽の通気管は、その内部の悪臭が他の通気管に流入する(悪臭が他の通気管に流入して居室などに拡散する)ことを防ぐため、それ以外の通気管と接続せず、独立した系統としなければならないことが定められている。

　　　したがって、(2)の記述は適当でないので、解答は✕である。

正 正しい通気系統図の例

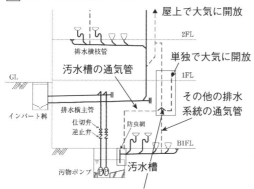

屋上で大気に開放
2FL
排水横枝管
単独で大気に開放
汚水槽の通気管
1FL
GL
その他の排水
系統の通気管
インバート桝
排水横主管
仕切弁
逆止弁
防虫網
B1FL
汚物ポンプ
汚水槽

汚水槽の通気管は、その他の排水系統の通気立て管を介さずに、大気に開放する。

誤 誤った通気系統図の例

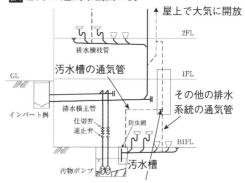

屋上で大気に開放
2FL
排水横枝管
汚水槽の通気管
1FL
GL
その他の排水
系統の通気管
インバート桝
排水横主管
仕切弁
逆止弁
防虫網
B1FL
汚物ポンプ
汚水槽

汚水槽の通気管が、その他の排水系統の通気立て管を介している(接続されている)と、汚水槽内の悪臭がここから居室などに拡散してしまう。

(3) パイプカッターは、円形の刃を有する器具で管を挟み込んだ後、その器具を回転させることで、管を切断する道具である。その特徴は、次の通りである。

① パイプカッターは、挟み込める管の大きさに制限があるので、**管径が小さい**管の切断には使用できるが、管径が大きい管の切断には使用できない。

② パイプカッターは、切断時の発熱が多いので、熱に強い管（**銅管やステンレス鋼管**など）の切断には使用できるが、熱に弱い管（ライニング鋼管など）の切断には使用できない。

※ 熱に弱い管は、パイプカッターを使用せずに、切断時の発熱が少ない帯鋸盤・金鋸盤などを使用して切断しなければならない。

したがって、(3)の記述は適当なので、解答は〇である。

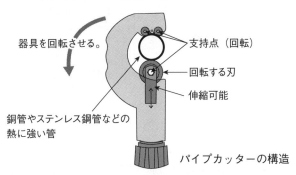

器具を回転させる。
支持点（回転）
回転する刃
伸縮可能
銅管やステンレス鋼管などの
熱に強い管
パイプカッターの構造

(4) 送風機を設置するときは、送風機の振動がダクトに直接伝わらないよう、送風機とダクトとの間に、たわみ継手を設けなければならない。このたわみ継手の両端部におけるフランジ間隔は、**150mm以上**とすることが定められている。このたわみ継手の両端部におけるフランジ間隔が短すぎると、送風機の振動がダクトに伝わりやすくなり、ダクトが破損するおそれが生じる。

したがって、(4)の記述は適当でないので、解答は✕である。

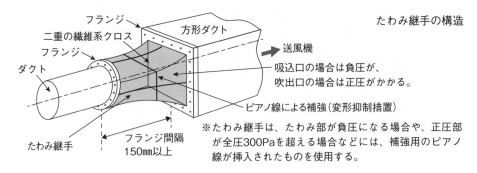

フランジ
二重の繊維系クロス
フランジ
ダクト
方形ダクト
送風機
吸込口の場合は負圧が、
吹出口の場合は正圧がかかる。
ピアノ線による補強（変形抑制措置）
たわみ継手
フランジ間隔
150mm以上
たわみ継手の構造

※たわみ継手は、たわみ部が負圧になる場合や、正圧部が全圧300Paを超える場合などには、補強用のピアノ線が挿入されたものを使用する。

(5) 長方形ダクトの角(継目)において、2枚の板金を接合するときは、接合する板金を相互に折り曲げる「はぜ」が施工される。長方形ダクトの角の継目(はぜ)は、ダクトの強度を保つため、原則として、**2箇所以上**としなければならない。

　①長辺が750mmを超えるダクトにおいて、ダクトの継目(はぜ)を1箇所だけにすると、十分な強度を確保することができなくなる。

　②長辺が750mm以下のダクトでは、ダクトの継目(はぜ)を1箇所としてもよい。小型のダクトは、継目(はぜ)が1箇所だけでも十分な強度を確保できる。

　したがって、(5)の記述は適当なので、解答は〇である。

長方形ダクトの角の継目(はぜ)の数(ダクトの長辺が750mmを超える場合)

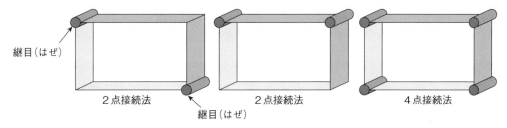

継目(はぜ)　　　2点接続法　　　　継目(はぜ)　　　2点接続法　　　　4点接続法

（**参考**）管工事の施工の管理を適確に行うために必要な知識(施工管理知識)に関する問題は、令和3年度の第二次検定からの新規出題分野です。令和4年度の第二次検定の【問題1】〔設問1〕の(1)〜(5)の記述は、下記のように、そのすべてが令和3年度の第一次検定に出題された内容となっていました。

●記述(1)の出典：令和3年度の第一次検定(前期)の 問題33 (本書455ページ参照)
●記述(2)の出典：令和3年度の第一次検定(後期)の 問題34 (本書465ページ参照)
●記述(3)の出典：令和3年度の第一次検定(前期)の 問題34 (本書465ページ参照)
●記述(4)の出典：令和3年度の第一次検定(後期)の 問題35 (本書475ページ参照)
●記述(5)の出典：令和3年度の第一次検定(後期)の 問題35 (本書475ページ参照)

本書では、このような出題に対応できるよう、弊社出版予定の書籍「スーパーテキストシリーズ 令和6年度 分野別問題解説集 2級管工事施工管理技術検定試験 第一次検定」から、管工事の施工の管理を適確に行うために必要な知識に関する問題を抜粋し、「施工管理知識 重要事項と演習問題」として、本書の441ページ〜489ページに採録しています。

設問2　施工要領図（図の適切でない部分の理由又は改善策）

(6)及び(7)に示す図について、**適切でない部分の理由又は改善策**を記述しなさい。

(6)　送風機回りダンパー取付け要領図

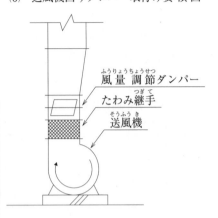

風量調節ダンパー
たわみ継手
送風機

(7)　パッケージ形空気調和機屋外機設置要領図

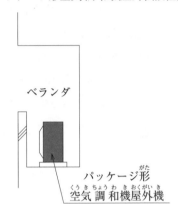

ベランダ

パッケージ形
空気調和機屋外機

設問	図		解答のポイント
設問2	(6)	理由	ダクトの拡大部よりも上流側で、風量調節を行うのは不適切である。
		改善策	風量調節ダンパーを、ダクトの拡大部よりも下流側に移設する。
	(7)	理由	屋外機と障害物との距離が短すぎて、ショートサーキットが生じる。
		改善策	屋外機を天井吊りに変更し、屋外機の周囲に十分な空間を確保する。

| 設問2 | (6)送風機の吐出し口に設ける風量調節ダンパーの取付け位置 | 解答・解説 |

　風量調節ダンパーは、その開度（開いている部分の割合）を変えることで、ダクト内の風量を制御する設備である。この風量調節ダンパーは、ダクト内の風量を適切に制御できるよう、**ダクトの拡大部よりも下流側**の気流が整流されているところに設けなければならない。

　また、送風機の吐出し口の直後は、偏流が発生しやすく、風量が安定しないので、風量調節ダンパーの取付け位置としてはあまり適していない。風量調節ダンパーは、原則として、気流が整流されたところに取り付けることが定められている。

　したがって、「送風機回りダンパー取付け要領図」に記載されている風量調節ダンパーは、ダクトの拡大部よりも下流側の気流が整流されているところに移設しなければならない。

正 改善された送風機回りダンパー取付け要領図

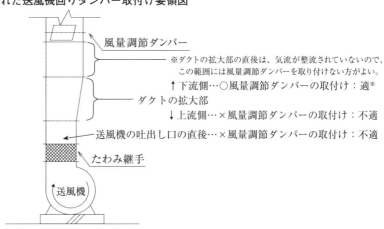

誤 風量調節ダンパーを、ダクトの拡大部よりも上流側に取り付けた場合

②の地点における風速
　　風量 1.5m³/s ÷ 断面積 0.3m² ＝ 風速 5.0m/s

①の地点における風速
　　風量 1.5m³/s ÷ 断面積 0.2m² ＝ 風速 7.5m/s

ダクトの断面積が途中で変わると、気流に乱れが生じるうえに、ダクト内の風速が変わってしまう！

解答例	問題1 設問2	(6)	理由	風量調節ダンパーが、ダクトの拡大部よりも上流側にあるので、ダクト内の風速制御が困難になる。
			改善策	風量調節ダンパーを、ダクトの拡大部よりも下流側の気流が整流されているところに移設する。

※問題には、「適切でない部分の理由又は改善策」とあるので、どちらか一方を解答すればよい。

| 設問2 | (7)パッケージ形空気調和機の屋外機と障害物との離隔距離 | 解答・解説 |

　パッケージ形空気調和機の屋外機をベランダなどに設置する場合は、屋外機の吸気口や排気口の周囲に、ある程度の空間を確保しなければならない。屋外機と障害物との間が狭すぎる（十分な空間が確保されていない）と、屋外機が排気した空気をそのまま吸気する現象（ショートサーキット）が発生し、空気調和機の運転効率が低下してしまう。

　したがって、「パッケージ形空気調和機屋外機設置要領図」に記載されている屋外機は、空気がショートサーキットしないよう、床置きから天井吊りに変更するなどの方法により、その**周囲に十分な空間を確保**しなければならない。

正 改善されたパッケージ形空気調和機
　　　屋外機設置要領図

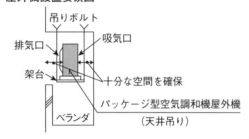

正 このような架台を設ける改善策も
　　　考えられる。

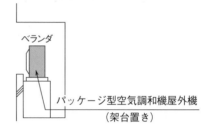

誤 屋外機の吸気口や排気口の周囲に
　　　十分な空間がない場合

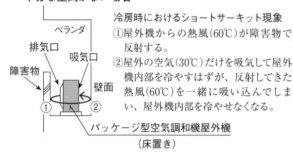

冷房時におけるショートサーキット現象
①屋外機からの熱風（60℃）が障害物で反射する。
②屋外の空気（30℃）だけを吸気して屋外機内部を冷やすはずが、反射してきた熱風（60℃）を一緒に吸い込んでしまい、屋外機内部を冷やせなくなる。

誤 このような改善策は誤りである。

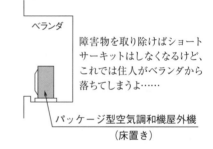

障害物を取り除けばショートサーキットはしなくなるけど、これでは住人がベランダから落ちてしまうよ……

解答例	問題1 設問2	(7)	理由	屋外機の吸気口と壁面との間や、排気口と障害物との間に、十分な空間がなく、空気がショートサーキットする。
			改善策	屋外機を床置きから天井吊りに変更し、屋外機の周囲（吸気口の前方および排気口の後方）に空間を確保する。

※問題には、「適切でない部分の理由又は改善策」とあるので、どちらか一方を解答すればよい。

設問3	施工要領図（図の適切でない部分の理由又は改善策）

(8)に示す図について、**適切でない部分の理由又は改善策**を、①に**給水設備**について、②に**排水・通気設備**について、それぞれ記述しなさい。ただし、配管口径に関するものは除く。

(8) 中間階便所平面詳細図

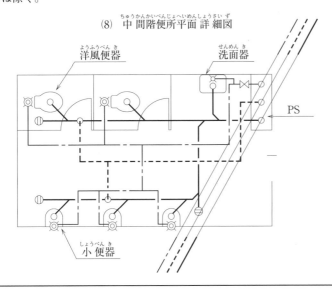

設問	図		解答のポイント
	(8)	理由	小便器への給水管が、ひとつの継手で2方向同時に分岐されている。
	①	改善策	小便器への給水管は、T字継手とエルボで2回に分けて分岐させる。
設問3	(8)	理由	通気管の立上げ位置が、洋風便器や小便器の利用者の邪魔になる。
	②	改善策	通気管の立上げ位置を、洋風便器側は右に、小便器側は左に動かす。

設問3	(8)給水管・排水管・通気管の適切な接続方法	解答・解説

①給水設備の適切でない部分の理由又は改善策

給水管を2方向に分岐させるときは、最初の分岐点に設けるT字継手では**1方向のみを分岐**させ、その後の地点で、エルボを設けて**もう1方向を方向転換**させなければならない。この図のように、小便器に向かう給水管について、ひとつのT字継手だけで一度に2方向同時に分岐させると、分岐点に渦流が生じるため、水の流れが妨げられてしまう。

したがって、「中間階便所平面詳細図」に記載されている給水管は、T字継手では右側の小便器に向かう給水管のみを分岐させ、その後の地点で、エルボを設けて左側の小便器に向かう給水管を方向転換させなければならない。

②排水・通気設備の適切でない部分の理由又は改善策

　ループ通気管と排水横枝管との接続位置は、その排水・通気設備において、最上流の器具(洋風便器・小便器)の器具排水管が、排水横枝管に接続した直後の地点とする。ループ通気管は、その接続位置において、最上流の器具のあふれ線よりも150mm以上高い位置まで立ち上げなければならない。

Ⓐこの図では、ループ通気管と排水横枝管との立上げ位置は、上記の通りにはなっている。

Ⓑ洋風便器のループ通気管は、扉を開くことができなくなる地点から立ち上げられている。

Ⓒ小便器のループ通気管は、小便器の利用者の邪魔になる地点から立ち上げられている。

　したがって、「中間階便所平面詳細図」に記載されているループ通気管の立上げ位置は、洋風便器側では**もう少し右側**に、小便器側では**もう少し左側**に、**移動**させなければならない。

正 改善された中間階便所平面詳細図

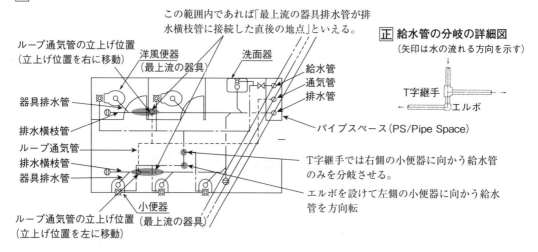

この範囲内であれば「最上流の器具排水管が排水横枝管に接続した直後の地点」といえる。

ループ通気管の立上げ位置
（立上げ位置を右に移動）

洋風便器
（最上流の器具）

洗面器

給水管
通気管
排水管

器具排水管

排水横枝管

ループ通気管
排水横枝管
器具排水管

パイプスペース（PS/Pipe Space）

ループ通気管の立上げ位置（最上流の器具）
（立上げ位置を左に移動）

小便器

正 給水管の分岐の詳細図
（矢印は水の流れる方向を示す）

T字継手
エルボ

T字継手では右側の小便器に向かう給水管のみを分岐させる。

エルボを設けて左側の小便器に向かう給水管を方向転

誤 この中間階便所平面詳細図のままで施工すると、次のような問題が生じる。

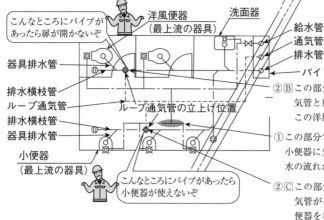

こんなところにパイプがあったら扉が開かないぞ

洋風便器
（最上流の器具）

洗面器

給水管
通気管
排水管

器具排水管

排水横枝管
ループ通気管

ループ通気管の立上げ位置

排水横枝管
器具排水管

小便器
（最上流の器具）

こんなところにパイプがあったら小便器が使えないぞ

パイプスペース（PS/Pipe Space）

②Ⓑこの部分からループ通気管を立ち上げると、ループ通気管と扉がぶつかってしまい、この扉が開かなくなり、この洋風便器を利用することができなくなる。

①この部分では、給水管をひとつのT字継手だけで左右の小便器に分岐させているため、この部分に渦流が生じて、水の流れが妨げられてしまう。

②Ⓒこの部分からループ通気管を立ち上げると、ループ通気管がこの小便器の利用者の邪魔になるため、この小便器を利用することができなくなる。

誤 給水管の分岐の詳細図
（矢印は水の流れる方向を示す）

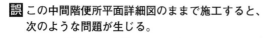

T字継手

				理由	小便器に向かう給水管が、ひとつのＴ字継手で２方向同時に分岐しているため、水の流れが妨げられる。
解答例	問題1 設問3	(8) ①		改善策	Ｔ字継手では、右側の小便器への給水管のみを分岐させ、その後、左側の小便器への給水管を方向転換させる。
		(8) ②		理由	ループ通気管が、洋風便器や小便器を、利用者が使用できなくなるような位置から立ち上げられている。
				改善策	ループ通気管の立上げ位置を、洋風便器側ではもう少し右側に、小便器側ではもう少し左側に移動させる。

※問題には、「適切でない部分の理由又は改善策」とあるので、①(給水設備)・②(排水・通気設備)のそれぞれについて、どちらか一方を解答すればよい。

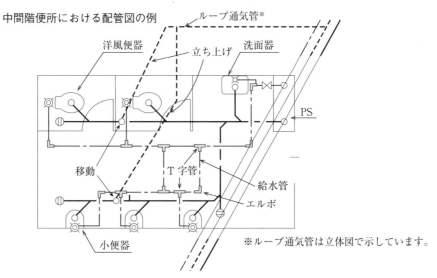

中間階便所における配管図の例

上図では「解説」の図から一部の配管を変更しています。
(「解説」と「参考」の配管はどちらも適切である)
小便器に向かう給水管：２つのＴ字継手を並べて使う場合の例
洋風便器側のループ通気管：便房の端部で立ち上げた場合の例

令和3年度 問題1 施工管理知識と施工要領図 解答・解説

※令和3年度以降の試験問題では、ふりがなが付記されるようになりました。

【問題1】 次の設問1～設問3の答えを解答欄に記述しなさい。

設問1 施工管理知識(管工事の施工の管理を適確に行うために必要な知識)

次の(1)～(5)の記述について、適当な場合には〇を、適当でない場合には×を記入しなさい。

(1) アンカーボルトは、機器の据付け後、ボルト頂部のねじ山がナットから3山程度出る長さとする。

(2) 硬質ポリ塩化ビニル管の接着接合では、テーパ形状の受け口側のみに接着剤を塗布する。

(3) 鋼管のねじ加工の検査では、テーパねじリングゲージをパイプレンチで締め込み、ねじ径を確認する。

(4) ダクト内を流れる風量が同一の場合、ダクトの断面寸法を小さくすると、必要となる送風動力は小さくなる。

(5) 遠心送風機の吐出し口の近くにダクトの曲がりを設ける場合、曲がり方向は送風機の回転方向と同じ方向とする。

| 設問1 | 施工管理知識(管工事の施工の管理を適確に行うために必要な知識) | 解答・解説 |

解答

(1)	(2)	(3)	(4)	(5)
〇	×	×	×	〇

解説 (1) 埋込式アンカーボルトを使用して管工事機器を固定する場合、そのアンカーボルトは、機器の据付け後、ボルト頂部のねじ山がナットから**3山程度出る**長さとなるように、アンカーボルトの埋込み深さを調整しなければならない。このねじ山が2山以下しか出ていなかったり、アンカーボルトのナットからねじ山が全く出ていなかったりすると、機器の据付け強度が不足したり、アンカーボルトのナットが変形しやすくなったりするおそれが生じる。したがって、(1)の記述は適当なので、解答は〇である。

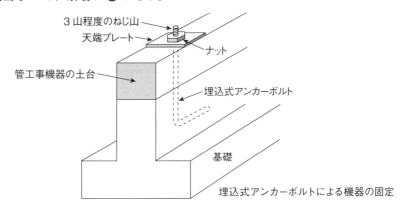

埋込式アンカーボルトによる機器の固定

(2) 硬質ポリ塩化ビニル管の接着接合では、テーパ形状の**受け口側と差し口側の両方**に、接着剤を均一に塗布しなければならない。テーパ形状の受け口側のみに接着剤を塗布する(テーパ形状の差し口側に接着剤を塗布しない)と、接着接合の強度が不足するおそれが生じる。したがって、(2)の記述は適当でないので、解答は✕である。

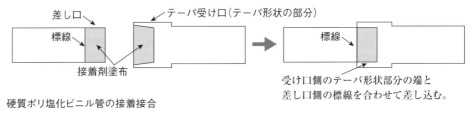

硬質ポリ塩化ビニル管の接着接合

(3) 鋼管のねじ加工の検査では、テーパねじリングゲージを**手**で締め込み、ねじ径を確認しなければならない。テーパねじリングゲージをパイプレンチで締め込むと、締付け力が強すぎるため、テーパねじやリングゲージが破壊されるおそれが生じる。したがって、(3)の記述は適当でないので、解答は**✕**である。

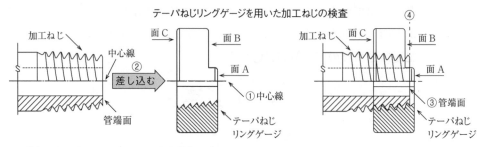

テーパねじリングゲージを用いた加工ねじの検査

①加工ねじとリングゲージの中心線を一致させる。

②加工ねじのギザギザと、リングゲージのギザギザが完全に噛み合うまで、加工ねじを手でリングゲージに差し込む。(パイプレンチを使用してはならない)

③リングゲージに差し込んだ加工ねじについて、管端面の位置を確認する。

④加工ねじの管端面の位置が、上図のようにリングゲージの切欠の範囲内(面Aと面Bとの中間付近)にあれば、ねじ径が合格であると判定される。

(4) ダクト内を流れる風量が同一である場合は、ダクトの断面寸法を小さくすると、必要となる送風動力は**大きくなる**。その理由は、下記の①～③の通りである。

①ダクトの断面寸法を小さくした(風の通り道を細くした)ときに、ダクト内を流れる風量を同一とするには、ダクト内の風速を大きくする必要がある。

②ダクト内面の抵抗(圧力損失)は、風速の二乗に比例して大きくなる。

③ダクト内面の抵抗(圧力損失)が大きいほど、送風に大きな動力が必要になる。

したがって、(4)の記述は適当でないので、解答は**✕**である。

抵抗(圧力損失):10

風速10m/s× 断面寸法0.04m²= 風量0.4m³/s

抵抗(圧力損失):160

風速40m/s× 断面寸法0.01m²= 風量0.4m³/s

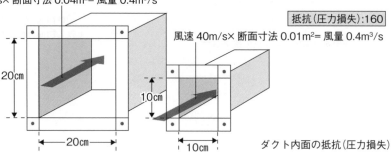

ダクト内面の抵抗(圧力損失)

(5) 遠心送風機の吐出し口の近くに、ダクトの曲がりを設ける場合は、風の流れが円滑になるよう、その曲がりの方向(風の流れの方向)を、送風機の回転方向と同じ方向としなければならない。ダクトの曲がりの方向が、送風機の回転方向と異なる方向になっていると、ダクトの曲がりの直後に気流の乱れが生じるため、圧力損失・騒音・振動などが発生し、送風機の効率が低下する(吐出し口における風量が少なくなる)おそれが生じる。したがって、(5)の記述は適当なので、解答は◯である。

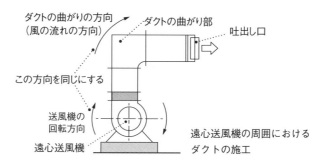

遠心送風機の周囲におけるダクトの施工

参考 管工事の施工の管理を適確に行うために必要な知識(施工管理知識)に関する問題は、令和3年度の第二次検定からの新規出題分野です。しかし、これは過去問題が存在しないことを意味するものではありません。令和3年度の第二次検定の【問題1】〔設問1〕の(1)～(5)の記述は、下記のように、そのすべてが過去の学科試験(第一次検定の旧称)に出題された内容となっていました。

●記述(1)の出典：令和2年度の学科試験(後期)の 問題 35 (本書460ページ参照)
●記述(2)の出典：令和元年度の学科試験(前期)の 問題 36 (本書466ページ参照)
●記述(3)の出典：令和元年度の学科試験(前期)の 問題 37 (本書471ページ参照)
●記述(4)の出典：令和元年度の学科試験(後期)の 問題 38 (本書476ページ参照)
●記述(5)の出典：令和2年度の学科試験(後期)の 問題 39 (本書480ページ参照)

本書では、このような出題に対応できるよう、弊社出版予定の書籍「スーパーテキストシリーズ 令和6年度 分野別問題解説集 2級管工事施工管理技術検定試験 第一次検定」から、管工事の施工の管理を適確に行うために必要な知識に関する問題を抜粋し、「施工管理知識 重要事項と演習問題」として、本書の441ページ～489ページに採録しています。

設問2	施工要領図（図の適切でない部分の理由又は改善策）

(6)～(8)に示す図について、**適切でない部分の理由又は改善策**を記述しなさい。

(6) カセット形パッケージ形空気調和機
（屋内機）据付け要領図

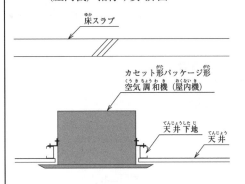

(7) 通気管末端の開口位置
（外壁取付け）

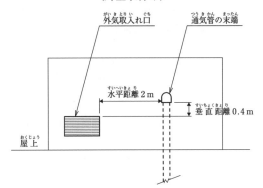

(8) フランジ継手のボルトの締付け順序
（数字は締付け順序を示す。）

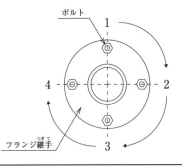

設問	図		解答のポイント
設問2	(6)	理由	天井下地だけで支持されている屋内機が脱落するおそれがある。
		改善策	屋内機は、床スラブから4本の吊りボルトで直接支持する。
	(7)	理由	外気取入口から通気管末端までの垂直距離・水平距離が短すぎる。
		改善策	垂直距離を 0.6m 以上とするか、水平距離を 3.0m 以上とする。
	(8)	理由	ボルトの締付けが対角方向順でないため、締付け力に偏りが生じる。
		改善策	上のボルトの締付け後、右ではなく下のボルトを先に締め付ける。

設問2	(6) 空気調和機を天井に据え付ける方法	解答・解説

　カセット形のパッケージ形空気調和機の屋内機を天井に取り付けるときは、上階の床スラブから、4本の吊りボルトを用いて支持しなければならない。この屋内機は、重量が比較的大きいので、天井下地だけで支持すると、その重さによって脱落するおそれが生じる。

正 改善されたカセット形パッケージ形空気調和機（屋内機）据付け要領図

※下図では吊りボルトは2本しか描かれていないように見えるが、実際には右図のように
手前と奥に2本ずつあるので、4本吊りとなっている。

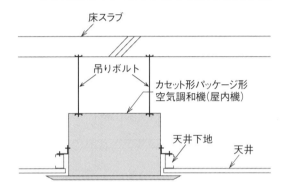

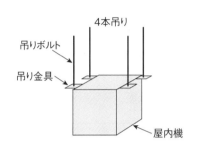

誤 屋内機を天井下地だけで支えると……

解答例	問題1 設問2	(6)	理由	重量のある屋内機が、天井下地だけで支持されているので、自重による脱落のおそれがある。
			改善策	屋内機は、上階の床スラブから、4本の吊りボルトを用いて支持する。

※問題には、「適切でない部分の理由又は改善策」とあるので、どちらか一方を解答すればよい。

| 設問2 | (7) 外気取入口と通気管末端との離隔距離 | 解答・解説 |

通気管の末端が、外気取入れ口(建物の扉・窓・換気口など)の近くにある場合は、外気取入れ口からの悪臭の侵入を防止するため、次の①または②の措置を講じなければならない。

①通気管の末端は、外気取入れ口の上端から、垂直距離にして0.6m以上高い位置とする。

②通気管の末端は、外気取入れ口の両端から、水平距離にして3.0m以上離れた位置とする。

※垂直距離・水平距離が共にこの距離よりも短くなっていると、排水管などに接続されている通気管内の悪臭が、外気取入れ口から室内に侵入するおそれが生じる。

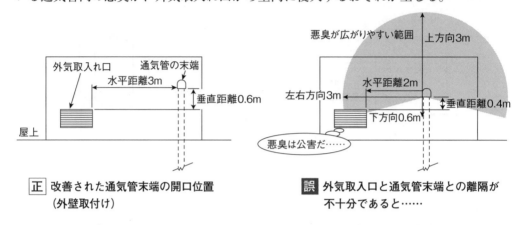

| 正 | 改善された通気管末端の開口位置(外壁取付け) |

| 誤 | 外気取入口と通気管末端との離隔が不十分であると…… |

解答例	問題1 設問2	(7)	理由	外気取入れ口から通気管の末端までの垂直距離・水平距離が短すぎるため、悪臭が室内に侵入する。
			改善策	外気取入れ口の端部から通気管の末端までの垂直距離を0.6m以上とするか、水平距離を3.0m以上とする。

※問題には、「適切でない部分の理由又は改善策」とあるので、どちらか一方を解答すればよい。

| 設問2 | (8)フランジ継手のボルトの締付け順序 | 解答・解説 |

　フランジ継手のボルトは、全体としての締付け力のバランスを考慮する必要があるため、対角方向の順に締め付ける（直前に締めたボルトと対角の位置にあるボルトを優先して締め付ける）必要がある。単に時計回りまたは反時計回りの順に締め付けると、ボルトの締付け力に偏りが生じてフランジ継手が変形し、地震時の漏水などの原因となるおそれが生じる。

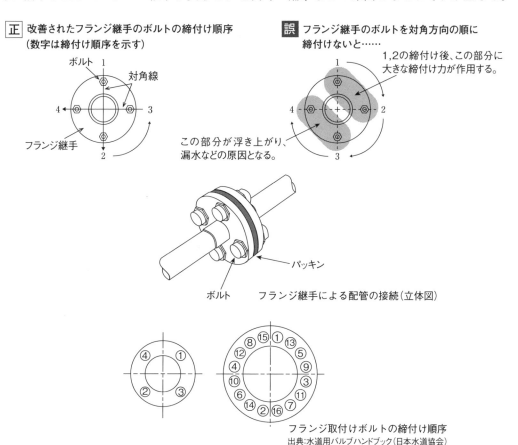

| 正 | 改善されたフランジ継手のボルトの締付け順序（数字は締付け順序を示す） |

ボルト 1
対角線
4
3
フランジ継手
2

| 誤 | フランジ継手のボルトを対角方向の順に締付けないと…… |

1,2の締付け後、この部分に大きな締付け力が作用する。
1
4
2
3
この部分が浮き上がり、漏水などの原因となる。

パッキン
ボルト　　フランジ継手による配管の接続（立体図）

④ ① ② ③

⑧ ⑮ ① ⑬
⑫ ⑤
④ ⑨
⑩ ⑯
⑭ ② ⑯ ⑦
⑪
③

フランジ取付けボルトの締付け順序
出典:水道用バルブハンドブック（日本水道協会）

| 解答例 | 問題1 設問2 | (8) | 理由 | ボルトが対角方向の順に締め付けられていないため、締付け力に偏りが生じてフランジ継手が変形する。 |
| | | | 改善策 | 上側のボルトを締め付けた後、右側のボルトではなく下側のボルトを先に締め付ける。 |

※問題には、「適切でない部分の理由又は改善策」とあるので、どちらか一方を解答すればよい。

設問3 施工要領図（図の適切な寸法）

(9)に示す図について、**排水口空間Aの必要最小寸法**を記述しなさい。

(9) 飲料用高置タンク回り配管要領図

揚水管　飲料用高置タンク　オーバーフロー管　給水管　ドレン管　間接排水口　A

設問3 (9)排水口空間の必要最小寸法　解答・解説

　飲料用高置タンクからのオーバーフロー管は、排水がオーバーフロー管を通って飲料用高置タンクに逆流することを防ぐため、排水口空間を設けて間接排水としなければならない。このオーバーフロー管の排水口空間は、150㎜以上とする（必要最小寸法を150㎜とする）ことが定められている。

①飲料用高置タンクとは、集合住宅などの給水方式において、屋上などの高所に設けられた水道水を貯めておくための大きな水槽である。

②オーバーフロー管とは、飲料用高置タンクなどの水位が上がりすぎた場合に、タンク内の水を自動的に排水するための管である。

③間接排水とは、飲料用高置タンクなどの器具からの排水管の末端と、水受け容器のあふれ縁との間に、排水口空間を設けて排水することをいう。

④排水口空間とは、オーバーフロー管などの間接排水管の末端と、間接排水口などの水受け容器のあふれ縁との垂直距離のことである。

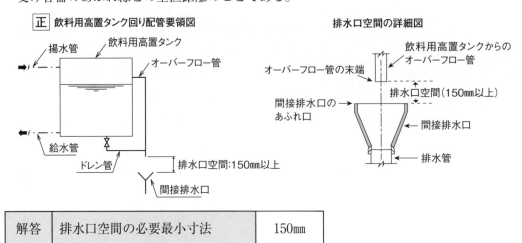

正 飲料用高置タンク回り配管要領図

揚水管　飲料用高置タンク　オーバーフロー管　給水管　ドレン管　排水口空間：150㎜以上　間接排水口

排水口空間の詳細図

飲料用高置タンクからのオーバーフロー管　オーバーフロー管の末端　排水口空間（150㎜以上）　間接排水口のあふれ口　間接排水口　排水管

解答	排水口空間の必要最小寸法	150㎜

令和2年度 問題1 施工要領図 解答・解説

問題1 次の 設問1 及び 設問2 の答えを解答欄に記述しなさい。

設問1 (1)及び(2)に示す各図について、**使用場所又は使用目的**を記述しなさい。

(1) つば付き鋼管スリーブ

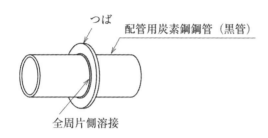

つば
配管用炭素鋼鋼管 (黒管)
全周片側溶接

(2) 合成樹脂製支持受け付きUバンド

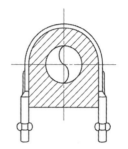

設問2 (3)～(5)に示す各図について、**適切でない部分の理由又は改善策**を具体的かつ簡潔に記述しなさい。

(3) 汚水桝施工要領図

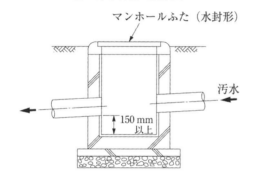

マンホールふた (水封形)
汚水
150 mm
以上

(4) 排気チャンバー取付け要領図

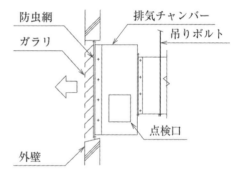

防虫網
ガラリ
排気チャンバー
吊りボルト
点検口
外壁

(5) 冷媒管吊り要領図

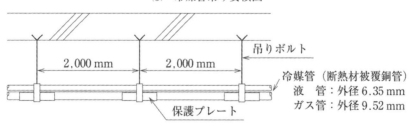

吊りボルト
2,000 mm
2,000 mm
冷媒管 (断熱材被覆銅管)
液　管：外径6.35 mm
ガス管：外径9.52 mm
保護プレート

設問	図		解答のポイント
設問1	(1)	使用場所	防水処置を施した壁や床を冷温水配管が貫通する場所。
		使用目的	冷温水配管の貫通部における水密性を確保すること。
	(2)	使用場所	鋼製Uバンドによる冷温水配管の支持部となる場所。
		使用目的	鋼製Uバンドの結露による錆や汚れを防止すること。
設問2	(3)	理由	汚水桝に泥溜めがあるため、汚物が沈殿するおそれがある。
		改善策	汚水桝の底部には、泥溜めではなくインバートを設ける。
	(4)	理由	ガラリからの雨水浸入対策が、まったく施されていない。
		改善策	排気チャンバーの底部に、外壁に向かって排水勾配を付ける。
	(5)	理由	吊りボルトの間隔が長すぎるため、その強度が不足している。
		改善策	吊りボルトの相互間隔を1500mm以下にする。

問題1	設問1	(1)つば付き鋼管スリーブ	解答・解説

　つば付き鋼管スリーブは、冷温水配管の貫通部における水密性を確保するための器具である。冷温水配管が、防水処置を施した外壁・床などを貫通する場所において用いられている。地下梁などを貫通する冷温水配管は、その配管の周囲から地下水が地上に浸入してくることを防止するため、つば付き鋼管スリーブで覆わなければならない。一例として、厨房などの防水処置を必要とする床貫通部の給水管は、下図のような構造となっている。

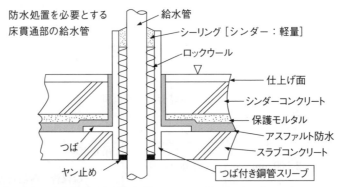

解答例	問題1 設問1	(1)	使用場所	冷温水配管が、防水処置を施した外壁・床などを貫通する場所で使用される。
			使用目的	冷温水配管の貫通部における水密性を確保し、配管周囲からの浸透水を遮断する。

※問題には、「使用場所又は使用目的を記述」とあるので、どちらか一方を解答すればよい。

| 問題 1 | 設問 1 | (2)合成樹脂製支持受け付きUバンド | 解答・解説 |

　冷温水配管の支持部には、配管と鋼材との直接接触を避けるため、合成樹脂製の支持受けを取り付けなければならない。鋼製Uバンドで直接冷温水配管を支持する（配管と鋼材を直接接触させる）と、配管内の熱の影響により、Uバンドに結露が生じるため、鋼材に錆や汚れが発生する。これを防止するためには、Uバンドと冷温水配管との間に、断熱効果の大きい合成樹脂製支持受けを入れる必要がある。すなわち、合成樹脂製支持受けの役割は、結露を防止するための断熱であるといえる。

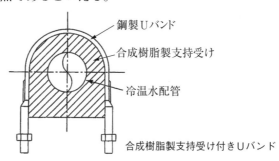

鋼製Uバンド
合成樹脂製支持受け
冷温水配管

合成樹脂製支持受け付きUバンド

| 解答例 | 問題 1
設問 1 | (2) | 使用場所 | 鋼製Uバンドによる冷温水配管の支持部となる場所で使用される。 |
| | | | 使用目的 | 冷温水配管からの熱を遮断して鋼製Uバンドの結露を防止し、鋼材に錆や汚れが生じないようにする。 |

※問題には、「使用場所又は使用目的を記述」とあるので、どちらか一方を解答すればよい。

| 問題1 | 設問2 | (3) 汚水桝施工要領図 | 解答・解説 |

　汚水桝では、汚水を円滑に排水できるよう（桝内に汚物を滞留させずに下流側の下水管に排水できるよう）、マンホールの底部にモルタル製のインバート（誘導水路）を設けなければならない。(3)の施工要領図のように、150mm以上の泥溜めを設けるのは、汚水桝ではなく雨水桝の場合である。汚水桝の内部に、雨水桝のような泥溜めを設けてしまうと、そこに汚物が沈殿し、桝の腐食や悪臭の原因となる。

　雨水桝では、桝内に150mm以上の泥溜めを設けて土砂を沈殿させ、土砂を下流側の下水管に流入させないようにしなければならない。雨水桝から下水管内に土砂が流入すると、下水管の内面が削られて破損するおそれが生じる。また、雨水桝では、汚水桝とは異なり、マンホール蓋を水封形とせず、通気孔のあるマンホール蓋を用いなければならない。

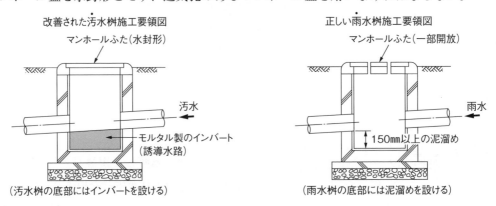

改善された汚水桝施工要領図
マンホールふた（水封形）
汚水
モルタル製のインバート
（誘導水路）
（汚水桝の底部にはインバートを設ける）

正しい雨水桝施工要領図
マンホールふた（一部開放）
雨水
150mm以上の泥溜め
（雨水桝の底部には泥溜めを設ける）

| 解答例 | 問題1 設問2 | (3) | 理由 | 汚水桝にインバート（誘導水路）ではなく泥溜めが設けられているため、汚物が桝内に沈殿するおそれがある。 |
| | | | 改善策 | 汚水桝の底部には、泥溜めではなくモルタル製のインバート（誘導水路）を設ける。 |

※問題には、「使用場所又は使用目的を記述」とあるので、どちらか一方を解答すればよい。

| 問題1 | 設問2 | (4) 排気チャンバー取付け要領図 | 解答・解説 |

排気チャンバーの外壁に設けられているガラリは、外気に開放されているため、台風などで風雨が強まると、排気チャンバーの下端から室内に雨水が浸入するおそれが生じる。この排気チャンバーが受電室などに繋がっている場合には、排気チャンバー内を逆流した雨水が電気設備にかかって発火するなどの重大事故に繋がることもある。

このような排気チャンバーには、室内への雨水の侵入を防止するために、次のような対策を講じなければならない。

①排気チャンバーの底部に、外壁側に向かって下り勾配(排水勾配)を付ける。

②排気チャンバーの排水口に、水切りとシール材を設けて、排水が回り込まないようにする。

③排気チャンバーの底部に、浸入した雨水を排水するための管を設ける。

④排気チャンバーのガラリの内側に、エリミネーターを取り付ける。

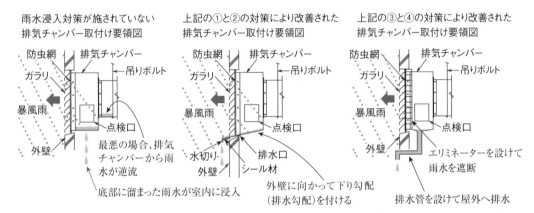

※エリミネーターとは、気体と液体を分離する(空気は通すが水は下に落とす)ために設けられる蛇腹状の鉄板やプラスチック板である。

| 解答例 | 問題1 設問2 | (4) | 理由 | 外壁のガラリからの雨水浸入対策が何も施されていないため、雨水が室内に浸入するおそれが生じる。 |
| | | | 改善策 | 排気チャンバーの底部に、外壁側に向かって下り勾配を付ける。その排水口には、水切りとシール材を設ける。 |

※問題には、「適切でない部分の理由又は改善策」とあるので、どちらか一方を解答すればよい。

| 問題1 | 設問2 | (5)冷媒管吊り要領図 | 解答・解説 |

　冷媒管(断熱材被覆銅管)の吊りボルトの相互間隔については、「公共建築工事標準仕様書(機械設備工事編)平成31年版」において、次のように定められている。

> 冷媒用銅管の横走り管の吊り金物間隔は、銅管の基準外径が9.52mm以下の場合は1.5m以下、銅管の基準外径が12.70mm以上の場合は2.0m以下とする。ただし、液管・ガス管共吊りの場合は、液管の外径とする。

　問題中の「冷媒管吊り要領図」では、冷媒用の断熱材被覆銅管が液管・ガス管共吊りとなっており、その液管の外径が6.35mm(銅管の基準外径が9.52mm以下)なので、その吊りボルトの相互間隔(冷媒用銅管の横走り管の吊り金物間隔)は、1.5m以下(1500mm以下)としなければならない。吊りボルトの相互間隔がこれよりも長くなると、強度不足により、吊りボルト相互の中間付近で、冷媒管が破損するおそれが生じる。

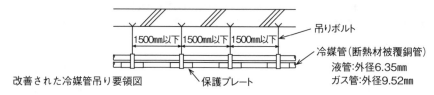

改善された冷媒管吊り要領図

| 解答例 | 問題1 設問2 | (5) | 理由 | 吊りボルトの相互間隔が長すぎるため、吊りボルト相互の中間付近で、冷媒管が破損するおそれが生じる。 |
| | | | 改善策 | 吊りボルトと保護プレートを増設し、吊りボルトの相互間隔が1500mm以下となるようにする。 |

※問題には、「適切でない部分の理由又は改善策」とあるので、どちらか一方を解答すればよい。

令和元年度 問題1 施工要領図 解答・解説

問題1 次の 設問1 及び 設問2 の答えを解答欄に記述しなさい。

設問1 (1)に示すテーパねじ用リングゲージを用いた加工ねじの検査において、ねじ径が合格となる場合の**加工ねじの管端面の位置**について記述しなさい。

(1) 加工ねじとテーパねじ用リングゲージ

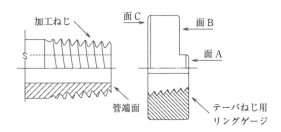

設問2 (2)〜(5)に示す各図について**適切でない**部分の**理由又は改善策**を具体的かつ簡潔に記述しなさい。

(2) 送風機吐出側ダクト施工要領図

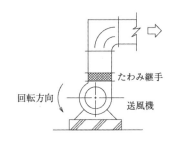

(3) 保温施工のテープ巻き要領図

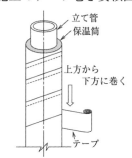

(4) 汚水桝平面図

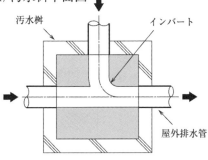

(5) 水飲み器の間接排水要領図

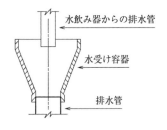

設問	図		解答のポイント
設問1	(1)	位置	加工ねじの管端面が、面Aと面Bの間にあれば、合格となる。
設問2	(2)	理由	送風機の回転方向が逆になっている。
		改善策	送風機の回転方向を逆にするため、左右を逆にして据え付ける。
	(3)	理由	テープを巻く方向が逆であり、テープの重ね幅が少なすぎる。
		改善策	テープは下方から上方に巻き、テープ幅の2分の1を重ねる。
	(4)	理由	インバートの屈曲部の半径が小さすぎる。
		改善策	インバートの屈曲部の半径を、少なくとも管径以上とする。
	(5)	理由	排水管と水受け容器との間に、排水口空間がない。
		改善策	排水管と水受け容器との間に、一定距離の排水口空間を設ける。

問題1	**設問1**	(1)加工ねじの管端面の位置	解答・解説

　鋼管の継手をねじ接合とする場合は、テーパねじ接合とすることが一般的である。テーパねじ接合では、テーパねじ用リングゲージを用いた検査により、ねじ径が細すぎたり太すぎたりしないかを確認することができる。

　テーパねじ用リングゲージを用いた加工ねじの検査は、次のような手順で行われる。

①加工ねじとリングゲージの中心線を一致させる。

②加工ねじのギザギザと、リングゲージのギザギザが完全に噛み合うまで、加工ねじをリングゲージに手で捻じ込む。

③リングゲージに捻じ込んだ加工ねじについて、管端面の位置を確認する。

④加工ねじの管端面の位置が、下図のようにリングゲージの切欠の範囲内(面Aと面Bとの間)にあれば、ねじ径が合格であると判定される。

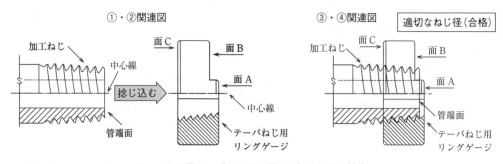

テーパねじ用リングゲージを用いた加工ねじの検査

解答例	**問題1**　**設問1**	(1)	加工ねじの管端面の位置が、面Aと面Bとの間にあれば、ねじ径が合格となる。

参考 テーパねじ用リングゲージを用いた加工ねじの検査において、次のような状態になった場合は、ねじ径が不合格であると判定される。このような場合には、加工ねじを切断する位置（管端面の位置）を変更し、管端面が面Aと面Bとの間に入るようにする。

① 加工ねじの管端面の位置が、下図のようにリングゲージの切欠の範囲から突き出している場合（面Aよりも前方にある場合）は、細ねじ（ねじ径が細すぎる状態）となる。細ねじとなった継手では、管の防食部に損傷が生じるため、錆が発生しやすくなる。

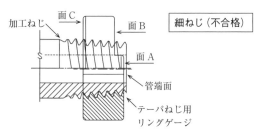

② 加工ねじの管端面の位置が、下図のようにリングゲージの切欠の範囲から引っ込んでいる場合（面Bよりも後方にある場合）は、太ねじ（ねじ径が太すぎる状態）となる。太ねじとなった継手では、管の接合が不十分となるため、漏水が発生しやすくなる。

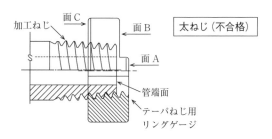

| **問題 1** | **設問 2** | (2) 送風機吐出側ダクトの施工要領図 | 解答・解説 |

　送風機の吐出側にあるダクトに、屈曲部を設ける場合には、屈曲部における風の流れの方向と、送風機の回転方向が一致していなければならない。下図①のように、この方向が一致していないと、屈曲部の直後に気流の乱れが生じるため、圧力損失・騒音・振動などが発生する。

　送風機の回転方向を、屈曲部における風の流れの方向と一致させるためには、下図②のように、送風機の据付けを左右逆にすることで、送風機の回転方向を逆転させる必要がある。

　なお、ダクトの水平部の方向を逆にしても、送風機の回転方向と屈曲部における風の流れの方向は一致するが、風を逆方向に送っても意味はないので、実際の工事現場において、下図③のような改善策は不適切である。

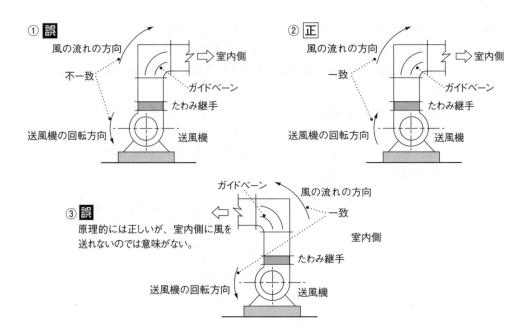

			理由	送風機の回転方向と屈曲部における風の流れの方向が一致していないため、ダクトの気流が不安定になるから。
解答例	**問題1** **設問2**	(2)	改善策	送風機の据付け方向を左右逆にすることで、送風機の回転方向と屈曲部における風の流れの方向を一致させる。

※「適切でない部分の理由」と「改善策」はいずれか一方のみを解答すればよい。

参考 送風機の吐出側にあるダクトにおける施工上の留意事項には、次のようなものがある。
①風の流れを円滑にするため、ガイドベーン(案内羽根)を入れる。
②屈曲部の半径(R)は、ダクト径(W)以上とする。
③たわみ継手から屈曲部までの距離は、送風機の羽根車直径(D)の1.5倍以上とする。
④ダクトの漸拡大(接続部の傾斜角度)は、15度以下とする。

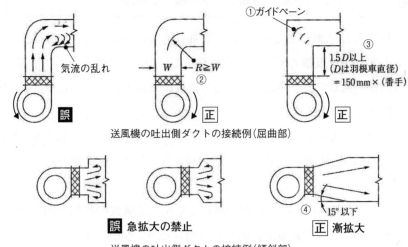

送風機の吐出側ダクトの接続例(屈曲部)

送風機の吐出側ダクトの接続例(傾斜部)

114

| 問題1 | 設問2 | (3)保温施工のテープ巻きの要領図 | 解答・解説 |

立て管の外装用テープは、立て管の下方から上方に向かって巻き上げなければならない。立て管の上方から下方に向かって巻き進めると、テープの位置にずれが生じやすくなる他、テープが重ねている部分に埃が付きやすくなる。

また、立て管の外装用テープは、2分の1重ね巻き(テープ幅の半分を重ねて巻くこと)としなければならない。この重ね幅が不足していると、保温筒の耐久性が低下しやすくなる。

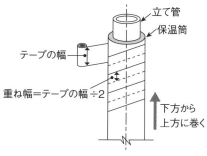

保温施工に使用するテープの正しい巻き方

解答例	問題1 設問2	(3)	理由	テープが上方から下方に向かって巻かれており、テープの重ね幅も不足しているから。
			改善策	テープを下方から上方に向かって巻き上げるようにする。その際には、テープ幅の半分を重ねて巻く。

※「適切でない部分の理由」と「改善策」はいずれか一方のみを解答すればよい。

(参考) 立て管の保温筒には、ロックウールやグラスウールが用いられる。立て管の外装用テープには、ポリエチレンフィルムなどが用いられる。下図のように、立て管が深い位置にあるときは、凍結深度よりも深い位置からテープ巻きを始めなければならない。

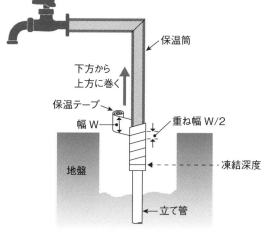

　汚水桝は、2つの汚水管が合流する地点に設けられる桝である。汚水管の合流点には、インバート(誘導水路)を設けて、汚物(固形物)が汚水桝に滞留しないようにする。

　汚水桝の内部において、汚水の流れの方向を変えるときは、その流れを円滑にするため、汚水桝の中心線からずらして汚水管を据え付けるなどの方法で、インバートの屈曲半径を大きくしなければならない。特に、細い汚水管では、流れが詰まりやすいため、大きな屈曲半径が必要になる。インバートの屈曲半径は、汚水管の管径に応じて、下表のように定められている。

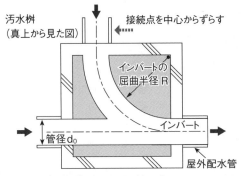

汚水桝の施工要領図

汚水管の管径(d_0)	インバートの屈曲半径(R)
50mm	管径の 2.5 倍以上($R \geq 2.5 \times d_0$)
75mm	
100mm	管径の 1.5 倍以上($R \geq 1.5 \times d_0$)
125mm	
150mm以上	管径の 1.0 倍以上($R \geq 1.0 \times d_0$)

解答例	問題1 設問2	(4)	理由	インバートの屈曲半径が汚水管径よりも小さいため、合流部において汚物が詰まりやすくなるから。
			改善策	流れの方向が変化する汚水管を、汚水桝の中心線よりも上流側に接続し、インバートの屈曲半径を大きくする。

※「適切でない部分の理由」と「改善策」はいずれか一方のみを解答すればよい。

| 問題1 | 設問2 | (5) 水飲み器の間接排水要領図 | 解答・解説 |

　水飲み器からの排水管は、排水の逆流による水飲み器の汚染を防止するため、間接排水としなければならない。間接排水とは、水飲み器などの器具からの排水管の末端と、水受け容器のあふれ縁との間に、排水口空間を設けて排水することをいう。

　水飲み器からの排水管（間接排水管）が、水受け容器の中に入っているようでは、排水の逆流を防止できないため、間接排水にならない。排水口空間（間接排水管の末端と水受け容器のあふれ縁との垂直距離）は、間接排水管の管径に応じて、下表のように定められている。

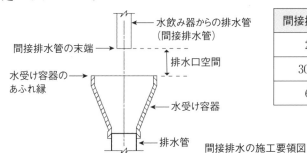

間接排水の施工要領図

間接排水管の管径	排水口空間
25mm以下	50mm以上
30mm～50mm	100mm以上
65mm以上	150mm以上

| 解答例 | 問題1 設問2 | (5) | 理由 | 水飲み器からの排水管が、水受け容器に浸かっているため、排水の逆流により水飲み器が汚染されるおそれがあるから。 |
| | | | 改善策 | 水飲み器からの排水管の末端と、水受け容器のあふれ縁との間に、150mm以上の排水口空間を確保する。 |

※「適切でない部分の理由」と「改善策」はいずれか一方のみを解答すればよい。

参考　水飲み器の汚染をより確実に防止する必要があるときは、間接排水管の末端に防虫網を設けるなどの方法で、虫などの侵入についても防止することが望ましい。

施工要領図

問題1 次の 設問1 ～ 設問3 の答えを解答欄に記述しなさい。

設問1 (1)に示す図について、継手の名称及び用途を記述しなさい。

設問2 (2)に示す図について、A図及びB図の継目の名称を選択欄から選択して記入しなさい。

(1) 鋼管のねじ接合部分

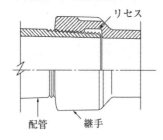

リセス

配管　継手

(2) 長方形ダクトの継目

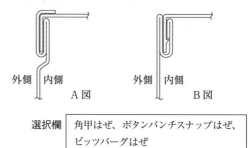

外側　内側　A図　　　外側　内側　B図

選択欄　角甲はぜ、ボタンパンチスナップはぜ、ピッツバーグはぜ

設問3 (3)～(5)に示す各図について、**適切でない部分の理由又は改善策**を具体的かつ簡潔に記述しなさい。

(3) 冷媒管吊り要領図

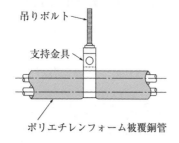

吊りボルト

支持金具

ポリエチレンフォーム被覆銅管

(4) 器具排水管要領図

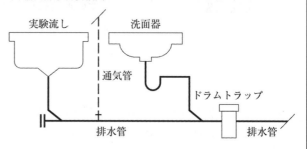

実験流し　　洗面器

通気管

ドラムトラップ

排水管　　排水管

(5) 排水通気管末端の開口位置
　（外壁取付け）

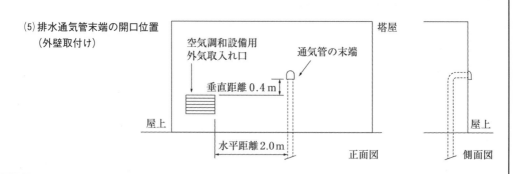

塔屋

空気調和設備用
外気取入れ口

通気管の末端

垂直距離 0.4 m

屋上

水平距離 2.0 m

正面図

屋上

側面図

118

設問	図		解答のポイント	
設問1	(1)	継手の名称	ねじ込み式排水管継手	
		継手の用途	排水用鋼管のねじ接合	
設問2	(2)	A図の継目の名称	ピッツバーグはぜ	
		B図の継目の名称	ボタンパンチスナップはぜ	
設問3	(3)	理由	ポリエチレンフォーム被覆鋼管が支持金具で直接吊られていること。	
		改善策	断熱粘着テープを2層巻きするか、保護プレートで下受けする。	
	(4)	理由	洗面器のトラップが、器具とドラムの二重トラップになっている。	
		改善策	洗面器からの排水管を、ドラムトラップよりも下流側に接続する。	
	(5)	理由	外気取入れ口から通気管末端までの垂直距離・水平距離が短すぎる。	
		改善策	垂直距離を0.6m以上とするか、水平距離を3.0m以上とする。	

問題1	**設問1**	(1)継手の名称及び用途	解答・解説

　鋼管のねじ接合に用いられる継手には、一般配管用継手と排水管用継手がある。排水管用継手では、継手部分の段差を少なくし、管内の固形物を流れやすくする必要があるため、ねじの奥にリセスが設けられている。一般配管用継手では、リセスがなくても流れが妨げられないため、リセスは設けられていない。リセス(recess)とは、壁などの凹んだ部分を意味する英単語であり、管工事においては継手のくぼみ(空隙)となる部分を表している。一般配管用継手と排水管用継手の違いは、このリセスの有無である。一般配管用継手と排水管用継手の違いについては、下図のようなエルボ(曲管部)の継手の断面図を見ると分かりやすい。

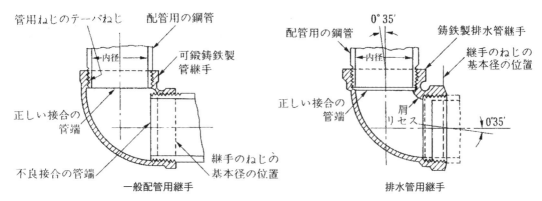

　鋼管のねじ接合部分に用いられる排水管用継手の仕様については、JIS B 2303:1995「ねじ込み式排水管継手(screwed drainage fittings)」に定められている。配管用炭素鋼鋼管を用いた排水配管に使用するねじ込み式排水管継手は、この規定に従って施工しなければならない。したがって、この継手の正式名称は「ねじ込み式排水管継手」で

あり、その用途は「配管用炭素鋼鋼管を用いた排水配管のねじ接合」である。また、通称として「ドレネージ継手」と呼ばれることもあるので、継手の名称としてはこれも正解になると思われる。

解答	問題1 設問1	(1)	継手の名称	ねじ込み式排水管継手
			継手の用途	配管用炭素鋼鋼管を用いた排水配管のねじ接合

参考) 配管の種類と採用可能な接合方法との組み合わせは、下表のとおりである。

配管の種類	配管の接合方法
鋼管（配管用炭素鋼鋼管）	ねじ接合、溶接接合、フランジ接合、ハウジング形管継手接合
水道用ポリエチレン粉体ライニング鋼管、水道用硬質塩化ビニルライニング鋼管	ねじ接合（管端防食継手）、フランジ接合
消火用硬質塩化ビニル外面被覆鋼管	ねじ接合、フランジ接合、溶接接合
排水用硬質塩化ビニルライニング鋼管	排水鋼管用可撓継手（MDジョイント）接合
ステンレス鋼管（配管用ステンレス鋼鋼管）	溶接（TIG）接合、フランジ接合、ハウジング形管継手接合、メカニカル接合
水配管用銅管（建築配管用銅管）	差込み接合（蝋付け）、メカニカル接合
鋳鉄管	差込み接合、メカニカル接合
硬質塩化ビニル管、硬質ポリ塩化ビニル管	接着（TS）接合、ゴム輪接合
水道配水用ポリエチレン管	メカニカル接合
給水・給湯用の架橋ポリエチレン管	メカニカル接合、電気融着接合
ポリブテン管	メカニカル接合、電気融着接合、熱融着接合
遠心力鉄筋コンクリート管（ヒューム管）	カラー接合、ソケット接合
耐火二層管	接着（TS）接合、ゴム輪接合

問題1 設問2	(2)長方形ダクトの継目の名称	解答・解説

　長方形ダクトの継目において、2枚の板を接合するときには、接合する板金を相互に折り曲げるはぜを施工しなければならない。単に接着剤などで接着しただけでは、接合部に隙間が生じ、ダクト内の物質が漏れることがある。特に、厨房や浴室などのように、ダクト内に油や凝縮水などが通る場合には、この漏れが火災などの事故にもつながる。はぜの施工目的は、2枚の板金の接合を確実にして漏洩事故を防ぐことにある。

　長方形ダクトの継目のはぜは、その折り曲げ方により、下図のように、ピッツバーグはぜ・ボタンパンチスナップはぜ・角甲はぜに分類される。

ダクトの継目のはぜ

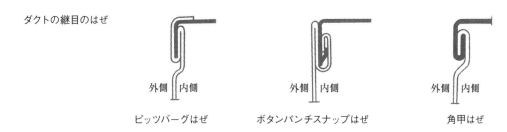

| | | 外側　内側 | | | 外側　内側 | | | 外側　内側 |
ピッツバーグはぜ　　　　ボタンパンチスナップはぜ　　　　角甲はぜ

① ボタンパンチスナップはぜは、一方の板金の出っ張り（スナップ）にもう一方の板金を引っ掛ける構造になっており、製作に手間がかからないので、一般的なダクトに用いられる。

② ピッツバーグはぜは、一方の板金を折り曲げる構造になっており、製作には手間がかかるものの、強度が大きいので、厨房や浴室などの漏洩が許されないダクトに用いられる。

③ 角甲はぜは、両方の板金を折り曲げる構造となっており、製作にかなりの手間がかかるので、ピッツバーグはぜが普及してからはほとんど用いられていない。

解答	問題1 設問2	(2)	A図の継目の名称	ピッツバーグはぜ
			B図の継目の名称	ボタンパンチスナップはぜ

参考 長方形ダクトの強度を確保するためには、ダクトの角の継目位置・ダクトのはぜの種類・ダクトのアスペクト比について、しっかりと検討する必要がある。

ダクトの角の
継目位置

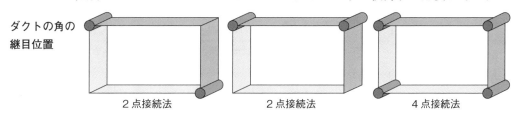

2点接続法　　　　　　　2点接続法　　　　　　　4点接続法

※ ダクトの角の継目は、強度を保持するため、原則として2箇所以上とする。

ダクトの継目のはぜ

内側　外側　　　　　　　　内側　外側　　　　　　　　内側　外側
ピッツバーグはぜ　　　　ボタンパンチスナップはぜ　　　　角甲はぜ

※ 継目のはぜは、ピッツバーグはぜ・ボタンパンチスナップはぜ・角甲はぜなどとする。
※ 厨房・浴室など、ダクト内部に油や凝縮水などが入る場合は、上部にはぜを設ける。

ダクトのアスペクト比

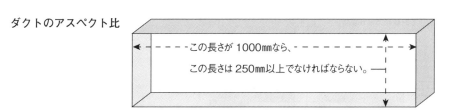

この長さが1000mmなら、
この長さは250mm以上でなければならない。

※ 長方形ダクトの短辺と長辺の長さの比を、アスペクト比という。
※ 長方形ダクトは、正方形に近いほど強度が高いため、アスペクト比は4以下とする。

| 問題1 | 設問3 | (3)冷媒管吊り要領図 | 解答・解説 |

横走りする冷媒管の吊り支持をするときは、配管の自重による断熱材（ポリエチレンフォームなど）の支持金具への食い込みを防止するため、次の①または②のような対策を講じる必要がある。また、冷温水管などの保温を必要とする配管においても、同様の対策が必要となる。

①冷媒管の支持金具の周囲を、断熱粘着テープで2層巻きする。

②冷媒管の支持金具の下に、幅150mm以上の保護プレートを設置する。

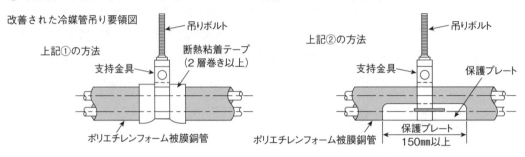

改善された冷媒管吊り要領図

| 解答例 | 問題1 設問3 | (3) | 理由 | 冷媒管が支持金具で直接吊られており、断熱材の支持金具への食い込みを防止する対策が講じられていない。 |
| | | | 改善策 | 支持金具が取り付けられている部分は、断熱粘着テープで2層巻きするか、幅150mm以上の保護プレートで下受けする。 |

※「適切でない理由」と「改善策」はいずれか一方のみを解答すればよい。

参考 冷媒管や冷温水管の吊り支持の施工例

断熱粘着テープの重ね巻き（2層巻き以上）により、配管荷重（自重）による支持金具の断熱材への食い込みを吸収する方法

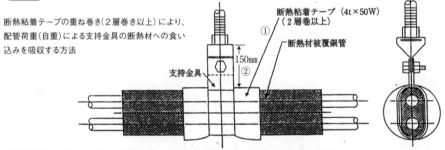

①冷媒管や冷温水管の支持金具の前後は、断熱粘着テープを2層巻きする。

②直接、配管を吊材で吊るときは、吊材を高さ150mm程度まで、支持金具で被覆する。

配管を受け面積の広い保護プレートで支持することにより、配管荷重（自重）による断熱材の潰れを防止する方法

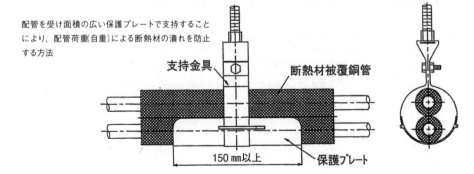

| 問題1 | 設問3 | (4) 器具排水管要領図 | | 解答・解説 |

ひとつの器具からの排水管に、ふたつ以上のトラップを設けると、排水が詰まりやすくなる。このような配管は二重トラップと呼ばれ、禁止されている。

この器具排水管要領図では、実験流しからの排水管はドラムトラップのひとつだけであるが、洗面器からの排水管はPトラップとドラムトラップの二重トラップになっている。正しい配管とするためには、Pトラップとなっている洗面器からの排水管をドラムトラップよりも下流側に接続するか、ドラムトラップを実験流しと洗面器との間に移設し、洗面器の二重トラップを解消しなければならない。

なお、既にこのような要領図で施工されている場合には、ドラムトラップの移設には手間がかかるので、排水管の接続位置を変更する方が望ましい工事となる。

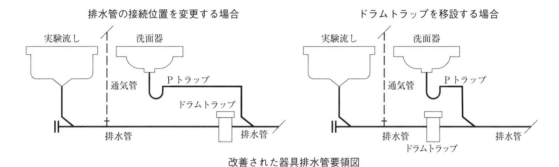

改善された器具排水管要領図

解答例	問題1 設問3	(4)	理由	洗面器のトラップが、Pトラップとドラムトラップの二重トラップになっており、洗面器からの排水が詰まりやすい。
			改善策	Pトラップとなっている洗面器からの排水管を、ドラムトラップよりも下流側に接続し、二重トラップを解消する。

※「適切でない理由」と「改善策」はいずれか一方のみを解答すればよい。

参考　トラップは、排水管内のガスなどが、器具に戻ってこないようにするための機構であり、管トラップ(サイホン式トラップ)と非サイホン式トラップに分類されている。また、SトラップやPトラップなどの管トラップは、排水によって自身を掃除する自掃作用を有している。

管トラップ(サイホン式トラップ)

Sトラップ　　　Pトラップ　　　Uトラップ

非サイホン式トラップ

ドラムトラップ　　わん(ベル)トラップ　　ボトルトラップ

　排水通気管の末端が、建物の出入口・窓・換気口などの付近にある場合は、これらの開口部の上端から、垂直距離にして 0.6 m 以上立ち上げるか、水平距離にして 3.0 m 以上離して、大気に開放しなければならない。垂直距離が 0.6 m 未満かつ水平距離が 3.0 m 未満である場合、排水通気管内の悪臭が室内に侵入するおそれが生じる。

　また、通気弁を有しない通気管の末端は、屋根を貫通して大気中に開口する場合、屋根面から 20cm 以上立ち上げなければならない。

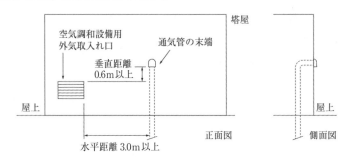

※垂直距離と水平距離はどちらかが基準を満たしていればよい。

排水通気管末端の適切な開口位置

| 解答例 | 問題 1　設問 3 | (5) | 理由 | 外気取入れ口から通気管の末端までの垂直距離・水平距離が短すぎるため、悪臭が室内に侵入するおそれがある。 |
| | | | 改善策 | 外気取入れ口から通気管の末端までの垂直距離を 0.6m 以上とするか、水平距離を 3.0m 以上とする。 |

※「適切でない理由」と「改善策」はいずれか一方のみを解答すればよい。

施工要領図

問題1　次の 設問1 ～ 設問3 の答えを解答欄に記述しなさい。

設問1　(1)に示す図について、湯沸室の機械換気方式の種別を記述しなさい。

設問2　(2)に示す図の機材について、その使用場所を記述しなさい。

(1)　湯沸室の機械換気方式図

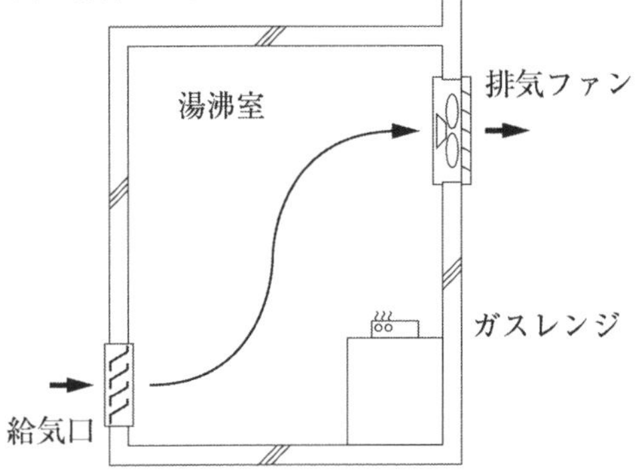

湯沸室
排気ファン
ガスレンジ
給気口

(2)　ステンレス製フレキシブルジョイント

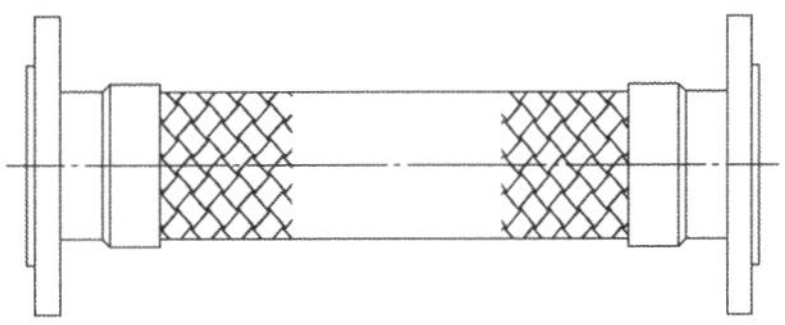

設問3　(3)～(5)に示す各図について、**適切でない部分の理由又は改善策**を記述しなさい。

(3)　ポンプ吸込み管の施工要領

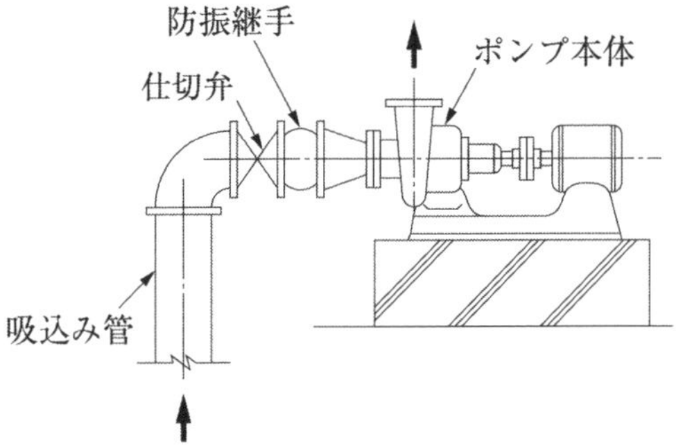

防振継手
仕切弁
ポンプ本体
吸込み管

(4)　汚水ますの施工要領

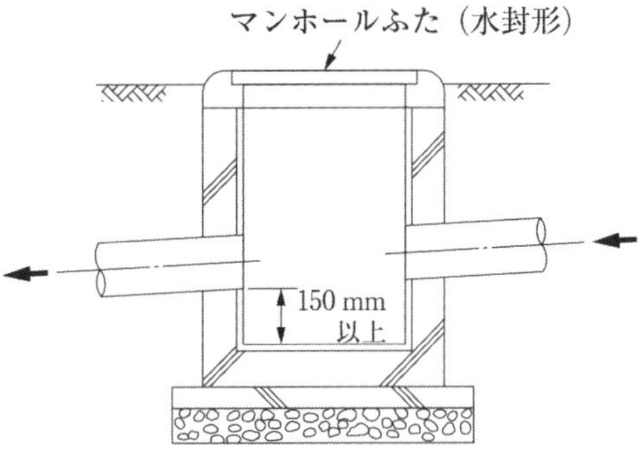

マンホールふた（水封形）
150 mm
以上

(5)　ループ通気管の施工要領

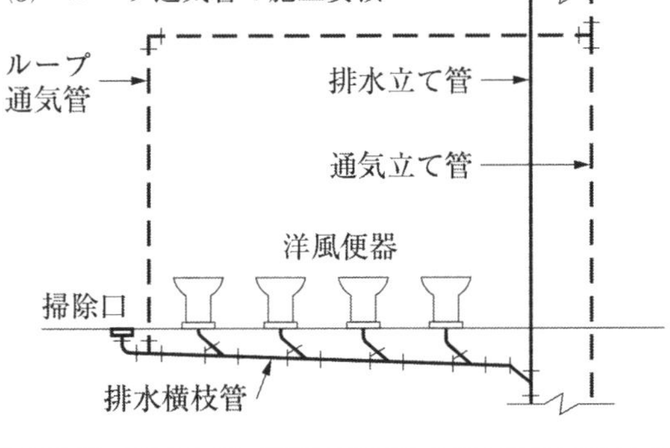

ループ
通気管
排水立て管
通気立て管
洋風便器
掃除口
排水横枝管

設問	図		解答のポイント		
設問1	(1)	機械換気方式の種別	第3種機械換気方式		
設問2	(2)	使用場所	給水管のエキスパンションジョイント部の伸縮管継手		
設問3	(3)	理由	ポンプ本体に接続する吸込み管が、水平になっている。	改善策	ポンプの吸込み管を、上り勾配として、空気溜まりを解消する。
	(4)	理由	インバートの代わりに泥溜めが設けられている。	改善策	汚水桝のマンホール底部に、モルタル製のインバートを設ける。
	(5)	理由	ループ通気管の接続点が、最上流の洋風便器の前である。	改善策	ループ通気管を、最上流の洋風便器の直後から立ち上げる。

問題1	設問1	(1) 湯沸室の機械換気方式図	解答・解説

　　自然換気(給気口など)により給気し、機械換気(排気ファンなど)により排気する方式は、第3種機械換気方式と呼ばれている。湯沸室・台所・厨房・便所などの換気方式は、室内の臭気を拡散させないよう、室内を負圧に保てるもの(第3種機械換気方式または負圧に調整した第1種機械換気方式)とする。各種の機械換気方式の詳細は、下記の通りである。

機械換気の種別	給気方式	室内の気圧	排気方式	使用場所
第1種機械換気方式	機械換気	正負調圧可能	機械換気	調理室・工場など
第2種機械換気方式	機械換気	正圧	自然換気	手術室・クリーンルームなど
第3種機械換気方式	自然換気	負圧	機械換気	便所・厨房など

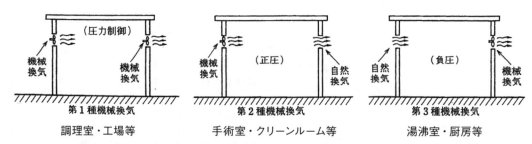

解答	問題1	(1)	機械換気方式の種別
	設問1		第3種機械換気方式

| 問題1 | 設問2 | (2) ステンレス製フレキシブルジョイントの使用場所 | 解答・解説 |

　ステンレス製フレキシブルジョイントは、水・油などを輸送する配管（給水管など）に用いられている伸縮管継手であり、建築物の継手部（エキスパンションジョイント部）に使用されている。その役割は、配管の伸縮・上下の変位・ねじれの影響などを吸収することである。ステンレス製フレキシブルジョイントは、屋外埋設配管の建物導入部における変位吸収継手としても使用される。

　また、オイルタンク廻りの配管には、ステンレス製フレキシブルジョイントを用いなければならないと、消防法で定められている。

各種のフレキシブルジョイント

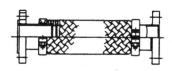 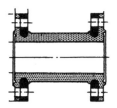 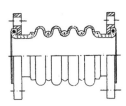

ステンレス製ベローズ形　　　合成ゴム製円筒形　　　合成ゴム製ベローズ形
フレキシブルジョイント　　　フレキシブルジョイント　　　フレキシブルジョイント

解答例	問題1 設問2	(2)	使用場所
			給水管のエキスパンションジョイント部の伸縮管継手

| 問題1 | 設問3 | (3) ポンプ吸込み管の施工要領 | 解答・解説 |

　ポンプ廻りの配管において、ポンプの吸込み管のうち、取付け短管（防振継手とポンプ本体との間にある管）は、空気溜まりが生じないよう、ポンプ本体に向かって1/50～1/100の上り勾配を付けなければならない。この短管を、水平にしたり下り勾配にしたりしてはならない。

　(3)図の吸込み管は、水平になっているため、下図「悪い例」の右側に示すように、空気溜まりが生じるので、適切ではない。ポンプ廻りの配管の良い例と悪い例を下図に示す。

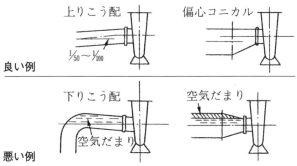

127

解答例	問題1 設問3	(3)	理由	改善策
			ポンプの取付け短管が、水平になっているため、空気溜まりが生じるおそれがある。	防振継手とポンプ本体との間にある短管を、上り勾配のものに交換する。

※問題には、「理由又は改善策を記述」とあるので、どちらか一方を解答すればよい。

問題1 設問3 (4) 汚水桝の施工要領　　　　　　　　　　　　解答・解説

　汚水桝では、汚水を円滑に排水できるよう（汚物を滞留させずに下水管へと排水できるよう）、マンホールの底部に、モルタル製のインバート（誘導水路）を設ける必要がある。(4)図のように、150mm以上の泥溜めを設けるのは、雨水桝の場合である。

　雨水桝では、屋根から樋を伝って土砂が流入するため、雨水桝に150mm以上の泥溜めを設けて土砂を沈殿させ、土砂を下水管に流入させないようにする。土砂が流入すると、下水管内面が削られて破損する危険が生じる。また、雨水桝では、汚水桝とは異なり、マンホールを水封形とせず、通気孔のあるマンホールを用いる。

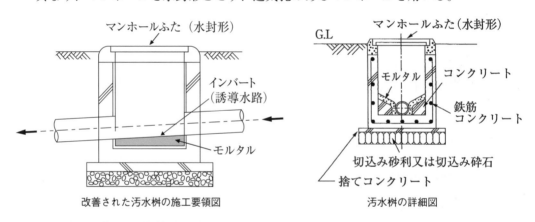

改善された汚水桝の施工要領図　　　　　　　　　汚水桝の詳細図

解答例	問題1 設問3	(4)	理由	改善策
			汚水桝に泥溜めがあるため、汚物が汚水桝のマンホール内に沈殿するおそれがある。	汚水桝のマンホール内に、モルタル製のインバートを設けて、汚水の流入・流出を円滑にする。

※問題には、「理由又は改善策を記述」とあるので、どちらか一方を解答すればよい。

| 問題1 | 設問3 | (5) ループ通気管の施工要領 | 解答・解説 |

ループ通気管と排水横枝管との接続位置は、最上流の器具（洋風便器など）の排水管が、排水横枝管に接続した直後の点とする。ループ通気管は、最上流の器具のあふれ線よりも 150mm 以上高い位置まで延ばし、そこから横に走らせて通気立て管に接続する。

ループ通気管の役割は、最上流の器具からの汚水を円滑に流すことである。(5)図のように、最上流の器具よりも前（上流側）に接続してはならない。右図のように、最上流の器具よりも後（下流側）に接続する理由は、最上流の器具からの排水があったときに、通気管の洗浄が行われるようにするためである。

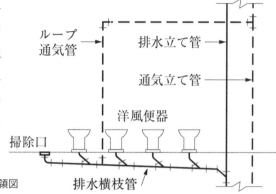

ループ通気管の施工要領図

解答例	問題1 設問3	(5)	理由	改善策
			ループ通気管と排水横枝管との接続点が、最上流の洋風便器から見て上流側になっている。	ループ通気管の取出し位置を、最上流の洋風便器が排水横枝管に接続した直後の点とする。

※問題には、「理由又は改善策を記述」とあるので、どちらか一方を解答すればよい。

参考 平屋建ておよび多層建物の最上階を除き、ひとつのループ通気管が受け持つことができる洋風便器等の器具数は、最大7個と定められている。下図のように、この器具数が8個以上になる排水横枝管には、ひとつのループ通気管が受け持つ器具数が7個以下となるよう、排水横枝管の最下流点に逃し通気管を設けなければならない。

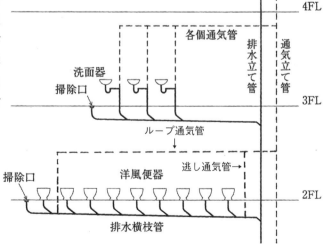

この逃し通気管が設けられていないと、多数の排水器具が同時使用された場合、排水横枝管内の通気性が損なわれるため、ループ通気管が機能しなくなり、円滑な排水が困難となる。

平成28年度 問題1 施工要領図 解答・解説

問題1 次の **設問1** 及び **設問2** の答えを解答欄に記述しなさい。

設問1 (1)及び(2)に示す各図について、使用場所又は使用目的を記述しなさい。

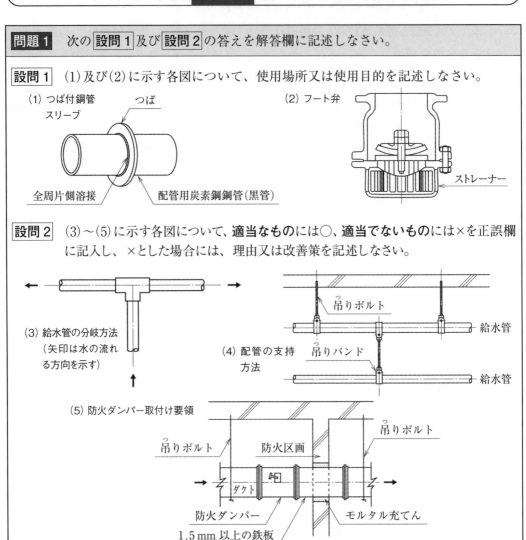

(1) つば付鋼管スリーブ

つば

全周片側溶接　　配管用炭素鋼鋼管(黒管)

(2) フート弁

ストレーナー

設問2 (3)～(5)に示す各図について、**適当なものには○**、**適当でないものには×**を正誤欄に記入し、×とした場合には、理由又は改善策を記述しなさい。

(3) 給水管の分岐方法
（矢印は水の流れる方向を示す）

(4) 配管の支持方法

吊りボルト　　給水管

吊りバンド　　給水管

(5) 防火ダンパー取付け要領

吊りボルト　　防火区画　　吊りボルト

ダクト

防火ダンパー　　モルタル充てん

1.5mm以上の鉄板

設問	図			解答のポイント		
設問1	(1)	使用場所		冷温水管が貫通する外壁	使用目的	水密性の確保
	(2)	使用場所		排水吸込み管の末端	使用目的	逆流防止・ストレーナー
設問2	(3)	正誤	×	理由	T字分岐している	改善策	T字管とエルボを使用する
	(4)		×	理由	配管の共吊りになっている	改善策	各給水管をスラブから直接吊る
	(5)		×	理由	防火ダンパー脱落のおそれがある	改善策	防火ダンパーを直接吊り下げる

| 問題1 | 設問1 | (1) つば付き鋼管スリーブ | 解答・解説 |

つば付き鋼管スリーブは、冷温水管の貫通部における水密性を確保するための器具であり、冷温水管が外壁・床などを貫通する場所に用いられている。厨房などのように防水処置を必要とする床貫通部の給水管は、下図のような構造としなければならない。

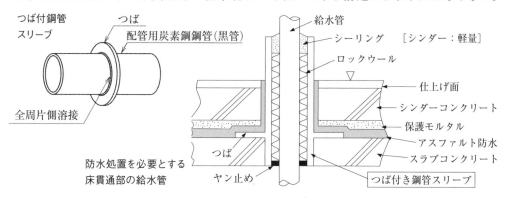

防水処置を必要とする床貫通部の給水管

解答例	問題1 設問1	(1)	使用場所	使用目的
			冷温水管のうち、厨房の床や地中の外壁を貫通する場所。	貫通部における水密性を確保すること。

※問題には、「使用場所又は使用目的を記述」とあるので、どちらか一方を解答すればよい。

| 問題1 | 設問1 | (2) フート弁 | 解答・解説 |

フート弁は、ゴミの吸込みや水の逆流を防止するための器具であり、ストレーナーと逆止弁の機能を併せ持っている。フート弁は、汚水槽などにあるポンプ吸込み管の末端部（汚水排水管の先端部）に設けられる。また、屋内消火栓ポンプまわりの配管において、水源の水位が、屋内消火栓ポンプよりも低い位置にある場合は、吸水管にフート弁を設けなければならない。

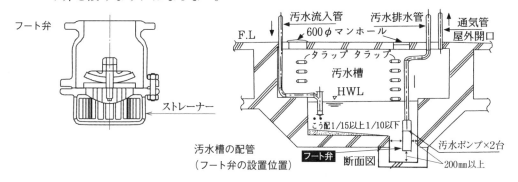

解答例	問題1 設問1	(2)	使用場所	使用目的
			汚水槽の吸込みピット内における吸込み管の末端部。	ストレーナーによる異物除去と、逆止弁による排水の逆流防止。

施工要領図

問題1	設問2	(3) 給水管の分岐方法	解答・解説

　給水管を2方向に分岐するときは、最初の分岐点に設けるT字継手では1方のみを分岐させ、その後、エルボを設けてもう1方を方向転換させなければならない。ひとつのT字継手だけで一度に2方向に分岐させると、分岐点に渦流が生じるため、水の流れが妨げられる。

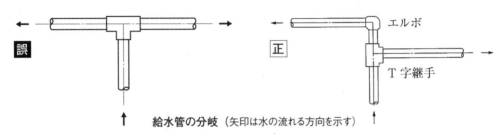

誤　　　　　　　　　　　正　　エルボ

　　　　　　　　　　　　　　T字継手

給水管の分岐（矢印は水の流れる方向を示す）

解答例			正誤	理由	改善策
解答例	問題1 設問2	(3)	×	給水管をT字分岐すると、分岐点に渦が生じて流れが妨げられるから。	T字継手では一方のみを分岐し、エルボでもう一方の向きを変える。

※問題には、「理由又は改善策を記述」とあるので、どちらか一方を解答すればよい。

問題1	設問2	(4) 配管の支持方法	解答・解説

　給水管から別の給水管を吊る「共吊り」は、禁止されている。このような共吊りを行うと、下側の給水管の荷重を受けて、上側の給水管の継手が破損する。2本の給水管を近接して吊るときは、各給水管を直接天井から吊るか、吊受台を用いる必要がある。配管に荷重をかけてはならない。

配管の支持

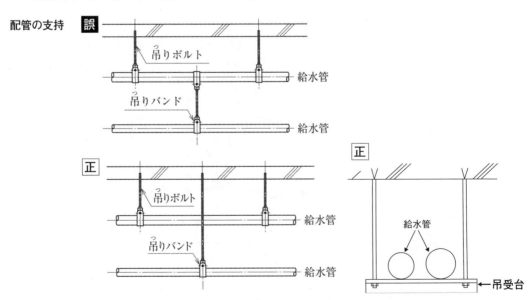

誤

　　　吊りボルト

　　　　　　　　　給水管

　　吊りバンド

　　　　　　　　　給水管

正

　　　吊りボルト

　　　　　　　　　給水管

　　吊りバンド

　　　　　　　　　給水管

正

　　　　　給水管

　　　　　　　　　←吊受台

解答例	問題1 設問2	(4)	正誤	理由	改善策
			×	共吊りによる荷重で上側の給水管がたわみ、継手が破損するおそれがあるから。	下側の給水管を天井から直接支持するか、吊受台を設けて、並列配管とする。

問題1	設問2	(5)	防火ダンパー取付け要領	解答・解説

　防火ダンパーは、吊りボルトで天井から直接吊り下げなければならない。防火ダンパーに吊りボルトが取り付けられていないと、火災時に防火ダンパーが脱落するおそれが生じる。また、このような防火区画を貫通するダクトを施工するときは、短管に用いる鉄板の厚さを1.5mm以上とし、ダクトを固定し、貫通部にはモルタルなどの不燃材料を充填しなければならない。

防火ダンパーの支持

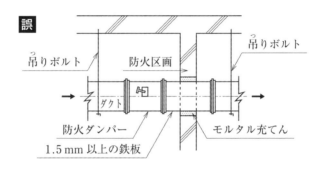

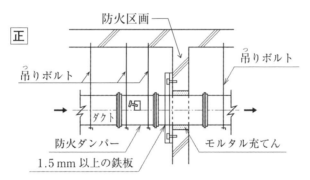

解答例	問題1 設問2	(5)	正誤	理由	改善策
			×	天井から吊り下げられていない防火ダンパーが、火災時に脱落する恐れがあるから。	防火ダンパーにも吊りボルトを取り付け、天井から直接吊り下げる。

平成27年度 問題1 施工要領図 解答・解説

問題1 **設問1**～**設問5**に示す図について、適当なものには○、適当でないものには×を解答欄の正誤欄に記入し、×とした場合には、理由又は改善策を記述しなさい。

設問1 排水管に用いたねじ込み式継手

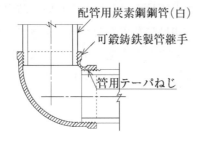

配管用炭素鋼鋼管(白)

可鍛鋳鉄製管継手

管用テーパねじ

設問2 冷温水管吊り・保温要領

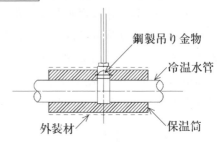

鋼製吊り金物

冷温水管

保温筒

外装材

設問3 ドロップますと屋外配管図

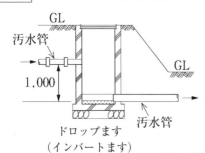

GL

汚水管

1,000

GL

ドロップます
(インバートます)

汚水管

設問4 Y形ストレーナーの取付要領図

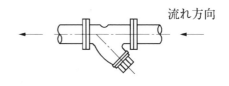

流れ方向

設問5 排水・通気管の配管要領

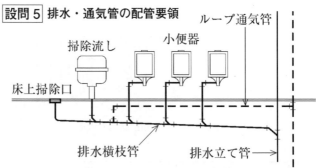

ループ通気管

掃除流し

小便器

床上掃除口

排水横枝管

排水立て管

通気立て管

| 問題1 | 設問1 | 排水管に用いたねじ込み式継手の施工要領図 | 解答・解説 |

ねじ込み式継手の構造は、一般配管用継手と排水管用継手では異なる。 設問1 の図は、排水管に用いたねじ込み式継手の図ではなく、一般配管に用いたねじ込み式継手の図である。

鋼管のねじ式接合継手のうち、排水管用として用いるものは、ねじ込み部にリセス（窪み）と肩をつけて、汚水の流れを円滑化する必要がある。また、汚水を流れやすくするため、排水管用の継手には、0°35′の勾配をつける。一般配管用継手と排水管用継手を比較したものが下図である。下図を見ると、リセスの有無とエルボの勾配の有無が、異なっていることが分かる。

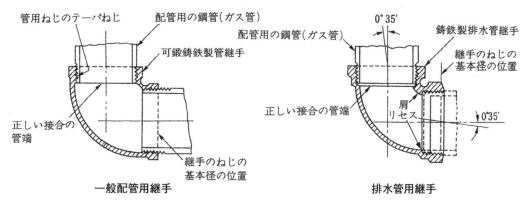

一般配管用継手　　　　　　　　　　排水管用継手

解答例	問題1 設問1	正誤	理由	改善策
		×	この図は、一般配管用ねじ込み式継手の図であり、排水管用ねじ込み式継手の図ではないから。	排水管内の固形物を円滑に流せるよう、継手の奥にリセスと肩を設けると共に、継手に0°35′の勾配をつける。

※問題には、「理由又は改善策を記述しなさい」とあるので、どちらか一方を記述すればよい。

| 問題1 | 設問2 | 冷温水管の保温吊りの施工要領図 | 解答・解説 |

冷温水管は、吊り金物の部分においても、保温性能を確保し、結露を防止しなければならない。 設問2 の図の冷温水管では、吊り金物の部分に結露が生じてしまう。

結露を防止するためには、支持受けを使用して吊り金物の部分を保温するか、吊り金物の上部にある吊りボルトを高さ150mm程度まで、厚さ20mm程度のロール状ロックウール保温材で保温する必要がある。冷温水管を保温できる正しい吊り方を下図に示す。

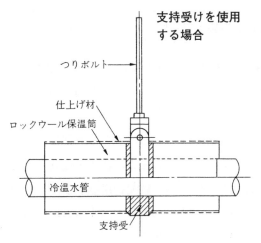

支持受けを使用する場合

- つりボルト
- 仕上げ材
- ロックウール保温筒
- 冷温水管
- 支持受

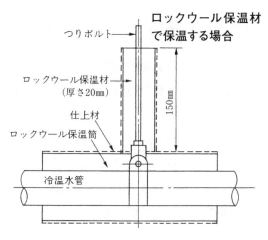

ロックウール保温材で保温する場合

- つりボルト
- ロックウール保温材（厚さ20mm）
- 仕上材
- ロックウール保温筒
- 冷温水管
- 150mm

		正誤	理由	改善策
解答例	問題1 設問2	×	吊りボルトを保温せず、直接冷温水管を吊っているため、吊り金物から放熱し、結露が生じるから。	吊り部分に支持受けを使用するか、吊りボルトを高さ150mm程度まで、厚さ20mmのロール状ロックウール保温材で保温する。

問題1	設問3	ドロップ桝と屋外配管の施工要領図	解答・解説

ドロップ桝は、敷地と道路との間に高低差がある場合に用いられる桝である。設問3 の図では、ドロップ桝への流入管の吐出し位置が高く、流入管と流出管が繋がっていないので、流入した汚水がドロップ桝に散乱してしまう。

汚水の散乱を防ぐためには、流入管と流出菅を、T字管やエルボを用いて連結させる必要がある。そうすると、汚水を円滑にインバート桝に送ることができる。下図のように、「流入管→T字管→直管→直角エルボ→流出管」の順になるよう配管することが適切である。

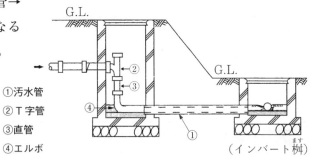

- G.L.
- G.L.
- ① 汚水管
- ② T字管
- ③ 直管
- ④ エルボ
- （インバート桝）

		正誤	理由	改善策
解答例	問題1 設問3	×	汚水管が連結されていないため、汚水がドロップ桝内に散乱し、管理上衛生的でないから。	T字管・直管・直角エルボを用いて、ドロップ桝に流入する汚水管と、ドロップ桝から流出させる汚水管を連結する。

問題1	設問4	Y形ストレーナーの施工要領図	解答・解説

ストレーナー（濾し器）は、異物やゴミを除去するために、配管中に網を取り付けた器具である。Y形ストレーナーにおいて、ゴミ収集用の網を取り付ける部分（設問4 の図で斜めになっている部分）の方向は、流れ方向に合わせなければならない。

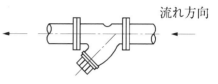

Y形ストレーナーの正しい取付け方向

解答例	正誤	理由	改善策
問題1 設問4	×	Y形ストレーナーの取付け方向が、流れ方向と逆であるため、水中のゴミを収集できなくなるから。	Y形ストレーナーの取付け方向を、流れ方向に合わせるため、左右反転させて逆にする。

問題1	設問5	ループ通気管の施工要領図	解答・解説

ループ通気管は、複数の器具のトラップ封水を保護するための管で、最上流の器具排水管が排水横枝管に接続した点のすぐ下流側から立ち上げて、通気立て管または伸頂通気管に接続する。

ループ通気管は、最上流の器具のあふれ縁よりも150mm以上高くまで立ち上げる必要がある。設問5 のループ通気管は、最上流の器具のあふれ縁よりも低い高さまでしか立ち上げていないので、排水横枝管が詰まったときに、汚水がループ通気管内に浸入するおそれがある。

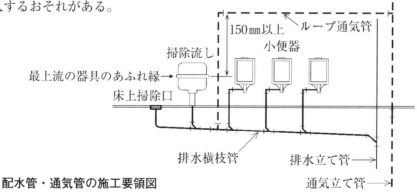

配水管・通気管の施工要領図

解答例	正誤	理由	改善策
問題1 設問5	×	ループ通気管の立ち上げが低すぎるので、排水横枝管が詰まった時に、汚水がループ通気管内に浸入するおそれがあるから。	ループ通気管を、掃除流しのあふれ縁よりも150mm以上高くまで立ち上げてから、通気立て管に接続する。

平成26年度 問題1 施工要領図 解答・解説

問題1 設問1〜設問5に示す図について、**適当なものには○**、**適当でないものには**×を解答欄の正誤欄に記入し、×とした場合には、理由又は改善策を記述しなさい。

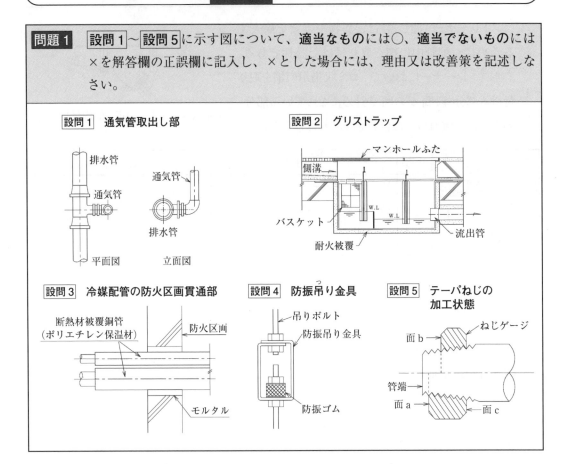

設問1 通気管取出し部

排水管
通気管
通気管
排水管
平面図
立面図

設問2 グリストラップ

マンホールふた
側溝
W.L
W.L
バスケット
耐火被覆
流出管

設問3 冷媒配管の防火区画貫通部

断熱材被覆銅管
（ポリエチレン保温材）
防火区画
モルタル

設問4 防振吊り金具

吊りボルト
防振吊り金具
防振ゴム

設問5 テーパねじの加工状態

面b
ねじゲージ
管端
面a
面c

| 問題1 | 設問1 | 通気管の取出し部 | 解答・解説 |

(1) 排水立て管

排水立て管から通気立て管を取り出すときは、45° Y 継手を用いて接合する。通気立て管を水平方向に取り出すと、通気管内に汚水が流入するおそれが生じる。

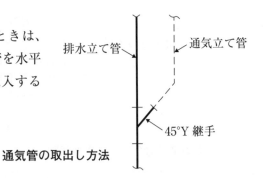

排水立て管
通気立て管
45°Y 継手

通気管の取出し方法

(2) 排水横枝管

排水横枝管から通気管を取り出すときは、垂直または45°以内の角度で接合する。

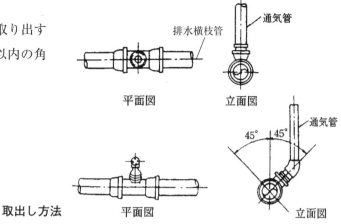

平面図　　立面図

取出し方法　　平面図　　立面図

解答例	問題1 設問1	正誤	理由又は改善策
		×	排水横枝管から通気管を取り出すときは、垂直または45°以内の角度で接合する。

問題1 設問2	グリーストラップの流出管	解答・解説

(1) 阻集器

阻集器は、油脂・ガソリンなどの汚水処理が困難な物質や、土砂・プラスターなどの配管を詰まらせる物質を、排水中から除去するための装置である。こうした物質を沈殿槽に滞留させて除去し、水封式トラップを設けた流出管により排水する。阻集器は、それが何を除去するのかにより、グリース阻集器・オイル阻集器・砂阻集器・毛髪阻集器・プラスター阻集器などに分類される。例えば、プラスター阻集器は、外科のギブス室や歯科医からの排水に用いられる。

(2) 阻集器の流出口のトラップ

グリース阻集器からの流出管の流入口には、T形トラップとなるT字管を取り付ける必要がある。このT形管の上部は、防虫網を張って開放する。T字管の下部には、短管を繋ぎ、短管を汚水中に潜らせて防臭トラップとする。

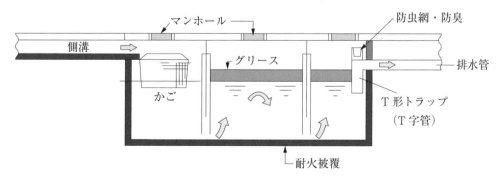

139

解答例	問題1 設問2	正誤	理由又は改善策
		×	流出管の入口に、T形トラップを取り付ける。T形トラップの上部は防虫網を張って開放し、下部は短管を繋いで汚水中に潜らせる。

問題1	設問3	防火区画を貫通する冷媒配管の構造	解答・解説

　冷媒配管の防火区画貫通部については、多数の工法が認定されている。各工法は、その構造・材料・寸法などの条件により、防火性能が認定される。代表的な工法は、厚さ0.3mm以上の亜鉛めっき鋼板を用いた鋼製枠・円形金具などで冷媒配管を覆い、その空洞部分を熱膨張性パック状充填材・熱膨張性耐熱シール材などで充填するものである。

例1

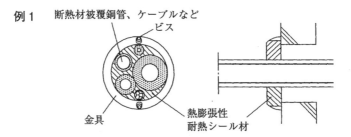

例2

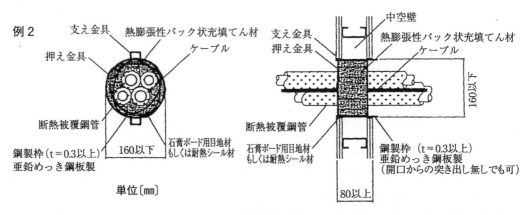

単位〔mm〕

解答例	問題1 設問3	正誤	理由又は改善策
		×	防火壁に鋼製枠や金具を取り付け、その内部に断熱材被覆銅管を貫通させる。空洞部分には、熱膨張性耐熱シール材などを充填する。

| 問題1 | 設問4 | 防振吊り金物 | 解答・解説 |

(1) 防振吊り金物

防振吊り金物は、防振ゴムを用いて上下方向の振動を吸収するものである。防振ゴムの真下に固定ナットを取り付けると、防振ゴムが振動を吸収できなくなるので注意する。

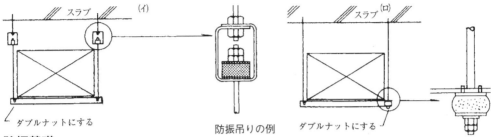

防振吊りの例

(2) 防振基礎

防振基礎は、架台と基礎との間に防振材を入れるものである。このとき、ストッパーボルトと基礎との間には、ゴムパッドを取り付ける必要がある。

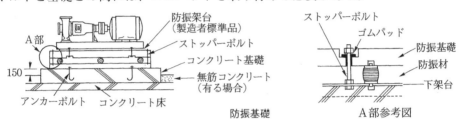

防振基礎　　　　　　　A部参考図

解答例	問題1 設問4	正誤	理由又は改善策
		×	防振ゴムの真下にある吊りボルトの下締めナットを取り外す。

| 問題1 | 設問5 | テーパーねじの管端の位置 | 解答・解説 |

(1) テーパーねじ

テーパーねじは、水道用硬質塩化ビニルライニング鋼管・水道用ポリエチレン粉体ライニング鋼管などの接合に用いられるねじである。管の呼び径が80以下であれば、管端防食継手を用いたテーパーねじ接合とする。管の呼び径が125以上であれば、フランジ接合とする。

(2) テーパーねじの加工

テーパーねじは、その管端がテーパーねじリングゲージの面bと面aとの間に入るように切断すると、適正に接合することができる。

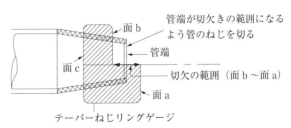

141

(3) 鋼管の管端防食継手の構造・種類

構造図の出典：給水装置工事技術指針

型式		構造図
一体型	ゴムリングタイプ	継手本体／樹脂成形部／ゴムリング、エラストマー／ライニング鋼管／ゴムリング、エラストマー
	シーラントタイプ	継手本体／樹脂成形部／ライニング鋼管／シール材／螺旋状リップ付コア又は波状コア
組込み型		管端コア／ゴムリング又はOリング／リップ／継手本体／エポキシライニング層／ライニング鋼管
可動型		可動コア／継手本体／樹脂成形部／ライニング鋼管／環状突起付コア／ゴムリング

解答例	問題1 設問5	正誤	理由又は改善策
		×	ねじの管端の位置が、ねじゲージの面 a と面 b との間になるよう、ねじ切りを行う。

※本章では、令和5年度～平成26年度の問題・解説・解答に加えて、平成25年度～平成18年度の問題・解答・解説（やや簡略的なもの）を採録しています。施工要領図の分野では、10年以上前の問題から繰り返して出題されることがあるので、こうした古い問題についても一通り目を通しておくと、似たような問題が出題されたときに、対応しやすくなります。

参考 平成25年度 問題1 施工要領図 解答・解説

問題1 次の 設問1 及び 設問2 の答えを解答欄に記入しなさい。

設問1 (1)～(4)に示す図について、**適当なものには〇、適当でないものには✕**を正誤欄に記入し、✕とした場合には、理由又は改善策を記述しなさい。

（1）軽量鉄骨ボード壁への
　　洗面器取付け要領

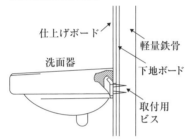

（2）ポンプの吸込み管の施工要領

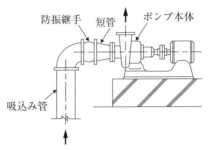

（3）送風機吐出し側のダクト施工要領

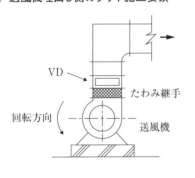

（4）T字形に会合する汚水桝の施工要領

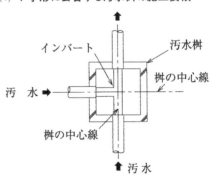

設問2 (5)に示す図について、継手の名称と使用目的又は使用用途を記述しなさい。

（5）配管の継手

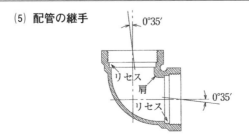

143

| 問題 1 | 設問 1 | (1) | 軽量鉄骨ボード壁への洗面器の取付け | 解答・解説 |

解説　洗面器の取付け方法は、ブラケット式とバックハンガ式に分類される。それを取り付ける壁は、コンクリートを用いた湿式壁と、木造または軽量鉄骨を用いた乾式壁に分類される。図(1)の洗面器は、バックハンガ式で軽量鉄骨を用いた乾式壁に取り付けられている。

　　湿式壁では、ドリルを用いてプラグ取付け孔をあけ、プラグを用いて洗面器を取り付ける。木造の乾式壁では、予め幅90mm・厚さ30mm程度の補強木を取り付け、それに洗面器を固定する。軽量鉄骨を用いた乾式壁では、予め補強鋼材を取り付け、それに洗面器を固定する。

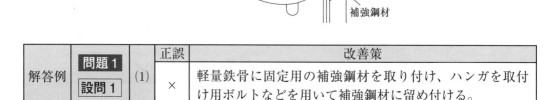

解答例	問題 1 設問 1	(1)	正誤	改善策
			×	軽量鉄骨に固定用の補強鋼材を取り付け、ハンガを取付け用ボルトなどを用いて補強鋼材に留め付ける。

| 問題 1 | 設問 1 | (2) | ポンプ周りの配管 | 解答・解説 |

解説　ポンプ周りの配管において、ポンプの吸込み管は、できるだけ短くし、空気だまりをなくすため、ポンプ本体に向かって1/50 ～ 1/100の上り勾配をつける。図 (2)の吸込み管は、水平となっているため、空気だまりができるので適当ではない。ポンプ周りの配管の良い例と悪い例を下図に示す。

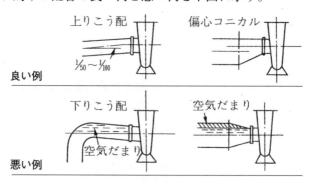

解答例	問題 1 設問 1	(2)	正誤	改善策
			×	ポンプの取付け短管を、上り勾配のものと交換する。

| 問題1 | 設問1 | (3) | 送風機吐出し側のダクトの配置 | 解答・解説 |

解説　図(3)の送風機では、吐出し側のダクトのエルボ部にガイドベーンを取り付ける必要がある。 また、送風機の回転方向を、エルボ部における風の流れの方向と一致させるため、送風機の据付けを左右逆にすることで、送風機の回転方向を逆転させる必要がある。吸込み側ダクトの施工の良い例と悪い例、吐出し側ダクトの施工の良い例と悪い例を下図に示す。

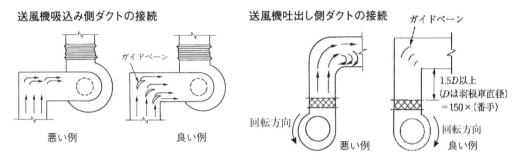

送風機吸込み側ダクトの接続　　ガイドベーン　悪い例　良い例

送風機吐出し側ダクトの接続　ガイドベーン　回転方向　悪い例　1.5D以上（Dは羽根車直径）=150×（番手）　回転方向　良い例

解答例	問題1 設問1	(3)	正誤	改善策
			×	送風機の据付け方向を変え、ガイドベーンを取り付ける。

| 問題1 | 設問1 | (4) | 汚水管が合流する汚水桝のインバート | 解答・解説 |

解説　汚水が混入する排水桝・排水溝には、下図のような形のインバートを設ける。インバートは、汚水を流れやすくして汚物等が詰まるのを防ぐためのものであるので、合流部には半径 R(下表参照)の曲線をつけて施工する。汚水桝のモルタルは、滑らかに仕上げ、肩上に汚物 が残らないよう勾配をつける。

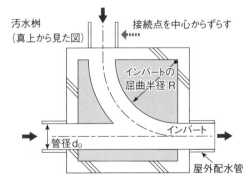

汚水桝（真上から見た図）　接続点を中心からずらす　インバートの屈曲半径R　管径d₀　インバート　屋外配水管　汚水桝の施工要領図

汚水管の管径(d₀)	インバートの屈曲半径(R)
50mm	管径の 2.5 倍以上(R ≧ 2.5×d₀)
75mm	
100mm	管径の 1.5 倍以上(R ≧ 1.5×d₀)
125mm	
150mm以上	管径の 1.0 倍以上(R ≧ 1.0×d₀)

解答例	問題1 設問1	(4)	正誤	改善策
			×	汚水を円滑に流下させるため、インバートの合流点には、半径 R の曲線をつけて滑らかに接合する。

解説　鋼管のねじ式接合継手のうち、排水管用として用いるものは、ねじ込み部にくぼみ（リセス）と肩をつけて汚水の流れを円滑化している。また、汚水を流れやすくするため、排水管用の継手には、0° 35′ の勾配がつけられている。一般の配管用継手と排水管用の継手を比較したものが下図である。下図を見ると、リセスの有無とエルボの勾配の有無が異なっていることが分かる。

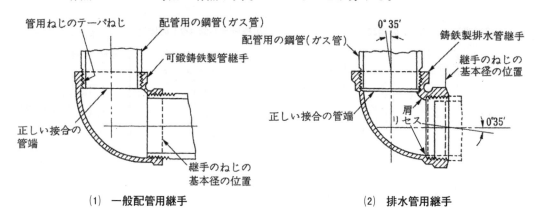

(1) 一般配管用継手　　　　　(2) 排水管用継手

解答例	問題1 設問2	(5)	継手の名称	ねじ式接合継手
			使用目的	汚水の流れを円滑化すること。
			使用用途	排水管用の鋼管のエルボに用いられる。

問題1 次の 設問1 及び 設問2 の答えを解答欄に記入しなさい。

設問1 (1)〜(4)に示す図について、**適当なものには○、適当でないものには×**を正誤欄に記入し、×とした場合には、理由又は改善策を記述しなさい。

(1) テーパねじの加工状態

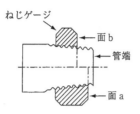

ねじゲージ
面b
管端
面a

(2) 風量調整ダンパの取付け要領（平面図）

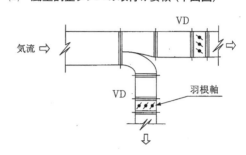

VD
気流 ⇨
VD
羽根軸

(3) 給水管の分岐方法
（矢印は水の流れる方向を示す）

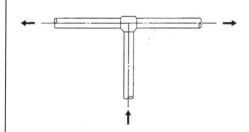

(4) 配管の支持方法

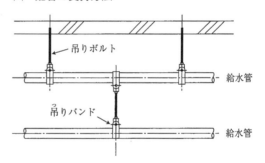

吊りボルト
給水管
吊りバンド
給水管

設問2 (5)に示す機材について、その使用用途を記述しなさい。

(5) 合成樹脂支持受け付き U バンド

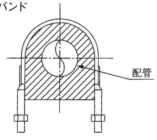

配管

| 問題1 | 設問1 | (1) | ねじリングゲージ検査における管端の位置 | 解答・解説 |

解説　鋼管の継手の種類は、ねじ接合・溶接合・フランジ継手接合・ゴムリング継手接合に分類される。このうち、ねじ接合は、勾配をつけたテーパーねじ接合とすることが一般的である。ねじ接合では、接合前に、鋼管のねじの勾配が適正な範囲内にあるかを確認する必要がある。試験用のテーパーねじリングゲージを締めたとき、下図のように、管端が切欠の範囲内にあれば合格（接合が可能）である。

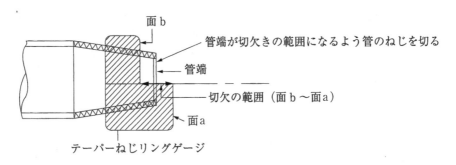

解答例	問題1 設問1	(1)	正誤	改善策
			×	管端が、面bと面aの間に入るよう、管のねじを切る。

ポイント　① 細ねじは、管端がテーパーねじリングゲージの面aより突き出すもので、管接合時に管の防食部を損傷するため、錆の原因となる。図(1)は細ねじである。
　② 太ねじは、管端がテーパーねじリングゲージの面bより引っ込むもので、接合が不十分であるため、漏水の原因となる。

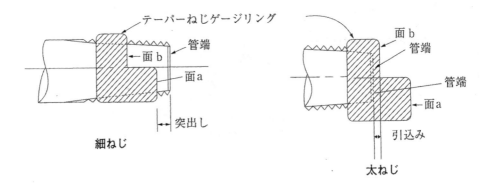

| 問題1 | 設問1 | (2) | 風量調整ダンパの取付け軸の方向 | 解答・解説 |

解説　スプリット（分岐形）のダンパでは、風量調整用の羽根軸を、右図のように、ダクト平面図に対して水平となるように取り付ける。そうすることで、気流の偏流を防止し、振動や騒音の発生を抑制する。図(2)のように、羽根軸を平面図に対し鉛直に取り付けた場合、偏流・振動・騒音が発生する。

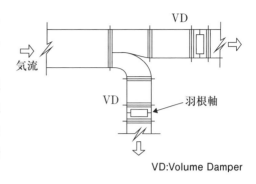

VD:Volume Damper

解答例	問題1 設問1	(2)	正誤	改善策
			×	ダンパの羽根軸の取付け方向を、平面図に対して水平となるよう変更する。

ポイント　ダンパを分岐直前に取り付ける場合も、右図のように、平面図に対して水平の方向とする。

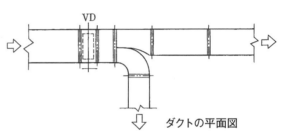

ダクトの平面図

| 問題1 | 設問1 | (3) | 給水管のT字分岐の方法 | 解答・解説 |

解説　T字継手を用いて給水管を2方向に分岐または合流させるとき、図(3)のように、双方の流れの方向を同時に変えるトンボ配管を行うと、継手の部分に渦流が発生し、均等に流れず、損失が大きくなる。これを避けるためには、下図のように、最初のT字管では一方向のみを分岐させた後、エルボを用いて分岐させなかった管の方向を変えるとよいので、継手は2つ必要となる。

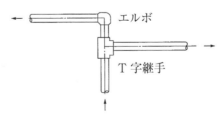

エルボ

T字継手

解答例	問題1 設問1	(3)	正誤	改善策
			×	T字継手では一方のみを分岐させた後、エルボでもう一方の方向を変える。

ポイント T字継手の使い方として、正しい例と間違った例を下図に示す。

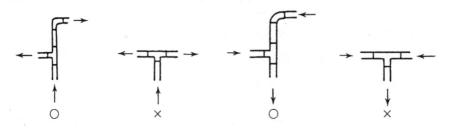

問題1	**設問1**	(4)	複数の配管の吊り支持の方法	解答・解説

解説 図(4)のように、配管から配管を吊って支持する共吊りをしてはならない。複数の配管の吊り支持をするときは、各配管をスラブから直接かつ個別に吊って支持する。または、右図のように、吊金物を用い、各配管の中心を揃えて適正な間隔をあけた配管群を吊って支持する。

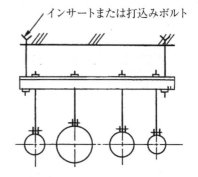

インサートまたは打込みボルト

			正誤	改善策
解答例	**問題1** **設問1**	(4)	×	各配管をスラブから直接個別に吊り支持するか、吊金物を用いて造った配管群を吊り支持する。

問題1	**設問2**	(5)	合成樹脂支持受け付きUバンドの使用目的	解答・解説

解説 鋼製Uバンドで直接、冷温水配管を支持すると、Uバンドに結露が生じるため、錆や汚れが発生する。これを防ぐため、Uバンドと冷温水配管との間に、断熱効果の大きい合成樹脂支持受けを入れる。合成樹脂支持受けの役割は、結露を防止するための断熱である。

配管

			正誤	使用目的
解答例	**問題1** **設問2**	(5)	×	冷温水管を支持するときの断熱材は、Uバンドの結露を防止するために用いる。

問題1 次の 設問1 及び 設問4 の答えを解答欄に記入しなさい。

設問1 (1)に示す図について、ループ通気管及び通気立て管を記入しなさい。

(1)排水・通気設備系統図

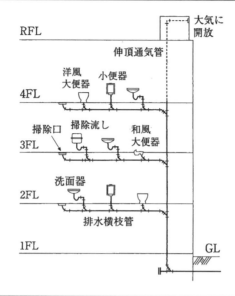

設問2 (2)及び(3)に示す図について、**適当なものには○、適当でないものには×**を正誤欄に記入し、×とした場合には、理由又は改善策を記述しなさい。

(2)単式伸縮管継手の施工要領図

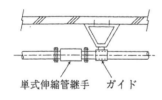

単式伸縮管継手　ガイド

(3)インバート枡の肩の施工要領図

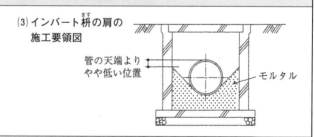

管の天端より
やや低い位置

モルタル

設問3 (4)に示す図について、湯沸室の機械換気方式の種別を記入しなさい。

設問4 (5)に示す図について、使用される配管材料名を記述しなさい。

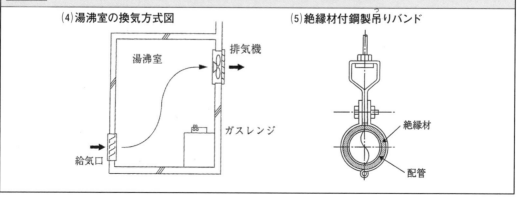

(4)湯沸室の換気方式図

湯沸室　排気機

ガスレンジ

給気口

(5)絶縁材付鋼製吊りバンド

絶縁材

配管

151

| 問題1 | 設問1 | (1) | ループ通気管・通気立て管の記入 | 解答・解説 |

解説　排水・通気管の系統図に、ループ通気管と通気立て管を配置するときの留意点は、以下の通りである。

① ループ通気管と排水横枝管の接続位置は、最上流の機器の排水管が排水横枝管に接続した直後の位置とする。

② 通気立て管と伸長通気管の接続位置は、最上部の機器のあふれ線よりも150㎜以上高い位置（下図 B）および最下部の排水横枝管よりも低い位置（下図 A）の2箇所とする。または、通気立て管と伸長通気管を下図 A の位置でのみ接続し、単独で大気に開放してもよい。

③ それぞれのループ通気管と通気立て管の接続位置は、各機器のあふれ線よりも150㎜以上高い位置(下図 C)とする。

⑴正しい排水通気管系統図・解答図

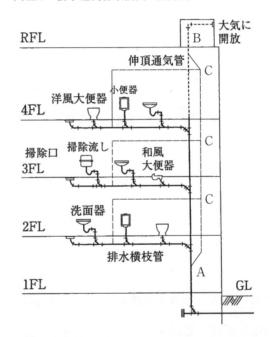

解答例	問題1 設問1	(1)	正誤	改善策
			×	①伸長管の延伸、②ループ通気管の取付け、③通気立て管は上記「排水・通気設備系統図の解答図」を参照。

| 問題1 | 設問2 | (2) | 単式伸縮管継手の支持 | 解答・解説 |

解説　単式伸縮管継手では、伸縮継手そのものは支持せず、継手から見て片側を固定支持とし、もう片側をガイド支持とする。複式伸縮管継手では、伸縮継手そのものを固定支持とし、継手から見て両側をガイド支持とする。図(2)は右側がガイド支持された単式伸縮管継手なので、左側を固定支持しなければならない。

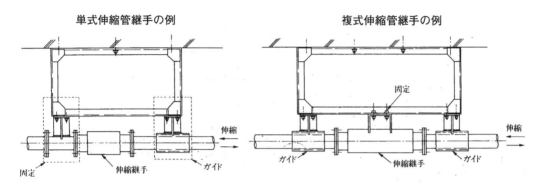

単式伸縮管継手の例　　　　　　　　複式伸縮管継手の例

解答例	問題1 設問2	(2)	正誤	改善策
			×	単式伸縮管継手の左側を固定支持とする。

| 問題1 | 設問2 | (3) | インバート桝(汚水桝)の構造 | 解答・解説 |

解説　屋外排水管の合流箇所または曲線部などのゴミなどが溜まりやすい箇所には、掃除などの維持管理を容易にするため、汚水桝(排水桝)を設ける。また、直線部においても管径の120倍以内ごとに汚水桝を設ける。

汚水桝には、密閉可能な防具蓋を設ける。また、汚物が円滑に流れるようにするため、モルタルを用いてインバートを付ける。インバートの厚さは、排水管の外周ではその中心線よりやや上に合わせ、汚水桝の外壁部分では排水管の管頂に合わせるか、管頂よりもやや上までとする。インバートは、排水管から外壁に向かってなめらかな登り坂となるようにすることが一般的である。図(3)の状態では、インバートの高さを管頂までとする。

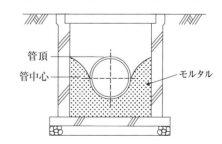

解答例	問題1 設問2	(3)	正誤	改善策
			×	インバートモルタルは、管の中心線よりやや上の高さと管頂の高さ以上の位置を結ぶようにすり付ける。

| 問題 1 | 設問 3 | (4) | 湯沸室における機械換気方式の種別 | 解答・解説 |

解説　湯沸室・台所・厨房・便所などの換気は、自然換気により給気し、機械換気により排気する第3種機械換気方式とする。

機械換気の種別	給気方式	室内の気圧	排気方式	使用場所
第1種機械換気方式	機械換気	正負調圧可能	機械換気	調理室・工場など
第2種機械換気方式	機械換気	正圧	自然換気	手術室・クリーンルームなど
第3種機械換気方式	自然換気	負圧	機械換気	便所・厨房など

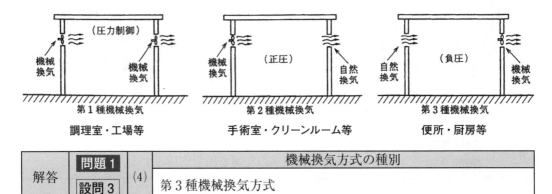

解答	問題 1 設問 3	(4)	機械換気方式の種別
			第3種機械換気方式

| 問題 1 | 設問 4 | (5) | 絶縁材付き鋼製吊りバンドに使用する配管の材料名 | 解答・解説 |

解説　鋼製のバンドにステンレス・銅などの異種金属管を直接接触させると、接触腐食が発生する。鋼製のバンドでステンレス管または銅管を吊り支持するときは、腐食を防ぐため、管に合成樹脂などを用いた絶縁材を巻く必要がある。

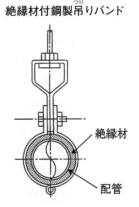

絶縁材付鋼製吊りバンド

絶縁材

配管

解答	問題 1 設問 4	(5)	使用される配管材料名
			ステンレス管または銅管

参考 **平成22年度** 問題1 **施工要領図 解答・解説**

問題1 次の 設問1 、 設問2 及び 設問3 の答えを解答欄に記入しなさい。

設問1 (1)に示す機材について、その使用場所又は使用目的を記述しなさい。

設問2 (2)に示す図において、(イ)、(ロ)及び(ハ)の答えを記入しなさい。

(イ) 図-1において、多量の排水が落下するとき、器具Aの排水トラップに発生するおそれのある現象を記入しなさい。

(ロ) 図-2において、器具Cより水が排出され1部が満流状態になった場合に、排水立て管の②部から多量の排水が落下して来たとき、器具Bの排水トラップに発生する現象を記入しなさい。

(ハ) 器具A及び器具Bの排水トラップに発生する現象を防止する方法を簡潔に記述しなさい。

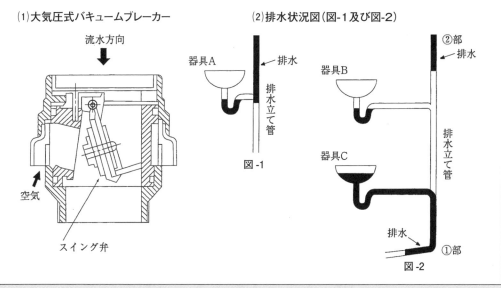

(1)大気圧式バキュームブレーカー

流水方向

空気

スイング弁

(2)排水状況図(図-1及び図-2)

器具A　排水　排水立て管

図-1

②部　排水

器具B

器具C

排水立て管

排水　①部

図-2

設問3 (3)及び(4)に示す図において、**適当なものには○、適当でないものには×**を正誤欄に記入し、×とした場合には、理由又は改善策を記述しなさい。

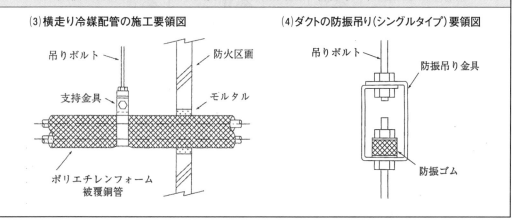

(3)横走り冷媒配管の施工要領図

吊りボルト　防火区画
支持金具　モルタル
ポリエチレンフォーム
被覆銅管

(4)ダクトの防振吊り(シングルタイプ)要領図

吊りボルト　防振吊り金具
防振ゴム

問題 1	設問 1	(1)	大気圧式バキュームブレーカの使用目的	解答・解説

解説　バキュームブレーカは、給水管内に負圧が生じたとき、逆サイホン作用により使用済みの水その他の物質が逆流して水が汚染されることを防止するため、負圧部分へ自動的に空気を取り入れる機能を持つ給水用具である。

バキュームブレーカには、給水用具の上流側に用いる圧力式と、給水用具の下流側に用いる大気圧式がある。大気圧式バキュームブレーカは、主に、下図のような大便器洗浄弁や給水管の逆止め弁として使用されている。

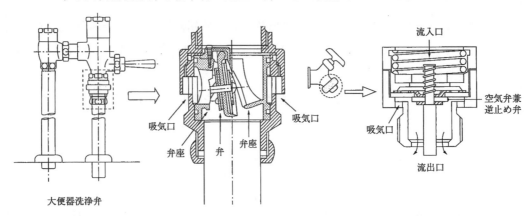

大便器洗浄弁
吸気口
弁座
弁
弁座
吸気口
流入口
空気弁兼
逆止め弁
吸気口
流出口

解答	問題 1 設問 1	(1)	使用場所	使用目的
			大便器洗浄弁。	汚水の逆流を防止すること。

問題 1	設問 2	(2)	トラップ封水が破れる原因への対策	解答・解説

解説　トラップ封水が破れる原因として、下図に示す５つが挙げられる。

(a) 自己サイホン作用
600mm
排水たて管
(b) 吸出し作用
(c) はね出し作用
(d) 毛管現象
(e) 蒸発

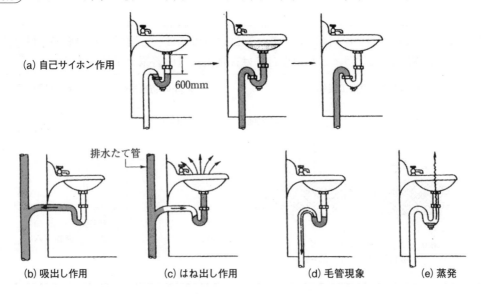

(a) 自己サイホン作用とは、多量の排水を一度に流したときに、封水ごと流れ出してしまう現象である。これを防止するためには、排水口とトラップの水面までの距離を 600 mm 以下とする。

(b) 吸出し作用とは、排水立て管とトラップが近すぎる場合、排水立て管が一時的に満水状態となったときに、排水横枝管が負圧となり封水が吸い出される現象である。

(c) はね出し作用とは、排水立て管が急に満水状態となったときに、排水立て管内の空気が圧縮され、排水横枝管が正圧となり封水が器具から噴出する現象である。

(d) 毛管現象とは、トラップに髪の毛が詰まったときに、毛細管現象により封水が吸い出されてしまう現象である。

(e) 蒸発とは、長い間排水を行わなかったときに、封水が蒸発してしまう現象である。

(イ) 図-1 では、排水立て管に多量の水が流れ、満水状態になっている。このとき、器具 A のように、配管の近くに U 形トラップがある場合、トラップと排水立て管との間にある空気が吸い出される。そのため、器具 A の排水横枝管が負圧となり、封水が吸い出される吸出し作用が発生する。

(ロ) 図-2 では、②部から流下した水が、器具 C からの排水で止められる。このとき、排水立て管の空気圧が急上昇する。そのため、器具 B の排水横枝管が正圧となり、封水が器具 B から噴出するはね出し作用が発生する。

(ハ) (イ)の吸出し作用や(ロ)のはね出し作用は、どちらも排水横枝管の空気圧が変化することにより発生するものである。そのため、各器具に通気管を取り付ければ、水封破れは発生しなくなる。

解答例	問題 1 設問 2	(2)	項目	現象名と防止方法
			(イ)	吸出し作用
			(ロ)	はね出し作用
			(ハ)	器具 A と器具 B の排水横枝管に通気管を取り付ける。

| 問題 1 | 設問 3 | (3) | 横走り冷媒配管の吊り支持と防火区画貫通方法 | 解答・解説 |

解説 　横走り冷媒配管が防火区画を貫通する部分では、冷媒配管を厚さ(t)0.3 mm 以上の亜鉛めっき鋼板で囲む。鋼板内の空洞部分には、石膏ボード用目地材または耐熱シール材を詰める。こうして造られた鋼製枠は、支え金具と押え金具により固定する。防火区画貫通の施工例を下図に示す。

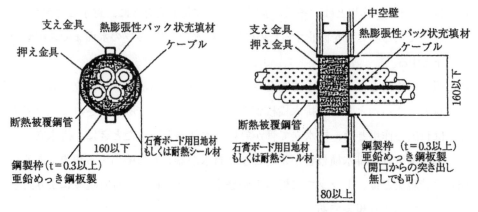

横走り冷媒配管の吊り支持は、冷媒配管を断熱粘着テープで2層巻きするか、冷媒配管を幅150mm以上の保護プレートに載せ、支持金具を用いて行う。吊り支持の施工例を下図に示す。

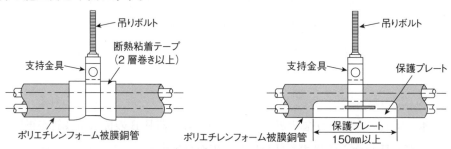

解答例	問題1 設問3	(3)	正誤	改善策
			×	防火区画貫通部では、冷媒配管を鋼製枠で囲み、鋼製枠の内部に石膏ボード用目地材または耐熱シール材を充填する。
				支持金具が取り付けられた部分には、断熱粘着テープを2層以上巻くか、幅150mm以上の保護プレートを置く。

問題1	設問3	(4)	ダクトの防振吊りの方法	解答・解説

解説　ダクトの防振吊りを行うときは、吊りボルトの固定は上端部だけでよい。右図のように、最下端部のナットは不要である。

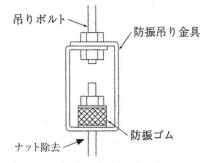

解答例	問題1 設問3	(4)	正誤	改善策
			×	防振ゴムの下にあるナットを除去する。

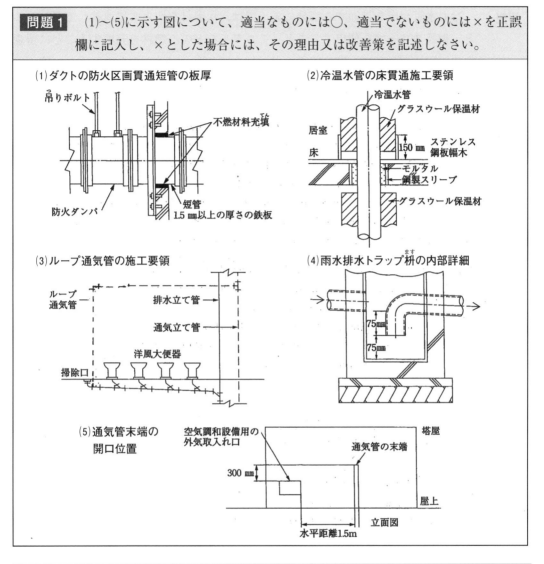

参考	**平成21年度**	問題1	施工要領図 解答・解説

問題1 (1)〜(5)に示す図について、適当なものには○、適当でないものには×を正誤欄に記入し、×とした場合には、その理由又は改善策を記述しなさい。

(1) ダクトの防火区画貫通短管の板厚

吊りボルト
不燃材料充填
防火ダンパ
短管
1.5mm以上の厚さの鉄板

(2) 冷温水管の床貫通施工要領

冷温水管
グラスウール保温材
居室
床
150mm
ステンレス鋼板幅木
モルタル
鋼製スリーブ
グラスウール保温材

(3) ループ通気管の施工要領

ループ通気管
排水立て管
通気立て管
洋風大便器
掃除口

(4) 雨水排水トラップ枡(ます)の内部詳細

75mm
75mm

(5) 通気管末端の開口位置

空気調和設備用の外気取入れ口
塔屋
通気管の末端
300mm
屋上
立面図
水平距離1.5m

問題1	(1)	防火区画の壁を貫通するダクトの構造	解答・解説

解説 防火ダンパは、4本の吊りボルトで支持する。防火ダンパには、翼の開閉などの作動状態を確認するための検査口を設ける。防火ダンパにヒューズホルダーを取り付けるときは、壁から150mm〜200mm離れた位置とする。防火区画を貫通する部分には、不燃材を充填した厚さ1.5mm以上の短管を使用する。図(1)は、正しい施工方法である。

解答例	問題1	(1)	正誤	改善策
			○	改善の必要はない。

問題1	(2)	床を貫通する冷温水管の構造	解答・解説

解説　冷温水管が床を貫通する部分の施工では、保温材を切らずに連続して用いること・鋼製スリーブを使用すること・モルタルなどの不燃材を充填することに留意する。図(2)のように、床の前後で保温材を切り取ってはならない。正しい施工方法は、下図の通りである。

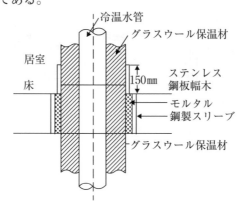

解答例	問題1	(2)	正誤	改善策
			×	グラスウール保温材は、床の前後で切らず、床を貫通させる。

問題1	(3)	ループ通気管の配置	解答・解説

解説　ループ通気管と排水横枝管の接続位置は、最上流の器具の排水管が排水横枝管に接続した直後である。図(3)のように、最上流の器具より前に接続してはならない。正しい接続位置は、下図の通りである。

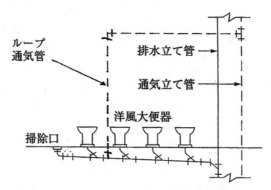

解答例	問題1	(3)	正誤	改善策
			×	ループ通気管と排水横枝管の接続位置を、最上流の器具の排水管が排水横枝管に接続した直後とする。

問題1	(4)	雨水排水トラップ桝の構造	解答・解説

解説 　雨水排水トラップ桝とは、汚水の悪臭を防止する桝のことである。雨水桝の規定では、泥溜めの深さは150㎜以上と定められている。図(4)のように、泥溜めが75㎜では、その深さが不足している。また、トラップの深さは50㎜以上とすることが多い。

解答例	問題1	(4)	正誤	改善策
			×	泥溜めの深さを150㎜以上とする。

問題1	(5)	通気管末端の開口位置	解答・解説

解説 　通気管の末端は、外気取入れ口よりも600㎜以上高い位置とするか、外気取入れ口から水平距離にして3m以上離れた位置とする。正しい施工方法は、下図の通りである。

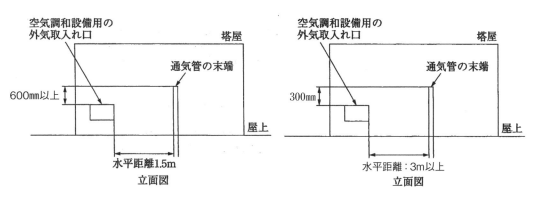

解答例	問題1	(5)	正誤	改善策
			×	通気管の末端を、外気取入れ口よりも600㎜以上高くするか、外気取入れ口から水平距離にして3m以上離す。

施工要領図

問題1 次の設問の答えを解答欄に記入しなさい。

設問1 (1)の機材について、その使用場所又は使用目的を記述しなさい。

設問2 (2)の機材について、その使用場所又は使用目的を記述しなさい。

設問3 (3)の機材について、その設置箇所を記述しなさい。

設問4 (4)の機材について、その使用目的を記述しなさい。

設問5 (5)の機材について、その名称又は用途を記述しなさい。

(1) フート弁
ストレーナ

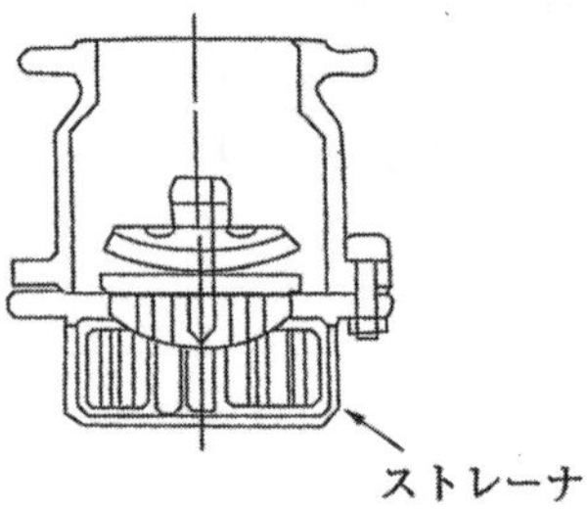

(2) インバート枡
G.L
マンホールふた（防臭形）
モルタル

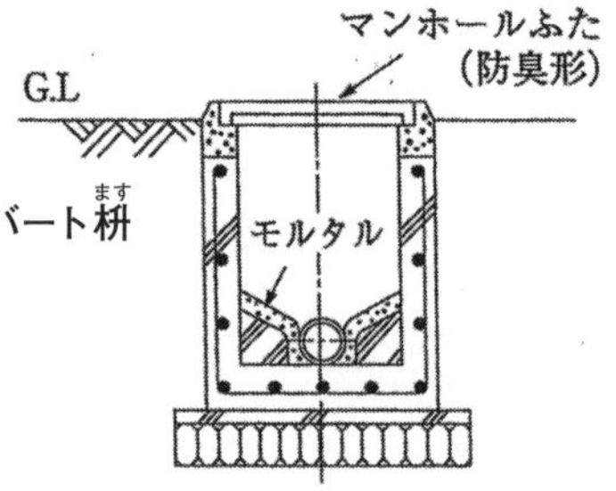

(3) 合成ゴム製防振継手
フランジ

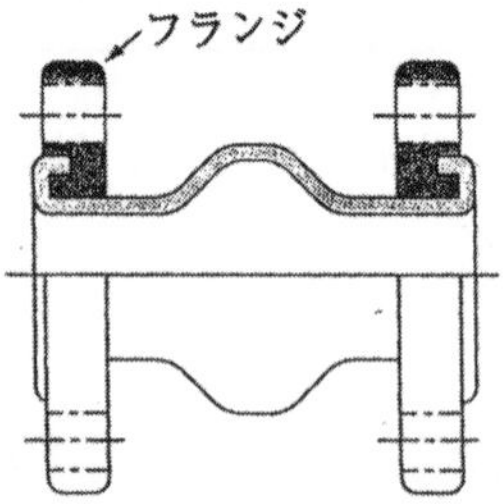

(4) 合成樹脂支持受け付き Uバンド

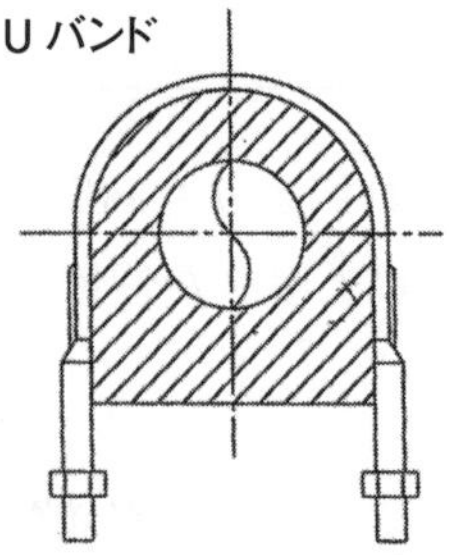

(5) 継手
リセス 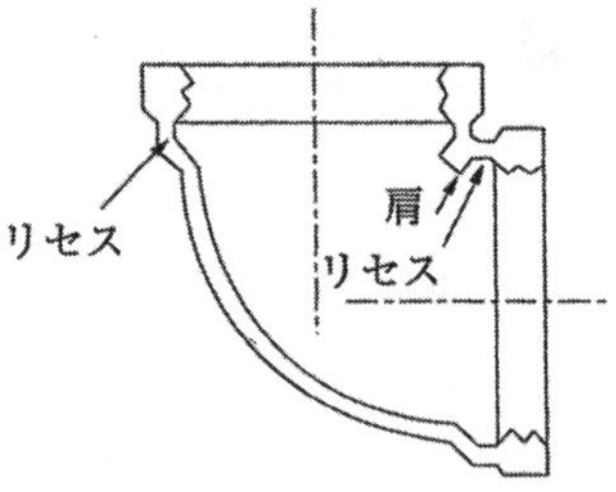
肩
リセス

| **問題1** | **設問1** | (1) | フート弁の使用場所と使用目的 | 解答・解説 |

解説　フート弁とは、逆止弁とストレーナーを有する弁で、ポンプ吸込み管の末端に設けられる。逆止弁の役割は、ポンプが停電や故障などで停止したときに、管内の水の逆流を防止することにより、停止の原因が解決された後に、直ちに運転が再開できるようにすることである。ストレーナーの役割は、吸い込み時にごみが混入しないようにすることである。

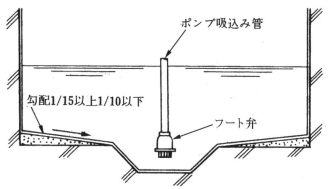

解答例	問題1 設問1	(1)	使用場所	使用目的
			ポンプ吸込み管の末端。	停止時に水の逆流を防止すること。

問題1	設問2	(2)	インバート桝(汚水桝)の使用場所と使用目的	解答・解説

(解説) 　インバート桝(汚水桝)とは、排水管の直径の120倍以下の長さごとに設けられる屋外排水桝である。また、排水管の合流地点や曲線部などのゴミが溜まりやすい箇所にも設けられる。その役割は、排水を本下水道管まで円滑に流下させることである。それを実現するために、インバート桝の蓋は密閉式であり、枠内にはモルタルによるインバートがすり付けられている。インバート桝は、便所・風呂・台所などに設けられた排水管の点検・清掃用としても施工される。

解答例	問題1 設問2	(2)	使用場所	使用目的
			排水管の一定区間ごとおよびゴミが溜まりやすい箇所。	排水管の清掃を容易にし、排水を円滑に流下させること。

問題1	設問3	(3)	合成ゴム製防振継手の設置箇所	解答・解説

(解説) 　防振継手とは、ポンプの振動が配管に影響するのを防ぐために、ポンプの吸込み口側および吐出し口側の配管に設けられる継手である。その役割は、振動を吸収することである。

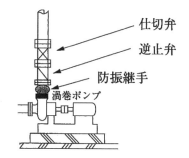

解答例	問題1 設問3	(3)	設置箇所
			吸水ポンプの振動を吸収するため、吸水ポンプの入口と出口の2箇所に設置する。

| 問題 1 | 設問 4 | (4) | 合成樹脂支持受け付き U バンドの使用目的 | 解答・解説 |

解説　合成樹脂支持受け付き U バンドは、冷温水管を固定するために設けられる。冷温水管を鋼製の U バンドで直接固定した場合、配管の熱の影響により U バンドに結露が生じ、錆や汚れが発生しやすくなる。結露を防ぐためには、冷温水管を固定するときに、合成樹脂材を断熱材として用い、それを鋼製 U バンドで固定する形とする。

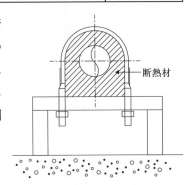

断熱材

解答例	問題 1 設問 4	(4)	使用目的
			断熱材で冷温水管を固定し、結露を防止すること。

| 問題 1 | 設問 5 | (5) | 鋼管のねじ接合排水管用継手の用途 | 解答・解説 |

解説　鋼管のねじ込み式接合継手のうち、排水管用として用いるものには、汚水の流れを円滑にするため、ねじ込み部にはくぼみ（リセス）と肩が付けられており、継手（エルボ）には 0°35′ の勾配がつけられている。一般配管用継手と排水管用継手の特徴を比較したものが下図である。リセスの有無とエルボの勾配の有無により、その継手が一般配管用であるか排水管用であるかを判断することができる。

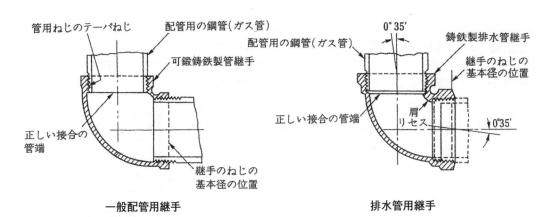

一般配管用継手　　　　　　　　　　　　排水管用継手

解答例	問題 1 設問 5	(5)	名称	用途
			ねじ式排水管継手。	鋼管を用いた排水管の継手として使用される。

| 参考 | 平成19年度 | 問題1 | 施工要領図 解答・解説 |

問題1 (1)～(5)に示す図について、適当なものには○、適当でないものには×を正誤欄に記入し、×とした場合には、その理由又は改善策を記述しなさい。

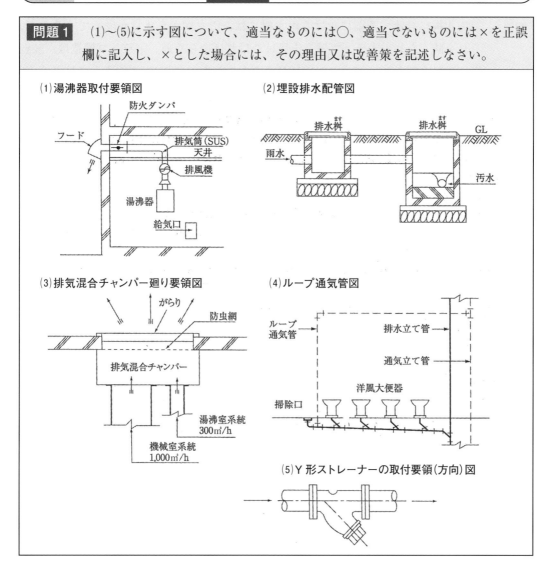

(1)湯沸器取付要領図

(2)埋設排水配管図

(3)排気混合チャンパー廻り要領図

(4)ループ通気管図

(5)Y形ストレーナーの取付要領(方向)図

| 問題1 | (1) | 湯沸器の取付け | 解答・解説 |

解説 図(1)のように、湯沸器の排気筒内に防火ダンパを設けた場合、排気筒が高温になったときに、ヒューズが切れてダンパが作動し、排気を止めてしまうために換気ができなくなる。湯沸器の換気ができなくなった場合、それが設置された部屋にいる人が二酸化炭素中毒や一酸化炭素中毒になるおそれがある。湯沸器の排気筒内には、防火ダンパを設けてはならない。

解答例	問題1	(1)	正誤	改善策
			×	排気筒内の防火ダンパを取り除く。

問題1	(2)	屋外の汚水桝と連結する雨水桝の構造	解答・解説

解説　汚水桝に合流する前に設ける雨水桝には、汚水桝から悪臭が漂ってくるので、それを防ぐためのトラップ構造を設けなければならない。トラップ構造は、50mm以上の封水深さと、150mm以上の泥溜めを有するものとし、下図のように施工する。

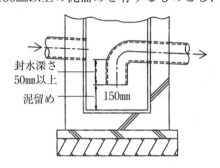

封水深さ
50mm以上
泥留め
150mm

			正誤	改善策
解答例	問題1	(2)	×	左側の排水桝の配管に、50mm以上の封水深さと150mm以上の泥溜めを有するトラップ構造を設ける。

問題1	(3)	排気混合チャンバー周りの構造	解答・解説

解説　排気混合チャンバー内には、各排気の混合を防止し、各排気が円滑に流れるようにするため、隔壁を設ける。排気混合チャンバーに向かう各排気口には、排気の逆流を防止するため、逆流防止用ダンパを設ける。図(3)のように、隔壁やダンパを設けずに施工してはならない。

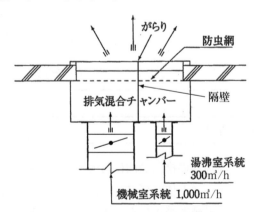

がらり
防虫網
排気混合チャンバー
隔壁
湯沸室系統
300m³/h
機械室系統 1,000m³/h

			正誤	改善策
解答例	問題1	(3)	×	排気混合チャンバー内に隔壁を設け、各排気口にダンパを設ける。

問題 1	(4)	ループ通気管の取付け位置	解答・解説

解説　ループ通気管と排水横枝管の接続位置は、最上流の器具の排水管が排水横枝管に接続した直後の点とする。ループ通気管は、最上流の器具のあふれ線よりも150mm以上高い位置まで延ばし、そこから横に向かわせ、通気立て管に接続する。ループ通気管の役割は、最上流の器具からの汚水を円滑に流すことである。図(4)のように、最上流の器具より前に接続してはならない。下図のように、最上流の器具よりも後に接続する理由は、通気管の洗浄効果を期待するからである。

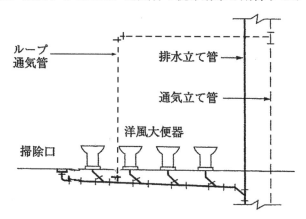

解答例	問題 1	(4)	正誤	改善策
			×	ループ通気管の取出し位置は、最上流の器具の排水管が排水横枝管に接続した直後とする。

問題 1	(5)	Y形ストレーナーの取付け方向	解答・解説

解説　ストレーナーの取付け方向は、流れの方向と一致させる。図(5)のストレーナーは、流れの方向と一致しているので適切である。ストレーナーの役割は、その内部に収納された籠により、流体中の雑物を取り除き、流れを円滑にすることである。

解答例	問題 1	(5)	正誤	改善策
			○	改善の必要はない。

施工要領図

問題1　図(1)〜(5)について、その使用場所又は使用目的を解答欄に記述しなさい。

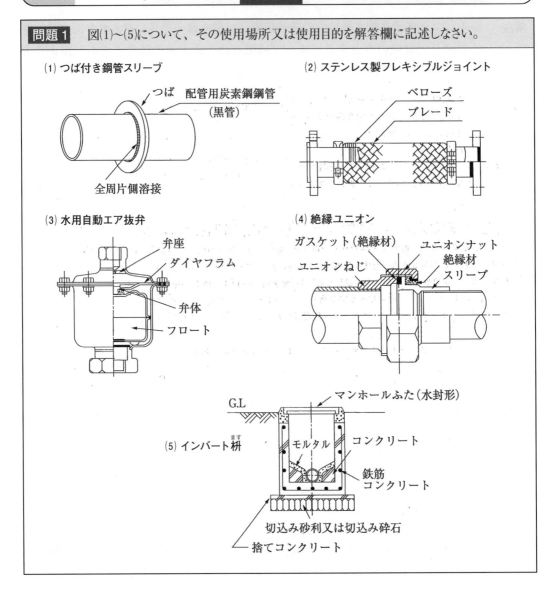

(1) つば付き鋼管スリーブ

つば　配管用炭素鋼鋼管（黒管）

全周片側溶接

(2) ステンレス製フレキシブルジョイント

ベローズ

ブレード

(3) 水用自動エア抜弁

弁座

ダイヤフラム

弁体

フロート

(4) 絶縁ユニオン

ガスケット（絶縁材）　ユニオンナット

ユニオンねじ　絶縁材

スリーブ

(5) インバート枡

G.L

マンホールふた（水封形）

モルタル　コンクリート

鉄筋コンクリート

切込み砂利又は切込み砕石

捨てコンクリート

| 問題1 | (1) | つば付き鋼管スリーブの使用場所・使用目的 | 解答・解説 |

解説　つば付き鋼管スリーブは、コンクリート造の壁・スラブ・梁を貫通する配管に用いられる。その役割は、配管の孔の位置を確実に固定し、水密性を確保することである。

　つば付き鋼管スリーブは、コンクリートによる配管の腐食防止・配管の伸縮性確保のため、給湯管・温水管・蒸気管などがコンクリートを貫通する部分には、必ず使用しなければならない。また、水密性を確保するため、配管が防水層を貫通する配管にも使用される。つば付き鋼管スリーブによる防水層の床貫通および地中外壁貫通の施工例を下図に示す。

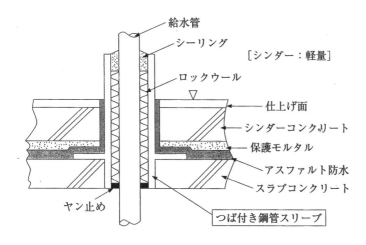

[シンダー：軽量]

地中外壁貫通部の処理の例

給水管
シーリング
ロックウール
仕上げ面
シンダーコンクリート
保護モルタル
アスファルト防水
スラブコンクリート
ヤン止め
つば付き鋼管スリーブ

（内）仕上げ　（外）
つば付き鋼管スリーブ
シーリング材
バックアップ材（ヤーン等）

施工要領図

解答例	問題 1	(1)	使用場所	使用目的
			給湯管・温水管・蒸気管がコンクリートを貫通する部分や、防水層を貫通する配管。	配管の位置の固定・水密性の確保・配管の自由変形の確保などをすること。

問題 1	(2)	ステンレス製フレキシブルジョイントの使用場所・使用目的	解答・解説

解説　ステンレス製フレキシブルジョイントは、水・油などを輸送する配管に用いられる伸縮管継手であり、建築物の継手部（エキスパションジョイント部）に使用される。その役割は、配管の伸縮・上下の変位・ねじれの影響を吸収することである。

　オイルタンク周りの配管には、ステンレス製フレキシブルジョイントを用いることが消防法で定められている。フレキシブルジョイントの種類を下図に示す。

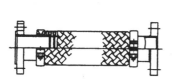

ステンレス製ベローズ形
フレキシブルジョイント

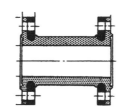

合成ゴム製円筒形
フレキシブルジョイント

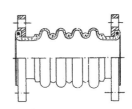

合成ゴム製ベローズ形
フレキシブルジョイント

解答例	問題 1	(2)	使用場所	使用目的
			給水管のエキスパションジョイント部の伸縮管継手。	配管の伸縮・変位・ねじれの影響を吸収すること。

169

			水用自動エア抜弁の使用場所・使用目的		解答・解説
問題1	(3)				

解説 　自動エア抜弁は、配管の最頂部や凸部に設けられる。その役割は、水流などの乱れを防ぐため、冷温水管内などに溜まった空気を排出することである。なお、管内が負圧になる箇所に自動エア抜弁を使用してはならない。

解答例	問題1	(3)	使用場所	使用目的
			冷温水管などの最頂部・凸部。	管内に溜まった空気を排出し、流れを円滑化すること。

			絶縁ユニオン(絶縁結合)の使用場所・使用目的		解答・解説
問題1	(4)				

解説 　絶縁ユニオンは、鋼管と銅管、鋼管とステンレス管など、異種管同士を接続する継手として用いられる。絶縁ユニオンを使用せずに異種管同士を直接接続した場合、イオン化傾向の大きい鋼管が腐食されるからである。この腐食を防止するための継手を絶縁ユニオンと呼ぶ。なお、大口径管では絶縁ユニオンではなく絶縁フランジを設ける。異種管同士の継手の例を下図に示す。

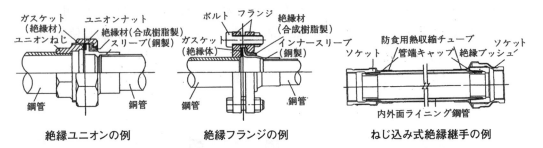

絶縁ユニオンの例　　　　絶縁フランジの例　　　　ねじ込み式絶縁継手の例

解答例	問題1	(4)	使用場所	使用目的
			鋼管と銅管、鋼管とステンレス管など、異種管同士を接続する継手。	鋼管の腐食を防止すること。

			インバート桝の使用場所・使用目的		解答・解説
問題1	(5)				

解説 　インバート桝は、雨水管・汚水管の直径の120倍以下の長さごと、および、雨水管・汚水管の合流部や曲線部などに設置される。その主な役割は、屋外の汚水管・排水管の清掃を容易にすることである。

解答例	問題1	(5)	使用場所	使用目的
			雨水管・汚水管の合流部・曲線部。直線部にも管径の120倍以下の間隔ごと。	屋外の汚水管・排水管の清掃を容易にすること。

第2章　空気調和設備の施工（選択）

問題2 の空気調和設備の施工では、以下の内容から出題される。

① パッケージ形空気調和機・空調用渦巻ポンプ・多翼送風機など、重量・騒音・振動が大きい設備を据え付けるときの留意点

② 冷温水管・冷媒管・換気用のダクト・送気用のダクトの製作と施工

③ 機器を据え付ける基礎コンクリートの固定・防振・防音対策

④ 送風機・パッケージ形空気調和機・空調用渦巻ポンプの単体の試運転において、性能・構造に関する確認事項・調整事項

```
① 空気調和設備の据付け
    ↓
②・③ 配管・ダクトの施工
    ↓
④ 空気調和設備の試運転
```

　2級管工事施工管理技術検定試験第二次検定の 問題2 空気調和設備の施工は、選択問題である。過去10年間の出題の傾向は、下表の通りである。

最新10年間の出題分析表

分野	項目	令和5	令和4	令和3	令和2	令和元	平成30	平成29	平成28	平成27	平成26
据付け	基礎										
	空調機				◯					◯	
	送風機							◯			
	ポンプ					◯					
施工	配管	◯		◯					◯		
	ダクト		◯			◯					
試運転	空調機										
	送風機										
	ポンプ										◯

※すべての年度が空白の項目は、平成25年度以前にのみ出題があった項目です。
※近年の第二次検定では、出題が複数の項目に分散していることがあります。
　上表では各年度の主要な項目にのみ◯印を付けています。

出題のポイント　本年度の試験に向けて、パッケージ形空気調和機の設置（令和2年度出題分野）、換気設備のダクトの施工（令和元年度出題分野）、多翼送風機の据付け（平成29年度出題分野）の学習は、特に欠かせない項目である。

試験問題の見直し

令和6年度以降の第二次検定では、問題2「空気調和設備の施工」の出題内容が「経験で得られた知識・知見を幅広い視点から確認するもの」として見直されることが、試験実施団体から発表されています。そのため、令和6年度以降の問題2「空気調和設備の施工」に対応できるようにするためには、過去に出題された項目（留意事項）のうち、これまでに工事経験がある項目をいくつか抽出し、「受検者自身の工事経験（試験実施団体に提出した実務経験証明書に記載した管工事で実際に行った事項）」に基づく解答を記述できるようにする必要があると思われます。詳しくは、本書の490ページに掲載されている特集記事「令和6年度以降の試験問題の見直しについて」を参照してください。

※「空気調和設備の施工」の分野名は、試験実施団体では「空調の施工に関する問題」としていますが、本書では、主な出題内容を端的に表現できるよう、分野名を「空気調和設備の施工」としています。

2-1 技術検定試験 重要項目集

2-1-1 問題2 空気調和設備の据付け

空気調和機・ポンプ・送風機などの重量物を、屋上や地上に据え付けるときは、次の4つの項目を視点として管理する。

> (1) 据付け基礎　(2) 据付け位置
> (3) 据付け組立　(4) 据付け環境

(1) 据付け基礎　① 据付け基礎は、冷凍機・空気調和機では150mm程度、送風機では150mm〜300mm、ポンプでは300mm以上の厚さを持つコンクリート製または鉄筋コンクリート製とし、仕上げにはモルタルを用いて、1mm/1m（1mあたりの高低差が1mm以下）の水平度を確保する。

② コンクリート打込み後、10日間の養生を行った後でなければ、据え付けてはならない。

③ 基礎ボルトの締付けは完全に行い、ストッパーの締付けを確認する。

(2) 据付け位置　① 冷却塔を据え付けるときは、煙突の煙や冷却塔からの飛沫が、冷却塔の外気取入れ口から入らない位置に据え付ける。

② パッケージ形空気調和機を据え付けるときは、機器の交換・保守・点検用の空間を確保する。

③ 冷温水機を据え付けるときは、その保守を容易に行えるようにするため、機器周辺に1m以上の作業空間を確保する。

（3）**据付け組立** ① 配管の荷重が機器に直接作用しないよう、配管を最上階や最下階の床で支持する。

② ポンプ・送風機の羽根とモーターの軸のカップリングとの間では、十分な水平度を確保する。

③ 空気調和機のコイル周りの配管が、下側から流れ込み、上側から流れ出ているかを確認する。

（4）**据付け環境** ① 騒音・振動の抑制や、飛沫の飛散防止など、環境保全のための対策が行われているかを確認する。

2-1-2 問題2 配管・ダクトの施工

配管・ダクトの施工では、次の4つの項目を視点として管理する。

> （1）ダクトの加工と接続　（2）壁・床を貫通する配管
> （3）配管の支持　　　　　（4）冷媒管の施工

（1）**ダクトの加工と接続** ① 亜鉛鉄板製長方形ダクトを接続する工法は、アングルフランジ工法とコーナーボルト工法に分類される。コーナーボルト工法は、共板フランジ工法とスライドフランジ工法に分類される。

② アングルフランジ工法では、ダクトの接合面のうち4面すべてに等辺山形鋼を取付け、ボルトとナットで全周を止め付けて接続する。

③ 共板フランジ工法では、ダクトの接合面のうち4面すべての亜鉛鉄板を折曲げ、それをフランジとして、接合面の両フランジをクリップで止め付けて接続する。

④ スライドフランジ工法では、別に製作されたフランジを亜鉛鉄板の両端部に差込み、それをスポット溶接で固定し、フランジ押え金具で止め付けて接続する。

（2）**壁・床を貫通する配管** ① 壁や床を貫通する配管を覆う保冷材は、結露防止のため、貫通部においても連続して取付ける。

② 防火区画の壁や床を貫通する配管は、スリーブで囲み、スリーブと配管との間隙をロックウール保温材などの不燃材料で充填する。

(3) **配管の支持**

① 冷温水管の吊りバンドの支持部は、防湿加工を施した木製または合成樹脂製の支持受けとするか、高さ150mmまでの吊りボルトを保温材で保温し、吊りボルトの端部をシール材でシールする。

② 配管は、各階で振れ止めし、最上階・最下階の床で固定する。

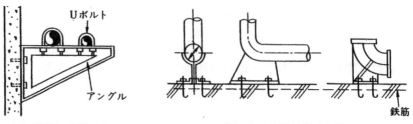

(a) 壁体に支持固定　　　　　　　(b) 立て管最低部受台固定

(4) **冷媒管の施工**

① 冷媒管は、断熱材で被覆した銅管とする。屋外露出の冷媒管は、断熱材で被覆した銅管を、ステンレス鋼板で被覆したものとする。

屋外露出（バルコニー、開放廊下を含む）の冷媒管

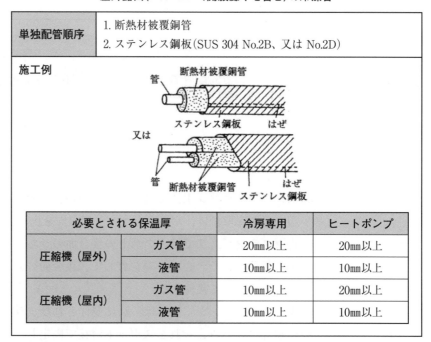

単独配管順序	1. 断熱材被覆銅管 2. ステンレス鋼板（SUS 304 No.2B、又は No.2D）		

必要とされる保温厚		冷房専用	ヒートポンプ
圧縮機（屋外）	ガス管	20mm以上	20mm以上
	液管	10mm以上	10mm以上
圧縮機（屋内）	ガス管	10mm以上	20mm以上
	液管	10mm以上	10mm以上

② 冷媒管は、差込み接合またはメカニカル接合で施工する。ただし、取り外しが必要となる冷媒管は、配管の呼び径が32mm以下なら銅ろう製ユニオン継手で、配管の呼び径が40mm以上ならフランジ継手で施工する。

③ 冷媒管にろう付けをするときは、フラッシング酸化生成物の発生を抑制するため、窒素などの不活性ガスを流してから接合する。接合後は、窒素ガスなどを流して気密試験を行う。

2-1-3 問題2　　　冷温水管の配管

1　冷温水管の保温

　冷温水管などの保温施工については、「機械設備工事監理指針」において、施工場所・材料・管種などに応じて、次のように定められている。

※表の略号について

温	：温水管	給	：給水管
蒸	：蒸気管	排	：排水管・ドレン管
冷温	：冷水管・冷温水管（表の施工例は冷水管・冷温水管の場合を基本とする）	湯	：給湯管
		R	：ロックウール
低	：低温度冷水管（冷水温度2℃～4℃）	G	：グラスウール
ブ	：ブライン管	P	：A種ポリスチレンフォーム
媒	：冷媒管		

施工箇所	材料及び施工順序・施工例	備考
屋内露出（一般居室、廊下）	 管　R又はG保温筒　鉄線　ポリエチレンフィルム　合成樹脂製カバー 1. R又はG保温筒 2. 鉄線（保温筒1本につき2箇所以上2回巻き） 3. ポリエチレンフィルム（1/2重ね巻き） 4. 合成樹脂製カバー（重ね幅25mm以上。合わせ目は150mm以下のピッチで樹脂カバー用ピン止め）（エルボ部は合成樹脂製エルボを取付け）	a 温、蒸、給、排、湯の場合は3.を除く。 b 媒で保温化粧ケースを使用する場合は4.は必要としない。
	 管　粘着テープ　P保温筒　ポリエチレンフィルム　合成樹脂製カバー 1. P保温筒 2. 粘着テープ（合わせ目はすべて粘着テープで止め、継ぎ目と長さ600mm以上の保温筒の中間を2回巻き） 3. ポリエチレンフィルム（1/2重ね巻き） 4. 合成樹脂製カバー（重ね幅25mm以上。合わせ目は150mm以下のピッチで樹脂カバー用ピン止め）（エルボ部は合成樹脂製エルボを取付け）	a 温、蒸、媒、湯の場合はP保温筒は使用できない。 b 給、排の場合は、3.を除く c ブの場合、施工例の通り。

施工箇所	材料及び施工順序・施工例	備考
機械室、倉庫、書庫	 管　鉄線　原紙　アルミガラスクロス R又はG保温筒　ポリエチレンフイルム 1. R又はG保温筒 2. 鉄線（保温筒1本につき2箇所以上2回巻き） 3. ポリエチレンフィルム（1/2重ね巻き） 4. 原紙（重ね幅30mm以上）（エルボ部にR又はG保温材を使用する場合は整形エルボを取付け） 5. アルミガラスクロステープ（重ね幅15mm以上）	a 温、蒸、給、排、湯の場合は3.を除く。 b 媒で保温化粧ケースを使用する場合は4.5.は必要としない。
	 管　粘着テープ　アルミガラスクロス P保温筒　ポリエチレンフイルム 1. P保温筒 2. 粘着テープ（合わせ目はすべて粘着テープで止め、継ぎ目と長さ600mm以上の保温筒の中間を2回巻き） 3. ポリエチレンフィルム（1/2重ね巻き） 4. アルミガラスクロステープ（重ね幅15mm以上）	a 温、蒸、媒、湯の場合はP保温筒は使用できない。 b 給、排の場合は、3.を除く c 低、ブの場合、施工例の通り。
天井内、パイプシャフト内、空隙壁中	 管　鉄線　ポリエチレン　アルミガラス R又はG保温筒　フイルム　クロス 1. R又はG保温筒 2. 鉄線（保温筒1本につき2箇所以上2回巻き） 3. ポリエチレンフィルム（1/2重ね巻き） 4. アルミガラスクロステープ（重ね幅15mm以上）	a 冷温、媒の場合、施工例の通り。
	 管　粘着　アルミガラス P保温筒　テープ　ポリエチレン　クロス フイルム 1. P保温筒 2. 粘着テープ（合わせ目はすべて粘着テープで止め、継ぎ目と長さ600mm以上の保温筒の中間を2回巻き） 3. ポリエチレンフィルム（1/2重ね巻き） 4. アルミガラスクロステープ（重ね幅15mm以上）	a 冷水の場合、施工例の通り。 b ブの場合、施工例の通り。
	 管　アルミガラスクロス化粧　アルミガラスクロス 保温筒　粘着テープ 1. R又はG及びPのアルミガラスクロス化粧保温筒 2. アルミガラスクロス粘着テープ（重ね幅15mm以上）	a 給、排、温、蒸の場合、施工例の通り。ただし、温、蒸の場合はPアルミガラスクロス化粧保温筒は使用できない。

施工箇所	材料及び施工順序・施工例	備考
床下、暗渠内（ピット内を含む）	管　鉄線　R又はG保温筒　ポリエチレンフィルム　着色アルミガラスクロス 1. R又はG保温筒 2. 鉄線（保温筒1本につき2箇所以上2回巻き） 3. ポリエチレンフィルム（1/2重ね巻き） 4. 着色アルミガラスクロス（重ね幅15mm以上）	a 給の場合はR及びG保温筒は使用できない。 b 排の場合は、3.を除く。
	管　粘着テープ　P保温筒　ポリエチレンフィルム　着色アルミガラスクロス 1. P保温筒 2. 粘着テープ（合わせ目はすべて粘着テープで止め、継ぎ目と長さ600mm以上の保温筒の中間を2回巻き） 3. ポリエチレンフィルム（1/2重ね巻き） 4. 着色アルミガラスクロス（重ね幅15mm以上）	a 給、排、温、蒸の場合、施工例の通り。ただし、温、蒸の場合はPアルミガラスクロス化粧保温筒は使用できない。 b 排の場合は施工不要 c 主に給の施工に適用 d ブの場合、施工例の通り。
屋外露出（バルコニー、開放廊下を含む）、浴室や厨房等の多湿箇所（厨房の天井内は含まない）	管　鉄線　R又はG保温筒　ポリエチレンフィルム　着色アルミガラスクロス 1. R又はG保温筒 2. 鉄線（保温筒1本につき2箇所以上2回巻き） 3. ポリエチレンフィルム（1/2重ね巻き） 4. ステンレス鋼板（SUS304、厚さ0.2mm以上のNo.2B又はNo.2D）	a 給、排の場合はR又はG保温筒は使用できない。 b 媒で保温化粧ケースを使用する場合は4.5.は必要としない。
	管　粘着テープ　P保温筒　ポリエチレンフィルム　ステンレス鋼板 1. P保温筒 2. 粘着テープ（合わせ目はすべて粘着テープで止め、継ぎ目と長さ600mm以上の保温筒の中間を2回巻き） 3. ポリエチレンフィルム（1/2重ね巻き） 4. ステンレス鋼板（SUS304、厚さ0.2mm以上のNo.2B又はNo.2D）	a. 温、蒸、媒、湯の場合はP保温筒は使用できない。 b 排の場合は屋外露出は施工不要 c 主に給の施工に適用 d ブの場合、施工例の通り

出典：機械設備工事監理指針 平成22年度版 国土交通省大臣官房官庁営業部監修

②　保温材の使用温度

　配管の保温材には、R・G・Pの3種類がある。各種の保温材の使用温度は、下記の通りである。

　　① ロックウール保温筒　………………… 最高 650℃（記号 R）

　　② グラスウール保温筒　………………… 最高 400℃（記号 G）

　　③ 硬質ウレタンフォーム保温筒 …… 最高 100℃（記号 P）

　　④ ポリスチレンフォーム保温筒 …… 最高　70℃（記号 P）

2-1-4 問題2 　空気調和設備の試運転

　パッケージ形空気調和機・渦巻ポンプ・送風機などの単体試運転では、以下の点に留意する。

① 機器の機能が、構造上・配置上の役割を確保できるよう、確認・調整する。

② 機器の性能が、目的とする規定値の範囲内になるよう、確認・調整する。

また、各機器の試運転において、確認・調整すべきことのポイントを以下の(1)〜(3)に示す。

(1) パッケージ形空気調和機の試運転

　　① 機能　（a）維持管理用のスペースを確保する。

　　　　　　（b）複数台を設置したときは、十分な相互間隔を確保する。

　　② 性能　（a）風量が規定の範囲内になるよう調整し、確認する。

　　　　　　（b）温度・湿度が規定の範囲内になるよう調整し、確認する。

(2) 渦巻ポンプの試運転

　　① 機能　（a）維持管理用のスペースを確保する。

　　　　　　（b）複数台を設置したときは、十分な相互間隔を確保する。

　　② 性能　（a）ポンプとモーターのカップリングの状態を調整し、確認する。

　　　　　　（b）吐出水量が規定の範囲内になるよう調整し、確認する。

(3) 送風機の試運転

　　① 機能　（a）送風機のアンカーボルトが固定されていることを確認する。

　　　　　　（b）送風機内の異物を除去する。

　　② 性能　（a）ダンパを用いて風量が規定の範囲内になるよう調整し、確認する。

　　　　　　（b）軸受けの温度が（周囲の温度 +40）℃以下になるよう調整し、確認する。

2-2 最新問題解説

令和5年度 問題2 空気調和設備の施工 解答・解説

問題2 パッケージ形空気調和機と全熱交換ユニットの施工

空冷ヒートポンプ式パッケージ形空気調和機（天井カセット形、冷房能力 8.0 kW）と全熱交換ユニット（天井カセット形、定格風量 150 m³/h）を事務室に設置する場合、次の(1)～(4)に関する留意事項を、それぞれ解答欄の(1)～(4)に具体的かつ簡潔に記述しなさい。

ただし、工程管理及び安全管理に関する事項は除く。

(1) 冷媒管（断熱材被覆銅管）の吊りに関する留意事項
(2) 配管完了後の冷媒管又はドレン管の試験に関する留意事項
(3) 給排気ダクト（全熱交換ユニット用）の施工に関する留意事項
(4) 給排気口（全熱交換ユニット用）を外壁面に取り付ける場合の留意事項

| **問題2** | パッケージ形空気調和機と全熱交換ユニットの施工 | 解答・解説 |

解答例

　空冷ヒートポンプ式パッケージ形空気調和機(天井カセット形／冷房能力 8.0kW)を施工する場合の留意事項について、断熱材被覆銅管製の冷媒管の吊りと、配管完了後に行われる冷媒管またはドレン管の試験に関する観点から、ひとつずつ解答を記述する。

　また、全熱交換ユニット(天井カセット形／定格風量 150m³/h)を施工する場合の留意事項について、全熱交換ユニット用の給排気ダクトの施工と、全熱交換ユニット用の給排気口を外壁面に取り付ける場合に関する観点から、ひとつずつ解答を記述する。

No.	パッケージ形空気調和機と全熱交換ユニットを施工する場合の留意事項
(1)	冷媒用銅管の吊り金物間隔は、その管径が 9.52mm 以下であれば 1.5m 以下とする。
(2)	冷媒管を設計圧力以上に加圧し、24 時間経過しても圧力低下がないことを確認する。
(3)	給排気ダクトは、外部に向かって下り勾配で施工し、壁との隙間を不燃材料で埋める。
(4)	給排水口の底部に雨水排水管を取り付け、ガラリにベンドキャップを取り付ける。

基礎知識（空冷ヒートポンプ式パッケージ形空気調和機とは何か）

空冷ヒートポンプ式パッケージ形空気調和機（天井カセット形／冷房能力 8.0kW）は、主として中規模建造物（貸事務所など）の冷暖房設備として使用される管工事機器である。

① 「パッケージ形」の空気調和機は、圧縮機や送風機などの機器をひとつの箱にまとめた空気調和機である。一例として、家庭用のエアコンは、パッケージ形空気調和機である。
　※圧縮機などの冷暖房用の熱源機器を別の場所に設置する「ユニット形」と区別される。
　※多数の室内機とひとつの屋外機を冷媒管で結ぶ「マルチパッケージ形」の場合もある。

② 「空冷ヒートポンプ式」の空気調和機は、ファン（扇風機のような器具）から風を吹かせて冷却することで、排熱を処理する空気調和機である。安価で、取り扱いが容易である。
　※冷却水を循環させて排熱を処理する「水冷ポンプ式」と区別される。

③ 「天井カセット形」の空気調和機は、屋内機を天井に埋め込んで設置する空気調和機である。室内においてあまり目立つことがなく、複数の方向に風を吹き出すことができる。
　※建物と一体化した「ビルトイン形」や、一般的な家庭用の「壁掛け形」と区別される。

④ 「冷房能力 8.0kW」の空気調和機は、26 畳程度の広さの室に適した空気調和機である。

空冷ヒートポンプ式パッケージ形空気調和機
（天井カセット形／冷房能力 8.0kW）
※会社や店舗などでよく見かける右のような設備が、
　代表的な天井カセット形の空気調和機である。

基礎知識（全熱交換ユニットとは何か）

空冷ヒートポンプ式パッケージ形空気調和機は、冷暖房を行う能力は有しているが、換気を行う能力は有していないことが多い。そのため、室内空気環境を整えるために、換気扇などが併設されている。しかし、換気扇を使用すると、冷やしたり暖めたりした空気が室外に逃げ出してしまう。これによる冷暖房能力の低下を防ぐため、天井カセット形の空気調和機には、次のような機能を有する全熱交換ユニットが併設されていることが多い。

① 暖房時の換気（室内からの暖かい排気）に含まれる熱気を回収して再利用することにより、暖房時の換気による熱損失（室温の低下）を軽減する。

② 冷房時の換気（室内からの涼しい排気）に含まれる冷気を回収して再利用することにより、冷房時の換気による熱取得（室温の上昇）を軽減する。

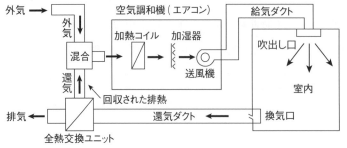

全熱交換ユニット（暖房時）の役割

※この図に示している全熱交換ユニットは、機構（排熱の流れなど）を分かりやすくするため、天井カセット形ではない（独立して配置されている）タイプにしています。

解説

(1) 冷媒管（断熱材被覆銅管）の吊りに関する留意事項

　冷媒管の吊りに関しては、冷媒管に集中的な荷重がかからないようにすることが最も重要である。一例として、横走りする冷媒用銅管の吊り金物間隔は、その管径が9.52㎜以下であれば1.5m以下、その管径が12.70㎜以上であれば2.0m以下としなければならない。吊り金物間隔がこれ以上に長くなると、冷媒用銅管が吊られている箇所に集中的な荷重がかかり、冷媒用銅管が損傷するおそれが生じる。

　また、冷媒管とその他の配管が並行して配置されている場合は、配管から別の配管を吊る「共吊り」を行わないように留意しなければならない。

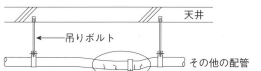
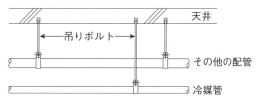

　参考　　冷媒管の吊りに関しては、冷媒管の支持に関する事項にも留意する必要があるので、併せて認識しておくことが望ましい。冷媒管（断熱材被覆銅管）の支持に関する留意事項には、次のようなものがある。

①横走りする冷媒用銅管の形鋼振れ止め支持間隔は、管径が40㎜以下なら6.0m以下、管径が50㎜～100㎜なら8.0m以下、管径が125㎜以上なら12.0m以下とする。

②冷媒用銅管を鋼製金物で支持する場合は、ゴムなどの絶縁材を介して支持する。

③冷媒用銅管の下部に、長さ150㎜以上の保護プレートを取り付け、冷媒管の自重による支持金具の断熱材への食い込みを防止する。

④断熱粘着テープの重ね巻き（二層巻き）を行い、冷媒管の自重による支持金具の断熱材への食い込みを防止する。

断熱材で被覆した冷媒用銅管の支持方法

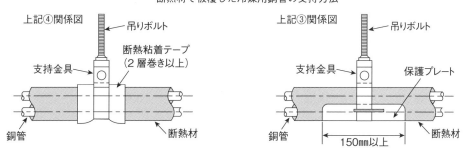

(2-1) 配管完了後の冷媒管の試験に関する留意事項

冷媒管は、気密が破れている(管に空気の出入りがある)と、管内の冷媒が空気中に逃げ出してしまうため、施工した冷媒管に対しては、気密試験を行う必要がある。

冷媒管の気密試験では、冷媒管内に不活性ガスを流入させた後、冷媒管内に圧力をかけても、圧力低下が生じない(不活性ガスの漏気がない)ことを確認する。冷媒管の気密試験において、圧力低下が生じなければ、その冷媒管は完全に密閉されている(その冷媒管からの漏気がない)と判断できる。

冷媒管の気密試験をするときは、次のような事項に留意しなければならない。

①気密試験は、冷媒管内に水分が残らないよう、窒素ガス・炭酸ガスなどの不活性ガスを使用して行う。

②気密試験による冷媒管の加圧をするときは、設計圧力以上になるまで、徐々に管内を加圧する。最初から設計圧力以上に加圧してはならない。

③管内を設計圧力以上に加圧してから24時間が経過しても、管内の圧力が低下しない(不活性ガスの漏気がない)ことを確認する。

④冷媒管からの漏気の有無は、聴覚・手触り・石鹸水の泡立ち・ゲージ圧力降下の有無などによって検知する。

(2-2) 配管完了後のドレン管の試験に関する留意事項

ドレン管は、空気調和機の内部で生じた凝結水を、自然流下により排水するための管である。天井カセット形の空気調和機に設けるドレン管は、水密が破れている(管から水漏れするようになっている)と、天井から水が垂れてきて、室内にある設備が濡れてしまう。そのため、施工したドレン管に対しては、通水試験を行う必要がある。

ドレン管の通水試験では、ドレン管内に水を流してみて、水漏れが生じないことを確認する。また、ドレン管が接続された雑排水管から、適切に排水が行われていることを確認する。ドレン管の通水試験において、ドレン管からの水漏れが生じておらず、排水立て管の下端から適切に排水があれば、そのドレン管は正常に施工されていると判断できる。

また、ドレン管の通水試験をするときは、ドレン管内のドレントラップの封水が確保されていることを確認する。この封水が確保されていないと、ドレン管を通して悪臭や害虫などが、空気調和機から室内に侵入しやすくなってしまう。

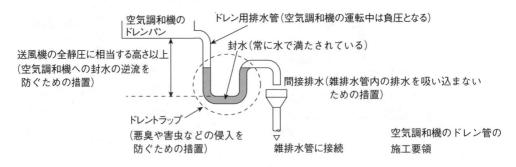

(3) 給排気ダクト（全熱交換ユニット用）の施工に関する留意事項

　全熱交換ユニットは、建物からの排気と導入外気との熱交換を行うことにより、省エネルギー化を図る装置である。天井カセット形の全熱交換ユニットに取り付けられた給排気ダクトは、外壁を貫通して外気に直接開放されている。したがって、全熱交換ユニット用の給排気ダクトを施工するときは、次のような事項に留意しなければならない。

① 給排気ダクトの壁貫通部では、ダクトと壁との隙間に、モルタルなどの不燃材料を充填する。この充填が不十分であると、火災時にこの隙間から火炎が侵入してしまう。

② 給排気ダクトは、外部に向かって下り勾配で施工する。この下り勾配が確保されていないと、風雨が強まったときに、全熱交換ユニットの内部に雨水が浸入してしまう。

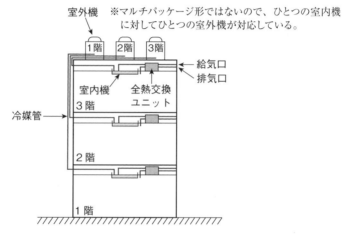

空冷ヒートポンプ式パッケージ形空調機と全熱交換ユニットの二系統配置図

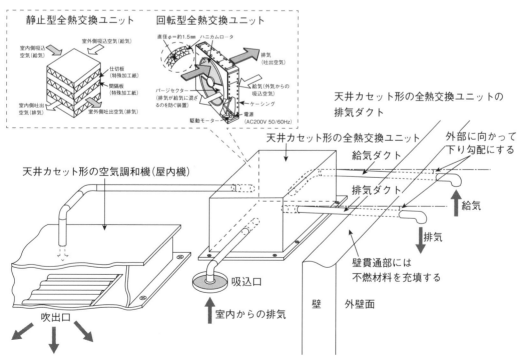

183

(4) 給排気口(全熱交換ユニット用)を外壁面に取り付ける場合の留意事項

全熱交換ユニットの給排気ダクトの施工に関して、その給排気口を外壁面に直接取り付ける場合は、風雨が強まったときにおける全熱交換ユニットの内部への雨水の浸入に、特に注意する必要がある。全熱交換ユニットは、水に濡れると、その機能が低下したりカビが生えたりする。したがって、全熱交換ユニット用の給排気口を外壁面に取り付ける場合は、次のような事項に留意しなければならない。

① 給排気口の底部には、外壁側に向かって下り勾配(排水勾配)を付ける。

② 給排気口の排水口に、水切りとシール材を設けて、排水の回り込みを防止する。

③ 給排気口の底部に、浸入した雨水を排水するための管を設ける。

④ 給排気口のガラリ(外壁面)には、雨水浸入防止用のベンドキャップを取り付ける。

⑤ 給排気口のガラリの内側に、エリミネーターを取り付ける。

⑥ 給排気ガラリの面風速は、騒音の発生を抑制できる程度には小さくする。

⑦ 給排気ガラリの面風速は、雨水の浸入を防止できる程度には大きくする。

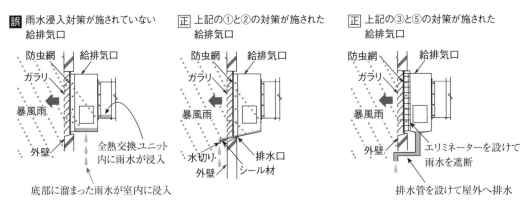

※エリミネーターとは、気体と液体を分離する(空気は通すが水は下に落とす)ために設けられる蛇腹状の鉄板やプラスチック板である。

令和4年度 問題2 空気調和設備の施工 解答・解説

問題2 換気設備のダクトとして使用するスパイラルダクトの施工

換気設備のダクトをスパイラルダクト（亜鉛鉄板製、ダクト径200㎜）で施工する場合、次の(1)～(4)に関する留意事項を、それぞれ解答欄の(1)～(4)に具体的かつ簡潔に記述しなさい。

ただし、工程管理及び安全管理に関する事項は除く。

(1) スパイラルダクトの接続を差込接合とする場合の留意事項

(2) スパイラルダクトの吊り又は支持に関する留意事項

(3) スパイラルダクトに風量調節ダンパーを取り付ける場合の留意事項

(4) スパイラルダクトが防火区画を貫通する場合の貫通部処理に関する留意事項
　　（防火ダンパーに関する事項は除く。）

| 問題2 | 換気設備のダクトとして使用するスパイラルダクトの施工 | 解答・解説 |

解答例

　換気設備のダクトとして使用するスパイラルダクト(ダクト径200㎜の亜鉛鉄板製)を施工する場合の留意事項について、ダクトの差込接合・ダクトの吊りまたは支持・風量調節ダンパーの取付け・防火区画貫通部の処理の観点から、ひとつずつ解答を記述する。

No.	換気設備のダクトとして使用するスパイラルダクトを施工する場合の留意事項
(1)	シール材を塗布して差し込み、鋼製ビスで固定し、ダクト用テープで二重巻きする。
(2)	横走り主ダクトは、吊り間隔を4m以下とし、振止め支持の間隔を12m以下とする。
(3)	風量調節用ハンドルが操作しやすく、ダンパーの開度の指標が見やすいようにする。
(4)	防火区画貫通部とダクトとの隙間に、モルタル又はロックウール保温材を充填する。

基礎知識

換気設備のダクトには、長方形ダクト・円形ダクト・フレキシブルダクト（柔軟性のあるダクト）のいずれかを使用することが一般的である。

亜鉛鉄板製スパイラルダクトは、円形ダクトの一種であり、亜鉛鉄板を螺旋状に甲はぜ機械掛けして造られたダクトである。亜鉛鉄板製スパイラルダクトは、長方形ダクトとは異なり、甲はぜがダクトを補強しているため、形鋼による補強などは不要である場合が多い。また、この甲はぜの強度が大きいので、高圧ダクト・低圧ダクトのどちらにも使用できる。

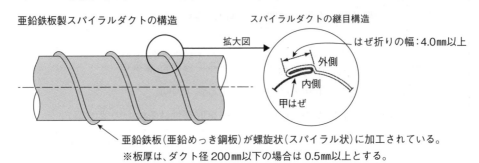

亜鉛鉄板製スパイラルダクトの構造　　スパイラルダクトの継目構造

拡大図　　　　　　　　　　はぜ折りの幅：4.0mm以上
外側
内側
甲はぜ

亜鉛鉄板（亜鉛めっき鋼板）が螺旋状（スパイラル状）に加工されている。
※板厚は、ダクト径200mm以下の場合は0.5mm以上とする。

解説 **(1) スパイラルダクトの接合を差込接合とする場合の留意事項**

スパイラルダクトの接合方法は、差込接合とフランジ接合に分類されている。

① 小口径の（ダクト径600mm未満の）スパイラルダクトの接合方法は、差込接合（施工が容易な差込継手を使用する方法）とすることが一般的である。

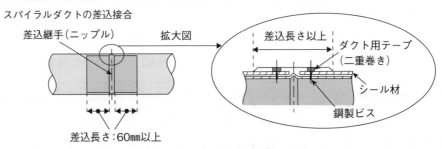

スパイラルダクトの差込接合

差込継手（ニップル）　　拡大図　　　　差込長さ以上　　ダクト用テープ
（二重巻き）
シール材
鋼製ビス
差込長さ：60mm以上

② スパイラルダクトの差込接合は、次のような事項に留意して行う必要がある。

●差込接合をする前に、ダクト本体や継手が凹んだり折れ曲がったりしていないこと（ダクトや継手の円形が維持されていること）を確認する。

●差込継手外面の接合部に、シール材を塗布して差し込み、鋼製ビスで固定する。その後、外周のうち、差込長さ以上の長さを、ダクト用テープで二重巻きする。

③ 大口径の（ダクト径600mm以上の）スパイラルダクトの接合方法は、フランジ接合（強度に優れるフランジ継手を使用する方法）とすることが一般的である。

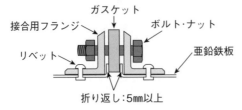

ガスケット
接合用フランジ　　ボルト・ナット
リベット　　　　　　　　　亜鉛鉄板
折り返し：5mm以上

スパイラルダクトのフランジ接合に使用するフランジ継手の構造
※問題文中には「差込接合とする場合」とあるので、フランジ接合に関する事項を解答しないように注意する。

(2) スパイラルダクトの吊り又は支持に関する留意事項

　スパイラルダクトの吊りおよび支持については、その吊り間隔および振れ止め支持の間隔が長くなりすぎないよう、特に注意する必要がある。この間隔が長くなりすぎると、地震などのときにダクトが脱落するなどの事故が生じやすくなる。スパイラルダクトの吊りおよび支持は、次のような事項に留意して行う必要がある。

① 横走りするダクトは、吊り間隔を4 m以下(4000㎜以下)とする。

② 横走りする主ダクトは、12 m以下の間隔で形鋼振れ止め支持を行う。また、その末端にも、形鋼振れ止め支持を行う。ただし、梁貫通箇所などの振れを防止できる箇所は、形鋼振れ止め支持がされているとみなしてよい。

③ 立てダクトの支持点は、各階につき(1フロアにつき)1箇所とする。ただし、階高が4 mを超える階では、床面と天井面との中間に、追加でもう1箇所の支持点を設ける(中間支持を行う)。

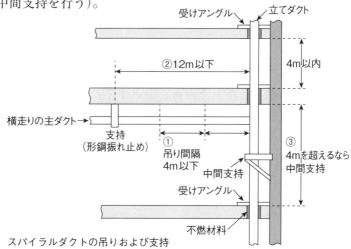

スパイラルダクトの吊りおよび支持

④ スパイラルダクトの吊り金物については、公共建築工事標準仕様書(機械設備工事編)において、次のように定められている。

● 中口径(呼称寸法750以下／ダクト径750㎜以下)の横走りダクトの吊り金物は、厚さ0.8㎜以上の亜鉛めっきを施した鋼板を円形に加工した吊りバンドと吊り用ボルトとの組合せによるものとしてもよい。

● 小口径(呼称寸法300以下／ダクト径300㎜以下)の横走りダクトでは、吊り金物に代えて、厚さ0.6㎜の亜鉛鉄板を帯状に加工したものを使用してもよい。ただし、これによる場合は、要所に振れ止め支持を行う。

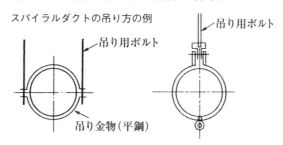

スパイラルダクトの吊り方の例

⑶ **スパイラルダクトに風量調節ダンパーを取り付ける場合の留意事項**──────

　風量調節ダンパーは、その開度(開いている部分の割合)を変えることで、ダクト内の風量を制御する設備であり、ダクトのケーシング内に取り付けられている。この風量調節ダンパーを取り付けるときは、風量の制御を円滑に行うことができるよう、次のような点に留意しなければならない。

①風量調節ダンパーは、風量調節用ハンドル(ボリュームハンドル)が操作しやすく、ダンパーの開度の指標(開閉度指針)が見やすくなる位置に取り付ける。

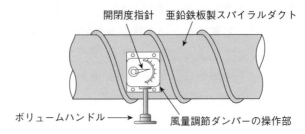

②風量調節ダンパーは、気流が安定したところに取り付ける。一例として、風量調節ダンパーの取付け位置は、エルボ部(ダクトが屈曲している部分)からダクト幅の8倍以上離れた直線部分とすることが望ましい。エルボ部の近くでは、気流が乱れやすいからである。

③2枚以上の可動羽根がある風量調節ダンパーは、対向翼形とすることが望ましい。
- ●対向翼形は、各ダンパーの開く方向が異なるので、風量調節性能に優れている。
- ●平行翼形は、各ダンパーの開く方向が同じなので、風量調節性能に劣っている。

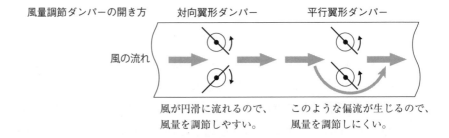

⑷ **スパイラルダクトが防火区画を貫通する場合の貫通部処理に関する留意事項**───

　スパイラルダクトが防火区画を貫通する場合には、火災発生時において、スパイラルダクトまたはその周辺部を通して炎が通過しないよう、貫通部処理を行わなければならない。この貫通部処理は、次のような事項に留意して行う必要がある。

① スパイラルダクトが防火区画を貫通する部分は、厚さ1.5mm以上の鋼板（一般的には市販品である厚さ1.6mmの鋼板）を用いた単管で被覆する。

② スパイラルダクトが防火区画を貫通する部分では、その貫通部とダクトとの隙間に、不燃材料（モルタルまたはロックウール保温材）を充填する。

③ 保温を施すスパイラルダクトが防火区画を貫通する部分では、その貫通部とダクトとの隙間に、ロックウール保温材（耐熱性・防火性に優れた不燃材料）を充填する。この充填に、モルタルやグラスウール保温材を使用してはならない。

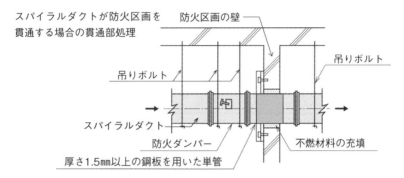

スパイラルダクトが防火区画を貫通する場合の貫通部処理

※問題文中には「防火ダンパーに関する事項は除く」とあるので、防火ダンパーの吊り支持などに関する事項を解答しないように注意する。

空気調和設備

問題2 空気調和機の冷媒管（銅管）の施工

空冷ヒートポンプパッケージ形空気調和機の冷媒管（銅管）を施工する場合の留意事項を解答欄に具体的かつ簡潔に記述しなさい。

記述する留意事項は、次の(1)～(4)とし、それぞれ解答欄の(1)～(4)に記述する。

ただし、工程管理及び安全管理に関する事項は除く。

(1) 管の切断又は切断面の処理に関する留意事項
(2) 管の曲げ加工に関する留意事項
(3) 管の差込接合に関する留意事項
(4) 管の気密試験に関する留意事項

問題2	空気調和機の冷媒管（銅管）の施工	解答・解説

解答例 　空冷ヒートポンプパッケージ形空気調和機の冷媒管（銅管）を施工する場合の留意事項について、冷媒管（銅管）の切断方法・曲げ加工・差込接合・気密試験の観点から、ひとつずつ解答を記述する。

No.	空気調和機の冷媒管（銅管）を施工する場合の留意事項
(1)	金鋸盤・電動鋸盤・銅管用パイプカッターなどで、管軸に対して直角に切断する。
(2)	曲げ半径は、手曲げでは管径の6倍以上、ベンダー曲げでは管径の4倍以上とする。
(3)	差込接合は、管内の酸化を防止するため、管内に不活性ガスを流しながら行う。
(4)	設計圧力以上に加圧してから24時間が経過しても、圧力低下がないことを確認する。

基礎知識

　空冷ヒートポンプパッケージ形空気調和機は、主として大規模建造物の冷暖房設備として使用される管工事機器である。その冷媒管（銅管）には、比較的高圧の冷媒が巡っており、その切断・加工・接合などに不備があると、気密の破れにより管内の冷媒が空気中に逃げ出してしまうなどの欠陥が生じることがある。

解説 **(1) 管の切断又は切断面の処理に関する留意事項**

　冷媒管には、銅管を使用することが一般的である。冷媒管として使用する銅管は、施工場所に見合った長さに切断しなければならない。この切断の際に、銅管に傷を付けてしまったり、切断面が荒れていたりすると、そこから冷媒が漏れ出すなどの欠陥が生じることがある。冷媒管として使用する銅管を切断したり、切断面の処理をしたりするときは、次のような事項に留意しなければならない。

①銅管の切断は、管に熱や圧力がかからないよう、金鋸盤・電動鋸盤・銅管用パイプカッターなどを用いて行う。

②銅管の切断は、管軸に対して直角に行う。その際には、管内にゴミが入ったり、管の切断面が変形したりしないようにする。

③銅管の切断面は、リーマーやスクレーパーなどの専用工具でバリを取り除き、滑らかにする。その際には、管内に取り除いたバリが入らないよう、管端を下向きにして加工する。

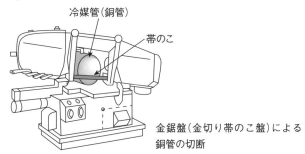

金鋸盤（金切り帯のこ盤）による
銅管の切断

(2)管の曲げ加工に関する留意事項

　施工場所によっては、冷媒管として使用する銅管の曲げ加工が必要になる。この曲げ加工の際に、銅管を強く曲げすぎて座屈（管が折れてその断面が潰れる現象）などの破損を生じさせると、その銅管は使用できなくなってしまう。冷媒管として使用する銅管の曲げ加工をするときは、次のような事項に留意しなければならない。

①銅管の曲げ加工は、ベンダー曲げ（工具による方法）または手曲げ（コイル巻きによる方法）により、ゆっくりと均一に力をかけて行う。

②銅管の曲げ半径は、銅管の座屈や皺（しわ）による欠陥を防止するため、ベンダー曲げの場合は銅管外径の４倍以上、手曲げの場合は銅管外径の６倍以上とする。

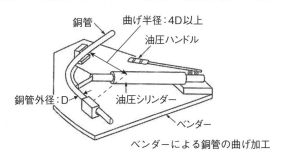

ベンダーによる銅管の曲げ加工

(3)管の差込接合に関する留意事項

　冷媒管として使用する銅管の接合方法は、差込接合・メカニカル接合・フランジ接合のいずれかとすることが一般的である。このうち、差込接合は、蝋付けした2本の銅管を継手内で突き合わせてから、その継手部を加熱して蝋を溶かすことで、銅管を相互に接合する方法である。冷媒管として使用する銅管の差込接合をするときは、次のような事項に留意しなければならない。

①銅管外面・継手内面・継手端面などの接合部は、表面酸化被膜を取り除くため、研磨布などで磨いておく。

②継手に差し込む前に、差口の部分だけにフラックス（酸化防止剤）を塗布する。ただし、その先端の3mm～5mmの範囲には、フラックスを塗布しない。

③銅管に蝋付けをするときは、冷媒管内の温度上昇により酸化被膜が生じるおそれがあるので、管内に不活性ガス（窒素ガスなど）を連続的に流しておく。

④銅管と継手との温度差をできるだけ小さくするため、600℃～650℃の予熱を加えておく。

⑤継手に差し込んだ銅管の先端が、継手の奥まで十分に入っていることを確認する。

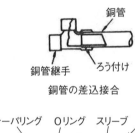

銅管の差込接合

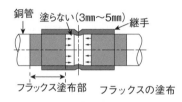

フラックスの塗布

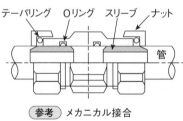

参考 メカニカル接合

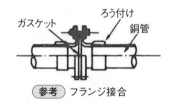

参考 フランジ接合

⑷管の気密試験に関する留意事項

　冷媒管として使用する銅管の気密が破れている（管に空気の出入りがある）と、管内の冷媒が空気中に逃げ出してしまうため、施工した冷媒管に対しては、気密試験を行う必要がある。冷媒管の気密試験では、冷媒管内に不活性ガス（窒素ガス・炭酸ガスなど）を流入させた後、冷媒管内に圧力をかけても、圧力低下が生じない（不活性ガスの漏気がない）ことを確認する。冷媒管の気密試験において、圧力低下が生じなければ、その冷媒管は完全に密閉されている（その冷媒管からの漏気がない）と判断できる。冷媒管として使用する銅管の気密試験をするときは、次のような事項に留意しなければならない。

①気密試験は、冷媒管内に水分が残らないよう、窒素ガス・炭酸ガスなどの不活性ガスを使用して行う。この気密試験後には、冷媒管内に残留する水分を蒸発させて完全に除去するため、真空乾燥（エアコン取付け工事では真空引きと呼ばれる作業）を行う必要がある。

②気密試験による冷媒管の加圧は、機器の運転停止を確認した後に、設計圧力になるまで、次の**1**〜**3**の手順で段階的に行う。最初から設計圧力以上に加圧してはならない。

　1 管内を0.5MPaまで加圧した後、5分間放置して問題がないことを確認する。
　2 管内を1.5MPaまで加圧した後、5分間放置して問題がないことを確認する。
　3 設計圧力以上になるまで、徐々に管内を加圧する。

③管内を設計圧力以上に加圧してから24時間が経過しても、管内の圧力が低下しないことを確認する。管内の圧力低下が認められたときは、管のどこかから漏気が生じているので、管内圧力を大気圧に戻してから必要な修理を実施し、再び気密試験を行う。

④冷媒管からの漏気の有無は、聴覚・手触り・石鹸水の泡立ち・ゲージ圧力降下の有無などによって検知する。

令和2年度 問題2 空気調和設備の施工 解答・解説

問題2 空冷ヒートポンプパッケージ形空気調和機の設置

　空冷ヒートポンプパッケージ形空気調和機(床置き直吹形、冷房能力20kW)を事務室内に設置する場合の留意事項を解答欄に具体的かつ簡潔に記述しなさい。

　記述する留意事項は、次の(1)〜(4)とし、それぞれ解答欄の(1)〜(4)に記述する。

　ただし、工程管理及び安全管理に関する事項は除く。

(1) **屋内機の配置に関し、運転又は保守管理の観点からの留意事項**

(2) **屋内機の基礎又は固定に関する留意事項**

(3) **屋内機廻りのドレン配管の施工に関する留意事項**

(4) **屋外機の配置に関し、運転又は保守管理の観点からの留意事項**

| 問題2 | 空冷ヒートポンプパッケージ形空気調和機の設置 | 解答・解説 |

解答例　　床置き直吹形の空冷ヒートポンプパッケージ形空気調和機を設置する場合の留意事項について、屋内機の配置・屋内機の基礎または固定・ドレン配管・屋外機の配置の観点から、ひとつずつ解答を記述する。

No.	空冷ヒートポンプパッケージ形空気調和機を設置する場合の留意事項
(1)	屋内機の前面に、1m程度の保守スペースを確保する。
(2)	コンクリート基礎上に、防振ゴムパッドを敷いて水平に固定する。
(3)	空気調和機の機内静圧相当以上の封水深さを有する排水トラップを設ける。
(4)	空気の吸込み面や吹出し面が、季節風の方向に正対しないように設置する。

解説　　**(1-1) 屋内機の配置に関する留意事項(運転の観点)**───────

　　パッケージ形空気調和機の屋内機は、コールドドラフト(室内の温度などの空調環境が場所によって異なる現象)を防止するため、外気の影響を受けやすい窓際などに設置することが望ましい。また、室内の設備によって気流が妨げられない位置に設置することが望ましい。

(1-2) 屋内機の配置に関する留意事項(保守管理の観点)───────

　　パッケージ形空気調和機の屋内機を室内の床上に設置する場合は、その前面に1m程度の保守スペースを確保する。また、その側面にも0.5m程度の保守スペースを確保する。この保守スペースに、容易に移動させられない設備が設置されていないことを確認する。

(2-1) 屋内機の基礎に関する留意事項───────────────

　　床置きとするパッケージ形空気調和機の基礎の高さは、ドレン配管の排水トラップの深さ(封水深)が確保できるよう、150mm程度としなければならない。

屋内機の基礎の部分には、ドレン配管および排水トラップを設ける必要があるからである。

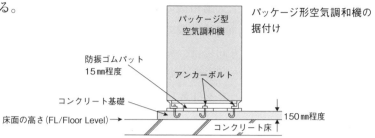

パッケージ形空気調和機の据付け

(2-2)屋内機の固定に関する留意事項

床置きとするパッケージ形空気調和機の屋内機は、その内部にあるモーターの振動が床に直接伝播するため、コンクリート基礎上に、防振ゴムパッドを敷いて水平に据え付けなければならない。その送風機の防振基礎には、地震による横ずれや転倒を防止するためのストッパーを設けなければならない。

また、床置きとするパッケージ形空気調和機の屋内機は、地震時に転倒しやすい構造となっている（設置面積の割に高さがある）ため、形鋼とボルトで屋内機の頭部を壁に固定することが望ましい。

(3-1)屋内機廻りのドレン配管の施工に関する留意事項

空気調和機のドレン配管には、排水トラップを設けなければならない。その封水深さは、空気調和機の機内静圧相当以上かつ送風機の全圧相当以上としなければならない。この封水深さが不十分であると、送風機の負圧を受けるドレン管に外気が侵入することがある。

また、ドレン配管には、結露が生じないように保温措置を講じておく必要がある。

(4-1)屋外機の配置に関する留意事項（運転の観点）

パッケージ形空気調和機の屋外機を設置する場合は、空気がショートサーキットしないよう、屋外機の周囲にある程度の空間を確保しなければならない。

また、パッケージ形空気調和機の屋外機は、その内部にある圧縮機などが騒音を発生させるので、防音壁を設置するなどの騒音対策が必要になる場合がある。

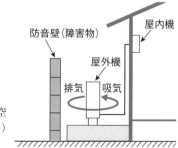

屋外機のショートサーキット
屋外機と障害物との間が狭すぎると、排気した空気をそのまま吸気する現象（ショートサーキット）が発生し、空気調和機の運転効率が低下する。

(4-2)屋外機の配置に関する留意事項（保守管理の観点）──────────

　パッケージ形空気調和機の屋外機は、原則として、空気の吸込み面（屋外機の前面）や吹出し面（屋外機の背面）が、季節風の方向に正対しないように設置する。季節風の方向には、屋外機の側面を正対させることが望ましい。特に、積雪寒冷地域では、空気の吸込み面や吹出し面が季節風の方向に正対していると、そこに多量の雪が付着し、屋外機が機能しなくなるおそれがある。

参考

パッケージ形空気調和機：圧縮機や送風機などの機器をひとつの箱にまとめた空気調和機である。家庭用のエアコンは、代表的なパッケージ形空気調和機である。

パッケージ形空気調和機

空冷ヒートポンプ：冷媒配管中の空気を循環させることで、熱を低温部から高温部へと移動させる装置である。冷媒配管が長くなると、能力が低下する。

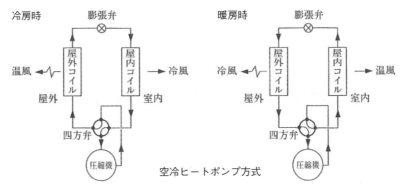

空冷ヒートポンプ方式

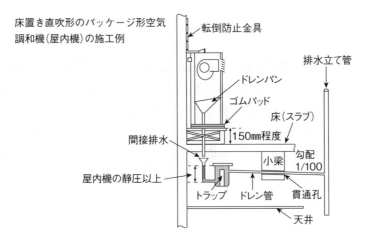

床置き直吹形のパッケージ形空気調和機（屋内機）の施工例

屋外機と屋内機の配置：パッケージ形空気調和機の屋外機と屋内機との間に高低差があると、冷媒管の管長が長くなり、エネルギーの損失が生じるため、空気調和機の能力が低下する。そのため、屋外機と屋内機との設置場所の高低差には、一定の制限がある。ただし、空冷ヒートポンプパッケージ形空気調和機は、屋外機と屋内機のどちらが上に（高い位置に）なっても良い。

空気調和設備

問題2 ダクトの施工

　換気設備のダクト及びダクト付属品を施工する場合の留意事項を解答欄に具体的かつ簡潔に記述しなさい。記述する留意事項は、次の(1)～(4)とし、工程管理及び安全管理に関する事項は除く。

(1) コーナーボルト工法ダクトの接合に関し留意する事項

(2) ダクトの拡大・縮小部又は曲がり部の施工に関し留意する事項

(3) 風量調整ダンパの取り付けに関し留意する事項

(4) 吹出口、吸込口を天井面又は壁面に取り付ける場合に留意する事項

問題2　ダクトの施工　　　　　　　　　　　　　　　解答・解説

解答例　　換気設備のダクトを施工する場合の留意事項について、その接合・変形の視点から、ひとつずつ解答を記述する。また、風量調整ダンパ・吹出口等を取り付ける場合の留意事項について、ひとつずつ解答を記述する。

No.	ダクトを施工する場合の留意事項
(1)	ダクトの四隅をボルトとナットで締め、フランジ押さえ金具で接合する。
(2)	ダクトの拡大部の傾斜角は 15 度以内、縮小部の傾斜角は 30 度以内とする。
(3)	風量調整ダンパは、エルボ部からダクト幅の 8 倍以上離れた直線部分に取り付ける。
(4)	ユニバーサル形吹出口の上端から天井面までの間隔は、150mm 以上とする。

解説　　(1-1)コーナーボルト工法ダクトの接合に関して留意する事項─────

　　　コーナーボルト工法とは、共板フランジ工法とスライドオンフランジ工法の総称である。コーナーボルト工法では、ダクトの四隅だけをボルトとナットで締め付け、フランジ押さえ金具を用いて接合する。その接合における留意事項には、次のようなものがある。

①ガスケットの厚さを、5mm以上とする。

②ガスケットは、フランジ幅の中心線よりも内側に貼り付ける。

③コーナー金具の周囲と、四隅のダクト内側との間は、シール材で塞ぐ。（ダクトの四隅は漏気しやすいので確実に塞ぐ必要がある）

④保温を施さないダクトのうち、長辺が450mmを超えるダクトには、振動を防止するための補強リブを取り付ける。

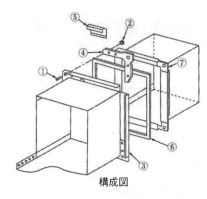

共板フランジ工法ダクトの構成と接合方法

①ボルト
②ナット
③共板フランジ
④コーナー金具
⑤フランジ押さえ金具
　（クリップなど）
⑥ガスケット
⑦シール材（4隅部）

構成図

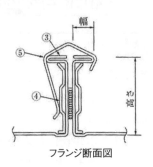

フランジ断面図

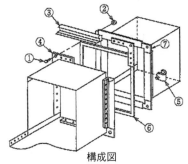

①ボルト
②ナット
③スライドオンフランジ
④コーナー金具
⑤フランジ押さえ金具
　（ラッツ、クランプ等）
⑥ガスケット
⑦シール材（4隅部）

構成図

スライドオンフランジ工法ダクトの
構成と接合方法

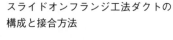

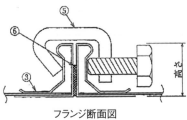

フランジ断面図

(2-1) ダクトの拡大部・縮小部の施工に関して留意する事項

　ダクトの拡大部では、その傾斜角を 15 度以内とすることが望ましい。ダクトの縮小部では、その傾斜角を 30 度以内とすることが望ましい。傾斜角をこれよりも急にすると、ダクトの拡大部や縮小部で、圧力損失による渦流が発生し、空気が流れにくくなる。

ダクトの拡大部・縮小部の施工　※拡大部では、縮小部に比べて渦流が発生しやすいため、より厳しい基準が設けられている。

(2-2) ダクトの曲がり部の施工に関して留意する事項

　ダクトの曲がり部（エルボ）の内側半径は、ダクト幅（円形ダクトでは直径）の 2 分の 1 以上としなければならない。エルボの内側半径がこれよりも小さいと、曲がりが急になりすぎるため、ダクトの圧力損失が過大になる。

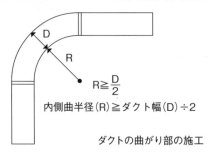

$$R \geqq \frac{D}{2}$$

内側曲半径（R）≧ダクト幅（D）÷2

ダクトの曲がり部の施工

198

ダクトの曲がり部の施工における留意事項には、上記の他に、次のようなものがある。

①長方形ダクトの直角エルボには案内羽根（ガイドベーン）を設ける。案内羽根（ガイドベーン）の板厚はダクトの板厚と同じ厚さとする。

②送風機の吐出し口直後でダクトを曲げるときは、原則として、送風機の回転方向と同じ方向に曲げる。

③送風機の吐出し口から曲がり部（エルボ）までの距離は、送風機の羽根径の1.5倍以上とする。

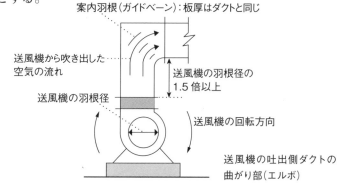

(3-1) 風量調整ダンパの取り付けに関して留意する事項

　風量調整ダンパは、原則として、気流が整流されたところに取り付けなければならない。一般に、ダクト幅の8倍以上の直線部を通過した気流は、整流されていると考えてよい。したがって、風量調整ダンパの取付け位置は、曲がり部（エルボ）からダクト幅の8倍以上離れた直線部分としなければならない。

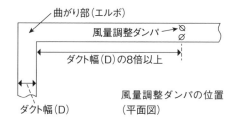

　風量調整ダンパは、観音開きとなる対向翼ダンパとすることが望ましい。対向翼ダンパは、平行翼ダンパに比べて、下流域における偏流が生じにくく、風量調整機能に優れている。

風量調整ダンパは、鉛直方向に取り付けることが望ましい。水平方向に取り付けると、ダンパが完全に開いていないときに、下流域における偏流が生じやすくなる。

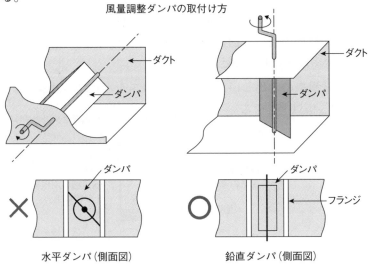

風量調整ダンパの取付け方

水平ダンパ（側面図）　　　　鉛直ダンパ（側面図）

(4-1)吹出口・吸込口を天井面に取り付ける場合に留意する事項────

　天井面に取り付ける吹出口は、煙感知器との間に1.5 m以上の離隔距離を確保しなければならない。

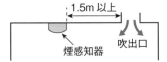

吹出口と煙感知器との離隔距離

(4-2)吹出口・吸込口を壁面に取り付ける場合に留意する事項────

　壁面に取り付ける吹出口の上端から天井までの距離は、150㎜以上としなければならない。壁面に取り付ける吸込口の下端から床面までの距離は、150㎜以上としなければならない。これらの規定は、ユニバーサル形吹出口（気流の方向を変えるための可動式の羽根を持つ吹出口）においても適用される。

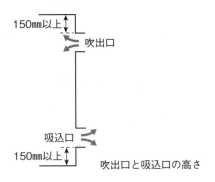

吹出口と吸込口の高さ

空気調和設備

令和3年度の1級管工事施工管理技術検定試験では、ダクトの曲がり部や風量調節ダンパの取付けに関して、次のような事項が問われていた。2級管工事施工管理技術検定試験で取り扱う内容よりも高度な内容になるが、一通り目を通しておくことが望ましい。

1 長方形ダクト用の1枚羽根付きの曲がり部（エルボ）の施工について

　長方形ダクトは、その曲がり部（エルボ）における内側半径が小さすぎると、曲がり部において風の流れが乱れてしまい、圧力損失が大きくなる。やむを得ず、曲がり部の内側半径（R）をダクト幅（W）の2分の1よりも小さくするときは、案内羽根が付いたエルボの使用を検討する。1枚の案内羽根が付いた長方形ダクトの曲がり部（エルボ）において、曲がり部の内側半径（R）がダクト幅（W）よりも小さくなるときは、その案内羽根は、次の基準を満たして設置する。

①案内羽根の曲がり部からの突出長さ（L）は、ダクト幅（W）の3分の1とする。

　下図ではダクト幅（W）が600mmなので、L＝W÷3 ＝ 600mm÷3＝200mmである。

②案内羽根の曲がり部内面からの距離（S）は、ダクト幅（W）の3分の1とする。

　下図ではダクト幅（W）が600mmなので、S＝W÷3 ＝ 600mm÷3＝200mmである。

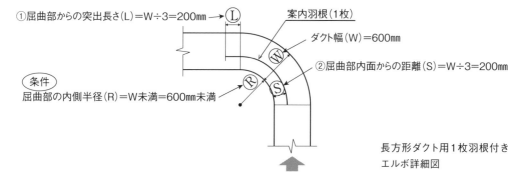

①屈曲部からの突出長さ(L)＝W÷3＝200mm　　案内羽根(1枚)
ダクト幅(W)＝600mm
②屈曲部内面からの距離(S)＝W÷3＝200mm
条件
屈曲部の内側半径(R)＝W未満＝600mm未満

長方形ダクト用1枚羽根付き
エルボ詳細図

2 送風機の吐出し口の直後に取り付ける風量調節ダンパーの施工について

　送風機の吐出し口の直後に風量調節ダンパーを取り付けるときは、風量調節ダンパーの軸が、送風機の羽根車の軸に対して直角となるようにする。風量調節ダンパーの軸が、送風機の羽根車の軸に対して平行になっていると、偏流が生じて送風機の効率が悪化する。

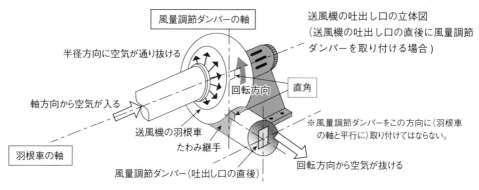

風量調節ダンパーの軸
送風機の吐出し口の立体図
（送風機の吐出し口の直後に風量調節ダンパーを取り付ける場合）
半径方向に空気が通り抜ける
回転方向　直角
軸方向から空気が入る
※風量調節ダンパーをこの方向に（羽根車の軸と平行に）取り付けてはならない。
送風機の羽根車
たわみ継手
羽根車の軸
回転方向から空気が抜ける
風量調節ダンパー(吐出し口の直後)

問題2 空調用渦巻ポンプの据付け

　空調用渦巻ポンプを据え付ける場合の留意事項を解答欄に具体的かつ簡潔に記述しなさい。**記述する留意事項は、次の(1)〜(4)とし、工程管理及び安全管理に関する事項は除く。**

(1) **配置に関する留意事項**

(2) **基礎に関する留意事項**

(3) **設置レベルの調整に関する留意事項**

(4) **アンカーボルトに関する留意事項**

空気調和設備

| 問題2 | 空調用渦巻ポンプの据付け | 解答・解説 |

解答例　　空調用渦巻ポンプを据え付ける場合の留意事項について、その配置・基礎・設置レベル・アンカーボルトに関する視点から、ひとつずつ解答を記述する。

No.	空調用渦巻ポンプの据付けの留意事項
(1)	空調用渦巻ポンプの周囲には、保守点検用の空間を確保する。
(2)	基礎コンクリートの打設後、10日以上の養生期間が経過してから据え付ける。
(3)	ポンプとモーターの軸をカップリングで一致させ、十分な水平度を確保する。
(4)	アンカーボルトはダブルナットとし、その頂部にねじ山が3山程度出るようにする。

解説　　平成30年度以降の 問題2 では、平成29年度以前の 問題2 とは異なり、どのような留意事項を記述しなければならないかが指定されている。空調用渦巻ポンプの配置・基礎・設置レベル・アンカーボルトに関する留意事項には、次のようなものがある。

(1) 空調用渦巻ポンプの配置に関する留意事項

①渦巻ポンプの周囲には、ポンプの維持管理・保守点検をするための空間を確保しなければならない。この空間の幅は、点検・清掃・補修などの作業を容易に行うことができるよう、60cm以上とすることが一般的である。

②渦巻ポンプは、吸込配管の抵抗を少なくするため、できるだけ吸水面の近くに設ける。吸水面からポンプ中心までの高さは、6m以下とすることが望ましい。また、吸込配管は、屈曲部がなく、短いことが望ましい。

(2) 空調用渦巻ポンプの基礎に関する留意事項

①渦巻ポンプの基礎は、コンクリート造とする。

②コンクリート基礎の高さは、床上300mm以上とする。

③基礎表面の排水溝に排水目皿を設け、間接排水とする。

④コンクリート基礎の打設後、10日以上が経過してから渦巻ポンプを据え付ける。コンクリートは、打設後に10日間の養生が必要になる。

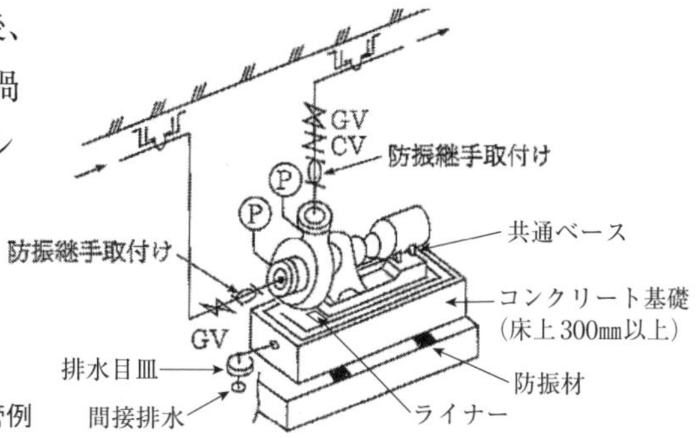

空調用渦巻ポンプの配管例

(3) 空調用渦巻ポンプの設置レベルの調整に関する留意事項

①渦巻ポンプの設置レベルは、レベルなどの測量機器を用いて調整する。設置レベルの調整とは、ポンプの軸心を水平に調整することをいう。

②渦巻ポンプの軸とモーターの軸をカップリングで一致させ、十分な水平度を確保する。この水平度については、外縁の狂いが0.03mm以下かつ間隙の誤差が0.1mm以下であることが望ましい。

③水平度の確保が困難なときは、ライナー(くさび)を打ち込んで調整を行う。

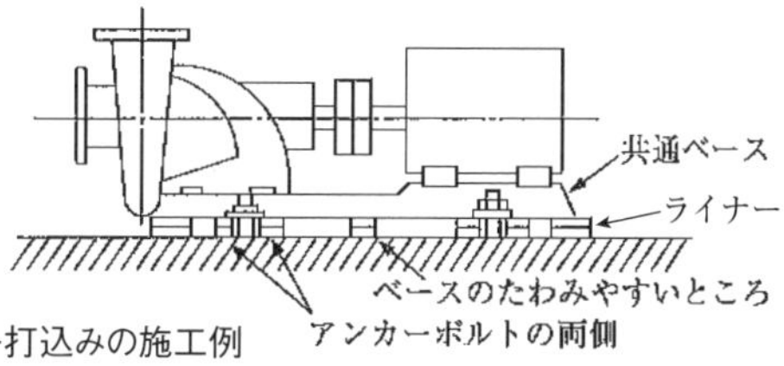

渦巻ポンプの設置におけるライナー打込みの施工例

(4) 空調用渦巻ポンプのアンカーボルトに関する留意事項

①渦巻ポンプなどの振動を伴う機器のアンカーボルトは、固定ナットが緩まないようにダブルナットとし、その頂部にねじ山が3山程度出るようにする。

②アンカーボルトは、基礎縁から十分に離れた位置に、十分な深さまで施工する。アンカーボルトの位置や深さについては、管工事施工管理技術テキストにおいて、下図のように定められている。

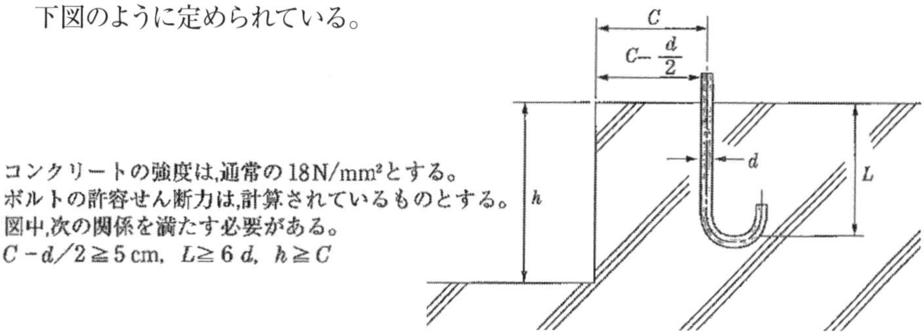

コンクリートの強度は、通常の18N/mm²とする。
ボルトの許容せん断力は、計算されているものとする。
図中、次の関係を満たす必要がある。
$C - d/2 \geqq 5\,\mathrm{cm}$,　$L \geqq 6\,d$,　$h \geqq C$

アンカーボルトの基礎縁からの打込み位置の例

問題2 多翼送風機の据付け

呼び番号3の多翼送風機を据え付ける場合の留意事項を、4つ解答欄に具体的かつ簡潔に記述しなさい。

ただし、コンクリート基礎、工程管理及び安全管理に関する事項は除く。

問題2 多翼送風機の据付け　　　　　　　　　　　解答・解説

解答例　多翼送風機の据付けにおける留意事項は、コンクリート基礎に関する事項は除くとあるので、据付け位置・据付け組立という2つの視点から記述するとよい。

視点	No.	据付けの留意事項
据付け位置	①	多翼送風機の周囲に、ダクトの保守点検用のスペースを確保する。
	②	プーリーの芯出しは、定規と水糸を用いて正確に行う。
据付け組立	③	多翼送風機は、レベルで水平度を確認してからアンカーボルトで固定する。
	④	騒音や振動がある場合、架台と基礎との間に、防振ゴムや防振バネを取り付ける。

解説　多翼送風機の据付けにおける一般的な留意事項は、下記の通りである。なお、「呼び番号3」とは、多翼送風機の羽根の外径が500mmであることを示す。

視点	No.	据付けの留意事項
据付け位置	①	ダクト施工用スペース・保守点検用スペース・羽根車や軸受けの交換用スペースなどを確保できる位置に据え付ける。
	②	プーリーの芯出しは、定規と水糸を用いて正確に行う。その後、多翼送風機とモーターを、十分な軸間距離を確保できる位置に据え付ける。
	③	天井吊り送風機の位置は、天井スラブに固定されたアンカーボルトの位置によって決まるため、あらかじめ必要な空間を確保することを考えておく。
据付け組立	④	多翼送風機の水平度はシャフトが基準なので、多翼送風機は、レベルを用いて水平であることを確認してから、アンカーボルトで固定する。
	⑤	騒音・振動が問題となる場合は、架台と基礎との間に、防振ゴム・防振バネを取り付ける。
	⑥	架台・基礎面の水平を確保するため、必要であればライナーを挿入する。
	⑦	アンカーボルトは、軸心の狂いが生じないよう、均等に締め付ける。
	⑧	多翼送風機とモーターのカップリングを完全に行い、軸の水平を確保する。

空気調和設備

視点	No.	据付けの留意事項
据付け組立	⑨	地震による振動を防ぐため、筋交いを設けた防振架台を使用する。
	⑩	呼び番号が2未満（羽根の外径が315mm未満）の多翼送風機には、ブレースなどで振れ止めを行う。
	⑪	呼び番号が2以上（羽根の外径が315mm以上）の多翼送風機は、形鋼による架台に据え付け、それをアンカーボルトでスラブに固定する。
据付け基礎	⑫	基礎の高さは、150mm～300mmとする。基礎の幅は、架台の幅+100mm～200mm程度とする。
	⑬	呼び番号が10以上（羽根の外径が1600mm以上）の多翼送風機の基礎は、コンクリート基礎とする。
	⑭	基礎コンクリートの上端には、据付け用アンカーボルトを埋め込み、その表面をモルタル仕上げとする。

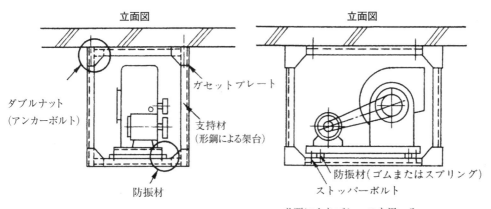

防振基礎

A部参考図

呼び番号が2以上の多翼送風機の据付け図

立面図　　　立面図

必要によりブレースを用いる

解説 多翼送風機の据付けにおいては、Vベルトの調整が重要になる場合がある。

①送風機のVベルトの張りは、電動機のスライドベース上で調整する。Vベルトを指で押したときに、たわみ量がVベルトの厚さ程度であるなら、適切な張り具合である。

②Vベルト駆動の送風機は、Vベルトの引張り側が下側となるように電動機を配置する。

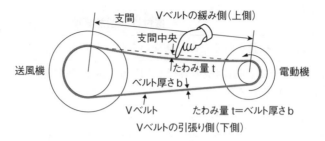

多翼送風機のVベルトの張り具合

多翼送風機の試運転調整では、Vベルトの張り具合が適正であることを確認する。Vベルトの支間の中央を指で押したとき、Vベルトの厚さ程度にたわむようであれば、その張り具合は適正である。Vベルトがたわみなく強く張られていると、送風機の効率が低下する。

平成28年度 問題2 空気調和設備の施工 解答・解説

問題2 パッケージ形空気調和機のドレン配管

パッケージ形空気調和機におけるドレン配管の施工上の留意事項を、4つ解答欄に具体的かつ簡潔に記述しなさい。

ただし、管材の選定、管の切断、工程管理及び安全管理に関する事項は除く。

| 問題2 | パッケージ形空気調和機のドレン配管 | 解答・解説 |

解答例 パッケージ形空気調和機のドレン配管では、配管の取付けの視点から、必要となる措置を留意事項として記述する。

視点	No.	施工上の留意事項
配管の取付け	①	ドレン管の勾配は、原則として 1/100 以上とする。
	②	ドレン管の支持間隔は、その管径に応じて、1 m～1.5 m程度とする。
	③	ドレンアップ配管では、空気溜まりが生じないよう、水平または上り勾配とする。
	④	ドレン管の接続部は、クランプ金具で固定する。

解説 パッケージ形空気調和機の冷房運転では、除湿を伴うため、空気調和機に結露が生じる。ドレン配管とは、この結露による水を排除するためのドレン管（排水管）を施工することである。パッケージ形空気調和機のドレン管は、漏水が生じないように取り付けなければならない。漏水を防止するためには、管材の選定や管の切断も重要であるが、この問題では配管の施工を答えることになっているため、配管勾配・支持間隔などについて解答する必要がある。

パッケージ形空気調和機のドレン配管の施工上の留意事項は、次の通りである。

視点	No.	施工上の留意事項
配管の取付け	①	ドレン管は、円滑な排水のため、下り勾配とする。その勾配は、原則として 1/100 以上とする。
	②	ドレン管の支持間隔は、配管が歪まないよう、1 m～1.5 m 程度とする。この支持間隔は、一般に、管径が細いほど短くする必要がある。
	③	ドレンアップ配管を行うときは、空気溜まりが生じないよう、ドレンホースと空気調和機との取合いを、水平または上り勾配とする。
	④	ドレン管の接続部は、クランプ金具で固定する。
	⑤	ドレン管およびドレンソケット部には、結露の発生を防止するための防露工事を行う。
	⑥	集合ドレン配管を行うときは、自然排水としてトラップを設けないようにする。やむを得ないときは、どうしても必要な箇所だけにトラップを設ける。
	⑦	ドレン管の末端は、排水溝または雨水桝に接続し、排水する。
	⑧	ドレン用排水管による排水は、間接排水とするが、ドレン用排水管の末端から、悪臭や虫が入ってこないようにする。

空気調和設備

①・②関連図

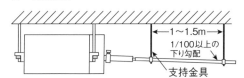

③関連図

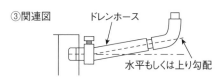

※天井カセット形のパッケージ形空気調和機には、ドレン配管の自由度を高めるため、ドレンアップするためのユニットが組み込まれていることが多い。

⑥関連図

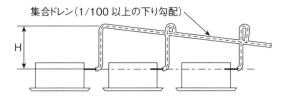

※集合ドレン配管としない場合は、空気調和機のドレン管に、空気調和機の機内静圧相当以上の封水深さをもつ排水トラップを設ける。また、その排水トラップの封水が切れた場合に、注水できる構造とする必要がある。

問題2 パッケージ形空気調和機の据付け

　パッケージ形空気調和機を据え付ける場合の施工上の留意事項を、4つ解答欄に具体的かつ簡潔に記述しなさい。

　ただし、コンクリート基礎、機器搬入、冷媒配管の施工、工程管理及び安全管理に関する事項は除く。

問題2　パッケージ形空気調和機の据付け　　　　　　　　　　　解答・解説

解答例　パッケージ形空気調和機の据付けでは、据付け位置と据付け組立の視点から、必要となる措置を留意事項として記述する。

視点	No.	施工上の留意事項
据付け位置	①	室外機の周囲には、維持管理のための空間を確保する。
	②	室外機を複数設置するときは、相互干渉が起きないよう、間隔をあける。
据付け位置	③	ヒートポンプからの水滴を、適切に排水できる構造とする。
	④	耐震性を確保できるよう、十分な本数の転倒防止用ボルトを使用する。

解説　パッケージ形空気調和機の据付けにおける留意事項は、以下の通りである。

視点	No.	施工上の留意事項
据付け基礎	①	室外機の基礎コンクリートの厚さは、150mm程度とする。
	②	コンクリートの打込み後、10日間以上養生してから機器を据え付ける。
	③	転倒防止用のストッパーを取り付ける。
据付け位置	④	室外機を複数設置する時は、機器が相互に干渉しない位置に配置する。
	⑤	室外機の周囲には、維持管理のために必要な作業空間を確保する。
据付け組立	⑥	冷媒配管は、機器の能力を低下させない長さとする。
	⑦	ヒートポンプからの水滴を、適切に排水できる構造とする。
	⑧	耐震性を確保するため、十分な本数の転倒防止用ボルトを使用する。
据付け環境	⑨	騒音・振動を抑制するため、防振マットなどを使用する。
	⑩	多雪地帯では、室外機に防雪フードなどを取り付ける。

※この問題の場合、「コンクリート基礎、機器搬入、冷媒配管の施工、工程管理及び安全管理に関する事項は除く」とあるので、①の基礎コンクリートの厚さに関する事項や、⑥の冷媒配管の長さに関する事項は、解答としては適当でないことに注意する。

（参考）パッケージ形空気調和機の施工では、屋外機に生じる問題を解決するための対策が重要になる場合がある。

①パッケージ形空気調和機の屋外機は、その内部にある圧縮機などが騒音を発生させるので、その据付けにあたっては、防音壁を設置するなどの騒音対策が必要になる。

②パッケージ形空気調和機の屋外機は、原則として、空気の吸込み面（屋外機の前面）や吹出し面（屋外機の背面）が、季節風の方向に正対しないように設置する。季節風の方向には、屋外機の側面を正対させることが望ましい。特に、積雪寒冷地域では、空気の吸込み面や吹出し面が季節風の方向に正対していると、そこに多量の雪が付着し、屋外機が機能しなくなるおそれがある。

平成26年度 問題2 空気調和設備の施工 解答・解説

問題2 空調用渦巻ポンプの単体試運転

　空調用渦巻ポンプの単体試運転調整に際し、留意事項を4つ解答欄に具体的かつ簡潔に記述しなさい。ただし、工程管理及び安全管理に関する事項は除く。

| 問題2 | 空調用渦巻ポンプの単体試運転の留意事項 | 解答・解説 |

（解答例）　空調用渦巻ポンプの単体試運転では、機能と性能の視点から、調整・確認事項を記述する。

視点	No.	調整・確認する事項
機能	①	ポンプとモーターのカップリングの水平度を調整し、確認する。
	②	ポンプを手で回転させ、回転むらの有無を確認し、グランドパッキンの締付けの強さを調整する。
性能	③	吐出弁を調整し、規定の吐出量となっていることを確認する。
	④	軸受けの温度が（周囲の温度 +40）℃以下であることを確認する。

（解説）　空調用渦巻ポンプの単体試運転における調整・確認事項は、以下の通りである。空調用渦巻ポンプの構造を下図に示す。

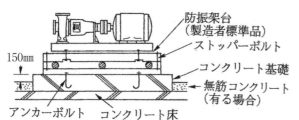

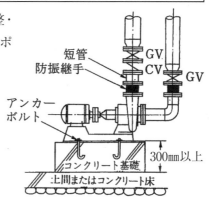

視点	No.	調整・確認する事項
機能	①	軸受けに注油されていることを確認する。
	②	ポンプを手で軽く回して、回転むらの有無を確認し、グランドパッキンの締付けの強さを調整する。
	③	ポンプとモーターをカップリングで繋げた部分の水平度を調整し、確認する。
機能	④	ポンプに呼び水を注水し、エア抜き後には満水になっているようにする。
	⑤	瞬時運転を行い、回転方向を確認し、調整する。
	⑥	吐出弁を閉じて、ポンプを起動する。
性能	⑦	流量計を確認しながら吐出弁を操作し、吐出量が規定値になるまで調整する。
	⑧	軸受けの温度が(周囲の温度 +40)℃以下であることを確認する。
	⑨	グランドパッキンからの水滴の滴下状態を調整し、確認する。
	⑩	ポンプにキャビテーション・サージングが発生しないよう調整し、確認する。

※本章では、令和5年度～平成26年度の問題・解説・解答に加えて、平成25年度～平成18年度の問題・解答・解説(やや簡略的なもの)を採録しています。空気調和設備の施工の分野では、10年以上前の問題から繰り返して出題されることがあるので、こうした古い問題についても一通り目を通しておくと、似たような問題が出題されたときに、対応しやすくなります。

参考　平成25年度　問題2 空気調和設備の施工 解答・解説

問題2 換気用亜鉛鉄板製ダクトの製作・施工

　換気設備に用いる亜鉛鉄板製ダクトを製作及び施工する場合の留意事項を4つ解答欄に具体的かつ簡潔に記述しなさい。ただし、工程管理及び安全管理に関する事項は除く。

問題2　換気用亜鉛鉄板製ダクトの製作・施工　　　解答・解説

解答例　　換気用亜鉛鉄板製ダクトを製作・施工するときは、以下のような措置を行うことが重要なので、それを留意事項として記述する。

視点	No.	留意事項
製作	①	ダクトの角の継目は、強度を保持するため、原則として、2箇所以上とする。
	②	厨房・浴室では、油や凝縮水が生じるため、ダクトの上部にはぜを設ける。
施工	③	ダクトの振動防止のため、ダイヤモンドブレーキ・補強リブなどを使用する。
	④	フランジ接合では、フランジと同じ幅のガスケットを取付け、ボルトで締める。

解説 解答例①に記したダクトの継目の数(位置)は、下図の通りである。

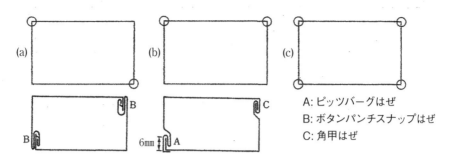

A: ピッツバーグはぜ
B: ボタンパンチスナップはぜ
C: 角甲はぜ

解答例②に記したダクト
の継目のはぜに関して
は、右図の通りである。

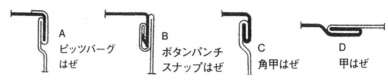

A ピッツバーグ
はぜ
B ボタンパンチ
スナップはぜ
C 角甲はぜ
D 甲はぜ

解答例③に記したダクトの補強に
用いる工法は、右図の通りである。
ただし、ダクトを保温する場合に
は補強をしなくてよい。

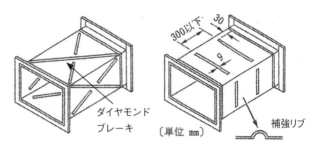

ダイヤモンド
ブレーキ

〔単位 mm〕

補強リブ

解答例④に記したダクトの分類ごとの製作・取付けの留意点は、下図の通りである。

(1) アングルフランジ工法

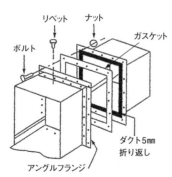

No	アングルフランジ工法の施工法
①	フランジ(山形鋼)に向けて、ダクトの亜鉛鉄板を5mm以上折り返す。
②	フランジの外周は、危険防止のため、角を落とす。
③	フランジの接続は、フランジと同じ幅のガスケットを使用して行う。
④	フランジをダクトに取付けるときは、リベット溶接またはスポット溶接(点溶接)とする

(2) 共板フランジ工法

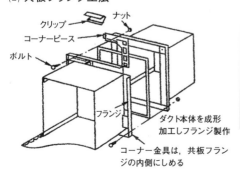

No	共板フランジ工法の施工法
①	共板フランジの面は、正確に平面とする。
②	コーナーピースは、正確に、正しい向きに取り付ける。
③	ガスケットは、厚さ5mm以上のものを使用する。
④	クリップは、再使用してはならない。

(3) スライド工法

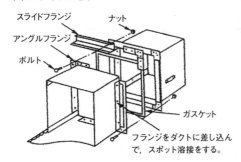

スライドフランジ
ナット
アングルフランジ
ボルト
ガスケット
フランジをダクトに差し込んで，スポット溶接をする。

No	スライド工法の施工法
①	鋼板で製作したフランジをダクトに差し込み、スポット溶接で固定する。これをスライドオンフランジとする。
②	コーナーピースは、正確に取り付ける。
③	ガスケットは、一方のフランジにのみ貼り付ける。
④	スライドオンフランジは、フランジ押え金具（ラッツ・スナップ・ジョイナ）を用いて接続する。

参考　平成24年度　問題2　空気調和設備の施工　解答・解説

問題2　マルチパッケージ形空気調和機の室外機の据付け

　電気式のマルチパッケージ形空気調和機の屋外機を建物の屋上に設置する場合の留意事項を4つ解答欄に具体的かつ簡潔に記述しなさい。

　ただし、コンクリート基礎工事、現場受入れ検査、工程管理及び安全管理に関する事項は除く。

問題2　マルチパッケージ形空気調和機の室外機の据付け　解答・解説

解答例　コンクリート基礎工事（据付け基礎）は除くとあるので、据付け位置と据付け組立の視点から、必要となる措置を留意事項として記述する。

視点	No.	留意事項
据付け位置	①	室外機の周囲には、維持管理用のスペースを確保する。
	②	室外機を複数設置するときは、相互干渉が起きないよう、間隔をあける。
据付け組立	③	冷媒配管の長さは、能力低下が起こらない長さとする。
	④	耐震性を確保できるよう、十分な本数の転倒防止用ボルトを使用する。

解説　マルチパッケージ形空気調和機の室外機の据付けにおける留意事項は、以下の通りである。マルチパッケージ形空気調和機の構造を右図に示す。

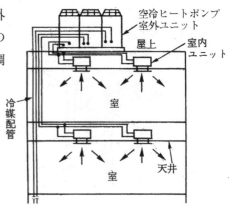

空冷ヒートポンプ室外ユニット
屋上
室内ユニット
冷媒配管
室
室
天井

視点	No.	留意事項
据付け基礎	①	室外機の基礎コンクリートの厚さは、150mm程度とする。
	②	コンクリートの打込み後、10日間以上養生してから機器を据え付ける。
	③	転倒防止用のストッパーを取り付ける。
据付け位置	④	室外機を複数設置する時は、機器が相互に干渉しない位置に配置する。
	⑤	室外機の周囲には、維持管理のために必要な作業空間を確保する。
据付け組立	⑥	冷媒配管は、機器の能力を低下させない長さとする。
	⑦	ヒートポンプからの水滴を、適切に排水できる構造とする。
	⑧	耐震性を確保するため、十分な本数の転倒防止用ボルトを使用する。
据付け環境	⑨	騒音・振動を抑制するため、防振マットなどを使用する。
	⑩	多雪地帯では、室外機に防雪フードなどを取り付ける。

参考　埋込式アンカーボルトを使用して機器を固定する場合は、機器の設置後、ナットからねじ山が3山以上出るように、アンカーボルトの埋込み深さを調整する。ナットからねじ山が出ていないと、施工後にナットが抜け落ちる恐れが生じる。

空気調和設備

参考　**平成23年度　問題2　空気調和設備の施工 解答・解説**

問題2　冷媒管の施工

　パッケージ形空気調和機の冷媒管を施工する場合の留意事項を4つ解答欄に簡潔に記述しなさい。
　ただし、工程管理及び安全管理に関する事項を除く。

問題2　冷媒管の施工　　　　　　　　　　　　　　　　　　解答・解説

解答例　　冷媒管の施工では、加工と接合の視点から、必要となる措置を留意事項として記述する。

視点	No.	留意事項
加工	①	銅管を切断するときは、専用カッターを用いて、垂直に、ゆっくりと行う。
	②	管端は、ゴミが入らないよう下に向け、専用のリーマで管のバリを除去する。
接合	③	銅管の接合は、差込み接合またはメカニカル接合とする。ただし、取り外しが必要な箇所は、銅ろう製ユニオン継手またはフランジ継手とする。
	④	冷媒管の支持は、冷媒管の断熱材の上を断熱粘着テープで巻いて吊るか、冷媒管を保護プレートに載せて吊る。

解説 パッケージ形空気調和機の冷媒管の施工における留意事項は、以下の通りである。

視点	No.	留意事項
加工	①	銅管を切断するときは、専用カッターを用いて、垂直に、ゆっくりと行う。(冷媒管には銅管を用いることが一般的である。)
	②	管端のバリは、専用のリーマまたはスクレーパーを用いて除去する。
	③	銅管の曲げ加工は、手動ベンダーを用いて、ゆっくりと均一の力で行う。
接合	④	銅管のフレア継手(管端を押し広げて接合する継手)は、所定の長さまで押込む。
	⑤	ろう付けによる接合は、酸化物の生成を抑えるため、窒素ガスを流しながら行う。
	⑥	冷媒管と機器との接続は、窒素ガスによりフラッシングした後に行う。
	⑦	配管接続後には、窒素ガスと水分を除去するため、配管内の真空引きを行う。
支持	⑧	冷媒管の支持は、冷媒管の断熱材(ロックウール)の上を断熱粘着テープで2層以上に巻いて吊るか、冷媒管を保護プレートに載せて吊る。
被覆材	⑨	被覆材には、ロックウール・グラスウールを使用する。これに加えて、屋内ではアルミガラスクロステープを、屋外ではステンレス鋼板を使用する。
寸法	⑩	冷媒管の長さは、メーカーが指定する最大延長の長さよりも短くする。

参考 平成22年度 問題2 空気調和設備の施工 解答・解説

問題2 パッケージ形空気調和機の据付け

　パッケージ形空気調和機を据え付ける場合の留意事項を4つ解答欄に簡潔に記述しなさい。

　ただし、工程管理及び安全管理に関する事項は除く。

問題2 パッケージ形空気調和機の据付け　　　　　　　　　　　　解答・解説

※本問は、平成24年度 問題2 の類似問題であるため、解答例と解説は、平成24年度 問題2 と同じです。ただし、室外機以外のことや、据付け基礎についてを解答しても構いません。

解答例 　パッケージ形空気調和機の据付けでは、据付け位置と据付け組立の視点から、必要となる措置を留意事項として記述する。

視点	No.	留意事項
据付け位置	①	室外機の周囲には、維持管理用のスペースを確保する。
	②	室外機を複数設置するときは、相互干渉が起きないよう、間隔をあける。
据付け組立	③	冷媒配管の長さは、能力低下が起こらない長さとする。
	④	耐震性を確保できるよう、十分な本数の転倒防止用ボルトを使用する。

解説 パッケージ形空気調和機の据付けにおける留意事項は、以下の通りである。

視点	No.	留意事項
据付け基礎	①	室外機の基礎コンクリートの厚さは、150mm程度とする。
	②	コンクリートの打込み後、10日間以上養生してから機器を据え付ける。
	③	転倒防止用のストッパーを取り付ける。
据付け位置	④	室外機を複数設置する時は、機器が相互に干渉しない位置に配置する。
	⑤	室外機の周囲には、維持管理のために必要な作業空間を確保する。
据付け組立	⑥	冷媒配管は、機器の能力を低下させない長さとする。
	⑦	ヒートポンプからの水滴を、適切に排水できる構造とする。
	⑧	耐震性を確保するため、十分な本数の転倒防止用ボルトを使用する。
据付け環境	⑨	騒音・振動を抑制するため、防振マットなどを使用する。
	⑩	多雪地帯では、室外機に防雪フードなどを取り付ける。

参考 **平成21年度** **問題2** **空気調和設備の施工 解答・解説**

問題2 空調用渦巻ポンプの単体試運転

　総合試運転調整の前に行う、空調用渦巻ポンプ単体の試運転調整に関して、調整・確認する事項を4つ解答欄に簡潔に記述しなさい。

　ただし、工程管理及び安全管理に関する事項は除く。

問題2 空調用渦巻ポンプの単体試運転　　　　　　　　　　解答・解説

解答例 　空調用渦巻ポンプの単体試運転では、機能と性能の視点から、調整・確認事項を記述する。

視点	No.	調整・確認する事項
機能	①	ポンプとモーターのカップリングの水平度を調整し、確認する。
	②	ポンプを手で回転させ、回転むらの有無を確認し、グランドパッキンの締付けの強さを調整する。
性能	③	吐出弁を調整し、規定の吐出量となっていることを確認する。
	④	軸受けの温度が(周囲の温度 +40)℃以下であることを確認する。

解説　空調用渦巻ポンプの単体試運転における調整・確認事項は、以下の通りである。空調用渦巻ポンプの構造を下図に示す。

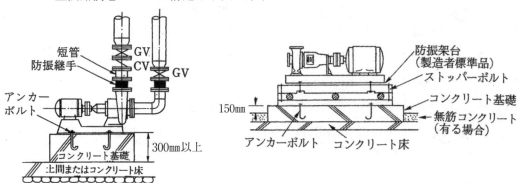

視点	No.	調整・確認する事項
機能	①	軸受けに注油されていることを確認する。
	②	ポンプを手で軽く回して、回転むらの有無を確認し、グランドパッキンの締付けの強さを調整する。
	③	ポンプとモーターをカップリングで繋げた部分の水平度を調整し、確認する。
	④	ポンプに呼び水を注水し、エア抜き後には満水になっているようにする。
	⑤	瞬時運転を行い、回転方向を調整し、確認する。
	⑥	吐出弁を閉じて、ポンプを起動する。
性能	⑦	流量計を確認しながら吐出弁を操作し、吐出量が規定値になるまで調整する。
	⑧	軸受けの温度が(周囲の温度 +40)℃以下であることを確認する。
	⑨	グランドパッキンからの水滴の滴下状態を調整し、確認する。
	⑩	ポンプにキャビテーション・サージングが発生しないよう調整し、確認する。

参考　**平成20年度** 問題2 **空気調和設備の施工 解答・解説**

問題2　機械室への送風機の据付け

　事務所ビルの屋上機械室に、呼び番号4の多翼送風機を据え付ける場合の留意事項を4つ解答欄に簡潔に記述しなさい。

　ただし、工程管理及び安全管理に関する事項は除く。

問題2　機械室への送風機の据付け　　　　　　　　　　　　解答・解説

解答例　多翼送風機の据付けでは、据付け基礎・据付け位置・据付け組立・据付け環境の視点から、必要となる措置を留意事項として記述する。

　　　なお、呼び番号4とは、多翼送風機の羽根の外径が630mmであることを示す。

視点	No.	留意事項
据付け基礎	①	送風機の基礎は、厚さ150mm程度のコンクリート製のものとする。
据付け位置	②	多翼送風機の周囲には、維持管理のために必要なスペースを確保する。
据付け組立	③	送風機の吸込みダクトのエルボには、ガイドベーンを設ける。
据付け環境	④	騒音・振動を抑制するため、送風機は防振架台上に設置する。

（解説）多翼送風機の据付けにおける留意事項は、以下の通りである。多翼送風機の構造を下図に示す。

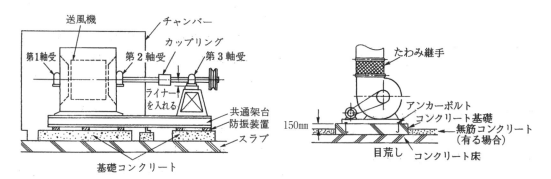

視点	No.	留意事項
据付け基礎	①	送風機の基礎は、厚さ150mm程度のコンクリート製のものとする。また、呼び番号が10以上の送風機の基礎は、鉄筋コンクリート製のものとする。
	②	防振対策を講じるため、ストッパーボルトを用いて防振基礎に固定する。
	③	基礎面は、モルタルを用いて水平に仕上げる。
据付け位置	④	送風機は、維持管理用の作業スペースを確保できる位置に配置する。
	⑤	送風機を複数設置する時は、機器が相互に干渉しない位置に配置する。
据付け組立	⑥	送風機のモーターの軸をカップリングで一致させ、十分な水平度を確保する。
	⑦	送風機とダクトの接合部には、たわみ性継手を用いる。
	⑧	Vベルトの張力は、それをひねったときに約90°ひねれる程度とする。
	⑨	送風機を手で回して、羽根および内部に異常がないことを確認する。
据付け環境	⑩	騒音・振動が問題となる場合には、基礎の上に防振ゴム・防振スプリング等を挿入する。

問題2　機械室への空調用渦巻ポンプの据付け

　事務所ビルの機械室に、空調用渦巻ポンプを据え付ける場合の留意事項を4つ解答欄に簡潔に記述しなさい。

　ただし、工程管理及び安全管理に関する事項は除く。

| 問題2 | 機械室への空調用渦巻ポンプの据付け | 解答・解説 |

解答例　　空調用渦巻ポンプの据付けでは、据付け基礎・据付け位置・据付け組立・据付け環境の視点から、必要となる措置を留意事項として記述する。

視点	No.	留意事項
据付け基礎	①	ポンプの基礎は、厚さ300mm以上のコンクリート製のものとする。
据付け位置	②	ポンプを複数台設置するときは、その相互間隔を500mm以上とする。
据付け組立	③	ポンプとモーターをカップリングで軸を一致させ、十分な水平度を確保する。
据付け環境	④	騒音・振動を抑制する必要があるときは、ポンプの吸込み側および吐出し側に、配管と同径の防振継手を設ける。

解説　　空調用渦巻ポンプの据付けにおける留意事項は、以下の通りである。空調用渦巻ポンプの周囲における配管上の注意点を下図に示す。

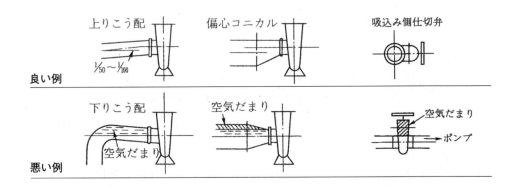

視点	No.	留意事項
据付け基礎	①	ポンプの基礎の厚さは、300mm以上とする。
	②	基礎表面は、モルタルで仕上げた後、水平度を確保するため金ゴテ仕上げを行う。
	③	地震による横ずれを防止するため、ストッパーを設ける。
	④	アンカーボルトは、基礎鉄筋と緊結する。

視点	No.	留意事項
据付け位置	⑤	ポンプの吸込み口は、流入口から離れた位置とする。
	⑥	ポンプの周囲には、維持管理のために必要な作業空間を確保する。
	⑦	ポンプを複数設置する時は、機器が相互に干渉しない位置に配置する。
据付け組立	⑧	ポンプの軸とモーターの軸をカップリングで一致させ、十分な水平度を確保する。
	⑨	ポンプの吸込み管は、空気だまりを造らないよう、上り勾配とする。
	⑩	ポンプの接続管は、その重量がポンプに作用しないよう、床や天井に固定する。
据付け環境	⑪	騒音・振動を抑制する必要があるときは、ポンプの吸込み管および吐出し管に、防振継手を設ける。
	⑫	振動を抑制する必要があるときは、基礎の上に防振ゴムなどを挿入し、防振基礎とする。

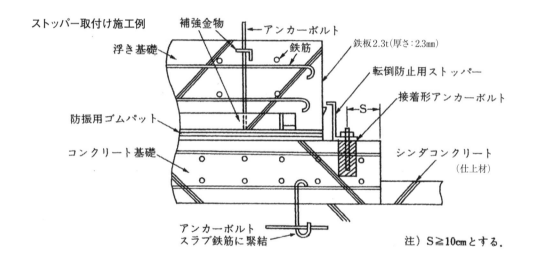

ストッパー取付け施工例　補強金物　アンカーボルト
浮き基礎　鉄筋　鉄板2.3t(厚さ:2.3mm)
転倒防止用ストッパー
接着形アンカーボルト
防振用ゴムパット　S
コンクリート基礎　シンダコンクリート（仕上材）
アンカーボルト　スラブ鉄筋に緊結
注）S≧10cmとする.

参考　平成18年度　問題2　空気調和設備の施工 解答・解説

問題2　ヒートポンプパッケージ形空気調和機の単体試運転

　総合試運転の前に行う、空気熱源ヒートポンプパッケージ形空気調和機(マルチユニットを含む)の単体試運転調整に関して、確認・調整する事項を4つ解答欄に簡潔に記述しなさい。

　ただし、工程管理、安全管理に関する事項は除く。

| 問題2 | ヒートポンプパッケージ形空気調和機の単体試運転 | 解答・解説 |

（解答例） ヒートポンプパッケージ形空気調和機の単体試運転では、機能と性能の視点から、調整・確認事項を記述する。

視点	No.	調整・確認する事項
機能	①	室内外のユニット・ヒートポンプ・冷媒配管の取付け及び設置状態を確認する。
	②	各種安全装置の作動状態に問題がないことを確認する。
性能	③	サーモスタットの設定値に対して、圧縮機が適切な作動状態となるよう調整し、確認する。
	④	リモートコントローラが正常に作動するかを確認する。

（解説） ヒートポンプパッケージ形空気調和機の単体試運転における調整・確認事項は、以下の通りである。ヒートポンプパッケージ形空気調和機の構造と特徴を下図に示す。

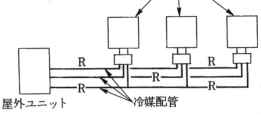

屋内ユニット
冷媒配管
屋外ユニット

3管式マルチパッケージ形空調機

| 特徴 | ① 3管式では、冷暖房を同時に行うことができる。
② 屋内ユニットごとの単独運転・停止ができる。 |

視点	No.	調整・確認する事項
機能	①	室内ユニット・室外ユニット・ヒートポンプ・冷媒配管の取付け及び設置の状態を確認する。
	②	ドレインパンの汚れを清掃し、排水勾配が適切であるかを確認する。
	③	室内機・室外機の稼働時に、異常な騒音・振動が生じていないことを確認する。
	④	各種安全装置の作動に問題がないことを確認する。
性能	⑤	起動スイッチを ON にしたとき、圧力計・電圧計・電流計が正常値を示していることを確認する。
	⑥	各機器の作動状態を、設定したサーモスタットの規定値の範囲内となるよう調整し、確認する。
	⑦	リモートコントローラが正常に使用できることを確認する
	⑧	室外機の発停頻度に異常がないことを確認する。
	⑨	天井や壁に結露が生じていないことを確認する。

問題3 の給排水設備の施工では、以下の内容から出題されることが多い。

① 給水管の接合方法
② 給水管・排水管の埋設方法
③ 給排水設備の完成検査または保守管理のために必要な図書

① 配管の加工と接合 ▶ ② 配管の施工と埋設 ▶ ③ 給排水設備の検査図書と保守管理図書

　2級管工事施工管理技術検定試験第二次検定の 問題3 給排水設備の施工は、選択問題である。過去10年間の出題の傾向は、下表の通りである。

最新10年間の出題分析表

出題項目	令和5	令和4	令和3	令和2	令和元	平成30	平成29	平成28	平成27	平成26
配管の加工・接合						◯				
器具の設置			◯		◯			◯		
配管の施工	◯						◯			
配管の埋設		◯		◯					◯	◯
検査図書										
保守管理図書										

※すべての年度が空白の項目は、平成25年度以前にのみ出題があった項目です。
※近年の第二次検定では、出題が複数の項目に分散していることがあります。
　上表では各年度の主要な項目にのみ◯印を付けています。

出題のポイント　本年度の試験に向けて、洗面器の取付け（令和元年度出題分野）、手洗器などの器具の据付け（平成28年度出題分野）、建物内の排水管と通気管の施工（平成24年度出題分野）の学習は、特に欠かせない項目である。

試験問題の見直し

令和6年度以降の第二次検定では、問題3 「給排水設備の施工」の出題内容が「経験で得られた知識・知見を幅広い視点から確認するもの」として見直されることが、試験実施団体から発表されています。そのため、令和6年度以降の 問題3 「給排水設備の施工」に対応できるようにするためには、過去に出題された項目（留意事項）のうち、これまでに工事経験がある項目をいくつか抽出し、「受検者自身の工事経験（試験実施団体に提出した実務経験証明書に記載した管工事で実際に行った事項）」に基づく解答を記

述できるようにする必要があると思われます。詳しくは、本書の490ページに掲載されている特集記事「令和6年度以降の試験問題の見直しについて」を参照してください。

※「給排水設備の施工」の分野名は、試験実施団体では「衛生の施工に関する問題」としていますが、本書では主な出題内容を端的に表現できるよう、分野名を「給排水設備の施工」としています。

3-1 技術検定試験 重要項目集

3-1-1 問題3 給水管の加工・接合

　給水管の加工・接合に関する分野では、主に硬質塩化ビニルライニング鋼管接合（ねじ接合）・銅管接合（差込み接合またはフランジ接合）・硬質ポリ塩化ビニル管接合（接着接合）のことが、主に出題されている。各接合方法における視点と、施工の際に必要となる措置は、以下の通りである。

（1）水道用硬質塩化ビニルライニング鋼管接合（ねじ接合）

視点	No.	措置
加工	①	管を切断するときは、帯鋸盤・弓鋸盤などを用いて、管軸に対して直角に切る。
	②	管の切断口のライニング部は、リーマやスクレーパー等を用いて、面取りを行う。
	③	加工ねじ径は、リングゲージを用いて測定し、許容範囲内であることを確認する。
接合	④	ねじ部を清掃し、水道用液状シール剤を塗布する。
	⑤	余ねじ部およびパイプレンチ跡には、防錆のため、錆止めペイントを塗布する。
	⑥	管を接合するときは、管端防食継手を用いる。

管端防食継手の例

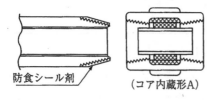

防食シール剤　　（コア内蔵形A）

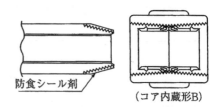

防食シール剤　　（コア内蔵形B）

（2）銅管接合（差込み接合またはフランジ接合）

　銅管を接合するときは、管径の小さい銅管では差込み接合とし、管径の大きい銅管ではフランジ接合とする。差込み接合やフランジ接合は、軟ろう（錫と鉛の合金）または硬ろう（銀ろう）を加熱して浸透させ、接合する工法である。

視点	No.	措置
加工	①	管を切断するときは、金鋸盤・電動鋸盤・銅管用パイプカッターなどを用いて、管軸に対して直角に切る。
	②	管の切断口は、リーマやスクレーパーなどを用いて、バリ取り・面取りを行う。
	③	差し口と受け口との接合部には、細かい紙ヤスリを掛けて、金属光沢を出す。
接合	④	フラックス(溶剤)は、差し口に対してのみ、薄く均一に塗布する。
	⑤	接合部は、十分に加温してから、軟ろう付けまたは硬ろう付けを行い、接合する。
	⑥	冷媒管(銅管)をろう付けするときは、酸化物の生成を抑制するため、窒素ガスなどの不活性ガスを流しながら接合する。

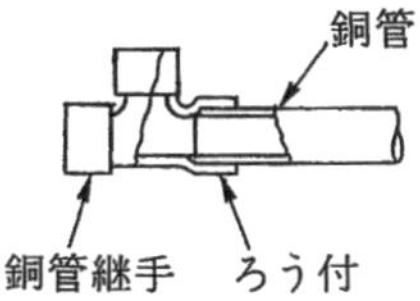

(a) 差込接合

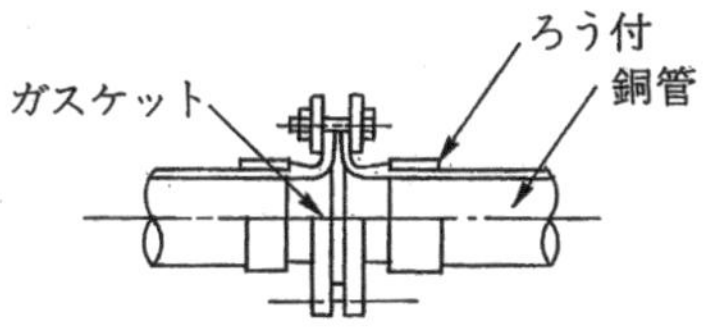

(b) フランジ接合

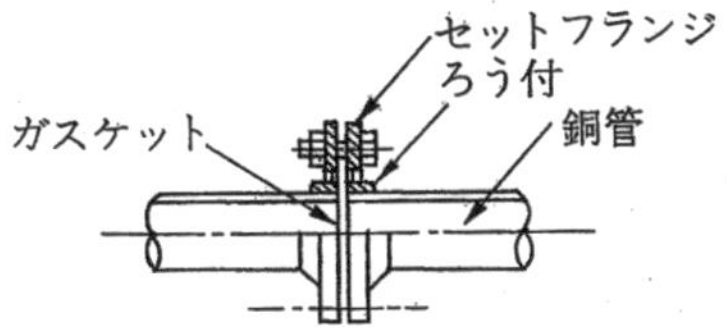

(c) フランジ接合

(3) 硬質ポリ塩化ビニル管接合(TS 継手を用いた接着接合)

視点	No.	措置
加工	①	管を切断するときは、専用カッターを用いて、管軸に対して直角に切る。
	②	管の切断口は、リーマやスクレーパーなどを用いて、面取りを行う。
接合	③	差し口および受け口を清掃し、適量の接着剤を均一に塗布する。
	④	抜け出しを防止するため、差込み後に一定時間(管の呼び径が50㎜以下なら30秒以上、管の呼び径が75㎜以上なら60秒以上)、手で押さえる押え接着を行う。
	⑤	適切な差し込み深さとなるよう、差し込む管の管端にマーキングを行う。
	⑥	接着剤がはみ出したときは、直ちに拭き取る。

TS 継手の接合

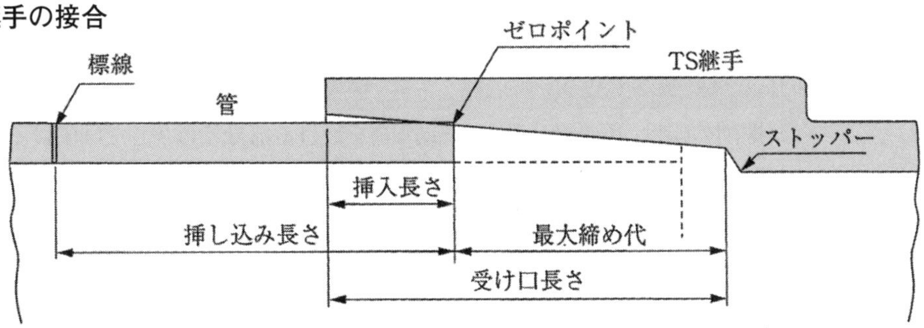

3-1-2 問題3 壁付け手洗器・壁付け洗面器の取付け

(1) 壁付け手洗器・壁付け洗面器の取付け

壁付け手洗器・壁付け洗面器を取り付けるときの視点と、必要となる措置は、下表の通りである。

視点	No.	措置
固定	①	器具をコンクリート壁に取り付けるときは、エキスパンションボルトまたは樹脂製プラグを用いて固定する。
	②	器具を軽量鉄骨壁ボード・金属パネル壁に取り付けるときは、鉄板またはアングルを壁に取り付けてから、それに器具を固定する。
	③	器具を木造の壁に取り付けるときは、厚さ30mm以上の補強木を壁に取り付けてから、それに器具を固定する。
取付け高さ	④	手洗器は800mmの高さに、洗面器は750mmの高さに取り付ける。
配管	⑤	器具の排水口と器具のあふれ縁との間には、十分な広さの吐水口空間を確保する。
隙間	⑥	壁と洗面器具との間にある隙間には、漏水を防ぐため、耐熱性かつ不乾性のシール材を詰める。
器具取付け	⑦	陶器を壁に取り付けるときは、片締めとならないよう、器具の両側を均等に締め付ける。
吐水量調整	⑧	水栓からの吐水量が、規定の吐出量になるよう調整する。

※ 洗面器と手洗器の標準的な取付け高さは、2008年1月以前の基準では「洗面器720mm・手洗器760mm」であったが、日本人の平均身長の伸びに対応するため、現在では「洗面器750mm・手洗器800mm」に改訂されている。この値は、商業施設・交通施設等における小学校低学年〜成人の利用者を想定したものである。

3-1-3 問題3 配管の施工・埋設

(1) 配管の埋設

給水管・排水管を埋設するときの視点と、必要となる措置は、下表の通りである。

視点	No.	措置
掘削	①	掘削の幅は、必要最小限とするが、桝を設ける部分では少しだけ広げる。
	②	掘削の深さは、過掘りを避け、規定の範囲内で、浅い位置とする。
	③	掘削の勾配は、床付け面に沿った平坦なものとする。
埋設深さ	④	給水管の埋設深さは、凍結深度以上かつ車道部では60cm以上・宅地内では30cm以上とする。
	⑤	排水管の埋設深さは、凍結深度以上かつ20cm以上とする。

漏水テスト	⑥	給水管は、水圧テストを行い、漏水がないことを確認してから埋め戻す。
	⑦	排水管は、満水テストを行い、漏水がないことを確認してから埋め戻す。
配管	⑧	給水管と排水管が交差する箇所では、給水管を上・排水管を下に施工する。
	⑨	給水管と排水管が平行する箇所では、相互間隔を 500㎜ 以上とする。
埋戻し	⑩	配管に近接した箇所は、山砂などの良質土で埋め戻す。それ以外の箇所は、掘削土で埋め戻す。残土は、処理する。
	⑪	埋戻し土の仕上り厚さは、1層あたり30㎝以内とし、ランマ、タンパなどで締め固める。
排水桝	⑫	排水管の直線部では、清掃を容易にするため、管径の120倍以内の長さ ごとに排水桝を設ける。
	⑬	排水管が合流する箇所・方向を変える箇所では、ゴミなどが溜まりやすいので、排水桝を設ける。
	⑭	汚水桝には、インバートを設ける。
	⑮	雨水桝には、深さ150㎜以上の泥溜めを設ける。

(2) 配管の施工

排水管・通気管を配管するときの視点と、必要となる措置は、下表の通りである。

視点	No.	措置
排水管の配管	①	排水管を配管するときは、二重トラップを避けて施工する。
	②	横走り管の勾配は、呼び径が150㎜以上なら1/200以上・呼び径が100㎜または75㎜なら1/100 以上・呼び径が65㎜以下なら1/50以上とする。
	③	横走り管の上流端末部・排水立て管の最下端部には、掃除口を設ける。
	④	排水横支管が合流するとき、必ず45度以内の鋭角をもって水平に近く合流させる。
通気管の配管	⑤	ループ通気管の立ち上げ高さは、その階に取り付けた器具のあふれ線のうち最も高いものよりも150㎜以上高くする。
	⑥	汚水タンク・排水タンクからは、管径50㎜以上の単独の通気管を、大気中に開放する。
	⑦	通気管の末端は、他の開口部から水平距離にして 3.0m以上離れた位置とするか、他の開口部よりも600㎜以上高い位置とする。
	⑧	通気立て管の下端部は、排水横主管に接続するか、最も低い位置にある排水横枝管よりも低い位置で排水立て管に接続する。

(3) 排水管・通気管の施工図

参考として、排水管・通気管の不適切な施工例と適切な施工例を下図に示す。

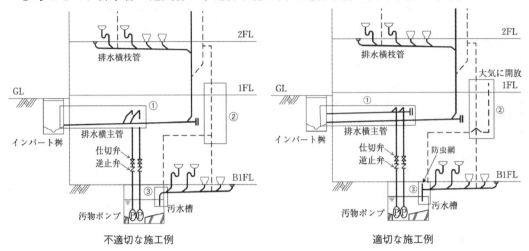

不適切な施工例　　　　　　　　　　　　　　　適切な施工例

① 自然流下の排水横主管は、ポンプの圧力で排水する排水横主管とは別系統で設けなければならない。

② 汚水槽からの通気管は、他系統の通気立て管に接続せず、単独で大気に開放させなければならない。

③ 汚水槽への排水横主管の末端は、T字管またはY字管とし、その上部を開放しなければならない。しかし、それだけでは虫などが侵入するおそれがあるので、開放した上端には防虫網を張らなければならない。

適切な施工方法（詳細図）

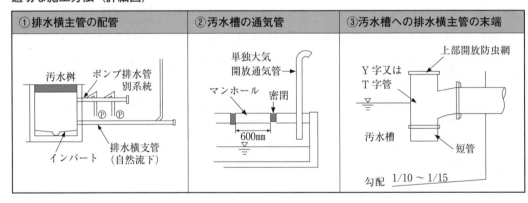

①排水横主管の配管	②汚水槽の通気管	③汚水槽への排水横主管の末端

3-1-4 問題3 給排水設備の検査図書と保守管理図書

(1) 給排水設備の検査図書

工事完成時の完成検査のときに準備すべき図書(検査図書)は、下表の通りである。

No.	検査図書の一覧
①	設計図書(契約書・設計図・仕様書・現場説明書・質問回答書)
②	承諾図面
③	機器類製作承諾図
④	機器類試験成績表
⑤	材料検査記録簿
⑥	官庁届出書類控
⑦	工事記録写真
⑧	機器試運転記録

(2) 給排水設備の保守管理図書

完成検査後に引き渡す必要のある図書(保守管理図書)は、下表の通りである。

No.	検査図書の一覧
①	取扱説明書(機器の運転などに関するもの)
②	完成図(修正された設計図)
③	機器メーカー連絡先一覧表
④	事故発生時の緊急連絡先
⑤	保守管理書
⑥	機器の保証書
⑦	工事記録写真
⑧	運転指導書
⑨	試運転記録(騒音・振動・電圧・電流に関するもの)

令和5年度 問題3 給排水設備の施工 解答・解説

> **問題3** 排水管（硬質ポリ塩化ビニル管）の施工
>
> 事務所の2階便所の排水管を硬質ポリ塩化ビニル管（接着接合）にて施工する場合、次の(1)～(4)に関する留意事項を、それぞれ解答欄の(1)～(4)に具体的かつ簡潔に記述しなさい。
>
> ただし、工程管理及び安全管理に関する事項は除く。
>
> (1) 管の切断又は切断面の処理に関する留意事項
> (2) 管の接合に関する留意事項
> (3) 横走り配管の勾配又は吊りに関する留意事項
> (4) 配管完了後の試験に関する留意事項

| | 問題3 排水管（硬質ポリ塩化ビニル管）の施工 | 解答・解説 |

解答例

　事務所の2階の便所に設置する排水管（硬質ポリ塩化ビニル管）を施工する場合の留意事項について、硬質ポリ塩化ビニル管の切断・硬質ポリ塩化ビニル管の接着接合・横走りする排水管の勾配または吊り・排水管の配管完了後の試験に関する観点から、ひとつずつ解答を記述する。

No.	排水管（硬質ポリ塩化ビニル管）を施工する場合の留意事項
(1)	切断時の発熱が少ない金鋸盤や帯鋸盤を用いて、管軸に対して直角に切断する。
(2)	接着剤の塗布後は速やかに管を挿入し、呼び径65以上の管は60秒以上保持する。
(3)	吊り間隔は、呼び径80以下では1.0m以下、呼び径100以上では2.0m以下とする。
(4)	満水試験を行い、管を満水にして30分が経過しても、減水がないことを確認する。

基礎知識（排水管の品質管理の重要性）

　事務所の上階の便所などに設置される排水管は、その内部に排泄物を含む汚水が自然流下している。そのため、施工不良による水漏れ・隙間・詰まりなどがあると、下階の広範囲に深刻な汚染が広がったり、排水管から悪臭が漏れ出したり、便器から汚水が逆流したりするおそれが生じる。

　また、このような排水管は、天井裏や床下などに隠蔽して配管されることが多い。そのため、施工不良による修理が必要になった場合には、建築物の一部を取り壊すなどの多額の費用がかかることになる。排水管を施工する場合には、上記のような問題を引き起こさないように留意しなければならない。

基礎知識（硬質ポリ塩化ビニル管の特徴）

　硬質ポリ塩化ビニル管は、非金属製（合成樹脂製）の配管であり、次のような特徴を有しているため、建物内の排水管としては最も一般的に使われている。

①鋼管に比べて、安価かつ長寿命であるため、経済性に優れている。（利点）

②軽量かつ加工しやすい材料で作られているため、施工性に優れている。（利点）

③耐食性が強いため、その内部が汚れても腐食や錆が生じにくい。（利点）

④引張強さが大きい難燃性の管であり、耐電食性にも優れている。（利点）

⑤強度や耐衝撃性が比較的小さいため、管に傷がつくと破損しやすくなる。（欠点）

⑥耐熱性や耐寒性に劣るため、施工方法や施工箇所に制限を受けることがある。（欠点）

解説

(1-1) 硬質ポリ塩化ビニル管の切断に関する留意事項

　硬質ポリ塩化ビニル管は、切断時の発熱が少ない帯鋸盤・金鋸盤・丸鋸盤などを用いて、切断線に沿って切断しなければならない。その際には、管の断面が変形しないよう、管軸心に対して直角に切断しなければならない。

　硬質ポリ塩化ビニル管は、耐熱性が低い（熱に弱い）ので、切断時の発熱が多いパイプカッター・高速砥石切断機・ガス溶断機などを用いて切断してはならない。

　高熱を発する機器を用いて管を切断すると、切断面が溶解してしまうなどの施工不良が発生し、硬質ポリ塩化ビニル管を隙間なく接合することができなくなる。

金鋸盤（金切帯鋸盤）による硬質ポリ塩化ビニル管の切断

(1-2) 硬質ポリ塩化ビニル管の切断面の処理に関する留意事項

硬質ポリ塩化ビニル管の切断面には、バリ（切削屑）が付着していることが多い。管の切断面のバリは、パイプリーマー（回転させることで管の切断面を整える円柱形の工具）などを用いて除去し、その切断面を平滑に仕上げなければならない。

管の切断面にバリが残っている状態のままで、硬質ポリ塩化ビニル管を相互に接合すると、その接合面に隙間が生じてしまうことがある。

管の切断面に、刃を当てて回転させると、バリを取り除き、切断面を滑らかにすることができる。

パイプリーマー

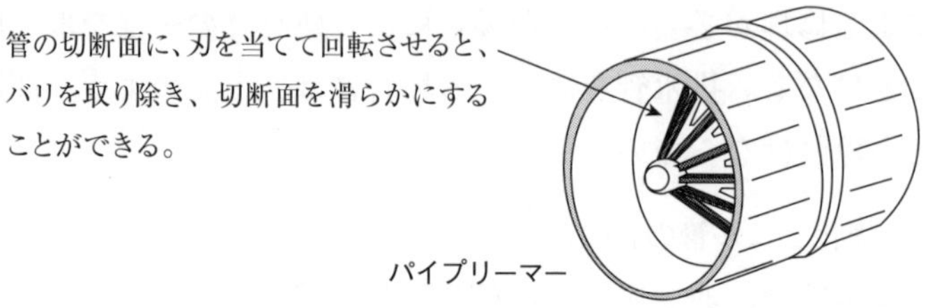

また、硬質ポリ塩化ビニル管を接着接合とする場合は、切断面の面取りをしなければならない。この面取りの大きさは、管の呼び径に応じた適切なものとする。

管の面取りが行われていないと、切断面に接着剤を塗布したときに、塗布面の膨潤層（接着剤でふやけている部分）が破壊されてしまい、接合面の接着力不足による漏水や詰まりなどの問題が生じてしまうことがある。

給排水設備

正 切断面の平滑仕上げと面取りを行う。

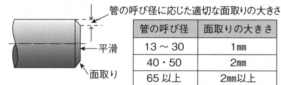

管の呼び径に応じた適切な面取りの大きさ

平滑

面取り

管の呼び径	面取りの大きさ
13 ～ 30	1mm
40・50	2mm
65 以上	2mm以上

誤 平滑仕上げや面取りが行われていないと……

バリ（切削屑）
この凸部が隙間になる。

面取りなし
この鋭さにより膨潤層が破壊される。

(2) 硬質ポリ塩化ビニル管の接着接合に関する留意事項

硬質ポリ塩化ビニル管の接合は、接着接合またはゴム輪接合とするが、特記がなければ接着接合とすることが定められている。接着接合とは、TS継手(Tapered Solvent Joint)を介して、接合部を接着剤で膨潤させることによる接合方法である。

硬質ポリ塩化ビニル管の接着接合の手順と留意事項は、「公共建築工事標準仕様書(機械設備工事編)」などにおいて、次のように定められている。

①受口内面および差口外面の油脂分などを除去する。

②差口外面の標準差込み長さの位置に、標線を付ける。

③受口内面および差口外面に、専用の接着剤を薄く均一に塗布する。

④速やかに差口を受口に挿入し、標線位置まで差し込み、そのまま保持する。

⑤差込み保持時間は、呼び径50以下は30秒以上、呼び径65以上は60秒以上とする。

⑥接合後は静置時間を十分に取り、この間は接合部に引張り・曲げの力を加えない。

※排水管については、管内の流れの障害となる段違いを生じさせないように接合する。

硬質ポリ塩化ビニル管の接着接合(TS接合 /Tapered Solvent Joint)

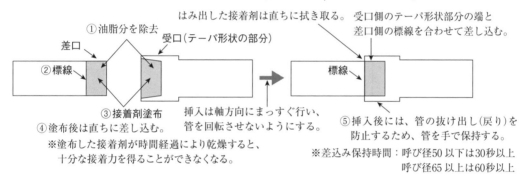

(3-1) 横走りする排水管の勾配に関する留意事項

排水管は、給水管とは異なり、その内部に水圧がかかっていないので、汚物を含む排水を円滑に流すことができるよう、適切な勾配を確保する必要がある。横走りする排水管(排水横枝管など)は、その管径(呼び径)が小さいほど、流れが妨げられやすくなるので、急勾配にする必要がある。

屋内横走り排水管の呼び径に応じた最小勾配は、「公共建築工事標準仕様書(機械設備工事編)」において、原則として、次のようにすることが定められている。

屋内横走り排水管の勾配		最小勾配
呼び径65以下	(直径65mm以下)	50分の1
呼び径75又は100	(直径75mm又は100mm)	100分の1
呼び径125	(直径125mm)	150分の1
呼び径150以上	(直径150mm以上)	200分の1

(3-2) 横走りする排水管の吊りに関する留意事項

横走りする排水管の吊り・支持については、吊り金物による吊りおよび形鋼振れ止め支持とすることが定められている。横走りする排水管の吊り間隔・支持間隔は、排水管の脱落や変形(一箇所に集中的な荷重がかかること)を防止するため、その材質や呼び径に応じた間隔以下としなければならない。特に、強度が小さい材質の管や、呼び径が小さい(細い)管は、吊り間隔・支持間隔を短くしなければならない。

横走り管の材質と呼び径に応じた吊り間隔・支持間隔は、「公共建築工事標準仕様書(機械設備工事編)」において、次のようにすることが定められている。

横走り管の吊り及び振れ止め支持間隔

分類		呼び径 15	20	25	32	40	50	65	80	100	125	150	200	250	300
吊り金物による吊り	鋼管及びステンレス鋼管	2.0m以下									3.0m以下				
	ビニル管、耐火二層管及びポリエチレン管	1.0m以下									2.0m以下				
	銅管	1.0m以下									2.0m以下				
	ポリブテン管	0.6m以下	0.7m以下			1.0m以下			1.3m以下	1.6m以下	—				
形鋼振れ止め支持	鋼管及びステンレス鋼管	—					8.0m以下				12m以下				
	ビニル管、耐火二層管、ポリエチレン管及びポリブテン管	——		6.0m以下			8.0m以下				12m以下				
	銅管	——		6.0m以下			8.0m以下				12m以下				

出典：公共建築工事標準仕様書(機械設備工事編)

硬質ポリ塩化ビニル管は、上記の「ビニル管」に該当するので、吊り金物による吊り間隔は、呼び径が80以下であれば1.0m以下、呼び径が100以上であれば2.0m以下としなければならない。

(4) 排水管の配管完了後の試験に関する留意事項

排水管の配管が完了した後には、排水管からの漏水がないことを確認するため、満水試験を行わなければならない。排水管の満水試験では、排水管を満水にしてから30分が経過したときに(30分以上放置した後においても)、減水がない(管内の水量が減少していない)ことを確認する。この「30分以上の放置」は、必ず行わなければならない。この放置時間が短すぎると、減水を見逃してしまうおそれが生じる。

この満水試験において、排水管内の減水が見られたときには、排水管のどこかで漏水が生じていることを示している。そのようなときは、排水管の全箇所に対する調査を行い、漏水が生じている箇所を発見して修繕しなければならない。

令和4年度 問題3 給排水設備の施工 解答・解説

問題3 給水管(水道用硬質ポリ塩化ビニル管)の屋外埋設

給水管（水道用硬質ポリ塩化ビニル管、接着接合）を屋外埋設する場合、次の**(1)〜(4)に関する留意事項**を、それぞれ解答欄の(1)〜(4)に具体的かつ簡潔に記述しなさい。

ただし、工程管理及び安全管理に関する事項は除く。

(1) 管の埋設深さに関する留意事項
(2) 排水管との離隔に関する留意事項
(3) 水圧試験に関する留意事項
(4) 管の埋戻しに関する留意事項

問題3	給水管(水道用硬質ポリ塩化ビニル管)の屋外埋設	解答・解説

解答例

給水管として使用する水道用硬質ポリ塩化ビニル管(接着接合によるもの)を屋外埋設する場合の留意事項について、給水管の埋設深さ・給水管と排水管との離隔・給水管の水圧試験・給水管の埋戻しの観点から、ひとつずつ解答を記述する。

No.	給水管(水道用硬質ポリ塩化ビニル管)を屋外埋設する場合の留意事項
(1)	車両道路では管の上端から600mm以上、それ以外では300mm以上とする。
(2)	給水管と排水管との水平実間隔(離隔距離)は、500mm以上とする。
(3)	区画ごとに、給水管を埋め戻す前に、1.75MPaの試験水圧を1分間保持して行う。
(4)	給水管に偏土圧がかからないように、給水管の両側から左右対称に薄層で埋め戻す。

　給水管は、排水管とは異なり、その内部の水圧により、水が流れ続けているため、その勾配などについて考慮する必要はない。しかし、給水管は、破損などによる管内の汚染が生じると、その水の利用者に重大な健康被害を及ぼすおそれがあるため、その埋設位置や埋戻し方法などについては、特に注意して施工する必要がある。

① 水道用硬質ポリ塩化ビニル管は、水圧に耐えられるように管厚を厚くしたポリ塩化ビニル管である。耐熱性や耐衝撃性にはやや劣るが、比較的安価であるため、給水管としては最も一般的に使用されている。

② 水道用硬質ポリ塩化ビニル管は、水路として機能させるため、継手が設けられていないことが多い。水道用硬質ポリ塩化ビニル管の接合方法は、接着接合（差し口と受け口に接着剤を塗布して差し込む方法）とすることが一般的である。

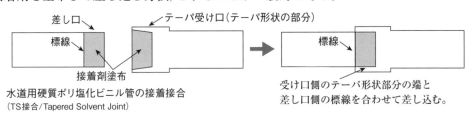

水道用硬質ポリ塩化ビニル管の接着接合
（TS接合/Tapered Solvent Joint）

解説 （1）管の埋設深さに関する留意事項―――――――――――

　給水管（水道用硬質ポリ塩化ビニル管）は、適切な深さに埋設しなければならない。この埋設深さが不足している（給水管を浅すぎる位置に埋設する）と、車両や歩行者が給水管の上にある地面を通行したときに、その荷重を受けて、給水管が破損するおそれが生じる。給水管の埋設深さは、次のように定められている。

① 給水管の地中埋設深さは、車両道路では管の上端より 600mm以上、それ以外では管の上端より 300mm以上とする。ただし、寒冷地では凍結深度以上とする。

　　※この数値は、敷地内に埋設する給水管に関する規定である。

② 一般交通の用に供する道路では、給水管の頂部と路面との距離が 1.2 m（工事実施上やむを得ない場合においても 0.6m）を超えていなければならない。

　　※この数値は、公道下に埋設する給水管に関する規定である。

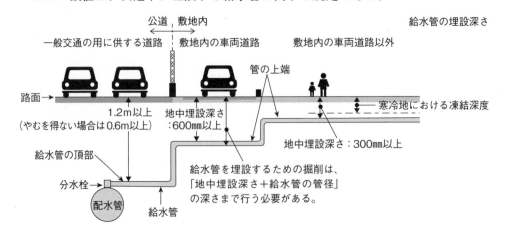

⑵ 排水管との離隔に関する留意事項

　給水管と排水管との間には、適切な離隔距離を確保しなければならない。この離隔距離が不足している（給水管と排水管との距離が近すぎる）と、排水管が破損したときに、その影響が給水管にまで及んでしまい、給水管が破損したり給水管内が排水で汚染されたりするおそれが生じる。給水管と排水管との離隔距離は、次のように定められている。

① 給水管と排水管が平行して埋設される場合には、原則として、給水管と排水管との水平実間隔を500mm以上とし、給水管は排水管の上方に埋設する。

② 給水管と排水管が交差する場合においても、給水管は排水管の上方に埋設する。

③ 給水管は、排水管やガス管などの他の埋設物から300mm以上離して埋設することが望ましい。（排水管との水平間隔については上記①の定めが優先される）

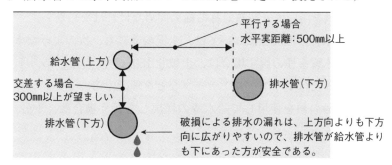

給水管と排水管との離隔距離

⑶ 水圧試験に関する留意事項

　給水管に対しては、その給水管の接合部などの施工が確実に行われており、その給水管が内部の水圧に耐えられることを確認するために、水圧試験を行わなければならない。この水圧試験は、次のような事項に留意して行う必要がある。

① 給水管の水圧試験は、給水管を埋め戻す前に、区画ごとに行わなければならない。
（全区画の工事完了後にまとめて水圧試験を行うようなことをしてはならない）

② 給水管に対しては、次の圧力値による水圧試験を行うものとする。この圧力値は配管の最低部におけるもので、その保持時間は最小60分[※]とする。
　●給水装置に該当する管：1.75MPa以上（水道事業者の規定がある場合[※]を除く）
　●揚水管：ポンプの全揚程に相当する圧力の2倍（最小0.75MPa）
　●高置タンク以下の配管：静水頭に相当する圧力の2倍（最小0.75MPa）

③ 給水管の水圧試験では、給水管の破損を避けるため、水圧を徐々にかけてゆく。
（上記の圧力値まで一気に水圧をかけるようなことをしてはならない）

④ 給水管の水圧試験では、上記の圧力値の試験水圧を60分間[※]保持しても、給水管に漏水や変形などが生じないことを確認しなければならない。

※公共建築工事標準仕様書（機械設備工事編）では圧力保持時間が「60分」と規定されているが、「水道事業者の規定」ではこの時間を「1分」としている場合が多い。水道事業者の規定は標準仕様書の規定よりも優先されるので、解答には圧力保持時間を「1分」と記述することが望ましい。1分間で漏水や変形が生じない給水管は、それ以上の時間を費やして圧力をかけても、漏水や変形が生じることは稀であるため、給水管の耐圧性能は、1分間の水圧試験を行えば十分に確認できる。

(4) 管の埋戻しに関する留意事項

給水管の埋戻しは、掘削土が良質であればその掘削土を、掘削土が軟弱であれば山砂などの良質土を用いて、給水管の両側から左右対称に薄層で（一層あたりの埋戻し厚さが300mmを上回らないように）行わなければならない。給水管の片側だけをすべて埋め戻してから、もう片側を埋め戻すような作業をすると、片側だけが埋め戻された給水管に偏土圧がかかり、給水管が移動したり変形したりするおそれが生じる。この埋戻し土は、ランマ・タンパ・振動コンパクタなどの小型建設機械を用いて、左右対称に締め固めなければならない。

給水管の埋戻しについては、上記の他にも、次のような事項が定められている。

① 給水管を埋め戻す場合は、土被り150mm程度の深さに、埋設表示用のアルミテープまたはポリエチレンテープなどを埋設する。

② 山砂の類を使用して給水管の埋戻しを行う場合は、十分な締固めを行い、水締めを行う。

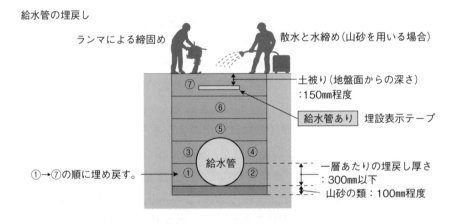

給水管の埋戻し

ランマによる締固め　　散水と水締め（山砂を用いる場合）

問題3 ガス瞬間湯沸器と給湯管（銅管）の施工

ガス瞬間湯沸器（屋外壁掛け形、24号）を住宅の外壁に設置し、浴室への給湯管（銅管）を施工する場合の留意事項を解答欄に具体的かつ簡潔に記述しなさい。

記述する留意事項は、次の(1)～(4)とし、それぞれ解答欄の(1)～(4)に記述する。

ただし、工程管理及び安全管理に関する事項は除く。

(1) 湯沸器の配置に関し、運転又は保守管理の観点からの留意事項
(2) 湯沸器の据付けに関する留意事項
(3) 給湯管の敷設に関する留意事項
(4) 湯沸器の試運転調整に関する留意事項

問題2 ガス瞬間湯沸器と給湯管（銅管）の施工 | 解答・解説

解答例 屋外壁掛け形のガス瞬間湯沸器を施工する場合の留意事項について、湯沸器の配置・据付け・試運転調整の観点と、給湯管の敷設の観点から、ひとつずつ解答を記述する。

No.	ガス瞬間湯沸器と給湯管（銅管）を施工する場合の留意事項
(1)	排気口と建物開口部との離隔距離は、上面は30cm以上、側面は15cm以上とする。
(2)	2本以上のあと施工アンカー（径6mm以上・埋込長30mm以上）で躯体に緊結する。
(3)	下向き供給方式の給湯配管は、給湯管・返湯管を共に先下り勾配として敷設する。
(4)	未燃ガスの着火を防止するため、ガス配管の空気抜きを行い、ガス圧の調整を行う。

基礎知識

ガス瞬間湯沸器は、給水栓を回して水を流したときに、ガス栓を開いてガスに点火し、コイル状の給水管を通過している水を加熱する機器である。ガス瞬間湯沸器の能力は、一般に号数で表され、水温の上昇温度を25℃とした場合の出湯量 1L/min（水温を25℃上昇させた場合における出湯量が1分あたり1Lであること）を1号としている。住戸に使用する屋外壁掛け形のガス瞬間湯沸器は、冬期における湯の同時使用に対応するため、24号程度の能力が必要である。24号のガス瞬間湯沸器は、給水管内の水温が15℃であると仮定した場合、40℃の湯（25℃上昇させた湯）を1分につき24Lまで供給することができる。

解説 **(1) 湯沸器の配置に関する留意事項(運転又は保守管理の観点)**

　ガス瞬間湯沸器は、運転中に熱や排気が出るので、熱による火災や排気の室内への侵入を防止するため、湯沸器と構造物との間に、所定の離隔距離を確保しなければならない。また、ガス瞬間湯沸器の保守点検の際には、その周囲に、人が作業できるだけの空間が必要になる。

①湯沸器からの熱による火災を防止するため、湯沸器と可燃物との間には、下図に示された離隔距離を確保しなければならない。

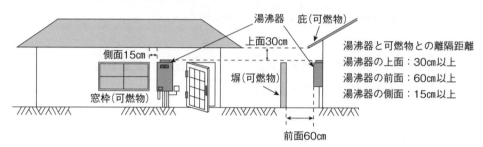

湯沸器と可燃物との離隔距離
湯沸器の上面：30cm以上
湯沸器の前面：60cm以上
湯沸器の側面：15cm以上

②湯沸器からの排気が室内に侵入しないよう、湯沸器と建物開口部との間には、下図に示された離隔距離を確保しなければならない。

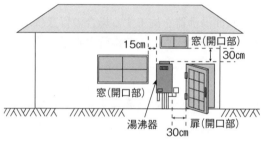

湯沸器と建物開口部との離隔距離
湯沸器の上面(窓)：30cm以上
湯沸器の側面(窓)：15cm以上
湯沸器の側面(扉)：30cm以上

③湯沸器の保守点検が容易にできるよう、湯沸器の周囲には、保守点検作業に必要な空間を確保しなければならない。

④湯沸器は、その性能を十全に発揮できるよう、次のような点に留意して配置すべきである。

　1 湯が配管内を通過するときの熱の損失を抑制するため、浴槽の近くに配置する。
　2 ガス管や水道管からの引込みが容易な位置に配置する。
　3 排気が隣地に影響しない位置に配置する。

(2) 湯沸器の据付けに関する留意事項

　ガス瞬間湯沸器は、アンカーボルトなどによる躯体との緊結が不十分であると、地震などのときに躯体から外れて転倒し、機器が破損したり近くの人に衝突したりするおそれが生じる。こうした事態を避けるため、湯沸器は適切な方法で据え付けなければならない。

①湯沸器などの給湯設備の据付けの基準は、「建築設備の構造耐力上安全な構造方法を定める件(建設省告示)」において、次のように定められている。

❶給湯設備の支持構造部および緊結金物のうち、腐食または腐朽のおそれがあるものには、有効な錆止めまたは防腐のための措置を講じること。

❷給湯設備は、風圧・土圧・水圧・地震・その他の震動および衝撃に対して、安全上支障のない構造とすること。

❸給湯設備の側部を、所定(住宅の外壁に設置するガス瞬間湯沸器では下記)の種類および本数のアンカーボルトなどを釣合い良く配置して、建築物の部分などに緊結すること。

給湯設備を設ける場所	給湯設備の質量	アンカーボルト等の種類	アンカーボルト等の本数
地階・一階・敷地	15kgを超え60kg以下	径が6mm以上かつ埋込長さが30mm以上のあと施工アンカー	2本以上
		径が4.8mm以上かつ有効打込長さが12mm以上の木ねじ	4本以上

②湯沸器は、右図のように、躯体などの堅固に固定できる部材に、その上下の2箇所を、2本以上の金物(固定金具)で固定することが一般的である。この金物(固定金具)は、木造の住宅では木ねじ、木造以外の住宅ではボルトとすることが一般的である。

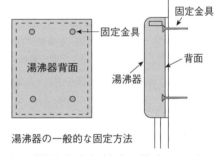

湯沸器の一般的な固定方法

③軽量鉄骨ボード壁に、ガス瞬間湯沸器などの器具を取り付ける場合は、そのバックハンガーを下地材(堅木またはアングル加工材)にビス止めしなければならない。バックハンガーを仕上げボードに直接ビス止めしてはならない。

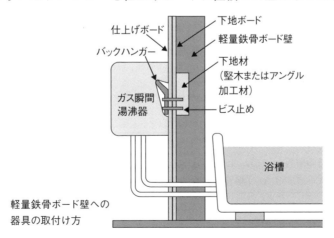

軽量鉄骨ボード壁への器具の取付け方

(3) 給湯管の敷設に関する留意事項

　ガス瞬間湯沸器(24号程度の能力を有するもの)は、中央式給湯設備(湯沸器をひとつの熱源として住宅全体に給湯を行う設備)の一種である。中央式給湯設備の給湯管の敷設に関しては、次のような事項に留意しなければならない。

①上向き供給方式の給湯配管は、立て管ごとに空気抜きをするので、給湯管は先上り勾配とし、返湯管は先下り勾配とする。各管の勾配は、200分の1以上とする。

②下向き供給方式の給湯配管は、主管で空気抜きをするので、給湯管・返湯管ともに先下り勾配とする。各管の勾配は、200分の1以上とする。

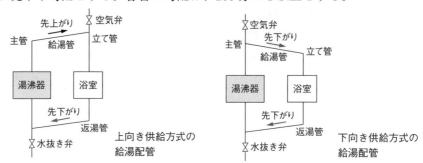

　※配管内の空気を排除してから湯を循環させる下向き供給方式の給湯配管は、上向き供給方式の給湯配管に比べて、湯の温度降下が大きいものの、配管延長を短くすることができるので、工事費が安くなる。そのため、住宅の給湯設備は、下向き供給方式の給湯配管とすることが一般的である。

③給湯管に銅管を用いる場合は、管内流速が1.5m/s程度以下となるように管径を決定する。管径が小さすぎるために、管内流速がこれより速くなると、給湯管に潰食が発生することがあるので、管内流速が1.5m/sを超えるような給湯管を敷設してはならない。

④銅管の切断は、金鋸盤・電動鋸盤・銅管用パイプカッターなどを用いて、管軸に対して直角に行う。

⑤銅管の切断面は、リーマーやスクレーパーなどの専用工具を用いて、バリを除去して面取りする。

⑥銅管の接合部は、表面酸化被膜を除去するため、差口と受口の両方を、研磨紙などで光沢が出るまで磨く。

⑦給湯管の接合方法は、差込み接合・フランジ接合・メカニカル接合・ユニオン接合のいずれかとする。

> 「敷設」とは、一般的な意味合いとしては、広範囲に設備などを設置することをいう。しかし、この問題の解答としては、上記の①〜③のような「給湯管の設置計画に関すること」を答えたり、上記の④〜⑦のような「銅管の局所的な加工に関すること」を答えたりしても正解となる。

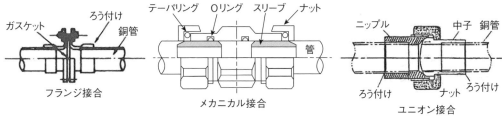

給湯用銅管の接合方法

ガスケット　ろう付け　銅管

フランジ接合

テーパリング　Oリング　スリーブ　ナット

管

メカニカル接合

ニップル　中子　銅管

ろう付け　ナット　ろう付け

ユニオン接合

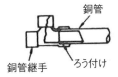

銅管

銅管継手　ろう付け

差込み結合
（径 40mm 以上の場合に適用）

差込み接合の手順
①差口の部分だけにフラックス（酸化防止剤）を塗布する。
②管を突き当りまで押し込み、1 回転〜2 回転させてフラックスを均一化する。
③接合部を 3cm〜6cm程度離れた位置から加熱する。
④銅管と継手との境界に蝋を押し当て、毛細管現象を利用して吸い込ませる。
⑤ゆっくりとした速度で（急冷を避けて）冷却する。

(4) 湯沸器の試運転調整に関する留意事項

　ガス瞬間湯沸器は、ガス炊きのボイラーの一種である。その試運転調整では、正常に給湯ができることを確認すると共に、火災などのおそれがないことを確認する必要がある。湯沸器の試運転調整をするときは、次のような事項に留意しなければならない。

①ガスの点火と消火の状態や、振動が加わったときのガス遮断が適切に行われることを確認する。具体的には、次のような確認を行う必要がある。

　■ 未燃ガスと空気との混合による着火を防止するため、ガス配管の空気抜きを行い、ガス圧の調整を行う。

　■ 火炎監視装置（フレームアイ）と火炎の間が遮断されたときに、湯沸器のバーナーが停止することを確認する。

③末端給水栓における湯の温度と水量が適切になるように、給湯温度と吐水量の調整を行う。

④給湯温度が指定値になるまでの所要時間が適切になるように、ガス電磁弁の調整を行う。

⑤浴槽水の循環制御が適切になるように、循環ポンプの二方弁やサーモスタット（温度調整装置）の調整を行う。

給排水設備

問題3 排水管の屋外埋設

　排水管(硬質ポリ塩化ビニル管、接着接合)を屋外埋設する場合の留意事項を解答欄に具体的かつ簡潔に記述しなさい。

　記述する留意事項は、次の(1)〜(4)とし、それぞれ解答欄の(1)〜(4)に記述する。

　ただし、工程管理及び安全管理に関する事項は除く。

(1) 管の切断又は切断面の処理に関する留意事項
(2) 管の接合に関する留意事項
(3) 埋設配管の敷設に関する留意事項
(4) 埋戻しに関する留意事項

| 問題3 | 排水管の屋外埋設 | 解答・解説 |

解答例　硬質ポリ塩化ビニル製の排水管を屋外埋設する場合の留意事項について、管の切断・管の接着接合・管の敷設・管の埋戻しの観点から、ひとつずつ解答を記述する。

No.	硬質ポリ塩化ビニル製の排水管を屋外埋設する場合の留意事項
(1)	切断時の発熱が少ない帯鋸盤などを用いて、管軸に対して直角に切断する。
(2)	TS継手で接合する配管の受け口側と差し口側の両方に、接着剤を均一に塗布する。
(3)	給水管と並行する排水管は、給水管から500mm以上離し、給水管の下に敷設する。
(4)	排水管に偏土圧がかからないように、排水管の両側から左右対称に埋め戻す。

給排水設備

解説 **(1-1) 硬質ポリ塩化ビニル管の切断に関する留意事項**

　硬質ポリ塩化ビニル管を切断するときは、切断時の発熱が少ない帯鋸盤・金鋸盤・丸鋸盤などを用いて、管軸に対して直角に、切断線に沿って切断しなければならない。硬質ポリ塩化ビニル管は、熱に弱いので、切断時の発熱が多いチップソーカッター・パイプカッター・ガスなどで切断してはならない。

(1-2) 硬質ポリ塩化ビニル管の切断面の処理に関する留意事項

　硬質ポリ塩化ビニル管の切断面には、バリ（切削屑）が付着しているため、そのまま接合すると、接合面に隙間ができてしまうことがある。このバリ（切削屑）は、リーマーなどを用いて除去し、その切断面を滑らかにしなければならない。

(2-1) 排水管の接着接合に関する留意事項

　硬質ポリ塩化ビニル管の TS 継手による接着接合では、受け口側と差し口側の両方に、接着剤を均一に塗布した後、直ちに（接着剤の乾燥を待たずに）継手を挿入しなければならない。塗布した接着剤が乾燥すると、十分な接着力を得ることができなくなる。硬質ポリ塩化ビニル管の接着接合の手順と留意事項をまとめると、下図のようになる。

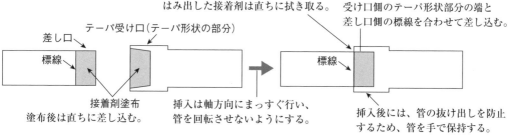

保持時間：管の呼び径が 50 mm 以下なら 30 秒以上
　　　　　管の呼び径が 75 mm 以上なら 60 秒以上

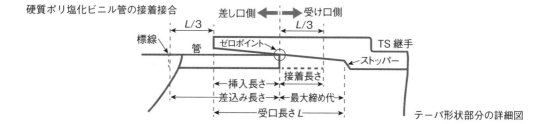

(3-1) 埋設配管の敷設に関する留意事項

　地中に埋設する排水管は、施工後の点検や詰まりの除去が困難であるため、その管径を50mm以上とし、所定の勾配を確保する（管径に応じて基礎上面に200分の1〜50分の1の勾配を付ける）ことが望ましい。

　また、屋外埋設排水管の合流部・屈曲部には、排水桝を設けなければならない。その直管部においても、排水管径の120倍以下の間隔で、排水桝を設けなければならない。

　給水管と排水管を平行または交差して埋設するときは、配管の相互間隔を500mm以上とし、給水管を排水管の上方に配置しなければならない。これは、排水管が破損したときに、その排水が給水管に流れ込まないようにするための措置である。

(4-1) 排水管の埋戻しに関する留意事項

　排水管の埋戻しは、山砂などの良質土を用いて、排水管の両側から左右対称に行わなければならない。排水管の片側だけをすべて埋め戻してから、もう片側を埋め戻すような作業をすると、片側だけが埋め戻された排水管に偏土圧がかかり、排水管が移動・変形するおそれが生じる。この埋戻し土は、ランマ・タンパなどの小型建設機械を用いて、左右対称に締め固める。

　また、排水管の上部（排水管に近接していない部分）については、所定の土被りを確保するため、掘削土を用いて、一層あたり30cm以下として、締め固めて仕上げなければならない。

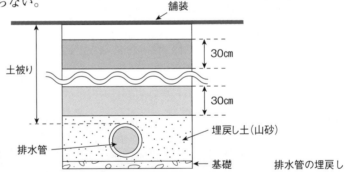

排水管の埋戻し

※公道の舗装面から下水管の頂部までの深さ（土被り）は、原則として、3m以上とする。
　施工上やむを得ない場合であっても、1m以上とする。
※公道以外の敷地面から下水管の頂部までの深さ（土被り）は、凍結深度以上かつ20cm以上とする。

問題3 車椅子使用者用洗面器の取付け

　車いす使用者用洗面器を軽量鉄骨ボード壁（乾式工法）に取り付ける場合の留意事項を解答欄に具体的かつ簡潔に記述しなさい。**記述する留意事項は、次の(1)～(4)とし、工程管理及び安全管理に関する事項は除く。**

(1) 洗面器の設置高さに関し留意する事項
(2) 洗面器の取り付けに関し留意する事項
(3) 洗面器と給排水管との接続に関し留意する事項
(4) 洗面器設置後の器具の調整に関し留意する事項

| 問題3 | 車椅子使用者用洗面器の取付け | 解答・解説 |

解答例　　車椅子使用者用洗面器を軽量鉄骨ボード壁（乾式工法）に取り付ける場合の留意事項について、洗面器の設置高さ・取付け・給排水管との接続・設置後の器具の調整に関する視点から、ひとつずつ解答を記述する。設置高さ以外の視点については、車椅子使用者用に限らず、一般的な洗面器を軽量鉄骨ボード壁に取り付ける場合の留意事項について記述してもよい。

No.	車椅子使用者用洗面器を取り付ける場合の留意事項
(1)	車椅子使用者の膝が入るよう、床面から洗面器下端までの高さを65cm程度とする。
(2)	壁面に補強部材を取り付けておき、その補強部材にバックハンガーを固定する。
(3)	洗面器の排水口周辺と排水管との隙間には、耐熱性・不乾性のシール材を詰める。
(4)	洗面器設置後に、器具の位置がずれた場合は、ルーズホールを利用して調整する。

解説　　近年では「高齢者・障害者等の移動等の円滑化の促進に関する法律」において、便所などのバリアフリー化が求められていることから、車椅子の使用者が苦労なく使用できる洗面器について、設計上の配慮事項が定められるようになった。

(1-1) 洗面器の設置高さに関して留意する事項────────────

　車椅子使用者用洗面器の設置高さについては、次のような点に留意する必要がある。

①洗面器下部に、車椅子使用者の膝が入る空間を確保するため、床面から洗面器下端までの垂直距離を 65cm 程度とする。

②車椅子に座ったまま手を洗えるよう、床面から洗面器上端までの垂直距離を 75cm 程度とする。

③洗面器に鏡を取り付ける場合は、その下端をできるだけ洗面器上端に近づける。鏡の高さは 100cm 程度とする。

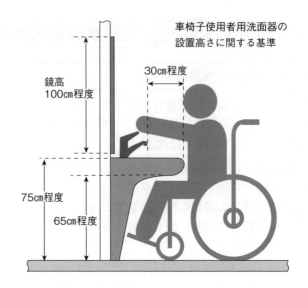

車椅子使用者用洗面器の
設置高さに関する基準

鏡高
100cm程度

30cm程度

75cm程度

65cm程度

　車椅子使用者用洗面器の設置については、設置高さに関すること以外にも、次のような点に留意する必要がある。

①洗面器の吐水口は、洗面器の手前端から30cm程度の位置に取り付ける。

②洗面器の水栓金具は、レバー式・光感知式など、操作が容易なものとする。

③洗面器は、十分な照度が得られる場所に、堅固に取り付ける。

④車椅子使用者の利用に配慮した位置に、手すりを設ける。

(2-1) 洗面器の取り付けに関して留意する事項

　洗面器を軽量鉄骨ボード壁に取り付ける場合には、次のような点に留意する必要がある。

①壁面にアングル加工材・堅木材などの補強部材をあらかじめ取り付けておく。

②補強部材の所定の位置に、洗面器のバックハンガーまたはブラケットを取り付ける。

③洗面器のバックハンガーは、ビスまたはボルトで固定する。

④洗面器の上面が水平になるように留意し、壁との隙間やガタツキがないようにする。

※洗面器を軽量鉄骨ボードに取り付ける場合は、コンクリート壁に取り付ける場合とは異なり、あと施工アンカーの使用はできないことに注意が必要である。

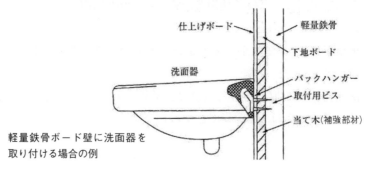

仕上げボード　　軽量鉄骨

下地ボード

洗面器

バックハンガー

取付用ビス

当て木(補強部材)

軽量鉄骨ボード壁に洗面器を
取り付ける場合の例

(3-1) 洗面器と給水管との接続に関して留意する事項

洗面器の水栓（給水管）と、洗面器の水受け容器のあふれ縁（越流面）との間には、十分な吐水口空間を確保しておかなければならない。洗面器に入った汚水が給水管に逆流することを防ぐため、洗面器と給水管を直接接続してはならない。

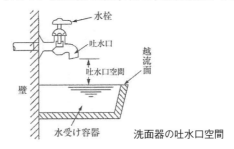

洗面器の吐水口空間

(3-2) 洗面器と排水管との接続に関して留意する事項

洗面器の排水口周辺と、排水管との取付け部には、耐熱性・不乾性のシール材を詰めておき、漏水がないように締め付けなければならない。

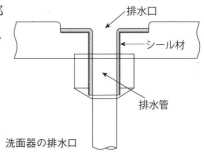

洗面器の排水口

(4-1) 洗面器設置後の器具の調整に関して留意する事項

洗面器は、バックハンガーの楕円穴（ルーズホール）の中央に仮止めとして取り付けておく。洗面器の設置後に、洗面器の位置を調整するときは、ネジを緩めてから据付け位置を調整し、再びネジを締め付ける。フレーム式の洗面器は、フレームを仮止めできる構造とし、調整後にシリコーン系シーリング材を充填する。

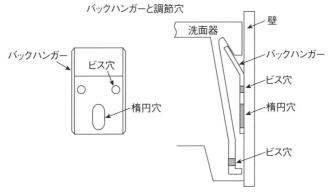

洗面器設置後の位置の調整

給排水設備

問題3 水道用硬質塩化ビニルライニング鋼管のねじ接合

建物内の給水管（水道用硬質塩化ビニルライニング鋼管）をねじ接合で施工する場合の留意事項を解答欄に具体的かつ簡潔に記述しなさい。**記述する留意事項は、次の(1)〜**(4)とし、工程管理及び安全管理に関する事項は除く。

(1) **管の切断に関する留意事項**
(2) **面取り又はねじ加工に関する留意事項**
(3) **管継手又はねじ接合材に関する留意事項**
(4) **ねじ込みに関する留意事項**

| 問題3 | 水道用硬質塩化ビニルライニング鋼管のねじ接合 | 解答・解説 |

解答例　　建物内の給水管（水道用硬質塩化ビニルライニング鋼管）をねじ接合で施工する場合の留意事項について、管の切断・面取り又はねじ加工・管継手又はねじ接合材・ねじ込みに関する視点から、ひとつずつ解答を記述する。

No.	水道用硬質塩化ビニルライニング鋼管のねじ接合の留意事項
(1)	帯鋸・丸鋸などを用いて、管軸に対して直角に切断する。
(2)	スクレーパーを用いて、鋼管の鉄部を露出させないように面取りする。
(3)	管をねじ接合するときは、防錆のため、管端防食継手を用いる。
(4)	ねじ接合材としてペーストシール剤を使用する場合は、硬化前にねじ込みを行う。

解説　　平成30年度の 問題3 では、平成29年度以前の 問題3 とは異なり、どのような留意事項を記述しなければならないかが指定されている。ねじ接合とする水道用硬質塩化ビニルライニング鋼管の管切断・面取り・ねじ加工・管継手・ねじ接合材・ねじ込みに関する留意事項には、次のようなものがある。

(1) **水道用硬質塩化ビニルライニング鋼管の基礎知識**────────

①水道用硬質塩化ビニルライニング鋼管は、配管用炭素鋼鋼管の内面に、硬質塩化ビニルをライニングした管である。40℃を超えるような高温には弱いものの、機械的強度が大きく、耐食性に優れているので、建物内の給水管として広く使用されている。

②水道用硬質塩化ビニルライニング鋼管は、呼び径が80以下であればねじ接合、呼び径が100であればねじ接合またはフランジ接合、呼び径が125以上であればフランジ接合とすることが一般的である。

(2) **水道用硬質塩化ビニルライニング鋼管の切断に関する留意事項**────

①水道用硬質塩化ビニルライニング鋼管のねじ接合では、帯鋸・丸鋸などの自

動金鋸盤を使用して、管軸に対して直角に管を切断する。

②パイプカッター・チップソーカッター・ガス切断・高速砥石などを使用すると、管の接合に悪影響が生じるため、水道用硬質塩化ビニルライニング鋼管の切断にこれらの器具を使用してはならない。

⑶ 水道用硬質塩化ビニルライニング鋼管の面取りに関する留意事項

①水道用硬質塩化ビニルライニング鋼管の切断後には、スクレーパーなどの工具を用いて、面取りを行わなければならない。

②水道用硬質塩化ビニルライニング鋼管の面取りを行うときに、管の鉄部を露出させてはならない。また、管端内面の面取りは、均一に行わなければならない。

③面取りの目的は、管の接続時にコアが円滑に入るようにすることと、管の接合部をなめらかにすることである。

④面取りの厚さは、ライニング厚さの1/2程度〜2/3程度とする。

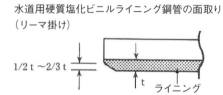

水道用硬質塩化ビニルライニング鋼管の面取り
（リーマ掛け）

1/2 t 〜2/3 t

t　ライニング

スクレーパーによる切削

※ リーマは、配管接合面を仕上げるための道具である。リーマ掛けとは、管の接合部をなめらかにするため、スクレーパー等のリーマを用いて切削することをいう。ライニング鋼管のねじ切りの際に行われるリーマ掛けによる面取りは、鋼管の防錆のため、ライニング厚さの1/2〜2/3程度を残して行う。

⑷ 水道用硬質塩化ビニルライニング鋼管のねじ加工に関する留意事項

①管用のテーパねじは、適切な長さ・太さに加工しなければならない。

②ねじの切削部には、適量の切削油を連続的に流しておく。水の混入などにより切削油が変色した場合には、直ちに切削油を交換する。

③ねじ加工が完了したら、テーパねじリングゲージによるねじ径の検査を行う。テーパねじは、その管端がテーパねじリングゲージの面bと面aとの間に入るように切断すると、適正に接合することができる。（管端が面bと面aとの間にあれば、検査は合格となる）

④テーパねじの加工においては、テーパねじリングゲージを強めに手締めしたときの管端が、ゲージ切欠きの中央となるよう、ねじ加工機のダイヘッドの開きを調整する。

────── テーパねじリングゲージによるねじ径の検査 ──────

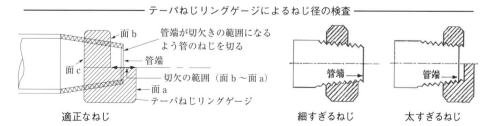

適正なねじ　　　　　細すぎるねじ　　太すぎるねじ

⑸ 水道用硬質塩化ビニルライニング鋼管の管継手に関する留意事項

① 水道用硬質塩化ビニルライニング鋼管のねじ接合では、接合部における管の腐食を防止するため、管端防食継手を使用しなければならない。

② 管端防食継手は、継手内面と管端の防食性能を、管本体の防食性能にあわせるために施工される。管端防食継手の構造は、下図のように様々である。

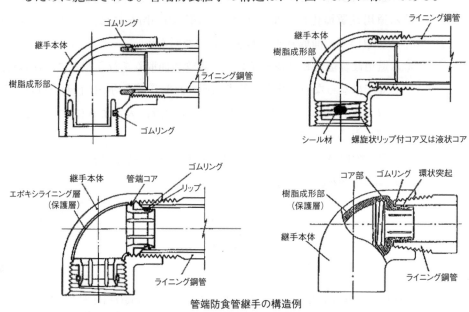

管端防食管継手の構造例

③ 水道用硬質塩化ビニルライニング鋼管のねじ継手に、外面樹脂被覆継手を使用する場合は、防食処理等を施す必要はない。外面樹脂被覆継手を使用しない場合は、埋設の際、更に防食テープを巻く等の防食処理等を施す必要がある。

⑹ 水道用硬質塩化ビニルライニング鋼管のねじ接合材に関する留意事項

① ねじ部には、適量のテープシール材またはペーストシール剤を塗布する。

② 余ねじ部とパイプレンチ跡には、錆止めペイントを塗布する。

③ ねじ接合材として、固練りペイント・パテ・麻などを使用してはならない。

⑺ 水道用硬質塩化ビニルライニング鋼管のねじ込みに関する留意事項

① ねじ込みとは、手締めした後、パイプレンチを用いて所要の長さに締め付けることをいう。

② ねじ込みを行う前に、おねじ・めねじを清浄にする。

③ ねじ込みは、管径に適したパイプレンチを使用して無理なく行う。

④ ねじ接合材としてペーストシール剤を使用する場合は、硬化前にねじ込みを行う。

問題3 硬質塩化ビニル管による屋内排水管の施工

建物内の排水管を硬質塩化ビニル管で施工する場合の留意事項を、4つ解答欄に具体的かつ簡潔に記述しなさい。

ただし、工程管理及び安全管理に関する事項は除く。

| 問題3 | 硬質塩化ビニル管による屋内排水管の施工 | 解答・解説 |

解答例 建物内の排水管を硬質塩化ビニル管で施工する場合の留意事項は、排水管の敷設・排水管の接合などの視点から、具体的な作業手順を示して記述するとよい。

視点	No.	施工の留意事項
排水管の敷設	①	排水管の最小勾配は、その管径に応じて、1/50 ～ 1/200とする。
	②	オーバーフロー管の管端には防虫網をかけ、十分な排水口空間を確保する。
排水管の接合	③	排水管の切断は、管軸に対して直角に行い、切断のバリは平滑に仕上げる。
	④	排水管のTS接合を行うときは、接着剤を塗布した後、直ちに継手を挿入する。

解説 建物内の排水管を硬質塩化ビニル管で施工する場合の一般的な留意事項は、次の通りである。また、硬質塩化ビニル管などの非金属管は、鉱油・ガソリン・有機溶剤を含む地層に配管してはならない。やむを得ず配管するときは、金属管または鞘管で被覆して保護する。

視点	No.	施工の留意事項
排水管の敷設	①	排水管の最小勾配は、管径が65㎜以下なら1/50、管径が75㎜または100㎜なら1/100、管径が125㎜なら1/150、管径が150㎜以上なら1/200とする。
	②	排水管内の最小流速は、0.6m/秒程度とする。
	③	排水管が、二重トラップとならないようにする。
	④	清掃のための掃除口を、排水管の適切な位置に設ける。
	⑤	排水管には適切な勾配を確保しなければならないので、排水管の敷設は、給水管・給湯管の敷設よりも優先して行う。
	⑥	3階以上の建築物に排水立て管を設けるときは、各階に満水試験継手を取り付ける。
	⑦	間接排水を必要とするときは、水受け容器のあふれ縁よりも上方に、十分な排水口空間を確保する。また、オーバーフロー管の管端には防虫網をかける。
排水管の接合	⑧	硬質塩化ビニル排水管の切断は、管軸に対して直角に、管の切取線に沿って、比較的目の細かい鋸で行う。切断のバリは、平滑に仕上げる。
	⑨	排水横枝管などの合流点では、45度以内の鋭角で、水平に近くして合流させる。

硬質塩化ビニル管の接合方法は、接着剤を用いる TS 接合と、ゴム輪を用いるゴム輪形接合に分類される。それぞれの接合方法における留意事項は、次の通りである。

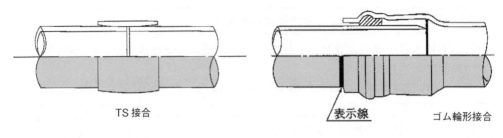

TS 接合   表示線   ゴム輪形接合

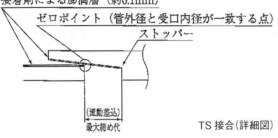

接着剤による膨潤層（約0.1mm）
ゼロポイント（管外径と受口内径が一致する点）
ストッパー

（流動差込）
最大締め代   TS 接合（詳細図）

視点	No.	接合の留意事項
TS 接合	①	接着剤は、均等に薄く塗布する。塗布後は直ちに継手を挿入する。
	②	接着剤塗布後、管の戻りを防止するため、口径50㎜以下の管では30秒以上、口径75㎜以上の管では60秒以上、そのままの状態で保持しておく。
	③	切断面からはみ出した接着剤は、直ちに拭き取る。
ゴム輪形接合	④	排水管の切断面は、面取りを行う。
	⑤	ゴム輪は、ねじれないように装着する。
	⑥	ゴム輪および挿し口の表示線まで、専用の潤滑剤を塗布する。
	⑦	継手は表示線まで挿入し、チェックゲージで離脱がないことを確認する。

平成28年度 問題3 給排水設備の施工 解答・解説

問題3 壁付き手洗器・壁付き洗面器の据付け

　壁付き手洗器や、洗面器を据え付ける場合の施工上の留意事項を、4つ解答欄に具体的かつ簡潔に記述しなさい。

　ただし、搬入、工程管理及び安全管理に関する事項は除く。

問題3 | 壁付き手洗器・壁付き洗面器の据付け | 解答・解説

解答例 壁付き手洗器・壁付き洗面器の据付けでは、器具と壁との固定・器具と壁との間詰め・器具の取付け高さ・器具の水平の確保・あふれ縁と吐水口との空間確保などの視点から、必要となる措置を留意事項として記述する。

視点	No.	施工上の留意事項
固定	①	壁や壁下地の種類に応じて、適切な器具取付け用ボルトで下地に緊結する。
間詰め	②	壁と器具との隙間は、水の浸入を防止するため、シール材などで間詰めする。
取付け	③	器具のあふれ縁が水平となるように取り付ける。
吐水口	④	水栓出口とあふれ縁との間には、所要の吐水口空間を確保する。

解説 壁付き手洗器・壁付け洗面器の据付けにおける視点と留意事項は、次の通りである。

視点	No.	施工上の留意事項
固定	①	器具をコンクリート壁に固定するときは、エキスパンションボルトまたは樹脂製プラグを用いる。
	②	器具を軽量鉄骨壁に固定するときは、補強鋼板または形鋼を壁に取り付けてから、取付け用ビスを用いて、それに器具を固定する。
	③	器具を金属パネル壁に取り付けるときは、鉄板またはアングルを壁に取り付けてから、それに器具を固定する。
	④	器具を木造の壁に固定するときは、厚さ30mm以上の補強木を壁に取り付けてから、それに器具を固定する。
間詰め	⑤	壁と洗面器具との間にある隙間には、漏水を防ぐため、耐熱性かつ不乾性のシール材を詰める。
取付け	⑥	手洗器は800mmの高さに取り付ける。洗面器は750mmの高さに取り付ける。
	⑦	陶器を壁に取り付けるときは、片締めとならないよう、器具の両側を均等に締め付ける。
吐水口	⑧	器具の排水口と器具のあふれ縁との間には、十分な広さの吐水口空間を確保する。
	⑨	水栓からの吐水量が、規定の吐出量になるよう調整する。

給排水設備

問題3 給水管の敷地内埋設施工

敷地内に給水管を埋設する場合の施工上の留意事項を、4つ解答欄に具体的かつ簡潔に記述しなさい。

ただし、管材の選定、管の切断、工程管理及び安全管理に関する事項は除く。

| 問題3 | 給水管の敷地内埋設施工 | 解答・解説 |

解答例 敷地内に給水管を埋設する施工では、埋設深さ・排水管との位置関係・漏水テスト・埋戻しなどの視点から、必要となる措置を留意事項として記述する。

視点	No.	施工上の留意事項
埋設深さ	①	給水管の埋設深さは、車道では60cm以上、その他の場所では30cm以上とする。また、その地域における凍結深度以上とする。
配管	②	給水管と排水管が隣接する場合、給水管と排水管との水平距離を500mm以上とし、給水管を排水管よりも上に配管する。
漏水テスト	③	給水管を埋め戻す前に、給水管の水圧テストを行い、耐圧性能を確認する。
埋戻し	④	給水管を損傷させないよう、給水管を埋め戻すときは、山砂などの良質土を用いて十分に締め固める。

解説 給水管の敷地内埋設施工における視点および留意事項は、以下の通りである。

視点	No.	施工上の留意事項
掘削	①	給水管の床付け面は、過掘りを避け、十分に突き固めて平滑にする。
	②	掘削底面が軟弱である場合、不同沈下を抑制するため、敷砂を行う。
埋設深さ	③	給水管の埋設深さは、車道部では60cm以上、宅地内では30cm以上とする。
	④	給水管の埋設深さは、その地域における凍結深度以上とする。
漏水テスト	⑤	給水管は、水圧テストを行い、漏水がないことを確認してから埋め戻す。
配管	⑥	給水管と排水管が交差する箇所では、給水管を上、排水管を下に配管する。
	⑦	給水管と排水管が並行する箇所では、相互の間隔を500mm以上とする。
埋戻し	⑧	給水管に近接した箇所は、山砂などの良質土で埋め戻す。その後、全体を掘削土で埋め戻す。残土は、処理する。
	⑨	埋戻し土の仕上り厚さは、1層あたり30cm以内とし、ランマなどで十分に締め固める。

給排水設備

平成26年度 問題3 給排水設備の施工 解答・解説

問題3 小型プラスチック製桝を使用する屋外排水設備の施工
小型プラスチック製桝(ます)を使用する屋外排水設備を施工する場合の留意事項を4つ解答欄に具体的かつ簡潔に記述しなさい。 ただし、工程管理及び安全管理に関する事項は除く。

問題3	小型プラスチック製桝を使用する屋外排水設備の施工の留意事項	解答・解説

解答例 小型プラスチック製桝を使用する屋外排水設備の施工では、掘削・設置・構造などの視点から、必要となる措置を留意事項として記述する。

視点	No.	施工上の留意事項
掘削	①	桝を設ける位置の掘削幅は、作業可能な空間を確保できる範囲で、できるだけ狭くする。
設置	②	管の直線部における桝の設置間隔は、排水管径の120倍以下とする。
構造	③	汚水桝の蓋は密閉蓋とする。雨水桝の蓋は有孔蓋とする。
設計	④	桝につながる流入管と流出管は、流入管と流出管との高低差を適正に確保できるよう、高精度で接合する。

解説 **宅地桝の設置基準（日本下水道協会）**

桝の配置・構造・大きさなどは、次の各項を考慮して定める。

(1) 桝の設置場所

①排水管の起点・終点・会合点・屈曲点・その他維持管理上必要な箇所に設ける。

②管の内径・勾配・管種が変わる箇所に設ける。

③管の直線部においては、管径の 120 倍以下の間隔で設ける。

(2) 桝の大きさ・構造・形状

桝の内径は、原則として、内法(うちのり) 30cm以上の円形または角形とする。桝の材質は、コンクリート製・鉄筋コンクリート製・硬質ポリ塩化ビニル製などとする。桝の深さごとの桝の内径・内法は、次表を標準とする。

桝の深さごとの内径・内法

桝の深さ［cm］	桝の内径または内法［cm］
30cm以上 60cm未満	30cm
60cm以上 90cm未満	36cm
90cm以上 120cm未満	45cm
120cm以上 150cm未満	60cm

(3) 特殊桝

下記のような箇所には、特殊桝を設ける。

①**トラップ桝**：排水設備用の器具に防臭トラップを設置できないような箇所には、防臭などを目的として、トラップ桝を設ける。

②**ドロップ桝**：管の会合点のうち、管底高に極端な段差が生じる箇所には、ドロップ桝を設ける。

③**掃除口**：汚水管渠に雨水が流入することを防止する必要がある箇所や、桝の設置が困難な箇所には、掃除口を設ける。

(4) 桝の蓋

汚水桝の蓋は、防臭蓋とする。

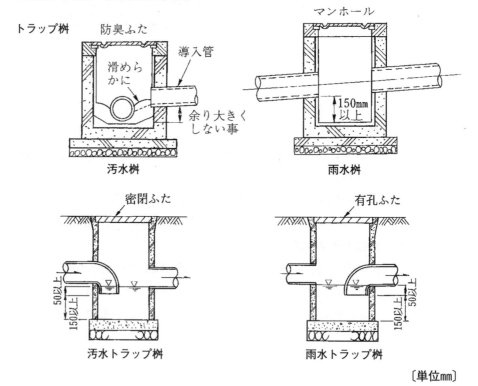

〔単位mm〕

小型プラスチック製桝を使用する屋外排水設備を施工する場合の留意事項は、下記の通りである。

256

視点	No.	施工上の留意事項
設計	①	管の直線部における桝の設置間隔は、排水管径の 120 倍以下とする。
	②	排水管の起点・終点・会合点・屈曲点・維持管理上必要な点には、桝を設ける。
構造	③	汚水桝の蓋は、防臭のため、密閉蓋とする。雨水桝の蓋は、有孔蓋とする。
	④	段差のある箇所に設ける桝は、防臭を考慮したドロップ桝とする。
	⑤	汚水桝の底部には、汚水を早期に流下させるため、インバートを切る。
	⑥	雨水桝の底部には、沈砂ができるよう、深さ150㎜程度の泥溜めを設ける。
掘削	⑦	桝を設ける位置の掘削幅は、作業可能な空間を確保できる幅とするが、広すぎないようにする。
	⑧	桝の掘削深さは、桝の内径・内法や現場の地形などにより異なるため、掘削底面が過掘とならないよう、床付け面の仕上げは人力掘削により行う。
設置	⑨	桝に繋がる流入管と流出管は、流れを円滑にするため、流入管と流出管との落差を適正に確保できるよう、高精度で接合する。
	⑩	トラップ桝の深さは150㎜以上とし、封水深が50㎜〜100㎜程度となるよう配管する。

※本章では、令和5年度〜平成26年度の問題・解説・解答に加えて、平成25年度〜平成18年度の問題・解答・解説(やや簡略的なもの)を採録しています。給排水設備の施工の分野では、10年以上前の問題から繰り返して出題されることがあるので、こうした古い問題についても一通り目を通しておくと、似たような問題が出題されたときに、対応しやすくなります。

参考　平成25年度 問題3 給排水設備の施工 解答・解説

問題3 水道用硬質塩化ビニルライニング鋼管のねじ接合の留意点

　建物内の給水管(水道用硬質塩化ビニルライニング鋼管)をねじ接合で施工する場合の留意事項を4つ解答欄に具体的かつ簡潔に記述しなさい。

　ただし、保温工事、工程管理及び安全管理に関する事項を除く。

| 問題3 | 水道用硬質塩化ビニルライニング鋼管のねじ接合の留意点 | 解答・解説 |

解答例　水道用硬質塩化ビニルライニング鋼管のねじ接合では、加工と接合の視点から、必要となる措置を留意事項として記述する。

視点	No.	留意事項
加工	①	管を切断するときは、帯鋸盤・弓鋸盤などを用いて、管軸に対して直角に切る。
	②	加工ねじ径は、リングゲージを用いて測定し、許容範囲内であることを確認する。
接合	③	ねじ部を清掃し、そこに水道用液状シール剤を塗布する。
	④	管の継手は、管端防食継手とする。

解説 水道用硬質塩化ビニルライニング鋼管のねじ接合における留意事項は、以下の通りである。

視点	No.	留意事項
加工	①	管を切断するときは、帯鋸盤・弓鋸盤などを用いて、管軸に対して直角に切る。
	②	加工ねじ径は、リングゲージを用いて測定し、許容範囲内であることを確認する。
	③	管の切断口は、リーマやスクレーパー等を用いて、ライニング部の面取りを行う。
接合	④	ねじ部を清掃し、そこに水道用液状シール剤を塗布する。
	⑤	管の継手は、管端防食継手とする。
	⑥	余ねじ部およびパイプレンチ跡には、錆止めペイントを塗布する。

参考 平成24年度 問題3 給排水設備の施工 解答・解説

問題3 排水管・通気管の施工上の留意点

建物内の排水管、通気管を施工する場合の留意事項を4つ解答欄に具体的かつ簡潔に記述しなさい。

ただし、管の切断に関する事項、工程管理及び安全管理に関する事項は除く。

問題3	排水管・通気管の施工上の留意点	解答・解説

解答例 排水管・通気管の配管では、それぞれの配管に関する視点から、必要となる措置を留意事項として記述する。

視点	No.	留意事項
排水管の配管	①	排水管は、二重トラップとならないように配管する。
	②	横走り管の最上端部および排水立て管の最下端部には、掃除口を設ける。
通気管の配管	③	ループ通気管は、その階に取り付けた器具のあふれ線のうち、最も高いものよりも150㎜以上高い位置まで立ち上げる。
	④	汚水タンク・排水タンクに設ける通気管は、単独で大気中に開放する。

解説 排水管・通気管の配管における留意事項は、以下の通りである。

視点	No.	留意事項
排水管の配管	①	排水管は、二重トラップとならないように配管する。
	②	横走り管の最上端部および排水立て管の最下端部には、掃除口を設ける。
	③	横走り管の勾配は、呼び径が150㎜以上なら1/200以上・呼び径が100㎜または75㎜なら1/100以上・呼び径が65㎜以下なら1/50以上とする。
	④	排水横支管が合流するとき、必ず45度以内の鋭角をもって水平に近く合流させる。

通気管の配管	⑤	ループ通気管は、その階に取り付けた器具のあふれ線のうち、最も高いものよりも150mm以上高い位置で横に延ばし、通気立て管と接続する。
	⑥	汚水タンク・排水タンクに設ける通気管は、管径50mm以上のものとし、単独で大気中に開放する。
	⑦	通気管の末端は、他の開口部から水平距離にして3.0m以上離れた位置とするか、他の開口部よりも600mm以上高い位置とする。
	⑧	通気立て管の下端部は、排水横主管に接続するか、最も低い位置にある排水横枝管よりも低い位置で排水立て管に接続する。

　排水管・通気管の配管において、留意すべき点を下図に示す。下図のうち、A点〜H点は、施工上の誤りとなる箇所である。それぞれの点の修正方法は、下記の通りである。

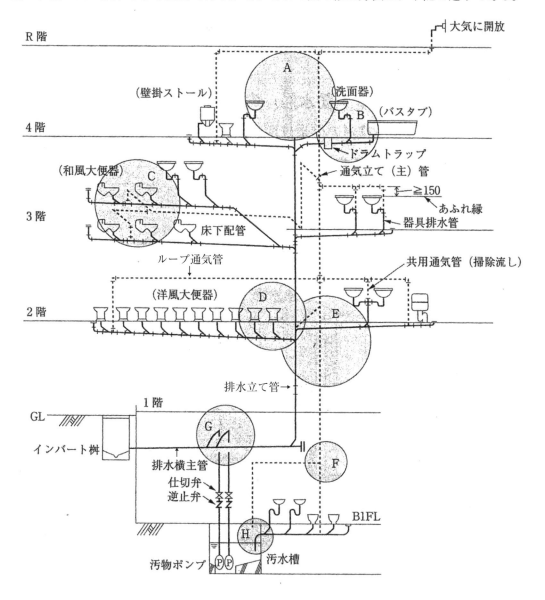

① A 点：排水立て管は、上端を R 階まで伸ばし、伸頂通気管とする。

② B 点：洗面器からの排水管とドラムトラップによる二重トラップとなっているので、ドラムトラップは洗面器への接続部とバスタブとの間に移動させ、二重トラップを解消する。

③ C 点：ループ通気管は、器具のあふれ縁より 150㎜以上高い位置まで立ち上げる。

④ D 点：大便器の接続数を 7 個以下とするため、最下流から2つ目の位置に、逃し通気管を配管する。

⑤ E 点：最下端の通気管と排水立て管との接続位置は、2 階の排水横主管の下とする。

⑥ F 点：汚水層の通気管は、単独で設ける。排水系統の通気管と接続してはならない。

⑦ G 点：汚物ポンプから延びる加圧管は、別系統とする。自然排水・建物排水の排水横主管と接続してはならない。

⑧ H 点：汚水槽への流入点では、T 字管を用いる。T 字管の下部の出口は、汚水面よりも下部とする。T 字管の上部の出口は、網などを設けて害虫の侵入を防ぎ、単独で大気中に開放する。汚水槽への流入点にエルボを用いてはならない。

参考　平成23年度　問題3　給排水設備の施工 解答・解説

問題3 給水管・排水管の敷地内埋設施工

　給水、排水管を敷地内に埋設施工する場合の留意事項を 4 つ解答欄に簡潔に記述しなさい。ただし、管の切断・接合に関する事項、工程管理及び安全管理に関する事項を除く。

問題3 給水管・排水管の敷地内埋設施工　　　　　　　解答・解説

解答例　給水管・排水管の敷地内埋設施工では、掘削・埋設深さ・漏水テスト・埋戻しの視点から、必要となる措置を留意事項として記述する。

視点	No.	留意事項
掘削	①	掘削の幅は、必要最小限とするが、桝を設ける箇所は少しだけ広くする。
埋設深さ	②	給水管の埋設深さは、車道では 60cm 以上・敷地内では 30cm 以上とする。排水管の埋設深さは、20cm 以上とする。
漏水テスト	③	漏水がないことを確認するための試験として、給水管では 1.75MPa の圧力をかける水圧テストを行い、排水管では満水テストを行う。
埋戻し	④	配管に近接した箇所は、山砂などの良質土で埋め戻す。その後、1 層の仕上り厚さが 30cm 以内となるよう、全体を掘削土で埋め戻し、ランマなどで十分に締め固める。

解説　給水管・排水管の敷地内埋設施工における視点および留意事項は、以下の通りである。

視点	No.	留意事項
掘削	①	掘削の幅は、必要最小限とするが、桝を設ける箇所は少しだけ広くする。
	②	掘削の深さは、過掘りを避け、規定の範囲内で、浅い位置とする。
	③	掘削の勾配は、床付け面に沿った平坦なものとする。

視点	No.	留意事項
埋設深さ	④	給水管の埋設深さは、凍結深度以上かつ車道部では60cm以上・宅地内では30cm以上とする。
	⑤	排水管の埋設深さは、凍結深度以上かつ20cm以上とする
漏水テスト	⑥	給水管は、水圧テストを行い、漏水がないことを確認してから埋め戻す。
	⑦	排水管は、満水テストを行い、漏水がないことを確認してから埋め戻す。
配管	⑧	給水管と排水管が交差する箇所では、給水管を上・排水管を下とする。
	⑨	給水管と排水管が平行する箇所では、相互間隔を500mm以上とする。
埋戻し	⑩	配管に近接した箇所は、山砂などの良質土で埋め戻す。その後、全体を掘削土で埋め戻す。残土は、処理する。
	⑪	埋戻し土の仕上り厚さは、1層あたり30cm以内とし、ランマなどで十分に締め固める。
排水桝	⑫	排水管の直線部では、清掃を容易にするため、管径の120倍以内の長さごとに排水桝を設ける。
	⑬	排水管が合流する箇所・方向を変える箇所では、ゴミなどが溜まりやすいので、排水桝を設ける。
	⑭	汚水桝には、インバートを設ける。
	⑮	雨水桝には、深さ150mm以上の泥溜めを設ける。

(参考) 埋設排水配管の勾配は、全数検査で確認する。埋設排水配管は、施工後の検査や修繕が困難であるため、すべての排水管に対して通水による検査を行わなければならない。

(参考) **平成22年度** 問題3 **給排水設備の施工 解答・解説**

問題3 給排水設備の引渡し時に必要となる保守管理図書

　事務所ビルで、給排水衛生設備工事の完成検査後に引き渡す図書のうち、保守管理に必要な図書名を4つ解答欄に記入しなさい。

問題3 給排水設備の引渡し時に必要となる保守管理図書	解答・解説

(解答例) 給排水設備の引渡し時に、同時に引き渡す必要のある保守管理のための図書を、保守管理図書という。保守管理図書は、9項目に分類されるので、そのうち4項目を記述する。なお、図書名は正式に決まっているわけではないので、どのような内容の図書かが分かるような記述を行うこと。

No.	保守管理に必要な図書名
①	取扱説明書
②	完成図
③	機器メーカー連絡先の一覧
④	事故発生時の緊急連絡先の一覧

（解説） 給排水設備の保守管理図書の一覧を下表に示す。

No.	保守管理図書の一覧
①	取扱説明書（機器の運転などに関するもの）
②	完成図（修正された設計図）
③	機器メーカー連絡先の一覧表
④	事故発生時の緊急連絡先の一覧表
⑤	保守管理書
⑥	機器の保証書
⑦	工事記録写真
⑧	運転指導書
⑨	試運転記録（騒音・振動・電圧・電流に関するもの）

参考 **平成21年度** 問題3 **給排水設備の施工 解答・解説**

問題3 壁付け手洗器・壁付け洗面器の据付け

　壁付け手洗器・洗面器を据え付ける場合の留意事項を4つ解答欄に簡潔に記述しなさい。ただし、工程管理及び安全管理に関する事項は除く。

問題3	壁付け手洗器・壁付け洗面器の据付け	解答・解説

（解答例） 壁付け手洗器・壁付け洗面器の据付けでは、固定・取付け高さ・配管・吐水量の視点から、必要となる措置を留意事項として記述する。

視点	No.	留意事項
固定	①	コンクリート製の壁には、エキスパンションボルトまたは樹脂製プラグを用いて直接留める。 軽量鉄骨壁には、ボルトを用いて予め取り付けた補強鋼材に留める。
取付け高さ	②	手洗器の高さは800mmとする。洗面器の高さは750mmとする。
配管	③	手洗器・洗面器のあふれ縁と水栓との間には、十分な広さの吐出口空間を確保する。
吐水量	④	吐水量が、規定の吐出量になるよう調整する。

解説 壁付け手洗器・壁付け洗面器の据付けにおける視点および留意事項は、以下の通りである。

視点	No.	留意事項
固定	①	器具をコンクリート壁に取り付けるときは、エキスパンションボルトまたは樹脂製プラグを用いて固定する。
	②	器具を木造の壁に取り付けるときは、厚さ30mm以上の補強木を壁に取り付けてから、それに器具を固定する。
	③	器具を軽量鉄骨壁ボード・金属パネル壁に取り付けるときは、鉄板またはアングルを壁に取り付けてから、それに器具を固定する。
取付け高さ	④	手洗器は800mmの高さに、洗面器は750mmの高さに取り付ける。
配管	⑤	器具の排水口と器具のあふれ縁との間には、十分な広さの吐出口空間を確保する。
隙間	⑥	壁と洗面器具との間にある隙間には、漏水を防ぐため、耐熱性かつ不乾性のシール材を詰める。
器具取付け	⑦	陶器を壁に取り付けるときは、片締めとならないよう、器具の両側を均等に締め付ける。
吐水量	⑧	水栓からの吐水量が、規定の吐出量になるよう調整する。

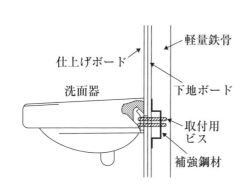

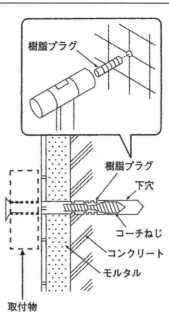

> 問題3 水道用硬質塩化ビニルライニング鋼管のねじ接合の留意点

　事務所ビルの屋内に、給水管〈塩ビライニング鋼管（ねじ接合）〉を施工する場合の留意事項を4つ解答欄に簡潔に記述しなさい。

ただし、管の切断に関する事項、工程管理及び安全管理に関する事項は除く。

| 問題3 | 水道用硬質塩化ビニルライニング鋼管のねじ接合の留意点 | 解答・解説 |

※本問は、平成25年度 問題3 とほぼ同一の問題であるため、解答例と解説は、平成25年度 問題3 とと同じです。

解答例　水道用硬質塩化ビニルライニング鋼管のねじ接合では、加工と接合の視点から、必要となる措置を留意事項として記述する。

視点	No.	留意事項
加工	①	管を切断するときは、帯鋸盤・弓鋸盤などを用いて、管軸に対して直角に切る。
	②	加工ねじ径は、リングゲージを用いて測定し、許容範囲内であることを確認する。
接合	③	ねじ部を清掃し、そこに水道用液状シール剤を塗布する。
	④	管の継手は、管端防食継手とする。

解説　水道用硬質塩化ビニルライニング鋼管のねじ接合における留意事項は、以下の通りである。

視点	No.	留意事項
加工	①	管を切断するときは、帯鋸盤・弓鋸盤などを用いて、管軸に対して直角に切る。
	②	加工ねじ径は、リングゲージを用いて測定し、許容範囲内であることを確認する。
	③	管の切断口は、リーマやスクレーパー等を用いて、ライニング部の面取りを行う。
接合	④	ねじ部を清掃し、そこに水道用液状シール剤を塗布する。
	⑤	管の継手は、管端防食継手とする。
	⑥	余ねじ部およびパイプレンチ跡には、錆止めペイントを塗布する。

問題3 排水管の敷地内埋設施工

事務所ビルの敷地内に、排水管(硬質ポリ塩化ビニル管)を埋設施工する場合の留意事項を4つ解答欄に簡潔に記述しなさい。

ただし、管の切断及び接合に関する事項、工程管理及び安全管理に関する事項は除く。

問題3 排水管の敷地内埋設施工	解答・解説

解答例 排水管の敷地内埋設施工では、掘削・埋設深さ・漏水テスト・排水桝の視点から、必要となる措置を留意事項として記述する。

視点	No.	留意事項
掘削	①	掘削の幅は、必要最小限とするが、桝を設ける箇所は少し幅を広くする。
埋設深さ	②	排水管の埋設深さは、凍結深度以上かつ20cm以上とする。
漏水テスト	③	満水テストを行い、漏水がないことを確認してから埋め戻す。
排水桝	④	排水管の直線部では、管径の120倍以内の長さごとに、清掃用の排水桝を設ける。これに加えて、排水管が合流する箇所・方向を変える箇所にも、清掃用の排水桝を設ける。

解説 排水管の敷地内埋設施工における留意事項は、以下の通りである。

視点	No.	留意事項
掘削	①	掘削の幅は、必要最小限とするが、桝を設ける箇所は少し幅を広くする。
	②	掘削の深さは、過掘りを避け、規定の範囲内で、浅い位置とする。
	③	掘削の勾配は、床付け面に沿った平坦なものとする。
埋設深さ	④	排水管の埋設深さは、凍結深度以上かつ20cm以上とする。
漏水テスト	⑤	排水管は、満水テストを行い、漏水がないことを確認してから埋め戻す。
排水桝	⑥	排水管の直線部では、管径の120倍以内の長さごとに、清掃用の排水桝を設ける。これに加えて、排水管が合流する箇所・方向を変える箇所にも、清掃用の排水桝を設ける。
	⑦	汚水桝には、インバートを設ける。
	⑧	雨水桝には、深さ150mm以上の泥溜めを設ける。

問題3 管材の切断・接合の留意点

　次の(1)～(3)の管材より1つ選び、解答欄にその名称を記載し、その管材を切断・接合する上での留意事項を4つ解答欄に簡潔に記述しなさい。

　ただし、工程管理、安全管理に関する事項は除く。

【管材】　(1) 水道用硬質塩化ビニルライニング鋼管(ねじ接合)

　　　　　(2) 硬質ポリ塩化ビニル管(接着接合)

　　　　　(3) 銅管(差込み接合)

問題3 管材の切断・接合の留意点　　　　　　　　　　　　　解答・解説

解答例 (1) 水道用硬質塩化ビニルライニング鋼管 (ねじ接合)を切断・接合する上での留意事項は、以下の通りである。

視点	No.	留意事項
切断	①	管を切断するときは、帯鋸盤・弓鋸盤などを用いて、管軸に対して直角に切る。
	②	管の切断口のライニング部は、リーマやスクレーパー等を用いて、面取りを行う。
接合	③	管を接合するときは、管端防食継手を用いる。
	④	余ねじ部およびパイプレンチ跡には、防錆のため、錆止めペイントを塗る。

(2) 硬質ポリ塩化ビニル管(接着接合)を切断・接合する上での留意事項は、以下の通りである。

視点	No.	留意事項
切断	①	管を切断するときは、専用カッターを用いて、管軸に対して直角に切る。
	②	管の切断口は、リーマやスクレーパーなどを用いて、面取りを行う。
接合	③	差し込み深さを管理するため、差し込む管の管端にマーキングを行う。
	④	抜け出しを防止するため、差込み後から接着するまでの一定時間、手で押さえる。

(3) 銅管(差込み接合)を切断・接合する上での留意事項は、以下の通りである。

視点	No.	留意事項
切断	①	管を切断するときは、金鋸盤・電動鋸盤などを用いて、管軸に対して直角に切る。
	②	管の切断口は、リーマやスクレーパーなどを用いて、バリ取り・面取りを行う。
接合	③	接合部は、十分に加温してから、軟ろう付けまたは硬ろう付けにより接合する。
	④	フラックス(溶剤)は、差し口に対してのみ、薄く均一に塗布する。

解説　解答例の通りである。切断・接合には無関係な加工・処理を記述しないよう注意する。

第4章　工程管理（選択）

問題 4 の工程管理では、空気調和設備・給排水設備の作業手順を記述する問題、バーチャート工程表を作成して工事全体の工期を求める問題、バーチャート工程表に累積出来高曲線（S字曲線）を記入して各作業日の累積出来高や作業内容を求める問題が、主に出題されている。また、上記の他にも、工程表の特徴・水圧試験・気密試験・室外ユニットの据付けなどの作業について、その留意点を記述する問題が出題されることもある。

2級管工事施工管理技術検定試験第二次検定の 問題 4 工程管理は、選択問題であったが、今後の試験では必須問題になると思われる。過去10年間の出題の傾向は、下表の通りである。

最新 10 年間の出題分析表

出題項目	令和5	令和4	令和3	令和2	令和元	平成30	平成29	平成28	平成27	平成26
バーチャート工程表	○	○	○	○	○	○	○	○	○	○
累積出来高曲線	○	○	○	○	○	○	○	○	○	○
作業日程の変更	○	○	○	○	○		○			
工程管理の用語		○						○		○
工程表の特徴							○		○	
タクト工程表			○		○					

出題の
ポイント

本年度の試験では、バーチャートの読解（作業日程と工期の算定）、累積出来高の計算、バーチャート工程表の特徴、工程管理の用語についての問題が出題される可能性が高い。また、最初の設問で出題されることの多い、作業の順序（空気調和設備工事と給排水設備工事の作業工程）については、覚えていないとすべての設問を解くことが困難となってしまうおそれがあるので、しっかりと学習する必要がある。

試験問題の見直し

令和6年度以降の第二次検定では、問題 4 「工程管理」が選択問題から必須問題に変更されることが、試験実施団体から発表されています。そのため、問題 4 「工程管理」に関する内容は、令和5年度以前の第二次検定とは異なり、必ず学習しなければならない事項になる（選択しない問題として無視することができなくなる）と思われます。

4-1-1 問題4 管工事の作業手順

(1) 空気調和設備と給排水設備の作業工程

一般的な管工事の作業工程は、下記の通りである。

〈空気調和設備工事〉

準備 → 墨出し → 基礎工事 → 機器据付け → ダクト・配管 → 気密試験(真空引きを含む) → 試運転 → 後片付け

〈給排水設備工事〉

準備 → 墨出し → 配管 → 満水試験・水圧試験 → 保温 → 建築隠ぺい工事 → 給排水機器取付け → 試運転 → 後片付け

(2) 給排水管の施工順序

複数の種類の給排水管を施工するときは、切り回し工事をしにくい管・勾配を有する管など、施工の変更が困難な管を先に施工する。一般的な給排水管の施工順序は、下記の通りである。

汚水排水管 → 雑排水管 → 通気管 → 給湯管 → 給水管

工程管理

バーチャート工程表と累積出来高曲線(S字曲線)を作成する問題の例として、下記の工程で作業する工事を考える。なお、出来高とは、工事全体の請負金額を100%としたとき、各作業工程にかかる請負金額の割合を%で表したものである。

	作業名	工程(日数)	出来高
A	墨出し	2日	10%
B	配管	4日	80%
C	水圧試験	1日	5%
D	後片付け	1日	5%
累積		工期:8日	全出来高:100%

(1) バーチャート・累積出来高曲線を作成する方法

手順①　工期が8日なので、工程表の横軸を8マスに分割する。

手順②　各作業の作業名を、作業順序の通りに、上から、工程表の縦軸に記入する。

手順③　各作業の所要日程を、工程表内に棒グラフとして記入する。

手順④　各作業の進捗日ごとの出来高の累積値を、工程表内にグラフとして記入する。

(2) バーチャート・累積出来高曲線の作成の実践

※この工程表では、土日などの休日は考慮していない。

作業名		工程(日数)	出来高(作業毎)	出来高(1日毎)	出来高(累積)	1	2	3	4	5	6	7	8	(累積)
A	墨出し	2日	10%	5%/日	10%						90%	95%		100%
B	配管	4日	80%	20%/日	90%									75%
C	水圧試験	1日	5%	5%/日	95%			累積曲線						50% 25%
D	後片付け	1日	5%	5%/日	100%	0%		10%						

タクト工程とは、高層建築物の施工において、各階で同一の作業を実施する場合に、各階の一連の作業工程をパターン化した工程のことである。タクト工程では、同一の作業を繰返し行うため、工期の短縮・品質の向上を見込むことができる。タクト工程は、高層建築物の建築工事・設備工事で採用されることが多いが、低層建築物の施工には不向きである。

上記 4-1-2 で作成したバーチャートを、タクト工程による3階建てのビルの施工に適用したものを下記に示す。これをタクト工程表と呼ぶ。

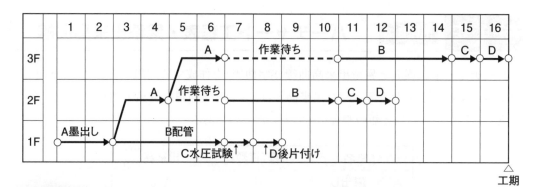

	1	2	3	4	5	6	7	8	9	10	11	12	13	14	15	16

△
工期

4-1-4 問題4　　　　各種の工程表の特徴

　作業ごとに工程を管理する工程表として代表的なものは、バーチャート工程表・ネットワーク工程表・累積出来高曲線(S字曲線/Sカーブ)による工程表・工程管理曲線(バナナ曲線)による工程表の4つである。それぞれの工程表は、使用目的が異なるので、施工においては、適切な工程表を採用することが重要である。　一般に、中小工事ではバーチャートとS字曲線が、大工事ではネットワークとバナナ曲線が用いられる。

(1) バーチャート工程表

　バーチャート工程表は、各作業の出来高を管理するために用いられる。バーチャート工程表では、縦軸に作業名を、横軸に工期を取り、各作業の予定作業日数を横線または横棒で階段状に表す。バーチャート工程表は、作成が非常に簡単であるため、小規模工事・中規模工事で用いると効果的である。

　バーチャート工程表の長所は、「ネットワーク工程表とは異なり特別な計算が不要であるため、作成が簡単であること」「予定作業日数を表す横線の下に、実際の作業日数を表す横線を書き加えれば、作業の進捗状況が一目瞭然となること」である。バーチャート工程表の短所は、「工期に影響する作業である重点管理作業が不明であること」「作業の相互関係が漠然としていること」である。

(2) ネットワーク工程表

　ネットワーク工程表は、各作業の出来高を管理するために用いられる。ネットワーク工程表は、作業の相互関係を明確にするため、イベントと矢線を用いて作成する。ネットワーク工程表は、他の工程表とは異なり、工程を図形で表現することはないが、厳密な管理が可能であるため、大規模工事で用いると効果的である。

　ネットワーク工程表の長所は、「工期に影響する作業である重点管理作業が明確であること」「作業の相互関係が明確であること」「工期の短縮が必要になったとき、工程表を合理的に修正できること」である。ネットワーク工程表の短所は、「バーチャートと比べて作成が困難であること」「作業の進捗状況が一目では不明なこと」である。

(3) 累積出来高曲線（S字曲線／Sカーブ）による工程表

　累積出来高曲線は、工事全体の出来高を管理するために用いられる。累積出来高曲線では、縦軸に出来高率を、横軸に工期を取り、各作業の出来高（経費）を累積して一本の線で表す。なお、作業開始日の出来高率を0%、作業完了日の出来高率を100%とする。累積出来高曲線は、作業ごとに、各工程の支払経費を累積した予定支払経費率を表したものであり、工事全体の進捗状況を管理することができる。中小規模工事では、工程管理にバーチャートと累積出来高曲線をセットにして用いると効果的である。

(4) 工程管理曲線（バナナ曲線）による工程表

　工程管理曲線は、工事全体の出来高を管理するために用いられる。工程管理曲線は、最早で作業した場合の上方許容限界曲線と、最遅で作業した場合の下方許容限界曲線を記入したものであり、最早・最遅の2本の線の間は、工程の許容範囲を示したものとなる。

　上方許容限界曲線と下方許容限界曲線は、過去の多数の実績から求め、実際の作業の累積出来高が工程管理曲線内にあるよう工程管理を行う。工程管理曲線は、ネットワーク工程表を作成するような大規模工事で用いると効果的である。工程管理曲線の例を右図に示す。

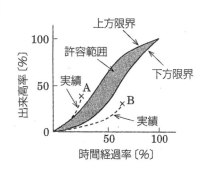

　実際の累積出来高が下方許容限界曲線を下回った場合（上図B）、突貫工事を行って工程を工程管理曲線内に戻さなければならない。実際の累積出来高が上方許容限界曲線を上回った場合（上図A）、工程に無駄があるために進みすぎていることを示しているので、工程を調整する必要がある。

(5) 各工程表の分類と特徴

工程表の種類	工程表の目的	工程表の特徴
バーチャート工程表	各作業の進捗状況の管理	①作成が容易 ②進捗状況が一目瞭然
ネットワーク工程表		①作成が困難 ②重点管理作業が判明
累積出来高曲線（S字曲線）	工事全体の進捗状況の管理	①出来高目標が明確 ②突貫工事の時期が不明
工程管理曲線（バナナ曲線）		①管理が柔軟 ②突貫工事の時期が明確

4-1-5 問題 4　管工事の作業における留意点

(1) 室外ユニットの据付け作業における留意点

① 室外ユニットの騒音・排気が、隣地に影響しないようにする。

② 耐震性を確保するため、室外ユニットを基礎にボルトで固定する。

③ 室外ユニットは、通風の良い場所に据え付ける。

④ 室内ユニットと室外ユニットとの距離は、性能を低下させない範囲内とする。

(2) 配管試験における留意点

① **水圧試験**：給水管からの漏水の有無を確認するときは、管に1.75MPaの水圧をかけた状態で試験する。

② **満水試験**：排水管からの漏水の有無を確認するときは、満水継手を用いて排水管を満水にした状態で試験する。満水継手を用いずに試験をするときは、排水立て管をゴム風船状のもので閉塞し、排水管を満水にした状態で試験する。

③ **気密試験**：冷媒管内からの漏気の有無を確認するときは、管内に不活性ガス（窒素ガス・炭酸ガスなど）を流入し、そこに圧力をかけても圧力が低減しないかを見る。その後は、冷媒管内を乾燥させるため、真空引きにより管内の水分を除去する必要がある。

工程管理

4-2 最新問題解説

令和5年度 問題4 工程管理　解答・解説

問題4　バーチャート工程表(工期・累積出来高・工期短縮)

2階建て事務所ビルの新築工事において、空気調和設備工事の作業が下記の表及び施工条件のとき、次の設問1及び設問2の答えを解答欄に記述しなさい。

作業名	1階部分		2階部分	
	作業日数	工事比率	作業日数	工事比率
準備・墨出し	1日	2%	1日	2%
水圧試験	2日	2%	2日	2%
試運転調整	2日	6%	2日	6%
保温	3日	9%	3日	9%
機器設置	2日	13%	2日	13%
配管	5日	18%	5日	18%

(注) 表中の作業名の記載順序は、作業の実施順序を示すものではない。

[施工条件]

① 1階部分の準備・墨出しの作業は、工事の初日に開始する。

② 機器設置の作業は、配管の作業に先行して行うものとする。

③ 各作業は、同一の階部分では、相互に並行作業しないものとする。

④ 同一の作業は、1階部分の作業が完了後、2階部分の作業に着手するものとする。

⑤ 保温施工後に2日間天井貼り作業があり、その間、同一の階部分では設備工事を行わないものとする。

⑥ 各作業は、最早で完了させるものとする。

⑦ 土曜日、日曜日は、現場での作業を行わないものとする。

〔設問1〕　バーチャート工程表を作成し、次の(1)及び(2)に答えなさい。

　　　　　ただし、各作業の出来高は、作業日数内において均等とする。

　　　　　（バーチャート工程表の作成は、採点対象外です。）

(1)　工事全体の工期は何日になるか答えなさい。

(2)　①　累積出来高が80％を超えるのは工事開始後何日目になるか答えなさい。

　　　②　その日に2階で行われている作業の作業名を答えなさい。

〔設問2〕　工期短縮のため、配管及び保温の各作業について1階部分と2階部分は、別々の班で

　　　　　下記の条件で並行作業を行うこととした。バーチャート工程表を作成し、次の(3)及び

　　　　　(4)に答えなさい。

　　　　　（バーチャート工程表の作成は、採点対象外です。）

(条件)　配管及び保温の各作業は、1階部分と2階部分の作業を同じ日に並行作業することがで

　　　　きるものとし、それ以外は、当初の作業日数、工事比率、施工条件から変更がないもの

　　　　とする。

(3)　工事全体の工期は何日になるか答えなさい。

(4)　工事開始後17日目の作業終了時点での累積出来高を答えなさい。

（工程管理）

〔設問1〕　作業用

階数	作業名	工事比率(%)	月1	火2	水3	木4	金5	土6	日7	月8	火9	水10	木11	金12	土13	日14	月15	火16	水17	木18	金19	土20	日21	月22	火23	水24	木25	金26	土27	日28	月29	火30	水31	累積比率(%)
	準備・墨出し		■																															
1階																																		100
																																		90
																																		80
																																		70
																																		60
																																		50
																																		40
2階																																		30
																																		20
																																		10
																																		0

274

階数	作業名	工事比率(%)	月1	火2	水3	木4	金5	土6	日7	月8	火9	水10	木11	金12	土13	日14	月15	火16	水17	木18	金19	土20	日21	月22	火23	水24	木25	金26	土27	日28	月29	火30	水31	累積比率(%)
1階	準備・墨出し		■																															100 90 80 70 60 50
2階																																		40 30 20 10 0

※令和5年度の問題では、令和元年度までの問題とは異なり、「バーチャート工程表を完成させなさい」という設問が存在しないので、この用紙は作業用としてのみ使用すればよい。

解答

設問	問		解答
設問1	(1)		30 日
	(2)	①	22 日目
		②	保温
設問2	(3)		25 日
	(4)		82%

解説　バーチャート工程表の基礎は習得済みの経験者向けの解説

※初学者向けの解説は本書の 278 ページに掲載されています。

　バーチャートの累積出来高を計算するので、1日あたりの出来高と共に予め計算し、累積出来高表を作成する。表では、1階が50%・2階が50%で、合計で100%になると考える。作業名の欄は、作業事項の順番に並べ替えて記入する。

No.	作業名(作業順)	作業日数	工事比率	1日出来高	1階累積	1・2階累積
1	準備・墨出し	1 日	2%	2 ÷ 1 = 2%	0 + 2 = 2%	4%
2	機器設置	2 日	13%	13 ÷ 2 = 6.5%	2 + 13 = 15%	30%
3	配管	5 日	18%	18 ÷ 5 = 3.6%	15 + 18 = 33%	66%
4	水圧試験	2 日	2%	2 ÷ 2 = 1%	33 + 2 = 35%	70%
5	保温	3 日	9%	9 ÷ 3 = 3%	35 + 9 = 44%	88%
6	試運転調整	2 日	6%	6 ÷ 2 = 3%	44 + 6 = 50%	100%

バーチャートの工期を計算するため、バーチャートに１階の作業を記入した後に、同一作業が重ならないようにバーチャートを完成させる。このとき、保温工事（３日）の修了後には２日間の天井貼り（建築工事）が入るため、この２日間は管工事が行えないので、・・で天井貼り工事をバーチャートに記入する。

また、管工事は、１階の工種の作業が終了した時点で、２階の工種の作業を行うことが決められている。したがって、配管作業などは、１階と２階の並行作業としては行えない。

以上の条件を満たすバーチャートを示すと、次のようになる。

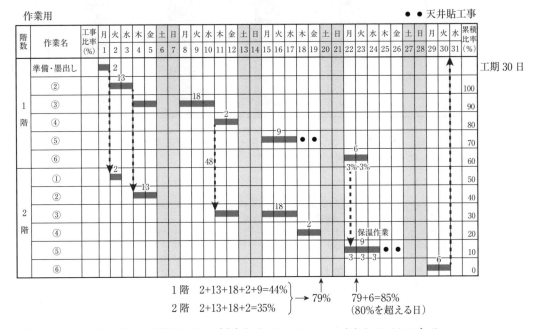

(1) バーチャートより、工期は 30 日（火）となる。よって、(1)は 30 日である。

(2) 累積出来高表から、80％を超えるのは 85％となる保温作業であるから、バーチャートにおける２階の保温作業開始前の水圧試験の終了日である 19 日（金）までの累積を求めると、１階の累積 ＝ 2 ＋ 13 ＋ 18 ＋ 2 ＋ 9 ＝ 44、２階の累積 ＝ 2 ＋ 13 ＋ 18 ＋ 2 ＝ 35 となる。19 日（金）の累積出来高は 44 ＋ 35 ＝ 79％であり、22 日（月）の出来高は試運転調整 3％と保温 3％となり累積出来高は 79 ＋ 6 ＝ 85％となるので、80％を超えるのは 22 日であり、そのときの２階の作業は保温作業である。よって、(2)①は 22 日目、(2)②は保温である。

工期30日を短縮する必要があり、各作業の日程を調整した後、最も合理的な短縮方法として、設問に書かれた条件であることが判明したので、工程計画を変更し、直列工程から、作業日数の最も多い配管作業と次に多い保温作業に着目し、この2つの作業について、1階と2階を2班体制として、1階・2階を同時並行できるよう手配を変更した。配管作業と保温作業以外は、並行作業を許さないものとしたときのバーチャートを作成する。

以上の配管作業と保温作業を1階・2階並行作業の2班体制としたときのバーチャートは、次のようになる。

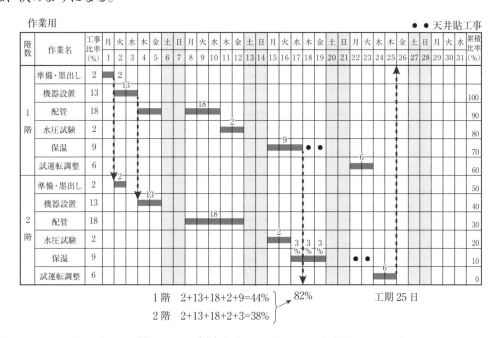

1階 2+13+18+2+9=44%
2階 2+13+18+2+3=38% 82% 工期25日

(3) バーチャートより、工期は25日(木)となる。よって、(3)は25日である。

(4) 工事開始17日の作業である保温作業1日目の出来高は3%である。1階の出来高の累積＝2＋13＋18＋2＋9＝44％である。2階の出来高の累積＝2＋13＋18＋2＋3＝38％である。1階・2階の出来高の累積は44＋38＝82％である。よって、(4)は82％である。

(5) 以上のように、出来高の累積は、問題を解く前に、累積出来高表を作成しておけば、S字曲線を求めなくても概略の出来高管理ができる。しかも、工程計画に変更があっても柔軟に対応できる。作業1日ごとの出来高を累積してS字曲線を作成することも必要なことであるが、各作業の終了ごとの出来高を求めて管理することも現場では重要なことである。

| 問題 4 | 設問 1 | 作業の実施順序（各設問に解答するための前提となる事項） |

① 問題文中には、「表中の作業名の記載順序は、作業の実施順序を示すものではない」と書かれているので、最初に、作業名を作業の実施順序の通りに並び替える必要がある。

② 作業の並び替えをするときには、「機器設置の作業は、配管の作業に先行して行う」などの問題文中に書かれている施工条件を見落とさないようにすると共に、「配管の保温は、水圧試験の後に行う」などの管工事の原則を認識しておくことが重要である。

この作業順を理解していない（誤って覚えている）と、バーチャートの作成方法や活用方法を理解していたとしても、この先の設問に対する解答が正しくできなくなってしまうので、管工事（空調設備工事および衛生設備工事）の作業の一般的な実施順序は、確実に覚えておく必要がある。

作業表（作業名を作業の実施順序通りに並び替えたもの）

作業名	1 階部分		2 階部分	
	作業日数	工事比率	作業日数	工事比率
準備・墨出し	1 日	2%	1 日	2%
機器設置	2 日	13%	2 日	13%
配管	5 日	18%	5 日	18%
水圧試験	2 日	2%	2 日	2%
保温	3 日	9%	3 日	9%
試運転調整	2 日	6%	2 日	6%

（注）表中の作業名の記載順序は、作業の実施順序を示すものである。

管工事（空調設備工事および衛生設備工事）の作業の一般的な実施順序

空調設備工事の作業順序	準備 ➡ 墨出し ➡ 基礎打設 ➡ 屋外機設置 ➡ 屋内機設置 ➡ 配管 ➡ 試験 ➡ 保温 ➡ 器具取付け ➡ 試運転調整 ※この作業順序に例外がある場合は、問題文中に明記されている。
衛生設備工事の作業順序	準備 ➡ 墨出し ➡ 配管 ➡ 試験 ➡ 保温 ➡ 建築仕上げ ➡ 器具取付け ➡ 試運転調整 ※この作業順序に例外がある場合は、問題文中に明記されている。

問題4	設問1	(1)	工事全体の工期		解答	30 日

① 工事全体の工期を求めるためには、どの作業を何日目に行うかを検討する必要がある。

② 上記の作業表（作業名を作業の実施順序通りに並び替えたもの）と、問題文中の［施工条件］を注視し、次のような表を作成する。特に注意する［施工条件］は、④と⑤である。

③ ［施工条件］④には、「同一の作業は、1階部分の作業が完了後、2階部分の作業に着手する」と書かれている。したがって、下表の「1階部分の作業」と「2階部分の作業」の同一の行に、同一の作業日を記入してはならない。一例として、3日目（水曜日）には、2階部分の準備・墨出し作業は完了しているが、1階部分の機器設置作業が行われているので、2階部分の機器設置作業を行うことはできない。そのため、2階部分の機器設置作業は、3日目（水曜日）ではなく4日目（木曜日）に開始することになる。

④ ［施工条件］⑤には、「保温施工後に2日間天井貼り作業があり、その間、同一の階部分では設備工事を行わない」と書かれている。したがって、作業表の「保温」と「試運転調整」の行の間には、下表のように「（天井貼り）」の行を追加する必要がある。一例として、18日目（木曜日）と19日目（金曜日）には、1階部分の保温作業は完了しているが、1階部分では天井貼りの作業が行われているので、試運転調整などの設備工事を行うことはできない。

作業表（各階における各作業の作業日を明示したもの）

1階部分の作業			2階部分の作業		
作業名	日数	作業日	作業名	日数	作業日
準備・墨出し	1日	1(月)	準備・墨出し	1日	2(火)
機器設置	2日	2(火)，3(水)	機器設置	2日	4(木)，5(金)
配管	5日	4(木)，5(金)，8(月)，9(火)，10(水)	配管	5日	11(木)，12(金)，15(月)，16(火)，17(水)
水圧試験	2日	11(木)，12(金)	水圧試験	2日	18(木)，19(金)
保温	3日	15(月)，16(火)，17(水)	保温	3日	22(月)，23(火)，24(水)
（天井貼り）	2日	18(木)，19(金)	（天井貼り）	2日	25(木)，26(金)
試運転調整	2日	22(月)，23(火)	試運転調整	2日	29(月)，30(火)

(注)この工事の初日は、問題文中の「作業表」を見ると、月曜日であることが分かる。

⑤ 最終作業である2階部分の「試運転調整」が完了する日が、工事開始後30日目になるので、この工事全体の工期は、**30日**になる。

問題 4	設問 1	(2)	① 累積出来高が 80% を超える日	解答	22 日目
			② その日に 2 階で行われている作業	解答	保温

① 工事開始後の任意の日時における累積出来高を求めるためには、各階における各作業について、1 日あたりの出来高を求める必要がある。

② 問題文中には、「各作業の出来高は、作業日数内において均等とする」と書かれているので、「各階における各作業の 1 日あたりの出来高＝工事比率÷作業日数」である。

※「天井貼り」の作業は、空気調和設備工事とは関係がないので、工事比率は 0% とする。

各階における各作業の 1 日あたりの出来高

作業名	各階共通		1 階部分	2 階部分
	作業日数	工事比率	1 日あたりの出来高	1 日あたりの出来高
準備・墨出し	1 日	2%	2%÷1 日＝2.0%	2%÷1 日＝2.0%
機器設置	2 日	13%	13%÷2 日＝6.5%	13%÷2 日＝6.5%
配管	5 日	18%	18%÷5 日＝3.6%	18%÷5 日＝3.6%
水圧試験	2 日	2%	2%÷2 日＝1.0%	2%÷2 日＝1.0%
保温	3 日	9%	9%÷3 日＝3.0%	9%÷3 日＝3.0%
（天井貼り）	2 日	0%	0%÷2 日＝0.0%	0%÷2 日＝0.0%
試運転調整	2 日	6%	6%÷2 日＝3.0%	6%÷2 日＝3.0%

工程管理

③ 累積出来高とは、それを算定する日までの1日あたりの出来高の合計（前日の累積出来高＋その日の1日あたりの出来高）である。各作業日の作業終了時点での累積出来高は、各階における各作業の作業日と1日あたりの出来高から、下表のように示される。

各作業日の作業終了時点での累積出来高

作業日	1 (月)	2 (火)	3 (水)	4 (木)	5 (金)	6 (土)	7 (日)	8 (月)	9 (火)	10 (水)
1階の作業(省略して表記)	準備	機器	機器	配管	配管			配管	配管	配管
1階の作業の出来高[%]	2.0	6.5	6.5	3.6	3.6			3.6	3.6	3.6
2階の作業(省略して表記)		準備		機器	機器					
2階の作業の出来高[%]		2.0		6.5	6.5					
1日あたりの出来高[%]	**2.0**	**8.5**	**6.5**	**10.1**	**10.1**			**3.6**	**3.6**	**3.6**
累積出来高[%]	**2.0**	**10.5**	**17.0**	**27.1**	**37.2**			**40.8**	**44.4**	**48.0**

作業日	11 (木)	12 (金)	13 (土)	14 (日)	15 (月)	16 (火)	17 (水)	18 (木)	19 (金)	20 (土)
1階の作業(省略して表記)	試験	試験			保温	保温	保温	天井	天井	
1階の作業の出来高[%]	1.0	1.0			3.0	3.0	3.0	0.0	0.0	
2階の作業(省略して表記)	配管	配管			配管	配管	配管	試験	試験	
2階の作業の出来高[%]	3.6	3.6			3.6	3.6	3.6	1.0	1.0	
1日あたりの出来高[%]	**4.6**	**4.6**			**6.6**	**6.6**	**6.6**	**1.0**	**1.0**	
累積出来高[%]	**52.6**	**57.2**			**63.8**	**70.4**	**77.0**	**78.0**	**79.0**	

作業日	21 (日)	22 (月)	23 (火)	24 (水)	25 (木)	26 (金)	27 (土)	28 (日)	29 (月)	30 (火)
1階の作業(省略して表記)		調整	調整							
1階の作業の出来高[%]		3.0	3.0							
2階の作業(省略して表記)		保温	保温	保温	天井	天井			調整	調整
2階の作業の出来高[%]		3.0	3.0	3.0	0.0	0.0			3.0	3.0
1日あたりの出来高[%]		**6.0**	**6.0**	**3.0**	**0.0**	**0.0**			**3.0**	**3.0**
累積出来高[%]		**85.0**	**91.0**	**94.0**	**94.0**	**94.0**			**97.0**	**100**

④ 上表の「累積出来高」の欄（各作業日の作業終了時点での累積出来高を示す欄）に着目する。
- 「作業日：19(金)」の「累積出来高」の欄の数値は、「79.0」である（80％以下である）。
- 「作業日：22(月)」の「累積出来高」の欄の数値は、「85.0」である（80％を超えている）。

したがって、累積出来高が80％を超えるのは、工事開始後 **22日目** になる。

⑤ 上表の「作業日：22(月)」（累積出来高が80％を超える日）の「2階の作業」の欄に着目する。
- 「作業日：22(月)」の「2階の作業」の欄の文字は、「保温」である。

したがって、その日に2階で行われている作業の作業名は、**保温**である。

工程管理

〔設問1〕作業用（バーチャート工程表の作成は、採点対象外です。）

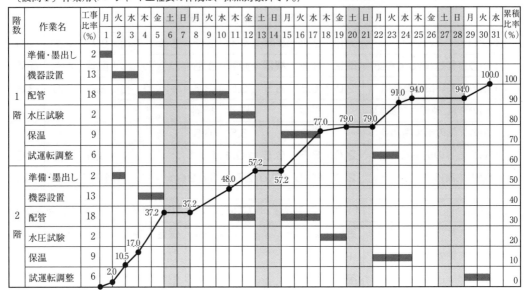

階数	作業名	工事比率(%)	月1	火2	水3	木4	金5	土6	日7	月8	火9	水10	木11	金12	土13	日14	月15	火16	水17	木18	金19	土20	日21	月22	火23	水24	木25	金26	土27	日28	月29	火30	水31	累積比率(%)

※このバーチャート工程表には、累積出来高曲線（各作業日の累積出来高を示す線）を併記している。

※天井貼りの作業は、空気調和設備工事とは関係がないので、バーチャート工程表には記入しない。

問題4	設問2	(3)	工事全体の工期	解答	25 日

① 設問2では、工期短縮のために、「配管及び保温の各作業について、1階部分と2階部分は別々の班で並行作業を行う」ようになったことが示されている。

② 設問中の［条件］を見ると、［施工条件］の④にあった「同一の作業は、1階部分の作業が完了後、2階部分の作業に着手する」という制限が、「配管」と「保温」の作業については取り払われていることが分かる。これにより、「作業表（各階における各作業の作業日を明示したもの）」の「配管」と「保温」の行については、「1階部分の作業」と「2階部分の作業」の同一の行に、同一の作業日を記入することができるようになった。

③「2階の作業」について、各作業の作業日が変更されたので、 設問1 の(1)と同様の手順で、並行作業を行う場合の「作業表（各階における各作業の作業日を明示したもの）」を作成する。

作業表（各階における各作業の作業日を明示したもの）［並行作業を行う場合］

1階部分の作業		
作業名	日数	作業日
準備・墨出し	1日	1 (月)
機器設置	2日	2 (火)， 3 (水)
配管	5日	4 (木)， 5 (金)， 8 (月)， 9 (火)， 10 (水)
水圧試験	2日	11 (木)， 12 (金)
保温	3日	15 (月)， 16 (火)， 17 (水)
（天井貼り）	2日	18 (木)， 19 (金)
試運転調整	2日	22 (月)， 23 (火)

2階部分の作業		
作業名	日数	作業日
準備・墨出し	1日	2 (火)
機器設置	2日	4 (木)， 5 (金)
配管	5日	8 (月)， 9 (火)， 10 (水)， 11 (木)， 12 (金)
水圧試験	2日	15 (月)， 16 (火)
保温	3日	17 (水)， 18 (木)， 19 (金)
（天井貼り）	2日	22 (月)， 23 (火)
試運転調整	2日	24 (水)， 25 (木)

④ 最終作業である2階部分の「試運転調整」が完了する日が、工事開始後25日目になるので、並行作業を行う場合におけるこの工事全体の工期は、**25日**になる。

問題4	設問2	(4)	17日目の作業終了時点での累積出来高	解答	82%

①「2階の作業」について、各作業の作業日が変更されたので、上記の「作業表（各階における各作業の作業日を明示したもの）［並行作業を行う場合］」を基に、 設問1 の(2)と同様の手順で、並行作業を行う場合の「各作業日の作業終了時点での累積出来高」の表を作成する。

各作業日の作業終了時点での累積出来高［並行作業を行う場合］

作業日	1 (月)	2 (火)	3 (水)	4 (木)	5 (金)	6 (土)	7 (日)	8 (月)	9 (火)	10 (水)
1階の作業（省略して表記）	準備	機器	機器	配管	配管			配管	配管	配管
1階の作業の出来高 [%]	2.0	6.5	6.5	3.6	3.6			3.6	3.6	3.6
2階の作業（省略して表記）		準備		機器	機器			配管	配管	配管
2階の作業の出来高 [%]		2.0		6.5	6.5			3.6	3.6	3.6
1日あたりの出来高 [%]	2.0	8.5	6.5	10.1	10.1			7.2	7.2	7.2
累積出来高 [%]	2.0	10.5	17.0	27.1	37.2			44.4	51.6	58.8

作業日	11 (木)	12 (金)	13 (土)	14 (日)	15 (月)	16 (火)	17 (水)	18 (木)	19 (金)	20 (土)
1階の作業（省略して表記）	試験	試験			保温	保温	保温	天井	天井	
1階の作業の出来高[%]	1.0	1.0			3.0	3.0	3.0	0.0	0.0	
2階の作業（省略して表記）	配管	配管			試験	試験	保温	保温	保温	
2階の作業の出来高[%]	3.6	3.6			1.0	1.0	3.0	3.0	3.0	
1日あたりの出来高[%]	4.6	4.6			4.0	4.0	6.0	3.0	3.0	
累積出来高[%]	63.4	68.0			72.0	76.0	82.0	85.0	88.0	

作業日	21 (日)	22 (月)	23 (火)	24 (水)	25 (木)	26 (金)	27 (土)	28 (日)	29 (月)	30 (火)
1階の作業（省略して表記）		調整	調整							
1階の作業の出来高[%]		3.0	3.0							
2階の作業（省略して表記）	天井	天井	調整	調整						
2階の作業の出来高[%]	0.0	0.0	3.0	3.0						
1日あたりの出来高[%]	3.0	3.0	3.0	3.0						
累積出来高[%]		91.0	94.0	97.0	100					

② 上表の「作業日：17 (水)」の「累積出来高」の欄の数値は、「82.0」である。したがって、並行作業を行う場合における工事開始後17日目の作業終了時点での累積出来高は、**82%**である。

問題4 | **設問2** | バーチャート工程表の作成（採点対象外の事項）

〔設問2〕作業用（バーチャート工程表の作成は、採点対象外です。）

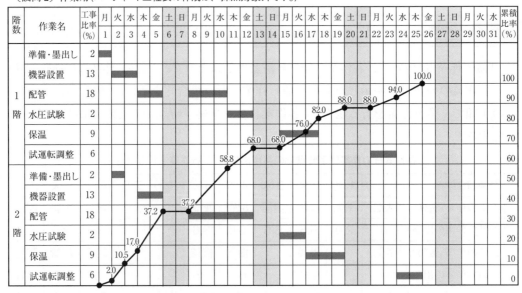

※このバーチャート工程表には、累積出来高曲線（各作業日の累積出来高を示す線）を併記している。
※天井貼りの作業は、空気調和設備工事とは関係がないので、バーチャート工程表には記入しない。

問題4　バーチャート工程表（工期・累積出来高・工期短縮）

ある建築物を新築するにあたり、ユニット形空気調和機を設置する空気調和設備の作業名、作業日数、工事比率が下記の表及び施工条件のとき、次の設問1～設問3の答えを解答欄に記述しなさい。

作業名	作業日数	工事比率
準備・墨出し	2 日	2 ％
コンクリート基礎打設	1 日	3 ％
水圧試験	2 日	5 ％
試運転調整	2 日	5 ％
保温	3 日	15 ％
ダクト工事	3 日	18 ％
空気調和機設置	2 日	20 ％
冷温水配管	4 日	32 ％

（注）表中の作業名の記載順序は、作業の実施順序を示すものではありません。

〔施工条件〕

① 準備・墨出しの作業は、工事の初日に開始する。

② 各作業は、相互に並行作業しないものとする。

③ 各作業は、最早で完了させるものとする。

④ コンクリート基礎打設後5日間は、養生のためすべての作業に着手できないものとする。

⑤ コンクリート基礎の養生完了後は、空気調和機を設置するものとする。

⑥ 空気調和機を設置した後は、ダクト工事をその他の作業より先行して行うものとする。

⑦ 土曜日、日曜日は、現場の休日とする。ただし養生期間は休日を使用できるものとする。

工程管理

〔設問1〕　バーチャート工程表及び累積出来高曲線を作成し、次の(1)及び(2)に答えなさい。

　　　　　ただし、各作業の出来高は、作業日数内において均等とする。

　　　　　（バーチャート工程表及び累積出来高曲線の作成は、採点対象外です。）

(1)　工事全体の工期は何日になるか答えなさい。

(2)　①　工事開始後18日の作業終了時点での累積出来高を答えなさい。

　　　②　その日に行われた作業の作業名を答えなさい。

〔設問2〕　工期短縮のため、ダクト工事、冷温水配管及び保温の各作業については、下記の条件で作業を行うこととした。バーチャート工程表及び累積出来高曲線を作成し、次の(3)及び(4)に答えなさい。

　　　　　ただし、各作業の出来高は、作業日数内において均等とする。

　　　　　（バーチャート工程表及び累積出来高曲線の作成は、採点対象外です。）

（条件）①　ダクト工事は1.5倍、冷温水配管は2倍、保温は1.5倍に人員を増員し作業する。なお、増員した割合で作業日数を短縮できるものとする。

　　　　②　水圧試験も冷温水配管と同じ割合で短縮できるものとする。

(3)　工事全体の工期は何日になるか答えなさい。

(4)　①　工事開始後18日の作業終了時点での累積出来高を答えなさい。

　　　②　その日に行われた作業の作業名を答えなさい。

〔設問3〕　累積出来高曲線が、その形状から呼ばれる別の名称を記述しなさい。

〔設問1〕 作業用

作業名	工事比率(%)	月	火	水	木	金	土	日	月	火	水	木	金	土	日	月	火	水	木	金	土	日	月	火	水	木	金	土	日	月	火	水	累積比率
		1	2	3	4	5	6	7	8	9	10	11	12	13	14	15	16	17	18	19	20	21	22	23	24	25	26	27	28	29	30	31	
準備・墨出し		■	■																														100 / 90
																																	80
																																	70
																																	60
																																	50
																																	40
																																	30
																																	20
																																	10
																																	0

〔設問2〕 作業用

作業名	工事比率(%)	月	火	水	木	金	土	日	月	火	水	木	金	土	日	月	火	水	木	金	土	日	月	火	水	木	金	土	日	月	火	水	累積比率
		1	2	3	4	5	6	7	8	9	10	11	12	13	14	15	16	17	18	19	20	21	22	23	24	25	26	27	28	29	30	31	
準備・墨出し		■	■																														100 / 90
																																	80
																																	70
																																	60
																																	50
																																	40
																																	30
																																	20
																																	10
																																	0

工程管理

※令和4年度の問題では、令和元年度までの問題とは異なり、「バーチャート工程表を完成させなさい」という設問が存在しないので、この用紙は作業用としてのみ使用すればよい。

設問	問		解答
設問1	(1)		30 日
	(2)	①	67%
		②	冷温水配管
設問2	(3)		23 日
	(4)	①	87.5%
		②	保温
設問3			S字曲線

解説　バーチャート工程表の基礎は習得済みの経験者向けの解説――――――

※初学者向けの解説は本書の291ページに掲載されています。

問題4	空気調和機設置作業の工程表を作成して工期を定める。

(1) 工程表を作成する前に、与えられている「施工条件」により、作業手順をあらかじめ確定させ、各作業の出来高比率を求める。併せて1日あたりの工事比率を作業日数で割って求め、累積出来高を示すと、下表のようになる。

No.	作業名	作業日数	工事比率	1日の工事比率	累積出来高
1	準備・墨出し	2 日	2%	1%	2%
2	コンクリート基礎打設	1 日	3%	3%	5%
3	空気調和機設置	2 日	20%	10%	25%
4	ダクト工事	3 日	18%	6%	43%
5	冷温水配管	4 日	32%	8%	75%
6	水圧試験	2 日	5%	2.5%	80%
7	保温	3 日	15%	5%	95%
8	試運転調整	2 日	5%	2.5%	100%

設問 1	工程表を作成して工期と 18 日目の累積出来高とその日の作業名を示す。

(2) 作業表の作業名を工程表の欄に記入し、作業日数に合わせて、コンクリート基礎打設・空気調和機設置・ダクト工事・冷温水配管・水圧試験・保温・試運転調整の欄に横線を描画し、累積出来高を記入する。

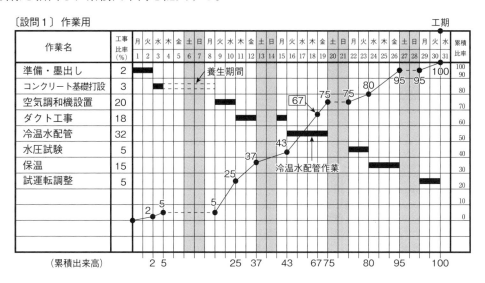

〔設問 1〕 作業用

以上の工程表により、次のようなことが分かる。

(1) 工期は、30 日(火)であるため、30 日となる。

(2) ① 工事開始 18 日目の終了時の累積出来高は、冷温水配管作業の 3 日目になるので、43 ＋ 3 ×冷温水配管の 1 日あたりの工事比率 8% ＝ 43 ＋ 3 × 8 ＝ 67%になる。

(2) ② 18 日目の作業は、冷温水配管作業である。

設問 2	工程短縮の条件を満たす工程表を作成して工期と 18 日目の累積出来高とその日の作業名を示す。

(3) 冷温水配管と水圧試験は人員 2 倍、ダクト工事と保温は人員 1.5 倍に変更し、工程短縮すると、各作業工程は各々2 分の 1 倍・3 分の 2 倍に短縮できるので、短縮日数の合計は下表のようになる。したがって、30 日の工期が 7 日間短縮される。

条件	No.	短縮後の作業日数
人員 2 倍に増加	5	冷温水配管作業日数は 4 日 ÷ 2 ＝ 2 日
	6	水圧試験作業日数は 2 日 ÷ 2 ＝ 1 日
人員 1.5 倍に増加	4	ダクト工事作業日数は 3 日 ÷ 1.5 ＝ 2 日
	7	保温作業日数は 3 日 ÷ 1.5 ＝ 2 日
短縮日数の合計日数は 7 日		

(4) 短縮工程表を作成するために表を修正すると、次のようになる。これを基に工程表を作成する。

No.	作業名	作業日数	工事比率	1日の工事比率	累積出来高
1	準備・墨出し	2日	2%	1%	2%
2	コンクリート基礎打設	1日	3%	3%	5%
3	空気調和機設置	2日	20%	10%	25%
4	ダクト工事	2日	18%	9%	43%
5	冷温水配管	2日	32%	16%	75%
6	水圧試験	1日	5%	5%	80%
7	保温	2日	15%	7.5%	95%
8	試運転調整	2日	5%	2.5%	100%

〔設問2〕作業用

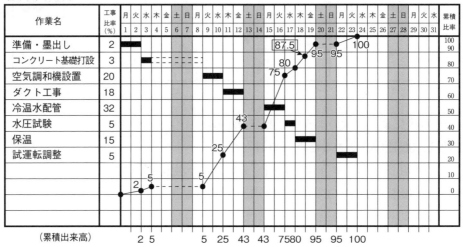

以上の工程表により、次のようなことが分かる。

(3) 工期は、7日間短縮されて 30 − 7 = 23 となり、23 日となる。

(4)① 工事開始18日目の終了時の累積出来高は、80%に保温作業の1日分の7.5%を加えて、87.5%になる。

(4)② 18日目の作業は、保温作業である。

設問3 バーチャート工程表における累積出来高曲線の別名を示す。

累積出来高曲線の別名は、Sカーブ・S字カーブ・S字曲線などである。

問題4 **設問1** 作業の実施順序(各設問に解答するための前提となる事項)

① 問題文中には、「表中の作業名の記載順序は作業の実施順序を示すものではありません」と書かれているので、最初に、作業名を作業の実施順序の通りに並び替える必要がある。

② 作業の並び替えをするときには、「空気調和機設置後はダクト工事を先行して行う」などの問題文中に書かれている施工条件を見落とさないようにすると共に、「配管の保温は水圧試験の後に行う」などの管工事の原則を認識しておく必要がある。この作業順を理解していない(誤って覚えている)と、バーチャートの作成方法や活用方法を理解していたとしても、この先の設問に対する解答が正しくできなくなってしまうので、管工事(空調設備工事および衛生設備工事)の作業の一般的な実施順序は、確実に覚えておく必要がある。

作業表(作業名を作業の実施順序通りに並び替えたもの)

作業名	作業日数	工事比率
準備・墨出し	2日	2%
コンクリート基礎打設	1日	3%
空気調和機設置	2日	20%
ダクト工事	3日	18%
冷温水配管	4日	32%
水圧試験	2日	5%
保温	3日	15%
試運転調整	2日	5%

(注)表中の作業名の記載順序は、作業の実施順序を示すものです。

管工事(空調設備工事および衛生設備工事)の作業の一般的な実施順序

空調設備工事の作業順序	準備 ➡ **墨出し** ➡ **基礎打設** ➡ 屋外機設置 ➡ 屋内機設置 ➡ **配管** ➡ **試験** ➡ **保温** ➡ **器具取付け** ➡ **試運転調整** ※この作業順序に例外がある場合は、問題文中に明記されている。
衛生設備工事の作業順序	準備 ➡ **墨出し** ➡ **配管** ➡ **試験** ➡ **保温** ➡ 建築仕上げ ➡ **器具**取付け ➡ **試運転調整** ※この作業順序に例外がある場合は、問題文中に明記されている。

工程管理

| 問題4 | 設問1 | (1) | 工事全体の工期 | 解答 | 30 日 |

① 工事全体の工期を求めるためには、どの作業を何日目に行うかを検討する必要がある。

② 上記の作業表(作業名を作業の実施順序通りに並び替えたもの)と、問題文中の施工条件を注視しながら、次のような表を作成する。

作業表(各作業の作業日を明示したもの)

作業名	作業日数	作業日	施工条件
準備・墨出し	2 日	1(月)，2(火)	①工事の初日に開始
コンクリート基礎打設	1 日	3(水)	④次は5日間の養生
(養生)	(5 日)	4(木)，5(金)，6(土)，7(日)，8(月)	⑦土日の使用が可能
空気調和機設置	2 日	9(火)，10(水)	⑤養生完了後の作業
ダクト工事	3 日	11(木)，12(金)，15(月)	⑥他の作業より先行
冷温水配管	4 日	16(火)，17(水)，18(木)，19(金)	－
水圧試験	2 日	22(月)，23(火)	－
保温	3 日	24(水)，25(木)，26(金)	－
試運転調整	2 日	29(月)，30(火)	－

(注)この工事の初日は、問題文中の「作業表」を見ると、月曜日であることが分かる。

③ 最終作業である「試運転調整」が完了する日が、工事開始後30日目になるので、この工事全体の工期は、**30 日**になる。

問題4	設問1	(2)	① 18 日の作業終了時点での累積出来高	解答	67%
			② その日に行われた作業の作業名	解答	冷温水配管

① 工事開始後の任意の日時における累積出来高を求めるためには、各作業について、1日あたりの出来高を求める必要がある。

② 問題文中には、「各作業の出来高は作業日数内において均等とする」と書かれているので、「各作業の1日あたりの出来高＝工事比率÷作業日数」である。

各作業の1日あたりの出来高

作業名	作業日数	工事比率	1日あたりの出来高
準備・墨出し	2日	2%	2%÷2日＝ 1%
コンクリート基礎打設	1日	3%	3%÷1日＝ 3%
（養生）	（5日）	（0%）	0%÷0日＝ 0%
空気調和機設置	2日	20%	20%÷2日＝10%
ダクト工事	3日	18%	18%÷3日＝ 6%
冷温水配管	4日	32%	32%÷4日＝ 8%
水圧試験	2日	5%	5%÷2日＝ 2.5%
保温	3日	15%	15%÷3日＝ 5%
試運転調整	2日	5%	5%÷2日＝ 2.5%

(注)「養生中はすべての作業に着手できない」ので、「養生」の工事比率は0%とする。

③ 累積出来高とは、それを算定する日までの1日あたりの出来高の合計（前日の累積出来高＋その日の1日あたりの出来高）である。各作業日の作業終了時点での累積出来高は、各作業の作業日と1日あたりの出来高から、下表のように表される。

各作業日の作業終了時点での累積出来高

作業日	1 (月)	2 (火)	3 (水)	4 (木)	5 (金)	6 (土)	7 (日)	8 (月)	9 (火)	10 (水)	11 (木)
作業名(省略して表記)	準備	準備	基礎	養生	養生	養生	養生	養生	設置	設置	ダクト
1日あたりの出来高[%]	1.0	1.0	3.0	0.0	0.0	0.0	0.0	0.0	10.0	10.0	6.0
累積出来高[%]	1.0	2.0	5.0	5.0	5.0	5.0	5.0	5.0	15.0	25.0	31.0

作業日	12 (金)	13 (土)	14 (日)	15 (月)	16 (火)	17 (水)	18 (木)	19 (金)	20 (土)	21 (日)	22 (月)
作業名(省略して表記)	ダクト			ダクト	配管	配管	配管	配管			試験
1日あたりの出来高[%]	6.0			6.0	8.0	8.0	8.0	8.0			2.5
累積出来高[%]	37.0			43.0	51.0	59.0	67.0	75.0			77.5

作業日	23 (火)	24 (水)	25 (木)	26 (金)	27 (土)	28 (日)	29 (月)	30 (火)	31 (水)
作業名(省略して表記)	試験	保温	保温	保温			調整	調整	
1日あたりの出来高[%]	2.5	5.0	5.0	5.0			2.5	2.5	
累積出来高[%]	80.0	85.0	90.0	95.0			97.5	100	

④ 上表の「作業日：18 (木)」の「累積出来高」の欄には、「67.0」の数値が記入されている。したがって、工事開始後18日の作業終了時点での累積出来高は、**67%**である。

⑤ 上表の「作業日：18 (木)」の「作業名」の欄には、「配管」の文字が記入されている。したがって、工事開始後18日に行われた作業の作業名は、**冷温水配管**である。

作業名	工事比率(%)	月 1	火 2	水 3	木 4	金 5	土 6	日 7	月 8	火 9	水 10	木 11	金 12	土 13	日 14	月 15	火 16	水 17	木 18	金 19	土 20	日 21	月 22	火 23	水 24	木 25	金 26	土 27	日 28	月 29	火 30	水 31	累積比率
準備・墨出し	2	■	■																														100
コンクリート基礎打設	3			■																													90
空気調和機設置	20									■	■																						80
ダクト工事	18											■	■																				70
冷温水配管	32																■	■	■	■													60
水圧試験	5																					■	■										50
保温	15																								■	■							40
試運転調整	5																													■	■		30

累積出来高曲線の数値：0、2、5、5、25、43、75、75、80、95、95、100

※養生（コンクリートの硬化を待つ時間）は作業とは言えないので、「作業名」欄には記入しないようにする。
※累積出来高曲線には、各作業の開始日や終了日に、累積出来高を数値で記入することが望ましい。

問題4	設問2	(3)	工事全体の工期	解答	23 日

1 この設問では、工期短縮のために、各作業に従事する人員を増員し、その増員した割合で、各作業の作業日数を短縮することが仮定されている。設問中の「条件」を見ると、各作業の作業日数が次のように変更されていることが分かる。

①ダクト工事は、人員が1.5倍になるので、元々の作業日数である「3日」を「1.5」で割る。したがって、工期短縮後におけるダクト工事の作業日数は「2日」になる。（条件①）

②冷温水配管は、人員が2倍になるので、元々の作業日数である「4日」を「2」で割る。したがって、工期短縮後における冷温水配管の作業日数は「2日」になる。（条件①）

③保温は、人員が1.5倍になるので、元々の作業日数である「3日」を「1.5」で割る。したがって、工期短縮後における保温の作業日数は「2日」になる。（条件①）

④水圧試験は、冷温水配管と同じ割合で短縮できるので、元々の作業日数である「2日」を「2」で割る。したがって、工期短縮後における水圧試験の作業日数は「1日」になる。（条件②）

② 各作業の「工期短縮後の作業日数」を適用したうえで、 問題 4 の 設問 1 の(1)で作成した「作業表（各作業の作業日を明示したもの）」をもう一度作成する。

作業表（工期短縮後における各作業の作業日を明示したもの）

作業名	作業日数	作業日	条件（作業日数の短縮）
準備・墨出し	2日	1(月), 2(火)	作業日数は変わらない
コンクリート基礎打設	1日	3(水)	作業日数は変わらない
（養生）	（5日）	4(木), 5(金), 6(土), 7(日), 8(月)	養生日数は変わらない
空気調和機設置	2日	9(火), 10(水)	作業日数は変わらない
ダクト工事	2日	11(木), 12(金)	①作業日数3日→2日
冷温水配管	2日	15(月), 16(火)	①作業日数4日→2日
水圧試験	1日	17(水)	②作業日数2日→1日
保温	2日	18(木), 19(金)	①作業日数3日→2日
試運転調整	2日	22(月), 23(火)	作業日数は変わらない

③ 最終作業である「試運転調整」が完了する日が、工事開始後23日目になるので、工期短縮後におけるこの工事全体の工期は、**23日**になる。

問題 4	設問 2	(4)	① 18日の作業終了時点での累積出来高	解答	87.5%
			② その日に行われた作業の作業名	解答	保温

① 各作業の「工期短縮後の作業日数」を適用したうえで、 問題 4 の 設問 1 の(2)で作成した「各作業の1日あたりの出来高」と「各作業日の作業終了時点での累積出来高」の表をもう一度作成する。

工期短縮後における各作業の1日あたりの出来高

作業名	作業日数	工事比率	1日あたりの出来高
準備・墨出し	2日	2%	2% ÷ 2日 = 1%
コンクリート基礎打設	1日	3%	3% ÷ 1日 = 3%
（養生）	（5日）	（0%）	0% ÷ 0日 = 0%
空気調和機設置	2日	20%	20% ÷ 2日 = 10%
ダクト工事	2日	18%	18% ÷ 2日 = 9%
冷温水配管	2日	32%	32% ÷ 2日 = 16%
水圧試験	1日	5%	5% ÷ 1日 = 5%
保温	2日	15%	15% ÷ 2日 = 7.5%
試運転調整	2日	5%	5% ÷ 2日 = 2.5%

工期短縮後における各作業日の作業終了時点での累積出来高

作業日	1 (月)	2 (火)	3 (水)	4 (木)	5 (金)	6 (土)	7 (日)	8 (月)	9 (火)	10 (水)	11 (木)
作業名（省略して表記）	準備	準備	基礎	養生	養生	養生	養生	養生	設置	設置	ダクト
1日あたりの出来高[%]	1.0	1.0	3.0	0.0	0.0	0.0	0.0	0.0	10.0	10.0	9.0
累積出来高[%]	1.0	2.0	5.0	5.0	5.0	5.0	5.0	5.0	15.0	25.0	34.0

作業日	12 (金)	13 (土)	14 (日)	15 (月)	16 (火)	17 (水)	18 (木)	19 (金)	20 (土)	21 (日)	22 (月)
作業名（省略して表記）	ダクト			配管	配管	試験	保温	保温			調整
1日あたりの出来高[%]	9.0			16.0	16.0	5.0	7.5	7.5			2.5
累積出来高[%]	43.0			59.0	75.0	80.0	87.5	95.0			97.5

作業日	23 (火)	24 (水)	25 (木)	26 (金)	27 (土)	28 (日)	29 (月)	30 (火)	31 (水)
作業名（省略して表記）	調整								
1日あたりの出来高[%]	2.5								
累積出来高[%]	100								

② 上表の「作業日：18(木)」の「累積出来高」の欄には、「87.5」の数値が記入されている。したがって、工期短縮後における工事開始後18日の作業終了時点での累積出来高は、**87.5%**である。

③ 上表の「作業日：18(木)」の「作業名」の欄には、「保温」の文字が記入されている。したがって、工期短縮後における工事開始後18日に行われた作業の作業名は、**保温**である。

〔設問2〕作業用　（バーチャート工程表及び累積出来高曲線の作成は、採点対象外です。）

※養生（コンクリートの硬化を待つ時間）は作業とは言えないので、「作業名」欄には記入しないようにする。
※累積出来高曲線には、各作業の開始日や終了日に、累積出来高を数値で記入することが望ましい。

問題4	設問3	累積出来高曲線がその形状から呼ばれる別の名称	解答例	S字曲線

① 管工事などの建設工事では、工事の進捗に応じて請負代金が支払われる「出来高払い」という制度が採られることがある。一例として、この工事の請負代金の総額が1000万円であると仮定する。その場合は、この工事の「空気調和機設置」の工事比率は20%なので、空気調和機設置の作業について支払われる請負代金は、1000万円×0.2＝200万円になる。

② 累積出来高曲線は、それを算定する作業日までの「出来高」の割合を累計したものである。累積出来高曲線の使用例として、この工事の「ダクト工事」が完了した段階で、何らかの不可抗力により、工事を中止せざるを得なくなったと仮定する。その場合は、この工事の「ダクト工事」が完了した時点の累積出来高は43%なので、この段階で工事を中止すると、請負代金1000万円のうち、1000万円×0.43＝430万円が支払われることになる。

③ 工事の出来高は、工程の初期・中期・終期に分けて考えると、次のような特徴が見られる。

①工程の初期は、工事の準備などの作業が多い。このような作業の出来高は比較的少ない。
　そのため、工程の初期は、出来高が上がりにくく、累積出来高曲線は緩勾配になる。

②工程の中期は、主要な作業が多く行われる。このような作業の出来高は比較的多い。
　そのため、工程の中期は、出来高が上がりやすく、累積出来高曲線は急勾配になる。

③工程の終期は、試験や調整などの作業が多い。このような作業の出来高は比較的少ない。
　そのため、工程の終期は、出来高が上がりにくく、累積出来高曲線は緩勾配になる。

④ 累積出来高曲線は、工程の初期➡中期➡終期にかけて、緩勾配➡急勾配➡緩勾配になるので、その形状がアルファベットの「S」のような曲線（カーブ）になるという特徴がある。したがって、累積出来高曲線がその形状から呼ばれる別の名称は、「S字曲線」・「S字カーブ」・「Sカーブ」などである。（解答はこの3つの語句のいずれを記述しても正解になる）

工程管理

問題4　バーチャート工程表（工期・出来高・タクト工程表）

2階建て事務所ビルの新築工事において、空気調和設備工事の作業が下記の表及び施工条件のとき、次の設問1及び設問2の答えを解答欄に記述しなさい。

作業名	1階部分		2階部分	
	作業日数	工事比率	作業日数	工事比率
準備・墨出し	1 日	2 ％	1 日	2 ％
配管	6 日	24 ％	6 日	24 ％
機器設置	2 日	6 ％	2 日	6 ％
保温	4 日	10 ％	4 日	10 ％
水圧試験	2 日	2 ％	2 日	2 ％
試運転調整	2 日	6 ％	2 日	6 ％

(注) 表中の作業名の記載順序は、作業の実施順序を示すものではありません。

〔施工条件〕

① 1階部分の準備・墨出しの作業は、工事の初日に開始する。

② 機器設置の作業は、配管の作業に先行して行うものとする。

③ 各作業は、同一の階部分では、相互に並行作業しないものとする。

④ 同一の作業は、1階部分の作業が完了後、2階部分の作業に着手するものとする。

⑤ 各作業は、最早で完了させるものとする。

⑥ 土曜日、日曜日は、現場での作業を行わないものとする。

〔設問1〕 バーチャート工程表及び累積出来高曲線を作成し、次の(1)～(3)に答えなさい。

ただし、各作業の出来高は、作業日数内において均等とする。

（バーチャート工程表及び累積出来高曲線の作成は、採点対象外です。）

(1) 工事全体の工期は、何日になるか答えなさい。

(2) ① 累積出来高が70％を超えるのは工事開始後何日目になるか答えなさい。

② その日に1階で行われている作業の作業名を答えなさい。

③ その日に2階で行われている作業の作業名を答えなさい。

(3) タクト工程表はどのような作業に適しているか簡潔に記述しなさい。

〔設問2〕 工期短縮のため、機器設置、配管及び保温の各作業については、1階部分と2階部分を別の班に分け、下記の条件で並行作業を行うこととした。バーチャート工程表を作成し、次の(4)及び(5)に答えなさい。

（バーチャート工程表の作成は、採点対象外です。）

（条件） ① 機器設置、配管及び保温の各作業は、1階部分の作業と2階部分の作業を同じ日に並行作業することができる。各階部分の作業日数は、当初の作業日数から変更がないものとする。

② 水圧試験は、1階部分と2階部分を同じ日に同時に試験する。各階部分の作業日数は、当初の作業日数から変更がないものとする。

③ ①及び②以外は、当初の施工条件から変更がないものとする。

(4) 工事全体の工期は、何日になるか答えなさい。

(5) ②の条件を変更して、水圧試験も1階部分と2階部分を別の班に分け、1階部分と2階部分を別の日に試験することができることとし、また、並行作業とすることも可能とした場合、工事全体の工期は、②の条件を変更しない場合に比べて、何日短縮できるか答えなさい。水圧試験の各階部分の作業日数は、当初の作業日数から変更がないものとする。

工程管理

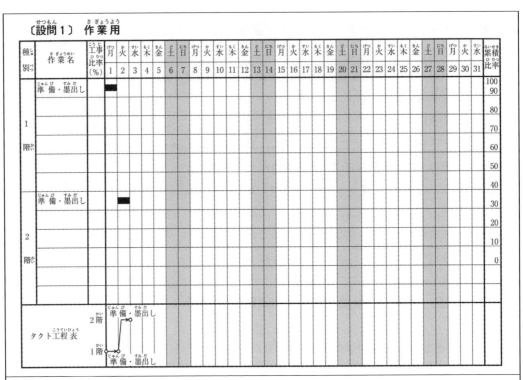

〔設問2〕 作業用

種別	作業名	工事比率(%)	月	火	水	木	金	土	日	月	火	水	木	金	土	日	月	火	水	木	金	土	日	月	火	水	木	金	土	日	月	火	水	累積比率
			1	2	3	4	5	6	7	8	9	10	11	12	13	14	15	16	17	18	19	20	21	22	23	24	25	26	27	28	29	30	31	
1階																																		100 90 80 70 60 50 40
2階																																		30 20 10 0

※令和3年度の問題では、令和元年度までの問題とは異なり、「バーチャート工程表を完成させなさい」という設問が存在しないので、この用紙は作業用としてのみ使用すればよい。

解答　(設問1 の(3)は解答例)

設問	問		解答
設問1	(1)		31 日
	(2)	①	19 日目
		②	保温
		③	配管
	(3)		同一作業が繰り返される工事
設問2	(4)		26 日
	(5)		1 日

解説　バーチャート工程表の基礎は習得済みの経験者向けの解説

※初学者向けの解説は本書の 304 ページに掲載されています。

問題4　設問1　空気調和設備工事のバーチャートと累積出来高曲線の作成

① **設問1** の〔施工条件〕の作業順序を入れ替えて正しい順序にすると、次のようになる。

作業名	1階部分				2階部分			
	作業日数	工事比率	1日工事比率	累積出来高	作業日数	工事比率	1日工事比率	累積出来高
準備・墨出し	1日	2%	2% /日	2%	1日	2%	2% /日	2%
機器設置	2日	6%	3% /日	8%	2日	6%	3% /日	8%
配管	6日	24%	4% /日	32%	6日	24%	4% /日	32%
水圧試験	2日	2%	1% /日	34%	2日	2%	1% /日	34%
保温	4日	10%	2.5% /日	44%	4日	10%	2.5% /日	44%
試運転調整	2日	6%	3% /日	50%	2日	6%	3% /日	50%

② バーチャート作成にあたり、1階の作業が終了した後に2階の作業に着手するため、各作業は1階の作業が終了した後に2階の作業を始める一班体制とする。

1日あたりの出来高とその累計の計算

曜日	月	火	水	木	金	土	日	月	火	水	木	金	土	日	月	火	水	木	金	土	日	月	火	水	木	金	土	日	月	火	水
日数	1	2	3	4	5	6	7	8	9	10	11	12	13	14	15	16	17	18	19	20	21	22	23	24	25	26	27	28	29	30	31
1階出来高	2	3	3	4	4			4	4	4	4	1			1	2.5	2.5	2.5	2.5			3	3								
2階出来高	0	2	0	3	3			0	0	0	0	4			4	4	4	4	4			1	1	2.5	2.5	2.5			2.5	3	3
1・2階出来高	2	5	3	7	7			4	4	4	4	5			5	6.5	6.5	6.5	6.5			4	4	2.5	2.5	2.5			2.5	3	3
週出来高			24							21							31							15.5						8.5	
週累計出来高			24							45							76							91.5						100	

工程管理

301

③(1) 工事全体の工期は、 設問 1 の作業用図より 31 日(水)である。

(2)① 累計出来高が 70% を超えるのは、 設問 1 の作業用図より 19 日(金)である。

② 19 日(金)の 1 階の作業は、保温作業である。

③ 19 日(金)の 2 階の作業は、配管作業である。

(3) タクト工程は、高層マンションの内装・設備について、同じ内容を繰り返す場合に採用される方式であり、順次熟練が進むと、品質の向上や工程の短縮の効果が得られる。

〔設問 1〕 作業用

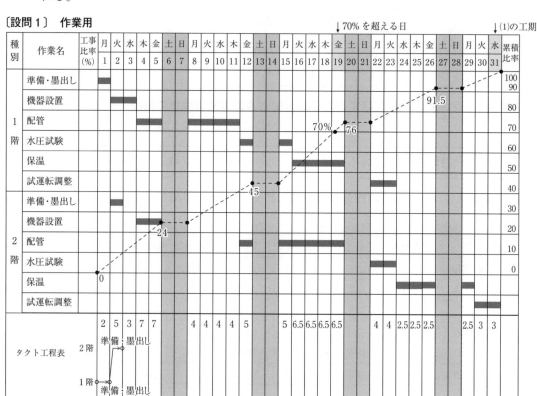

| 問題 4 | 設問 2 | 空気調和設備工事の並行作業を行うバーチャート |

① 設問 2 の〔施工条件〕は、工期短縮のため、機器設置・配管・保温の 3 つの作業について、1 階と 2 階を同時並行作業とするときの工程表を作成し、工事全体の工期を求めるものである。ただし、水圧試験は、1 階と 2 階の部分を同じ日に行うものとする。

② (4)に解答するため、以上の条件でバーチャートを描くと、(4)の工期を示した 設問 2 の作業用図のようになり、その工期は 26 日(金)となる。

③ (5)に解答するため、更に、水圧試験も 1 階・2 階を別の日に試験ができるようにすると、(5)の工期を示した 設問 2 の作業用図のようになり、(4)の工期を示した 設問 2 の作業用図に比べて、1 日だけ短縮できるので、その工期は 25 日(木)となる。

〔設問2〕 作業用 ↓(4)の工期

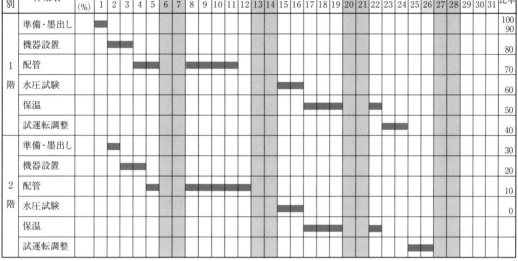

〔設問2〕 作業用 ↓(5)の工期

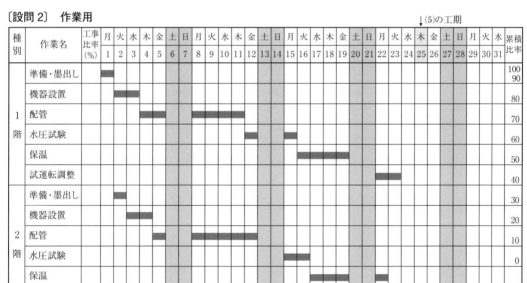

工程管理

303

問題 4	設問 1	作業の実施順序（各設問に解答するための前提となる事項）

① 問題文中には、「表中の作業名の記載順序は作業の実施順序を示すものではありません」と書かれているので、最初に、作業名を作業の実施順序の通りに並び替える必要がある。

② 作業の並び替えをするときには、「機器設置の作業は配管の作業に先行して行う」などの問題文中に書かれている施工条件を見落とさないようにすると共に、「配管の保温は水圧試験の後に行う」などの管工事の原則を認識しておく必要がある。

作業表(作業名を作業の実施順序通りに並び替えたもの)

作業名	1階部分 作業日数	1階部分 工事比率	2階部分 作業日数	2階部分 工事比率
準備・墨出し	1日	2%	1日	2%
機器設置	2日	6%	2日	6%
配管	6日	24%	6日	24%
水圧試験	2日	2%	2日	2%
保温	4日	10%	4日	10%
試運転調整	2日	6%	2日	6%

(注)表中の作業名の記載順序は、作業の実施順序を示すものです。

問題 4	設問 1	(1)	工事全体の工期	解答	31 日

① 工事全体の工期を求めるためには、どの作業を何日目に行うかを検討する必要がある。

② 上記の作業表(作業名を作業の実施順序通りに並び替えたもの)と、問題文中の施工条件を注視しながら、次のような表を作成する。この表を作成するときは、「同一の作業は、1階部分の作業が完了後、2階部分の作業に着手するものとする」ことに注意する必要がある。一例として、3日目(水曜日)には、2階部分の準備・墨出し作業は完了しているが、1階部分の機器設置作業が行われているので、2階部分の機器設置作業を行うことはできない。

作業表（各作業の作業日を明示したもの）

1階部分の作業			2階部分の作業		
作業名	日数	作業日	作業名	日数	作業日
準備・墨出し	1日	1(月)	準備・墨出し	1日	2(火)
機器設置	2日	2(火), 3(水)	機器設置	2日	4(木), 5(金)
配管	6日	4(木), 5(金), 8(月), 9(火),10(水),11(木)	配管	6日	12(金), 15(月), 16(火), 17(水),18(木),19(金)
水圧試験	2日	12(金),15(月)	水圧試験	2日	22(月), 23(火)
保温	4日	16(火),17(水),18(木), 19(金)	保温	4日	24(水),25(木),26(金), 29(月)
試運転調整	2日	22(月),23(火)	試運転調整	2日	30(火), 31(水)

③ 最終作業である2階部分の「試運転調整」が完了する日が、工事開始後31日目になるので、この工事全体の工期は **31日** になる。

			① 累積出来高が70%を超える日	解答	19日目
問題4	設問1	(2)	② その日に1階で行われている作業	解答	保温
			③ その日に2階で行われている作業	解答	保温

① 工事開始後の任意の日時における累積出来高を求めるためには、各階の各作業について、1日あたりの出来高を求める必要がある。

② 問題文中には、「各作業の出来高は作業日数内において均等とする」と書かれているので、「各階の各作業の1日あたりの出来高＝工事比率÷作業日数」である。

作業名	各階共通		1階部分	2階部分
	作業日数	工事比率	1日あたりの出来高	1日あたりの出来高
準備・墨出し	1日	2%	2%÷1日＝**2%**	2%÷1日＝**2%**
機器設置	2日	6%	6%÷2日＝**3%**	6%÷2日＝**3%**
配管	6日	24%	24%÷6日＝**4%**	24%÷6日＝**4%**
水圧試験	2日	2%	2%÷2日＝**1%**	2%÷2日＝**1%**
保温	4日	10%	10%÷4日＝**2.5%**	10%÷4日＝**2.5%**
試運転調整	2日	6%	6%÷2日＝**3%**	6%÷2日＝**3%**

③ 累積出来高とは、それを算定する日までの1日あたりの出来高の合計（前日の累積出来高＋その日の1日あたりの出来高）である。各作業日の作業終了時点の累積出来高は、各階の各作業の作業日と1日あたりの出来高から、次表のように表される。

作業日	1(月)	2(火)	3(水)	4(木)	5(金)	6(土)	7(日)	8(月)	9(火)	10(水)	11(木)	12(金)	13(土)	14(日)	15(月)	16(火)
1階の作業(作業名の頭文字)	準備	機器	機器	配管	配管			配管	配管	配管	配管	水圧			水圧	保温
1階の作業の出来高[%]	2.0	3.0	3.0	4.0	4.0			4.0	4.0	4.0	4.0	1.0			1.0	2.5
2階の作業(作業名の頭文字)		準備		機器	機器							配管			配管	配管
2階の作業の出来高[%]		2.0		3.0	3.0							4.0			4.0	4.0
1日あたりの出来高[%]	2.0	5.0	3.0	7.0	7.0			4.0	4.0	4.0	4.0	5.0			5.0	6.5
累積出来高[%]	2.0	7.0	10.0	17.0	24.0			28.0	32.0	36.0	40.0	45.0			50.0	56.5

作業日	17(水)	18(木)	19(金)	20(土)	21(日)	22(月)	23(火)	24(水)	25(木)	26(金)	27(土)	28(日)	29(月)	30(火)	31(水)
1階の作業(作業名の頭文字)	保温	保温	保温			試運	試運								
1階の作業の出来高[%]	2.5	2.5	2.5			3.0	3.0								
2階の作業(作業名の頭文字)	配管	配管	配管			水圧	水圧	保温	保温	保温			保温	試運	試運
2階の作業の出来高[%]	4.0	4.0	4.0			1.0	1.0	2.5	2.5	2.5			2.5	3.0	3.0
1日あたりの出来高[%]	6.5	6.5	6.5			4.0	4.0	2.5	2.5	2.5			2.5	3.0	3.0
累積出来高[%]	63.0	69.5	76.0			80.0	84.0	86.5	89.0	91.5			94.0	97.0	100

④ 上表の「累積出来高」の欄を見ると、18日目（木曜日）は69.5%である（70%以下である）が、19日目（金曜日）は76.0%である（70%を超えている）ことが分かる。したがって、累積出来高が70%を超えるのは工事開始後 **19日目** になる。

⑤ 上表の「1階の作業（作業名の頭文字）」の欄を見ると、工事開始後19日目に1階で行われている作業の作業名は **保温** であることが分かる。

⑥ 上表の「2階の作業（作業名の頭文字）」の欄を見ると、工事開始後19日目に2階で行われている作業の作業名は **配管** であることが分かる。

〔設問1〕 **作業用**（バーチャート工程表及び累積出来高曲線の作成は、採点対象外です。）

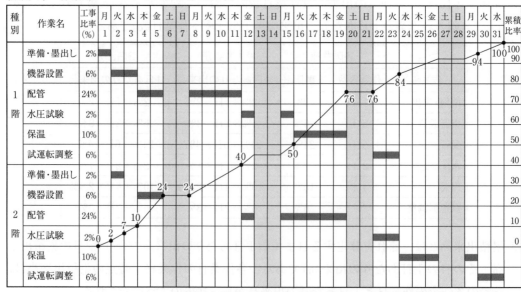

※累積出来高曲線には、各作業の開始日や終了日に、累積出来高を数値で記入することが望ましい。

問題4	設問1	(3)	タクト工程表が適している作業	解答例	同一作業が繰り返される工事

① タクト工程表は、同種の作業を複数の工区や階で繰り返し実施する場合に、各工区・各階における作業の所要期間を一定とし、各作業が工区・階を順々に移動しながら作業を行う手順を示した工程表である。

② タクト工程表による工程管理を採用すると、工事が進むにつれて、作業者が同種の作業に習熟するため、工程短縮・作業人数削減・品質改善などの効果が期待できる。特に、高層共同住宅などのように、同一作業を1フロアなどの工区ごとに繰り返して行う工事(同一作業が繰り返される工事)では、「一定の組み合わせの作業」が多いので、この効果が大きい。この問題にあるような、各階における「準備・墨出し ➡ 機器設置 ➡ 配管 ➡ 水圧試験 ➡ 保温 ➡ 試運転調整」の一連の作業は、ここでいう「一定の組み合わせの作業」に該当する。

③ したがって、タクト工程表がどのような作業に適しているかを簡潔に記述すると、「**同一作業が繰り返される工事**」と表現できる。もう少し長めに文章を記述するなら、「高層建物で同一作業を1フロアなどの工区ごとに繰り返して行う場合」と表現できる。タクト工程表は、このような繰返し作業を効率よく行うために作成される。

〔設問1〕　作業用(バーチャート工程表及び累積出来高曲線の作成は、採点対象外です。)

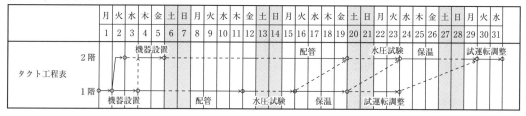

307

問題4	設問2	(4)	工事全体の工期(並行作業を実施する場合)	解答	26日

① 当初の施工条件では、「同一の作業は、1階部分の作業が完了後、2階部分の作業に着手する」方法であったために、2階部分の作業について、機器設置作業の終了日(5日目)と配管作業開始日(12日目)との間に、1週間近くの待機時間が存在していた。

② このような待機時間をできる限り削減するために、機器設置・配管・保温の各作業について、1階部分と2階部分を同じ日に並行作業できるようにしたうえで、水圧試験を同じ日に試験する施工条件に変更すると、作業表は下記のように変更される。

作業表(各作業の作業日を明示したもの)[並行作業を実施する場合]

1階部分の作業			2階部分の作業		
作業名	日数	作業日	作業名	日数	作業日
準備・墨出し	1日	1(月)	準備・墨出し	1日	2(火)
機器設置	2日	2(火), 3(水)	機器設置	2日	3(水), 4(木)
配管	6日	4(木), 5(金), 8(月), 9(火), 10(水), 11(木)	配管	6日	5(金), 8(月), 9(火), 10(水), 11(木), 12(金)
水圧試験	2日	15(月), 16(火)	水圧試験	2日	15(月), 16(火)
保温	4日	17(水), 18(木), 19(金), 22(月)	保温	4日	17(水), 18(木), 19(金), 22(月)
試運転調整	2日	23(火), 24(水)	試運転調整	2日	25(木), 26(金)

③ 最終作業である2階部分の「試運転調整」が完了する日が、工事開始後26日目になるので、この工事全体の工期は **26日** になる。

〔設問2〕 **作業用**(バーチャート工程表の作成は、採点対象外です。)

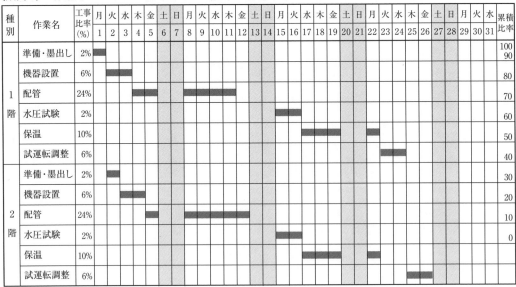

工程管理

308

| 問題4 | 設問2 | (5) | 工期の短縮日数(水圧試験も並行作業とする場合) | 解答 | 1日 |

① 前頁の施工条件では、「水圧試験は1階部分と2階部分を同じ日に試験する」方法であったために、1階部分の水圧試験の開始日(15日目)が、当初の施工条件における開始日(12日目)よりも遅れてしまうことになった。

② このような遅れを解消するために、1階部分と2階部分の水圧試験を別の日に行う(並行作業もできる)施工条件に変更すると、作業表は下記のように変更される。

作業表(各作業の作業日を明示したもの)[水圧試験も並行作業とする場合]

1階部分の作業				2階部分の作業		
作業名	日数	作業日		作業名	日数	作業日
準備・墨出し	1日	1(月)		準備・墨出し	1日	2(火)
機器設置	2日	2(火)、3(水)		機器設置	2日	3(水)、4(木)
配管	6日	4(木)、5(金)、8(月) 9(火)、10(水)、11(木)		配管	6日	5(金)、8(月)、9(火)、10(水)、11(木)、12(金)
水圧試験	2日	12(金)、15(月)		水圧試験	2日	15(月)、16(火)
保温	4日	16(火)、17(水)、18(木)、19(金)		保温	4日	17(水)、18(木)、19(金)、22(月)
試運転調整	2日	22(月)、23(火)		試運転調整	2日	24(水)、25(木)

③ 最終作業である2階部分の「試運転調整」が完了する日が、工事開始後25日目になるので、この工事全体の工期は25日になる。したがって、工事全体の工期は、「水圧試験は1階部分と2階部分を同じ日に試験する」条件を変更しない場合の工期(26日)に比べて、1日短縮できる。

〔設問2〕 作業用(バーチャート工程表の作成は、採点対象外です。)

種別	作業名	工事比率(%)	月1	火2	水3	木4	金5	土6	日7	月8	火9	水10	木11	金12	土13	日14	月15	火16	水17	木18	金19	土20	日21	月22	火23	水24	木25	金26	土27	日28	月29	火30	水31	累積比率
1階	準備・墨出し	2%	■																															100 90
	機器設置	6%		■	■																													80
	配管	24%				■	■			■	■	■	■																					70
	水圧試験	2%												■			■																	60
	保温	10%																■	■	■	■													50
	試運転調整	6%																						■	■									40
2階	準備・墨出し	2%		■																														30
	機器設置	6%			■	■																												20
	配管	24%					■			■	■	■	■	■																				10
	水圧試験	2%															■	■																0
	保温	10%																	■	■	■			■										
	試運転調整	6%																								■	■							

問題4 バーチャート工程表の活用

　建築物の空気調和設備工事において、冷温水の配管工事の作業が下記の表及び施工条件のとおりのとき、次の 設問1 ～ 設問3 の答えを解答欄に記述しなさい。

作業名	作業日数	工事比率
準備・墨出し	2日	5%
後片付け・清掃	1日	3%
配管	12日	48%
保温	6日	30%
水圧試験	2日	14%

　　〔施工条件〕①準備・墨出しの作業は、工事の初日に開始する。

　　　　　　　②各作業は、相互に並行作業しないものとする。

　　　　　　　③各作業は、最早で完了させるものとする。

　　　　　　　④土曜日、日曜日は、現場での作業を行わないものとする。

設問1 バーチャート工程表及び累積出来高曲線を作成し、次の(1)及び(2)に答えなさい。
　　　ただし、各作業の出来高は、作業日数内において均等とする。
　　　(バーチャート工程表及び累積出来高曲線の作成は、採点対象外です。)

(1) 工事全体の工期は、何日になるか答えなさい。

(2) 29日目の作業終了時点の累積出来高(%)を答えなさい。

設問2 工期短縮のため、配管、保温及び水圧試験については、作業エリアをA、Bの2つに分け、下記の条件で並行作業を行うこととした。バーチャート工程表を作成し、次の(3)及び(4)に答えなさい。**(バーチャート工程表の作成は、採点対象外です。)**

　(条件)①配管の作業は、作業エリアAとBの作業を同日に行うことはできない。
　　　　　作業日数は、作業エリアA、Bとも6日である。

　　　　②保温の作業は、作業エリアAとBの作業を同日に行うことはできない。
　　　　　作業日数は、作業エリアA、Bとも3日である。

　　　　③水圧試験は、作業エリアAとBの試験をエリアごとに単独で行うことも同日に行うこともできるが、作業日数は、作業エリアA、Bを単独で行う場合も、両エリアを同日に行う場合も2日である。

(3) 工事全体の工期は、何日になるか答えなさい。

(4) 作業エリアAと作業エリアBの保温の作業が、土曜日、日曜日以外で中断することなく、連続して作業できるようにするには、保温の作業の開始日は、工事開始後何日目になるか答えなさい。

設問3 更なる工期短縮のため、配管、保温及び水圧試験については、作業エリアをA、B、Cの3つに分け、下記の条件で並行作業を行うこととした。バーチャート工程表を作成し、次の(5)に答えなさい。**（バーチャート工程表の作成は、採点対象外です。）**

（条件）①配管の作業は、作業エリアAとBとCの作業を同日に行うことはできない。
　　　　　作業日数は、作業エリアA、B、Cとも4日である。

　　　　②保温の作業は、作業エリアAとBとCの作業を同日に行うことはできない。
　　　　　作業日数は、作業エリアA、B、Cとも2日である。

　　　　③水圧試験は、作業エリアAとBとCの試験をエリアごとに単独で行うことも同日に行うこともできるが、作業日数は、作業エリアA、B、Cを単独で行う場合も、複数のエリアを同日に行う場合も2日である。

(5)水圧試験の実施回数を2回とすること（作業エリアA、B、Cの3つのエリアのうち、2つのエリアの水圧試験を同日に行うこと）を条件とした場合、初回の水圧試験の開始日は、工事開始後何日目になるか答えなさい。

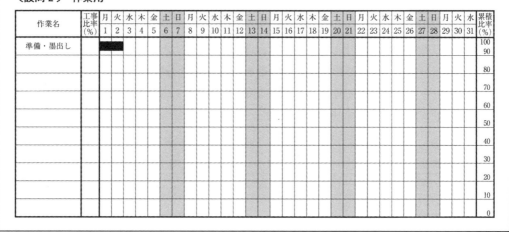

〔設問3〕 作業用

作業名	工事比率(%)	月1	火2	水3	木4	金5	土6	日7	月8	火9	水10	木11	金12	土13	日14	月15	火16	水17	木18	金19	土20	日21	月22	火23	水24	木25	金26	土27	日28	月29	火30	水31	累積比率(%)
準備・墨出し		■	■																														100 / 90
																																	80
																																	70
																																	60
																																	50
																																	40
																																	30
																																	20
																																	10
																																	0

※ 令和2年度の問題では、令和元年度までの問題とは異なり、「バーチャート工程表を完成させなさい」という設問が存在しないので、この用紙は作業用としてのみ使用すればよい。

解答

設問	問	解答
設問1	(1)	31 日
	(2)	92%
設問2	(3)	26 日
	(4)	18 日目
設問3	(5)	15 日目

解説　バーチャート工程表の解説（理論的な正確さを重視した解答方法）

問題4	設問1	工期と累積出来高	解答・解説

作業手順は、①準備・墨出し ➡ ②配管 ➡ ③水圧試験 ➡ ④保温 ➡ ⑤後片付け・清掃となる。保温は水圧試験の後に行うことに注意が必要である。

(1) 実作業の日数は、①が2日、②が12日、③が2日、④が6日、⑤が1日なので、2 + 12 + 2 + 6 + 1 = 23日である。この日数を、土日を含む暦日に挿入すると、次のようなバーチャート工程表が描かれるので、工期は31日となる。

(2) 各作業の1日あたりの工事比率は、次のようになる。

作業名	作業日数	工事比率	1日あたりの工事比率
準備・墨出し	2 日	5%	2.5%
配管	12 日	48%	4%
水圧試験	2 日	14%	7%
保温	6 日	30%	5%
後片付け・清掃	1 日	3%	3%

各作業日の作業終了時点の累積出来高は、工事完了日から逆算すると、次のようになる。

31日目の作業終了時点の累積出来高：100%

30日目の作業終了時点の累積出来高：100% − 3%（後片付け・清掃）= 97%

29日目の作業終了時点の累積出来高：97% − 5%（保温）= **92%**

バーチャート工程表に累積出来高曲線を挿入すると、次のようになる。

〔設問1〕 作業用

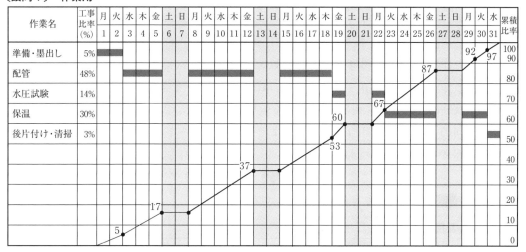

問題4	設問2	工期と作業開始日	解答・解説

工期短縮のため、②（Ⓐ6日・Ⓑ6日）、③（Ⓐ2日・Ⓑ2日またはⒶⒷ2日）、④（Ⓐ3日・Ⓑ3日）のように、①と⑤を除いて並行作業ができるようにした。その条件は、「②配管と④保温は、A・Bの両エリアの同時作業ができない」・「③水圧試験は、単独Ⓐでも単独Ⓑでも ⒶⒷ 同時でも2日間で終了できる」である。

(3) 上記の条件で、最短で作業を完了する工期を求めると、次のようなバーチャートが描かれるので、その工期は **26日** となる。なお、並行作業をしない作業を ▉▉▉ 、作業エリアAの作業を ▉▉▉ 、作業エリアBの作業を ▢▢▢ とする。

〔設問2〕 作業用

↓保温開始日　　　　↓保温終了日

作業名	工事比率(%)	月1	火2	水3	木4	金5	土6	日7	月8	火9	水10	木11	金12	土13	日14	月15	火16	水17	木18	金19	土20	日21	月22	火23	水24	木25	金26	土27	日28	月29	火30	水31	累積比率
準備・墨出し		▉	▉																														100 90
A 配管				▉	▉	▉			▉	▉	▉								保温														80
A 水圧試験														▉																			70
A 保温															▉	▉	▉															60
B 配管													▢	▢	▢																		50
B 水圧試験																							▢	▢									40
B 保温																									▢	▢							30
後片付け・清掃																											▉						20

313

(4)土曜日・日曜日を除いて、作業エリア A の保温 A と作業エリア B の保温 B を連続して作業する場合は、作業エリア A の保温作業を 18 日(木)・19 日(金)・22 日(月)の 3 日間とするように移動すれば、作業エリア B の保温作業である 23 日(火)・24 日(水)・25 日(木)と連続する。よって、保温作業の開始日は **18 日(木)** とする。

問題 4	設問 3	試験開始日		解答・解説

(5)更なる工期短縮のため、配管・保温・水圧試験を A・B・C の 3 つのエリアに分ける。
　　②配管の作業(Ⓐ 4 日・Ⓑ 4 日・Ⓒ 4 日)は、同時作業ができない。
　　④保温の作業(Ⓐ 2 日・Ⓑ 2 日・Ⓒ 4 日)は、同時作業ができない。
　　③水圧試験は、単独でも複数でも 1 回行うと 2 日かかる。2 つのエリアを同時に行うときの初回の水圧試験の開始日は、次のようなバーチャートを描くことで、工事開始から何日目かを求める。なお、配管作業を ▭、水圧試験を ▬、保温作業を ▬、並行作業をしない作業を ▬ とし、各エリアは、▬ ▭ ▬ ▬ ▬ の順に作業を行うものとする。

〔設問 3〕　作業用

作業名	工事比率(%)	月1	火2	水3	木4	金5	土6	日7	月8	火9	水10	木11	金12	土13	日14	月15	火16	水17	木18	金19	土20	日21	月22	火23	水24	木25	金26	土27	日28	月29	火30	水31	累積比率
準備・墨出し																A・B 水圧試験																	100 90
A エリア																																	80
B エリア																																	70
C エリア																			↑													60
後片付け・清掃																C 水圧試験																	50

　　よって、初回の水圧試験の開始日は **15 日(月)** とする。

下記の解説は、上記の解説を補足するもの(より基礎的な内容から解説したもの)です。上記の解説だけで完全な理解ができなかった受検者は、下記の詳解を参照してください。

解説　バーチャート工程表の解説(感覚的な分かりやすさを重視した解答方法)──────

問題 4	設問 1	(1) 工事全体の工期	解答	31 日

①建築物の空気調和設備工事（冷温水の配管工事）の作業順および各作業の作業日は、下表の通りである。この作業日を決めるときは「土曜日・日曜日は現場での作業を行わない」ことに注意する必要がある。また、問題文中の表は、作業名が作業順通りには並んでいないことに注意する必要がある。この作業順を理解していない（誤って覚えている）と、バーチャートの作成方法や活用方法を理解していたとしても、この先の設問に対する解答ができなくなってしまうので、管工事の作業手順は確実に理解しておく必要がある。

作業表（各作業を作業順通りに並び替えて作業日を明示したもの）

作業名	作業日数	作業日
準備・墨出し	2 日	1, 2
配管	12 日	3, 4, 5, 8, 9, 10, 11, 12, 15, 16, 17, 18
水圧試験	2 日	19, 22
保温	6 日	23, 24, 25, 26, 29, 30
後片付け・清掃	1 日	31

②最終作業である「後片付け・清掃」が完了する日が、工事開始後 31 日目になるので、この工事全体の工期は、**31 日**になる。

問題4	設問1	(2)	29日目の作業終了時点の累積出来高	解答	92%

①各作業について、1 日あたりの出来高を求め、次のような表を作成する。「各作業の出来高は作業日数内において均等とする」ので、「各作業の 1 日あたりの出来高＝工事比率÷作業日数」である。

作業名	作業日数	作業日	工事比率	1 日あたりの出来高
準備・墨出し	2 日	1, 2	5%	5%÷2 日＝**2.5%**
配管	12 日	3, 4, 5, 8, 9, 10, 11, 12, 15, 16, 17, 18	48%	48%÷12 日＝**4%**
水圧試験	2 日	19, 22	14%	14%÷2 日＝**7%**
保温	6 日	23, 24, 25, 26, 29, 30	30%	30%÷6 日＝**5%**
後片付け・清掃	1 日	31	3%	3%÷1 日＝**3%**

②累積出来高とは、それを算定する日までの 1 日あたりの出来高の合計（前日の累積出来高＋その日の 1 日あたりの出来高）である。各作業日の作業終了時点の累積出来高は、各作業の作業日と 1 日あたりの出来高から、下表のように表される。

作業日	1	2	3	4	5	6	7	8	9	10	11	12	13	14	15	16	17	18	19	20	21	22	23	24	25	26	27	28	29	30	31
作業名の頭文字	準	準	配	配	配			配	配	配	配	配			配	配	配	配	水			水	保	保	保	保			保	保	後
1 日あたりの出来高[%]	2.5	2.5	4	4	4			4	4	4	4	4			4	4	4	4	7			7	5	5	5	5			5	5	3
累積出来高[%]	2.5	5	9	13	17			21	25	29	33	37			41	45	49	53	60			67	72	77	82	87			92	97	100

③以上により、29 日目の作業終了時点の累積出来高は、**92%**である。

| 問題4 | 設問2 | (3) | 作業エリア2分割時の工期 | 解答 | 26日 |

①作業エリアをA・Bの2つに分けて並行作業を行うと、下表の11日目・12日目のように、「エリアAの配管が終わった時点で、エリアBの配管を待たずにエリアAの水圧試験を開始し、エリアBの配管とエリアAの水圧試験を同じ作業日に行う」ようなことが可能になるため、工期短縮を図ることができる。

②作業エリアをA・Bの2つに分けたときに、各エリアの各作業をできる限り早く開始する場合、各エリアの各作業の作業日は、下表のように表される。

作業名	エリア	作業日数	作業日	同日作業
準備・墨出し	A・B	2日	1, 2	−
配管	A	6日	3, 4, 5, 8, 9, 10	不可
	B	6日	11, 12, 15, 16, 17, 18	
水圧試験	A	2日	11, 12	可
	B	2日	19, 22	
保温	A	3日	15, 16, 17	不可
	B	3日	23, 24, 25	
後片付け・清掃	A・B	1日	26	−

③最終作業である「後片付け・清掃」が完了する日が、工事開始後26日目になるので、この工事全体の工期は、**26日**になる。

| 問題4 | 設問2 | (4) | 作業エリア2分割時の保温の作業の開始日 | 解答 | 18日目 |

①作業エリアAと作業エリアBの保温の作業が、土曜日・日曜日以外で中断することなく、連続して作業できるようにするには、作業エリアAの保温の作業を、15日目・16日目・17日目ではなく、下表のように、**18日目**・19日目・22日目に行うことにすればよい。

作業名	エリア	作業日数	作業日	同日作業
準備・墨出し	A・B	2日	1, 2	−
配管	A	6日	3, 4, 5, 8, 9, 10	不可
	B	6日	11, 12, 15, 16, 17, 18	
水圧試験	A	2日	11, 12	可
	B	2日	19, 22	
保温	A	3日	**18, 19, 22**	不可
	B	3日	23, 24, 25	
後片付け・清掃	A・B	1日	26	−

②このような作業日の移動を行うときは、それぞれの作業エリアについて、同じ作業日に複数の作業が入っていないことを再確認する必要がある。

316

①作業エリアをA・B・Cの3つに分けたときに、各エリアの各作業をできる限り早く開始する場合、各エリアの各作業の作業日は、下表のように表される。

作業名	エリア	作業日数	作業日	同日作業
準備・墨出し	A・B・C	2日	1, 2	−
配管	A	4日	3, 4, 5, 8	不可
	B	4日	9, 10, 11, 12	
	C	4日	15, 16, 17, 18	
水圧試験	A	2日	9, 10	可
	B	2日	15, 16	
	C	2日	19, 22	
保温	A	2日	11, 12	不可
	B	2日	17, 18	
	C	2日	23, 24	
後片付け・清掃	A・B・C	1日	25	−

②水圧試験の実施回数を2回とするためには、作業エリアAの水圧試験の作業を、9日目・10日目ではなく、下表のように、**15日目・16日目**(作業エリアBの水圧試験と同じ日)に行えばよい。

作業名	エリア	作業日数	作業日	同日作業
準備・墨出し	A・B・C	2日	1, 2	−
配管	A	4日	3, 4, 5, 8	不可
	B	4日	9, 10, 11, 12	
	C	4日	15, 16, 17, 18	
水圧試験	A	2日	**15, 16**	可
	B	2日	15, 16	
	C	2日	19, 22	
保温	A	2日	**17, 18**	不可
	B	2日	**19, 22**	
	C	2日	23, 24	
後片付け・清掃	A・B・C	1日	25	−

③このような作業日の移動を行うときは、それぞれの作業エリアについて、同じ作業日に複数の作業が入っていないことを再確認する必要がある。また、エリアAの水圧試験を遅らせたことにより、エリアAとエリアBの保温の作業日が変わることにも注意する。

工程管理

令和元年度 問題4 工程管理 解答・解説

問題4 バーチャート工程表の作成

建物の新築工事において、空調設備工事及び衛生設備工事の作業が下記の表及び施工条件のとおりのとき、次の 設問1 ～ 設問5 の答えを解答欄に記述しなさい。

空調設備工事			衛生設備工事		
作業名	作業日数	工事比率	作業名	作業日数	工事比率
準備・墨出し	1日	2%	準備・墨出し	2日	2%
天井内機器設置	3日	18%	仕上げ面への器具取付け	3日	12%
仕上げ面への器具取付け	3日	9%	配管	5日	15%
配管	4日	12%	保温	2日	8%
気密試験	2日	6%	水圧試験	2日	6%
試運転調整	3日	6%	試運転調整	1日	4%

〔施工条件〕

①空調設備工事と衛生設備工事は、並行作業とする。

②衛生設備工事の準備・墨出し作業は工事の初日に開始し、空調設備工事の準備・墨出し作業は工事3日目に開始する。

③空調設備工事の各作業は、相互に並行作業しないものとする。

④衛生設備工事の各作業は、相互に並行作業しないものとする。

⑤各作業は、着手可能な最早で開始し、最早で完了させるものとする。

⑥仕上げ面への器具取付けは、建築仕上げ工事の後続作業とする。

⑦建築仕上げ工事は、3日を要するものとし、空調設備工事、衛生設備工事のいずれとも並行作業しないものとする。

⑧土曜日、日曜日は、現場での作業を行わないものとする。

設問1 バーチャート工程表の作業名欄の上欄から作業順に作業名を記入しなさい。また、工事比率欄に当該作業の工事比率を記入しなさい。

設問2 バーチャート工程表を完成させなさい。ただし、建築仕上げ工事は、日数のみを確保し、作業名欄には記入しない。

設問3 空調設備工事と衛生設備工事の出来高(%)を合計した累積出来高曲線を記入しなさい。また、各作業の完了日ごとに合計の累積出来高の数字(%)を累積出来高曲線の直近に記入しなさい。ただし、各作業の出来高は、作業日数内において均等とする。

工程管理

設問4	衛生設備工事の配管作業の完了が2日遅れた場合、空調設備工事を含む設備工事全体の完了の遅れは何日になるか記入しなさい。
設問5	空調設備工事の準備・墨出し作業を、衛生設備工事の準備・墨出し作業と同様に、工事の初日に開始した場合、衛生設備工事を含む設備工事全体の完了は、当初の予定より土曜日、日曜日を含め何日早くなるか記入しなさい。

工事種別	作業名	工事比率(%)	月 1	火 2	水 3	木 4	金 5	土 6	日 7	月 8	火 9	水 10	木 11	金 12	土 13	日 14	月 15	火 16	水 17	木 18	金 19	土 20	日 21	月 22	火 23	水 24	木 25	金 26	土 27	日 28	月 29	火 30	累積比率(%)
空調設備工事	準備・墨出し				■																												100
	天井内機器設置																																90 / 80 / 70 / 60
	試運転調整																																50
衛生設備工事	準備・墨出し		■	■																													40 / 30 / 20 / 10
	試運転調整		0	2																													0

問題4	設問1	空調設備工事および衛生設備工事の作業順	解答・解説

(1) 建物の新築工事における空調設備工事および衛生設備工事の作業順は、下表の通りである。問題文中の表は、作業名が作業順通りには並んでいないことに注意する必要がある。この作業順を理解していないと、バーチャートの作成方法を理解していたとしても、この先の設問に対する解答ができなくなってしまうので、**管工事の作業手順は確実に理解しておく必要がある**。

(2)工事比率については、問題文中の表から単に書き写せばよい。

空調設備工事

作業名	作業日数	工事比率
準備・墨出し	1日	2%
天井内機器設置	3日	18%
配管	4日	12%
気密試験	2日	6%
仕上げ面への器具取付け	3日	9%
試運転調整	3日	6%

衛生設備工事

作業名	作業日数	工事比率
準備・墨出し	2日	2%
配管	5日	15%
水圧試験	2日	6%
保温	2日	8%
仕上げ面への器具取付け	3日	12%
試運転調整	1日	4%

解答

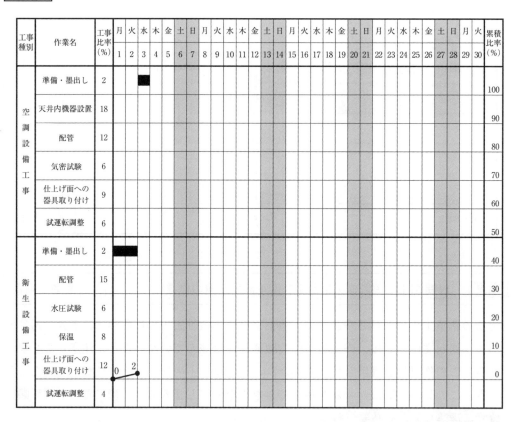

| 問題4 | 設問2 | バーチャート工程表の完成 | 解答・解説 |

(1)どの作業を何日目に行うかを検討するため、上記の作業順と問題文中の施工手順を注視しながら、次のような表を作成する。

空調設備工事

作業名	作業日数	作業日
準備・墨出し	1日	3
天井内機器設置	3日	4, 5, 8
配管	4日	9,10,11,12
気密試験	2日	15, 16
(建築仕上げ工事)	(3日)	(17, 18, 19)
仕上げ面への器具取付け	3日	22, 23, 24
試運転調整	3日	25, 26, 29

衛生設備工事

作業名	作業日数	作業日
準備・墨出し	2日	1, 2
配管	5日	3, 4, 5, 8, 9
水圧試験	2日	10, 11
保温	2日	12, 15
(建築仕上げ工事)	(3日)	(17, 18, 19)
仕上げ面への器具取付け	3日	22, 23, 24
試運転調整	1日	25

※建築仕上げ工事は、空調設備工事と衛生設備工事における共通の作業である。

※仕上げ面への器具取付けは、建築仕上げ工事が完了した次の作業日から開始できる。

(2)この表を基に、バーチャート工程表を完成させると、次のようになる。

解答

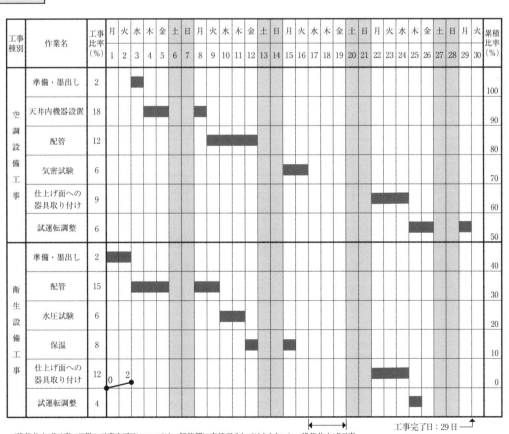

(建築仕上げ工事の日程や工事完了日については、解答欄に直接記入してはならない)→建築仕上げ工事

工事完了日：29日

工程管理

321

(1)各作業について、1日あたりの出来高を求め、次のような表を作成する。各作業の出来高は作業日数内において均等なので、「各作業の1日あたりの出来高＝工事比率÷作業日数」である。

空調設備工事

作業名	作業日数	工事比率	出来高
準備・墨出し	1日	2%	2%
天井内機器設置	3日	18%	6%
配管	4日	12%	3%
気密試験	2日	6%	3%
仕上げ面への器具取付け	3日	9%	3%
試運転調整	3日	6%	2%

衛生設備工事

作業名	作業日数	工事比率	出来高
準備・墨出し	2日	2%	1%
配管	5日	15%	3%
水圧試験	2日	6%	3%
保温	2日	8%	4%
仕上げ面への器具取付け	3日	12%	4%
試運転調整	1日	4%	4%

(2)累積出来高とは、それを算定する日までの1日あたりの出来高の合計（前日の累積出来高＋その日の1日あたりの出来高）である。また、1日あたりの出来高は、空調設備工事の出来高と衛生設備工事の出来高の合計である。

(3)上記の出来高表とバーチャート工程表を注視しながら、次のような表を作成し、各作業日の累積出来高を算出する。

作業日	1	2	3	4	5	6	7	8	9	10	11	12	13	14	15	16	17	18	19	20	21	22	23	24	25	26	27	28	29	30
空調設備工事の作業名(頭文字)			準	天	天			天	配	配	配	配			気	気						仕	仕	仕	試	試			試	
空調設備工事の出来高			2	6	6			6	3	3	3	3			3	3						3	3	3	2	2			2	
衛生設備工事の作業名(頭文字)	準	準	配	配	配			配	配	水	水	保			保							仕	仕	仕	試					
衛生設備工事の出来高	1	1	3	3	3			3	3	3	3	4			4							4	4	4	4					
1日あたりの出来高[%]	1	1	5	9	9			9	6	6	6	7			7	3	0	0	0			7	7	7	6	2			2	
累積出来高[%]	1	2	7	16	25			34	40	46	52	59			66	69	69	69	69			76	83	90	96	98			100	

(4)上記の累積出来高表を基に、累積出来高曲線を記入する。なお、各作業の出来高は作業日数内において均等なので、点を描くのは各作業の完了日だけでよい。

解答

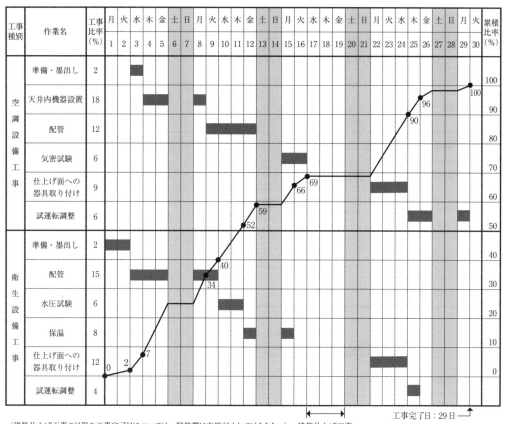

工事種別	作業名	工事比率(%)	月1	火2	水3	木4	金5	土6	日7	月8	火9	水10	木11	金12	土13	日14	月15	火16	水17	木18	金19	土20	日21	月22	火23	水24	木25	金26	土27	日28	月29	火30	累積比率(%)

空調設備工事
- 準備・墨出し 2
- 天井内機器設置 18
- 配管 12
- 気密試験 6
- 仕上げ面への器具取り付け 9
- 試運転調整 6

衛生設備工事
- 準備・墨出し 2
- 配管 15
- 水圧試験 6
- 保温 8
- 仕上げ面への器具取り付け 12
- 試運転調整 4

工事完了日：29日

(建築仕上げ工事の日程や工事完了日については、解答欄に直接記入してはならない)→ 建築仕上げ工事

工程管理

323

(1)衛生設備工事の配管作業の完了が2日遅れた場合、バーチャート工程表は次のように
変化する。なお、以降の設問では累積出来高が問われていないので、累積出来高曲線
のことを気にする必要はない。

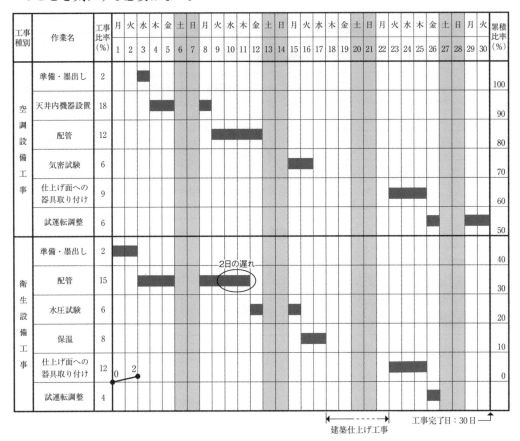

(2)元々のバーチャート工程表では、工事完了日が29日(月曜日)になっていた。上記のバ
ーチャート工程表では、工事完了日が30日(火曜日)になっている。したがって、空調
設備工事を含む設備工事全体の完了の遅れは、1日になる。

(3)衛生設備工事の配管作業の完了が2日遅れたのに対し、設備工事全体の完了の遅れが1
日で済んでいるのは、元々のバーチャート工程表における衛生設備工事には、16日(火
曜日)に、1日分の余裕(他の作業の完了を待つだけの日)があったからである。

| 解答 | 工事全体の完了の遅れ | 1日 |

工程管理

(1) 空調設備工事の準備・墨出し作業を、衛生設備工事の準備・墨出し作業と同様に、工事の初日に開始した場合、バーチャート工程表は次のように変化する。

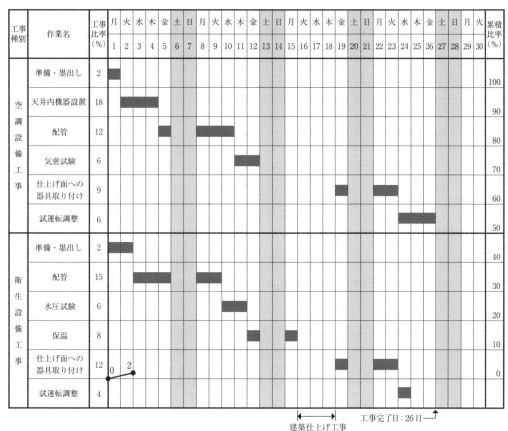

(2) 元々のバーチャート工程表では、工事完了日が29日(月曜日)になっていた。上記のバーチャート工程表では、工事完了日が26日(金曜日)になっている。したがって、衛生設備工事を含む設備工事全体の完了は、当初の予定よりも3日早くなる。

| 解答 | 工事全体の完了の早まり | 3日 |

工程管理

| 問題4 | バーチャート工程表の作成・タクト工程表の作成 |

2階建て建物の新築において、1階と2階の設備工事の作業が下記の表及び施工条件のとおりのとき、次の 設問1 〜 設問5 の答えを解答欄に記述しなさい。

作業名	1階部分		2階部分	
	作業日数	工事比率	作業日数	工事比率
準備・墨出し	1日	2%	1日	2%
配管	5日	20%	5日	20%
水圧試験	2日	6%	2日	6%
保温	2日	6%	2日	6%
器具取付け	2日	10%	2日	10%
試運転調整	2日	6%	2日	6%

〔施工条件〕

① 先行する作業と後続する作業は、並行作業はしないものとする。

② 工事は最早で完了させるものとし、同一作業は、1階の作業が完了後、すぐに2階の作業に着手する。

③ 器具取付けは、建築仕上げ工事の後続作業とする。

④ 建築仕上げ工事は、階ごとに3日を要するものとする。

⑤ 土曜日、日曜日は、現場での作業を行わないものとする。

| 設問1 | バーチャート工程表の作業名欄に作業順に2階部分の作業名を、また、工事比率欄に当該作業の工事比率を記入し、バーチャート工程表を完成させなさい。ただし、建築仕上げは日数のみを確保し、作業名欄には記入しない。 |

| 設問2 | 工事全体の累積出来高曲線を記入しなさい。ただし、各作業の出来高は、作業日数内において均等とする。 |

| 設問3 | 各作業の完了日ごとに累積出来高の数字を累積出来高曲線の直近に記入しなさい。 |

| 設問4 | 2階部分のタクト工程表を完成させなさい。 |

| 設問5 | タクト工程表は、どのような作業に適しているか簡潔に記述しなさい。 |

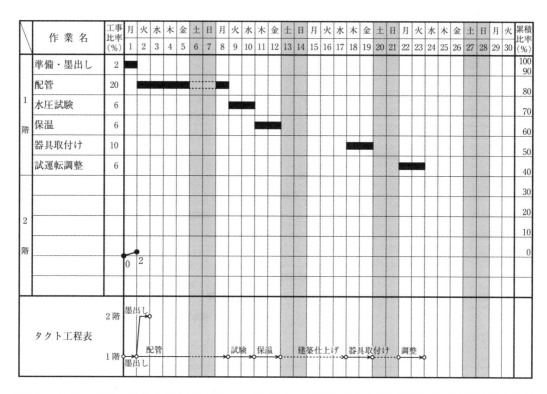

	作業名	工事比率(%)	月1	火2	水3	木4	金5	土6	日7	月8	火9	水10	木11	金12	土13	日14	月15	火16	水17	木18	金19	土20	日21	月22	火23	水24	木25	金26	土27	日28	月29	火30	累積比率(%)

1階
- 準備・墨出し 2
- 配管 20
- 水圧試験 6
- 保温 6
- 器具取付け 10
- 試運転調整 6

2階

タクト工程表

<table>
<tr><td colspan="2">問題4</td><td colspan="2">設問1</td><td>バーチャート工程表の完成</td><td>解答・解説</td></tr>
</table>

（1）バーチャート工程表の作業名欄に、作業順に2階部分の作業名を記入する。作業順は1階部分と同じである。

（2）バーチャート工程表の工事比率欄に、2階部分の工事比率を記入する。各作業の工事比率は、問題文の表にある通り、1階部分と同じである。

（3）タクト工程表を見ると、建築仕上げは、保温と器具取付けの間に行うことが分かる。

（4）先行する作業と後続する作業（同一階における作業）は並行作業としないこと、同一作業は1階の作業が完了後すぐに2階の作業に着手すること、土曜日と日曜日は現場での作業を行わないことを踏まえて、各階における各作業を何日目に行うべきかを検討し、次のような表を作成する。

作業名	1階部分 作業日数	1階部分 作業日	2階部分 作業日数	2階部分 作業日
準備・墨出し	1日	1	1日	2
配管	5日	2,3,4,5,8	5日	9,10,11,12,15
水圧試験	2日	9,10	2日	16,17
保温	2日	11,12	2日	18,19
（建築仕上げ）	（3日）	（15,16,17）	（3日）	（22,23,24）
器具取付け	2日	18,19	2日	25,26
試運転調整	2日	22,23	2日	29,30

(5) この表を基に、バーチャート工程表を完成させると、次のようになる。

解答例 問題4 設問1

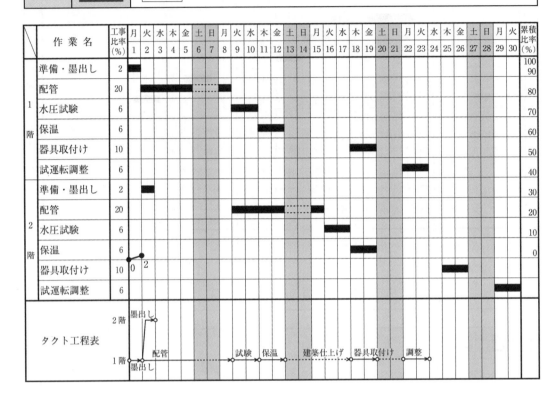

問題4 設問2 累積出来高曲線の記入   解答・解説

(1) 各作業について、1日あたりの出来高を求め、次のような表を作成する。各作業の出来高は作業日数内において均等なので、「各作業の1日あたりの出来高＝工事比率÷作業日数」である。

作業名	1階部分			2階部分		
	作業日数	工事比率	出来高	作業日数	工事比率	出来高
準備・墨出し	1日	2%	2%	1日	2%	2%
配管	5日	20%	4%	5日	20%	4%
水圧試験	2日	6%	3%	2日	6%	3%
保温	2日	6%	3%	2日	6%	3%
（建築仕上げ）	（3日）	（0%）	（0%）	（3日）	（0%）	（0%）
器具取付け	2日	10%	5%	2日	10%	5%
試運転調整	2日	6%	3%	2日	6%	3%

(2) 累積出来高とは、それを算定する日までの1日あたりの出来高の合計（前日の累積出来高＋その日の1日あたりの出来高）である。タクト工程表による工程管理を行う場合は、1

階部分の作業の出来高と2階部分の作業の出来高を合計したものを、1日あたりの出来高とする。ここでは、次のような表を作成し、各作業日の累積出来高を算出する。

作業日	1	2	3	4	5	6	7	8	9	10	11	12	13	14	15	16	17	18	19	20	21	22	23	24	25	26	27	28	29	30
1階の作業（作業名の頭文字）	準	配	配	配	配			配	水	水	保	保			建	建	建	器	器			試	試							
1階の作業の出来高 [%]	2	4	4	4	4			4	3	3	3	3			0	0	0	5	5			3	3							
2階の作業（作業名の頭文字）		準							配	配	配	配			配	水	水	保	保			建	建	建	器	器			試	試
2階の作業の出来高 [%]		2							4	4	4	4			4	3	3	3	3			0	0	0	5	5			3	3
1日あたりの出来高 [%]	2	6	4	4	4			4	7	7	7	7			4	3	3	8	8			3	3	0	5	5			3	3
累積出来高 [%]	2	8	12	16	20			24	31	38	45	52			56	59	62	70	78			81	84	84	89	94			97	100

(3) この表を基に、工事全体の累積出来高曲線を記入する。なお、各作業の出来高は作業日数内において均等なので、点を描くのは各作業の完了日だけでよい。

問題4	設問3	各作業の完了日ごとの累積出来高	解答・解説

(1) 各作業の完了日ごとの累積出来高の数字については、**設問2** で既に求められているので、その数値を記入すればよい。

(2) 工事全体の累積出来高曲線と、各作業の完了日ごとの累積出来高の数字を記入すると、次のようになる。

解答例	問題4	設問2	設問3

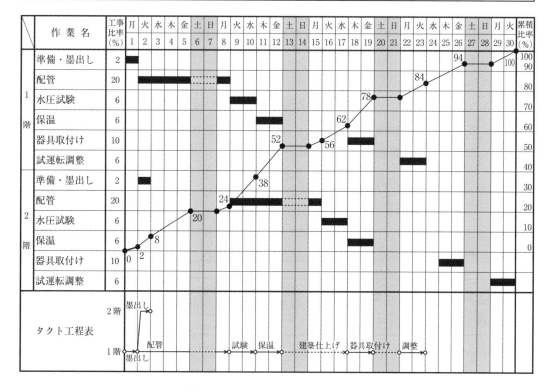

工程管理

| 問題4 | 設問4 | 2階部分のタクト工程表の完成 | 解答・解説 |

(1) 2階部分の各作業を何日目に行うかについては、 設問1 で既に求められているので、問題文に記入されている1階部分のタクト工程表と同じ書式で、2階部分のタクト工程表を記入する。

(2) 2階部分のタクト工程表を完成させると、次のようになる。

| 解答例 | 問題4 | 設問4 |

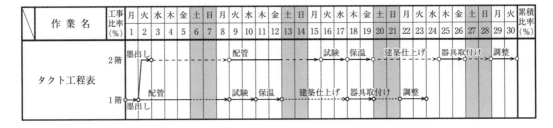

| 問題4 | 設問5 | タクト工程表が適している作業 | 解答・解説 |

(1) タクト工程表は、縦軸に階数、横軸に工期(作業日数)をとった工程表である。高層ビルなどの施工で、各階において同一の作業を繰り返して実施する場合に、その一連の作業工程の組み合わせが、階段状の工程表として描かれている。

(2) タクト工程表による工程管理を行うと、各作業を各階で繰り返し行うことにより、作業者の熟練度が向上するため、工程短縮・品質向上・人員削減などを同時に図ることができる。一例として、10階建ての高層ビルの施工では、1階部分から10階部分まで、ほとんど同じ作業を10回繰り返すことになるので、階が上がるにつれて、習熟効果による生産性の向上が見込める。

(3) タクト工程表による工程管理では、各階における一連の作業が同一の日程で行われ、次の工区へ移動することになるので、各工程は切れ目なく実施できる。

| 解答例 | 問題4 | 設問5 |

タクト工程表は、高層建築物の建築工事や管工事などのように、各階において同一の作業を繰り返して実施する場合に適している。

問題4 バーチャート工程表の作成

　ある建築物にユニット形空気調和機を設置する空気調和設備工事の作業名、作業日数、工事比率は、以下のとおりである。次の 設問1 ～ 設問5 の答えを解答欄に記入しなさい。

〔空気調和設備工事の作業〕

作業名	作業日数	工事比率
準備・墨出し	2日	10%
空気調和機据付け	2日	35%
コンクリート基礎打設	1日	10%
水圧試験	2日	5%
冷温水配管（空調機廻り）	4日	20%
保温	3日	15%
試運転調整	1日	5%

〔施工条件〕　①並行作業はしないものとする。

　　　　　　②工事は最速で完了させるものとする。

　　　　　　③コンクリート基礎打設後4日は、養生のためすべての作業に着手できない。

　　　　　　④土曜日・日曜日は現場の休日とする。ただし、養生は土曜日・日曜日を使用できるものとする。

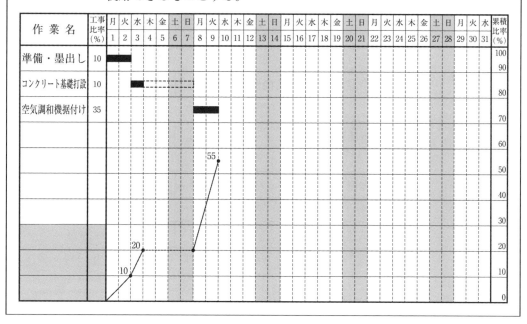

工程管理

設問1	図の作業名欄に、空気調和設備工事の作業名を、作業順に並べ替えて記入しなさい。
設問2	バーチャート工程表を完成させなさい。
設問3	予定累積出来高曲線を記入し、各作業の完了日ごとに累積出来高の数字を記入しなさい。ただし、各作業の出来高は、作業日数内において均等とする。
設問4	この工事の着工が3日遅れた場合、工事完了の遅れは何日となるか記入しなさい。
設問5	バーチャート工程表の短所を記入しなさい。

問題4	設問1	作業手順	解答・解説

　建築物にユニット形空気調和機を設置する空気調和設備工事の作業手順は、次の通りである。この手順通りになるよう、バーチャート工程表の作業名欄に作業名を記入する。

準備・墨出し	2日	10%
コンクリート基礎打設	1日	10%
空気調和機据付け	2日	35%
冷温水配管（空調機廻り）	4日	20%
水圧試験	2日	5%
保温	3日	15%
試運転調整	1日	5%

作業日数の合計　15日

| 問題4 | 設問2 | バーチャート工程表の作成 | 解答・解説 |

　並行作業をせず、土日は作業を行わないことを踏まえて、各作業を何日目に行うべきかを検討し、次のような表を作成する。その際、コンクリート基礎打設後4日（土日を含む）は、作業ができないことに留意する。また、工事は最速で完了させるので、フロート（余裕時間）は考慮しない。この表を基に、バーチャート工程表に横線を記入する。

手順	作業名	作業日数	作業日
①	準備・墨出し	2日	1、2
②	コンクリート基礎打設	1日	3
−	（養生）	（4日）	4、5、6、7
③	空気調和機据付け	2日	8、9
④	冷温水配管（空調機廻り）	4日	10、11、12、15
⑤	水圧試験	2日	16、17
⑥	保温	3日	18、19、22
⑦	試運転調整	1日	23

| 問題4 | 設問3 | 予定累積出来高曲線と累積出来高の記入 | 解答・解説 |

　各作業の完了日ごとに、累積出来高を計算する。この表を基に、バーチャート工程表に予定累積出来高曲線を記入し、各作業の完了日となる点に累積出来高を記入する。

手順	作業名	完了日	工事比率	累積出来高
①	準備・墨出し	2日	10%	0% ＋ 10% ＝ 10%
②	コンクリート基礎打設	3日	10%	10% ＋ 10% ＝ 20%
③	空気調和機据付け	9日	35%	20% ＋ 35% ＝ 55%
④	冷温水配管（空調機廻り）	15日	20%	55% ＋ 20% ＝ 75%
⑤	水圧試験	17日	5%	75% ＋ 5% ＝ 80%
⑥	保温	22日	15%	80% ＋ 15% ＝ 95%
⑦	試運転調整	23日	5%	95% ＋ 5% ＝100%

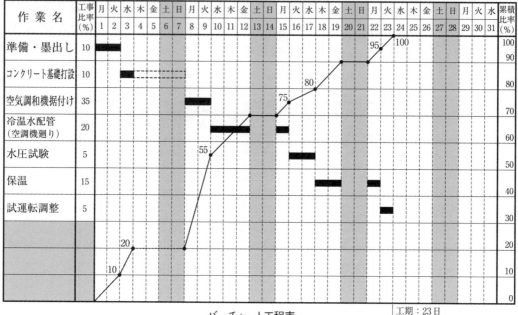

バーチャート工程表 ｜工期：23日

| 問題4 | 設問4 | 着工が3日遅れた場合の工期 | 解答・解説 |

　工事の着工が3日遅れた場合、バーチャート工程表は下図のようになる。結果として、この工事が完了する日は、23日から30日に変更されるので、工事完了の遅れは7日となる。このように、養生期間や土日(休日)の配置次第では、「工事の着工の遅れ＝工事完了の遅れ」にならないことがある。

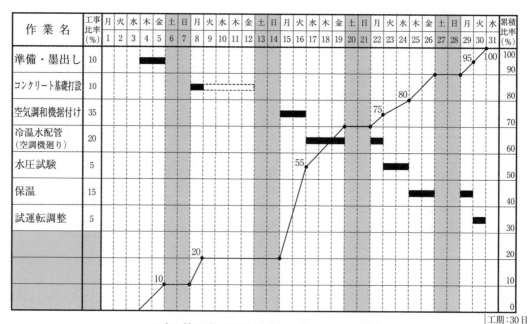

工事の着工が3日遅れた場合のバーチャート工程表 ｜工期：30日

解答	工事完了の遅れ	7日

問題4	設問5	バーチャート工程表の短所	解答・解説

　バーチャート工程表には、作業の相互関係(その作業の先行作業や後続作業はどの作業か)が漠然としか分からないという短所がある。また、各作業の工期に対する影響の度合いが把握できないため、クリティカルパス(重点管理が必要な作業)やフロート(各作業の余裕時間)も不明である。これらの短所を克服したいときは、ネットワーク工程表とバーチャート工程表を併用することが望ましい。

解答例	バーチャート工程表の短所	工期に影響する重点管理作業が不明であり、作業の相互関係が漠然としか分からないこと。

平成28年度 問題4 工程管理　解答・解説

問題4	バーチャート工程表の作成

　ある建築物の給排水衛生設備工事の作業名、作業日数、工事比率は、以下のとおりである。次の 設問1 ～ 設問5 の答えを解答欄に記入しなさい。

〔給排水衛生設備工事の作業〕

作業名	作業日数	工事比率
準備	2日	5%
墨出し	3日	5%
器具取付け	3日	15%
器具の調整	2日	5%
試験(水圧・満水)	2日	10%
配管	5日	40%
保温	3日	20%

〔施工条件〕
　　①並行作業はしないものとする。
　　②工事は最速で完了させるものとする。
　　③土曜・日曜日は現場の休日とする。

設問1	図−1の作業名欄に、給排水衛生設備工事の作業名を、作業順に並べ替えて記入しなさい。
設問2	バーチャート工程表を完成させなさい。
設問3	予定累積出来高曲線を記入し、各作業の完了日ごとに累積出来高の数字を記入しなさい。 ただし、各作業の出来高は、作業日数内において均等とする。
設問4	全体工事を出来高累計曲線で管理する曲線式工程表では、許容される範囲において、最も早く施工が完了したときの限界を上方許容限界曲線、最も遅く施工が完了したときの限界を下方許容限界曲線というが、この両曲線を、上下の曲線に挟まれた部分の形状から何と呼ぶか記入しなさい。
設問5	図−2に示すような各作業の完了時点を100%として横軸にその達成度をとり、現在の進行状態を棒グラフで示す工程表の名称を記入しなさい。

工程管理

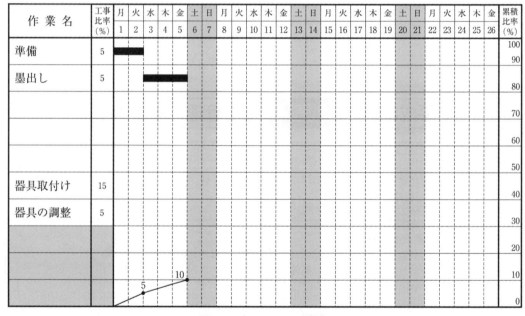

図−1 バーチャート工程表

（○年□月◇日）

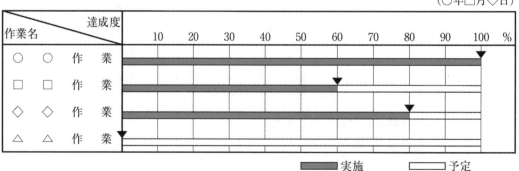

図−2

336

　給排水衛生設備工事の作業手順は、次の通りである。この手順通りになるよう、バーチャート工程表の作業名欄に作業名を記入する。

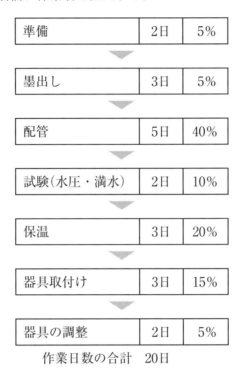

準備	2日	5%
墨出し	3日	5%
配管	5日	40%
試験（水圧・満水）	2日	10%
保温	3日	20%
器具取付け	3日	15%
器具の調整	2日	5%

作業日数の合計　20日

　並行作業をせず、土日は作業を行わないことを踏まえて、各作業を何日目に行うべきかを検討し、次のような表を作成する。この表を基に、バーチャート工程表に横線を記入する。

手順	作業名	日数	作業日
①	準備	2日	1、2
②	墨出し	3日	3、4、5
③	配管	5日	8、9、10、11、12
④	試験（水圧・満水）	2日	15、16
⑤	保温	3日	17、18、19
⑥	器具取付け	3日	22、23、24
⑦	器具の調整	2日	25、26

　各作業の完了日ごとに、累積出来高を計算する。この表を基に、バーチャート工程表に予定累積出来高曲線を記入し、各作業の完了日となる点に累積出来高を記入する。

手順	作業名	完了日	工事比率	累積出来高
①	準備	2日	5%	0% + 5% = 5%
②	墨出し	5日	5%	5% + 5% = 10%
③	配管	12日	40%	10% + 40% = 50%
④	試験(水圧・満水)	16日	10%	50% + 10% = 60%
⑤	保温	19日	20%	60% + 20% = 80%
⑥	器具取付け	24日	15%	80% + 15% = 95%
⑦	器具の調整	26日	5%	95% + 5% = 100%

解答例　問題4　設問1　設問2　設問3

工程管理

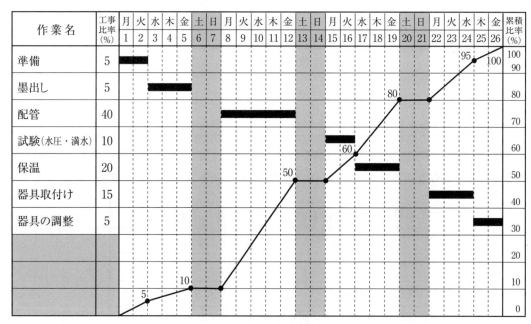

バーチャート工程表

| 問題 4 | 設問 4 | 曲線式工程表の名称 | 解答・解説 |

　上方許容限界曲線と下方許容限界曲線に挟まれた部分は、下図のような形状となる場合が多い。このようなグラフは工程管理曲線と呼ばれるが、その形状が果物のバナナに似ていることから、バナナ曲線と呼ばれることもある。

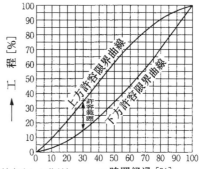

工程管理曲線(バナナ曲線)　　　　→ 時間経過 [%]

| 両曲線の名称 | バナナ曲線 |

| 問題 4 | 設問 5 | 各作業の完成率を示す工程表 | 解答・解説 |

　縦軸に作業名を、横軸に達成度(各作業の完了時点を100%とする)をとり、現在の各作業の進行状況を棒グラフで示す工程表は、ガントチャート工程表と呼ばれている。ガントチャート工程表では、各作業の進捗度は明確になるが、それ以外のことは分かりづらい。

| 工程表の名称 | ガントチャート工程表 |

平成27年度 問題4 工程管理　解答・解説

| 問題 4 | バーチャート・累積出来高曲線 |

　ある建物にパッケージ形空気調和機を設置する空気調和設備工事の作業(日数、工事比率)は以下のとおりである。

　次の 設問 1 〜 設問 5 の答えを解答欄に記入しなさい。

〔空気調和設備工事の作業〕

　　　　屋外機設置(3日、30%)

　　　　屋内機設置(4日、20%)

　　　　気密試験(真空引きを含む)(2日、10%)

　　　　試運転調整(2日、10%)

　　　　配管(渡り配線を含む)(4日、20%)

　　　　保温(2日、10%)

〔施工条件〕

① パッケージ形空気調和機の屋内機は床置形、配管は露出配管とし、屋内機設置後に実施する。

② 並行作業はしないものとする。

③ 工事は最速で完了させるものとする。

④ 土曜・日曜日は現場の休日とする。

設問 1	バーチャート工程表の作業名欄に、空気調和設備工事の作業を作業順に並べ替えて記入しなさい。
	ただし、作業名の括弧内は記入を要しない。

設問 2	バーチャート工程表を完成させなさい。

設問 3	予定累積出来高曲線を記入し、各作業の完了日ごとに累積出来高の数字を記入しなさい。
	ただし、各作業の出来高は、作業日数内において均等とする。

設問 4	空気調和設備工事の所要工期は何日か。

設問 5	ネットワーク工程表が、バーチャート工程表に比べ優れている点を、簡潔に記述しなさい。

工程管理

作業名	工事比率(%)	月 1	火 2	水 3	木 4	金 5	土 6	日 7	月 8	火 9	水 10	木 11	金 12	土 13	日 14	月 15	火 16	水 17	木 18	金 19	土 20	日 21	月 22	火 23	水 24	木 25	累積比率(%)
屋外器設置	30																										100 / 90
屋内器設置	20																										80
																											70
																											60
																											50
																											40
																											30
						30																					20
																											10
		0																									0

バーチャート工程表

パッケージ形空気調和機の設置工事における手順は、次の通りである。注意する必要がある点は、「気密試験の終了を待ってから保温する」ことである。この手順通りに、バーチャート工程表の作業名欄に作業名を記入する。

| 屋外機設置 | 3日 | 30% |

| 屋内機設置 | 4日 | 20% |

| 配管（渡り配線を含む） | 4日 | 20% |

| 気密試験（真空引きを含む） | 2日 | 10% |

| 保温 | 2日 | 10% |

| 試運転調整 | 2日 | 10% |

作業日数の合計　17日

各作業は並行作業を行わないので、作業工程順に、作業日を下記のような表に記入する。作業日については、土曜・日曜が現場の休日であることに注意する。この表を基に、バーチャート工程表を完成させる。

手順	作業名	日数	作業日
①	屋外機設置	3日	1、2、3
②	屋内機設置	4日	4、5、8、9
③	配管	4日	10、11、12、15
④	気密試験	2日	16、17
⑤	保温	2日	18、19
⑥	試運転調整	2日	22、23
所要工期	17日		

　各作業の完了日ごとに、累積出来高を下記のような表に記入する。この表を基に、バーチャート工程表に予定累積出来高曲線を記入し、各作業の完了日となる点に累積出来高を記入する。

手順	作業名	工事比率	完了日	完了日の累積出来高
①	屋外機設置	30%	3日目	0 + 30 = 30%
②	屋内機設置	20%	9日目	30 + 20 = 50%
③	配管	20%	15日目	50 + 20 = 70%
④	気密試験	10%	17日目	70 + 10 = 80%
⑤	保温	10%	19日目	80 + 10 = 90%
⑥	試運転調整	10%	23日目	90 + 10 = 100%

| 解答例 | 問題4 | 設問1 | 設問2 | 設問3 |

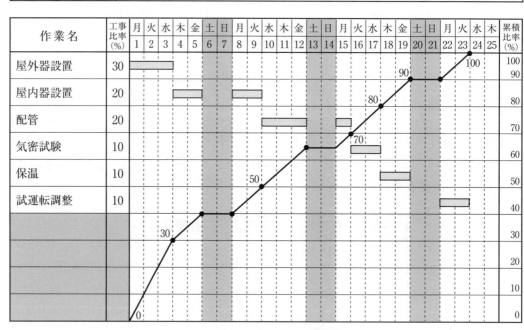

バーチャート工程表

| 問題4 | 設問4 | 空気調和設備工事の所要工期 | 解答・解説 |

　所要工期は、各作業の日数を合計したものなので、3＋4＋4＋2＋2＋2＝17日である。なお、この工事の工事完了予定日は、23日目である。

| 所要工期 | 17日 |

| 問題4 | 設問5 | ネットワーク工程表がバーチャート工程表よりも優れている点 | 解答・解説 |

　ネットワーク工程表は、バーチャート工程表に比べて、工期上の問題点を把握することに関して、遥かに優れている。

| 解答例① | ネットワーク工程表では、クリティカルパスが判明するので、重点管理作業や余裕の少ない作業などのように、遅れの原因となりそうな作業を集中管理できる。 |
| 解答例② | ネットワーク工程表では、工程が遅れたときに、どの作業を何日短縮すべきかが明確になるので、時間や費用をかけずに合理的な日程短縮が可能となる。 |

平成26年度 問題4 工程管理　解答・解説

| 問題4 | バーチャート・累積出来高曲線 |

　ある建物の給排水衛生設備工事の作業（作業日数、工事比率）は、以下のとおりである。次の 設問1 〜 設問5 の答えを解答欄に記入しなさい。

〔給排水衛生設備工事の作業〕墨出し（吊り金物取付けを含む）（2日、4％）
　　　　　　　　　　　　　　器具取付け（水栓、衛生陶器）（2日、38％）
　　　　　　　　　　　　　　器具の調整（2日、4％）
　　　　　　　　　　　　　　試験（満水・水圧）（2日、6％）
　　　　　　　　　　　　　　配管（4日、36％）
　　　　　　　　　　　　　　保温（2日、12％）
〔施工条件〕1）先行する作業と後続する作業は、並行作業はできない。
　　　　　　2）配管は、建築仕上げ内の隠ぺい配管とし、別契約の建築仕上げ工事は3日を要するものとする。
　　　　　　3）給排水衛生設備工事、建築仕上げ工事とも、土曜・日曜日は現場の休日とする。
　　　　　　4）工事は最速で完了させるものとする。

設問1 図-1の作業名欄に、給排水衛生設備工事の作業名及び別契約の建築仕上げ工事を、作業順に記入しなさい。
ただし、作業名の括弧内は記入を要しない。

設問2 バーチャート工程表を完成させなさい。

設問3 予定累積出来高曲線を記入し、各作業の完了日ごとに累積出来高の数字を記入しなさい。
ただし、各作業の出来高は、作業日数内において均等とする。

設問4 予定累積出来高曲線が、その形状から呼ばれる別の名称を記入しなさい。

設問5 図-2に示すような各作業の完了時点を100%として横軸にその達成度をとり、現在の進行状態を棒グラフで示す工程表の名称を記入しなさい。

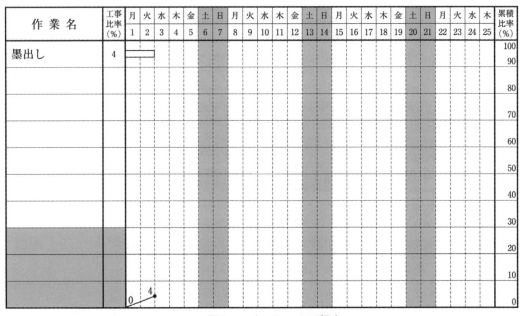

図-1　バーチャート工程表

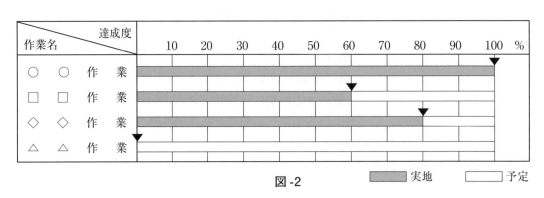

図-2

問題 4	設問 1	バーチャートへの作業名の記入	解答・解説

　給排水衛生設備工事の作業手順は、下記の通りである。なお、建築仕上げ工事は、保温と器具取付けの間に行われる。

①	墨出し（仕上げ墨）打設	2日

②	給水管・排水管の施工（配管）	4日

③	給水管・排水管の満水試験・水圧試験	2日

④	給水管・排水管の保温	2日

⑤	器具の取付け	2日

⑥	器具の調整	2日

作業日数　14日

問題 4	設問 2	設問 3	バーチャート工程表の作成	解答・解説

　作業名を作業工程順に並べ、各作業の日数・工事比率を記入し、それぞれの作業までの工事比率の累計を求める。その後、工事比率の累計を、予定累積出来高曲線としてバーチャート工程表に記入し、図-1を仕上げる。

	作業名	作業日数	工事比率	工事比率の累計
①	墨出し	2日	4%	0＋4＝4%
②	配管	4日	36%	4＋36＝40%
③	試験	2日	6%	40＋6＝46%
④	保温	2日	12%	46＋12＝58%
別契約	建築仕上げ工事	3日	0%	58＋0＝58%
⑤	器具取付け	2日	38%	58＋38＝96%
⑥	器具の調整	2日	4%	96＋4＝100%

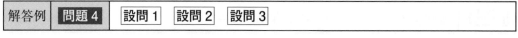

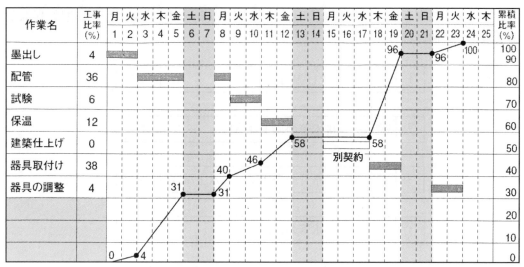

図-1　バーチャート工程表　　※配管の1日の出来高は9%

問題4	設問4	予定累積出来高曲線の別名	解答・解説

　予定累積出来高曲線は、S字形となることが多いので、「Sカーブ」や「S字曲線」とも呼ばれる。

解答例	問題4	設問4	Sカーブ（またはS字曲線）

問題4	設問5	図-2に示す工程表の名称	解答・解説

　横軸に作業の完成率を、縦軸に作業内容をとり、棒グラフを描くことで、各作業の進捗状況を管理する工程表を、「ガントチャート」と呼ぶ。

解答例	問題4	設問5	ガントチャート

参考　平成25年度 問題4 工程管理　解答・解説

問題4　バーチャート・累積出来高曲線・タクト工程表

　ある2階建て建物（1、2階同じ平面プラン）の給排水衛生設備工事の作業（日数、工事比率）は以下のとおりである。次の 設問1 ～ 設問5 の答えを解答欄に記入しなさい。

各作業は、階ごとに、墨出し（吊り、支持金物を含む）（2日、2%）、
　　　　　　　　　　配管（6日、18%）、
　　　　　　　　　　器具取付け（水栓、衛生陶器など）（4日、16%）、
　　　　　　　　　　試験（水圧・満水など）（2日、6%）、
　　　　　　　　　　保温（2日、6%）、
　　　　　　　　　　調整（2日、2%）とする。

ただし、1）先行する作業と後続する作業は、並行作業できない。
　　　　　2）同一作業の1階と2階の作業は、並行作業できない。
　　　　　3）同一作業は、1階の作業が完了後、すぐに2階の作業に着手できる。
　　　　　4）建築仕上げ工事は、階ごとに5日を要するものとする。
　　　　　5）各階の工事はできる限り早く完了させるものとする。

設問1　横線式工程表（バーチャート）の作業名欄に、作業名を作業順に記入しなさい。ただし、作業名の括弧内は記入を要しない。また、建築仕上げは日数のみを確保し、作業名欄には記入しない。

設問2　横線式工程表（バーチャート）を完成させなさい。

設問3　工事全体の累積出来高曲線を記入し、各作業の開始及び完了日ごとに累積出来高の数字を記入しなさい。ただし、各作業の出来高は、作業日数内において均等とする。

設問4　タクト工程表を完成させなさい。

設問5　タクト工程表の利点を簡潔に記述しなさい。

工程管理

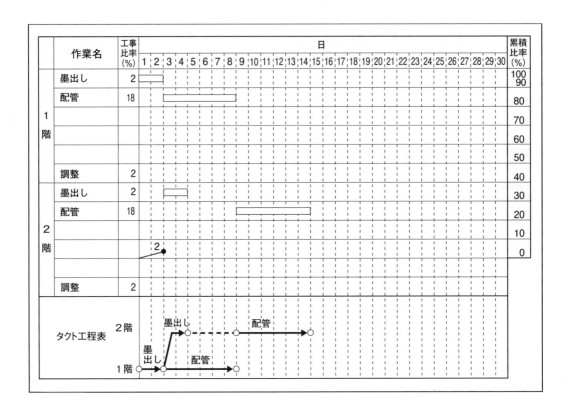

	作業名	工事比率(%)	日																													累積比率(%)
			1	2	3	4	5	6	7	8	9	10	11	12	13	14	15	16	17	18	19	20	21	22	23	24	25	26	27	28	29	30	

問題4　設問1　作業名の記入　　　　　　　　　　　　　　　　　　　解答・解説

給排水設備の工事における施工順序は、下表の通りである。1日の出来高も同時に示す。

作業手順と1日の出来高

施工順序	1	2	3	4	5	6
作業名	墨出し	配管	試験	保温	器具取付け	調整
作業(記号)	A及びA'	B及びB'	C及びC'	D及びD'	E及びE'	F及びF'
日程・出来高	2日・2%	6日・18%	2日・6%	2日・6%	4日・16%	2日・2%
1日の出来高	1%	3%	3%	3%	4%	1%

各作業にA～Fの記号を付け、それが1階の作業であればそのまま、2階の作業であれば「'（ダッシュ）」を付けて表現している。日程・出来高は、階ごとの数値である。また、5日間の建築仕上げ工事は、保温（4番目の作業）と器具取付け（5番目の作業）の間に行う。

工程管理

　バーチャートに横棒を記入する。なお、A・B・A'・B'の作業は、既に記入されている。

① 試験は、各階の配管（B、B'）が終わった次の日から開始できる。

　試験（C）は9日〜10日、（C'）は15日〜16日に横棒を記入する。

② 保温は、各階の試験（C、C'）が終わった次の日から開始できる。

　保温（D）は11日〜12日、（D'）は17日〜18日に横棒を記入する。

③ 器具取付けは、保温（D、D'）の後、5日間の建築仕上げ工事が終わった次の日から開始できる。

　器具取付け（E）は18日〜21日、（E'）は24日〜27日に横棒を記入する。

④ 調整は、各階の器具取付け（E、E'）が終わった次の日から開始できる。

　調整（F）は22日〜23日、（F'）は28日〜29日に横棒を記入する。

　併せて、各横棒の右側に1日の出来高（％/日）を記入する。なお、この工事の工期は、最終作業（F'）が終わる日が29日目なので、29日となる。

問題4　設問3　累積出来高曲線と、累積出来高の数値　解答・解説

　累積出来高とは、それを算定する日までの1日の出来高の合計である。タクト工程では、1階の作業の出来高と2階の作業の出来高を合計したものを1日の出来高とする。ここでは、下記のような表を作成し、各作業日の累積出来高を算出する。

日程	1	2	3	4	5	6	7	8	9	10	11	12	13	14	15	16	17	18	19	20	21	22	23	24	25	26	27	28	29	
1階の作業	A	A	B	B	B	B	B	B	C	C	D	D	←	-	-	-	→	E	E	E	E	F	F							50％
1階の作業の出来高	1	1	3	3	3	3	3	3	3	3	3	3						4	4	4	4	1	1							
2階の作業			A'	A'					B'	B'	B'	B'	B'	B'	C'	C'	D'	D'	←	-	-	-	→	E'	E'	E'	E'	F'	F'	50％
2階の作業の出来高			1	1					3	3	3	3	3	3	3	3	3	3						4	4	4	4	1	1	
1日の出来高合計	1	1	4	4	3	3	3	3	6	6	6	6	3	3	3	3	3	7	4	4	4	1	1	4	4	4	4	1	1	100
累積出来高	1	②	6	⑩	13	16	19	㉒	28	㉞	40	㊻	49	㊾	55	㊽	61	㊽	72	76	⑧⓪	81	⑧②	86	90	94	⑨⑧	99	⑩⓪	—

○: 累積出来高曲線に記入する数値

　次頁のバーチャートの累積比率（％）が累積出来高であるので、バーチャート内の各作業の開始日および完了日の累積出来高を書き、点を打つ。次に、その点同士を結ぶグラフを書く。このグラフが累積出来高曲線である。

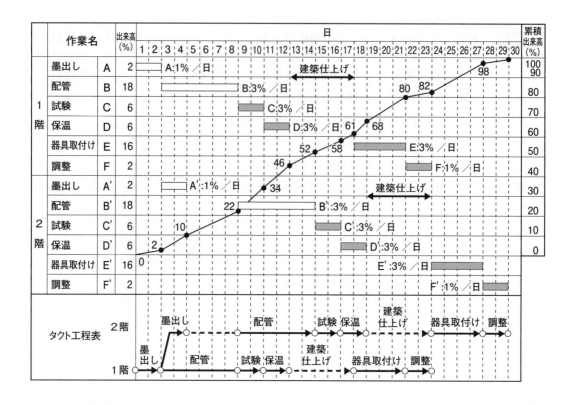

| 問題 4 | 設問 4 | タクト工程表への記入 | 解答・解説 |

設問3 で記入したバーチャートに従い、タクト工程表を完成させる。最初に、各作業の開始日と終了日を階ごとに○で表す。次に、実際の作業の部分には実線の矢印を記入し、作業待ちや建築仕上げ工事などの管工事を行わない部分には点線を記入する。解答は 設問3 の最下部にあるタクト工程表に書かれた通りである。

1階のタクト工程

墨出し(A)	（ 1日～ 2日）
配管(B)	（ 3日～ 8日）
試験(C)	（ 9日～10日）
保温(D)	（11日～12日）
建築仕上げ	（13日～17日）
器具取付け(E)	（18日～21日）
調整(F)	（22日～23日）

2階のタクト工程

作業待ち	（ 1日～ 2日）
墨出し(A')	（ 3日～ 4日）
作業待ち	（ 5日～ 8日）
配管(B')	（ 9日～14日）
試験(C')	（15日～16日）
保温(D')	（17日～18日）
建築仕上げ	（19日～23日）
器具取付け(E')	（24日～27日）
調整(F')	（28日～29日）

　タクト工程表を用いたタクト工程を採用したときの利点は、複数の階で同一の作業を行うような、同一作業を繰り返す工程となる工事において、作業の短縮と品質の向上を図れることである。

| 解答例 | 設問5 | 工程を短縮できること・品質の向上を図れることが利点である。 |

参考　平成24年度 問題4 工程管理　解答・解説

| 問題4 | バーチャート工程表・累積出来高曲線・気密試験・工程曲線 |

　ある建物の設備工事のうち、衛生設備工事の工程は図に示すとおりであり、ルームエアコンを設置する空気調和設備工事の作業(日数、工事比率%)は以下のとおりである。次の 設問1 〜 設問5 の答えを解答欄に記入しなさい。

作　　業　機器設置(4日、24%)、気密試験(真空引きを含む)(3日、6%)、試運転調整(2日、2%)、準備・墨出し(1日、1%)、配管(渡り配線を含む)(4日、12%)

施工条件　① 先行する作業が完了してから後続する作業に着手するものとし、出来る限り早く完了させるものとする。
　　　　　　② エアコンは壁付け、配管は露出配管とする。
　　　　　　③ 内装仕上げは、別工事とする。

| 設問1 | 空気調和設備工事に関する横線式工程表(バーチャート工程表)の作業名欄に、作業名を作業順に記入しなさい。 |

| 設問2 | 空気調和設備工事に関する横線式工程表(バーチャート工程表)を完成させなさい。 |

| 設問3 | 設備工事全体の累積出来高曲線を記入し、各作業の開始及び完了日ごとに累積出来高の数字を記入しなさい。ただし、各作業の出来高は、作業日数内において均等とする。 |

| 設問4 | 冷媒管の気密試験を窒素ガスで行う理由を簡潔に記述しなさい。 |

| 設問5 | 工程管理に使用される次の曲線のうちから1つ選び、解答欄に選択した曲線の名称を記入し、その曲線の利点を簡潔に記述しなさい。
(1) 進捗線(イナズマ線)
(2) 累積出来高曲線 |

工程管理

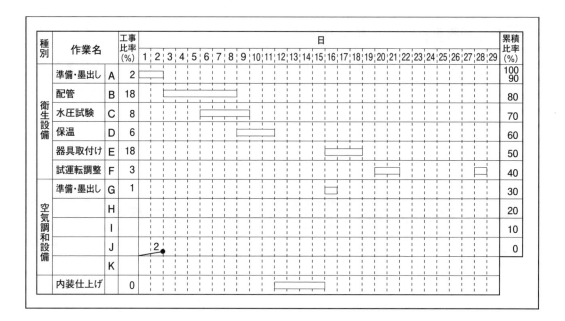

種別	作業名		工事比率(%)	日 1 2 3 4 5 6 7 8 9 10 11 12 13 14 15 16 17 18 19 20 21 22 23 24 25 26 27 28 29	累積比率(%)
衛生設備	準備・墨出し	A	2		100 90
	配管	B	18		80
	水圧試験	C	8		70
	保温	D	6		60
	器具取付け	E	18		50
	試運転調整	F	3		40
空気調和設備	準備・墨出し	G	1		30
		H			20
		I			10
		J		2	0
		K			
	内装仕上げ		0		

問題4	設問1	作業名の記入		解答・解説

　空気調和設備の工事における施工順序は、下表の通りである。作業ごとの日程・出来高も同時に示す。併せて、設問3以降で必要となるので、問題文中のバーチャート工程表から読み取れる、衛生設備の工事における施工順序と1日の出来高を示す。

空気調和設備工事の作業手順と1日の出来高　　　　　各作業にG～Kの記号を付ける。

施工順序	1	2	3	4	5
作業名	準備・墨出し	機器設置	配管	気密試験	試運転調整
作業(記号)	G	H	I	J	K
日程・出来高	1日・1%	4日・24%	4日・12%	3日・6%	2日・2%
1日の出来高	1%	6%	3%	2%	1%

衛生設備工事の作業手順と1日の出来高　　　　　各作業にA～Fの記号を付ける。

施工順序	1	2	3	4	5	6
作業名	準備・墨出し	配管	水圧試験	保温	器具取付け	試運転調整
作業(記号)	A	B	C	D	E	F
日程・出来高	2日・2%	6日・18%	4日・8%	3日・6%	3日・18%	3日・3%
1日の出来高	1%	3%	2%	2%	6%	1%

工程管理

問題4	設問2	バーチャート工程表への横棒の記入

バーチャート工程表に横棒を記入する。なお、A ～ Gの作業は、既に記入されている。

① 空気調和設備の機器設置は、その準備・墨出しが終わった次の日から開始できる。

　機器設置(H)は17日～ 20日に横棒を記入する。

② 空気調和設備の配管は、その機器設置が終わった次の日から開始できる。

　配管(I)は21日～ 24日に横棒を記入する。

③ 空気調和設備の気密試験は、その配管が終わった次の日から開始できる。

　気密試験(J)は25日～ 27日に横棒を記入する。

④ 空気調和設備の試運転調整は、その気密試験が終わった次の日から開始できる。

　試運転調整(K)は28日～ 29日に横棒を記入する。

併せて、各横棒の右側に1日の出来高(%/日)を記入する。完成したバーチャート工程表を、設問3の最下部に示す。

問題4	設問3	累積出来高曲線と、累積出来高の数値	解答・解説

累積出来高とは、それを算定する日までの1日の出来高の合計である。設問1で示した各工事の出来高と、設問2で完成させたバーチャート工程表を参照しながら、下記のような表を作成し、各作業日の累積出来高を算出する。

工程・日程	1	2	3	4	5	6	7	8	9	10	11	12	13	14	15	16	17	18	19	20	21	22	23	24	25	26	27	28	29	計
作業 (記号)	A	A	B	B	B	BC	BC	BC	CD	D	D					E	E	E		F	F							F		55%
作業衛生設備の1日の出来高	1	1	3	3	3	5	5	5	4	2	2	0	0	0	0	6	6	6	0	1	1	0	0	0	0	0	0	1	0	
作業 (記号)																G	H	H	H	H	I	I	I	I	J	J	J	K	K	45%
空気調和設備の1日の出来高	0	0	0	0	0	0	0	0	0	0	0	0	0	0	0	1	6	6	6	6	3	3	3	3	2	2	2	1	1	
1日の出来高	1	1	3	3	3	5	5	5	4	2	2	0	0	0	0	7	12	12	6	7	4	3	3	3	2	2	2	2	1	100%
累積出来高	1	②	5	8	⑪	16	21	㉖	㉚	32	㉞	34	34	34	㉞	㊶	53	(65)	(71)	(78)	(82)	85	88	(91)	93	95	(97)	(99)	(100)	—

○: 累積出来高曲線に記入する数値

次頁のバーチャート工程表のように、各作業の開始日および完了日にその日までの累積出来高を書き、点をプロットする。次に、その点同士を結ぶグラフを書く。このグラフが累積出来高曲線である。

工程管理

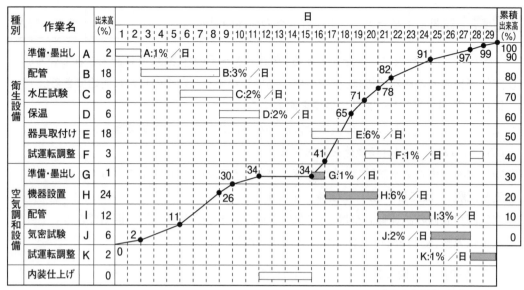

:空気調和設備の作業を示す。

| 問題 4 | 設問 4 | 冷媒管の気密試験 | 解答・解説 |

　冷媒管の気密試験では、冷媒管内に不活性ガス（窒素ガス・炭酸ガスなど）を流入した後、そこに圧力をかけ、圧力低下がどの程度かを確認する。冷媒管の気密試験の目的は、冷媒管からの漏気の有無を判断し、継手の品質を確認することである。

　冷媒管の気密試験で、不活性ガスではなく空気を流入すると、冷媒管内に水分が多く残るため、性能が低下する。不活性ガスを用いた場合でも、気密試験後には、残留する冷媒管内の水分を完全に除去する必要があるため、高真空蒸発脱水処理（真空引き）を行う。

| 解答例 | 設問 4 | 冷媒管内に水分を残留させないため。 |

(1) 進捗線（イナズマ線）

　進捗線（イナズマ線）とは、各作業の進捗状況を確認するためのグラフの一種である。進捗線を作成するときは、進捗状況を確認した日に縦線を書く。

　このとき、工程が予定通りであれば、基準となる縦線はまっすぐになる。工程が予定より進んでいれば、基準となる縦線は左側に突出する。工程が予定より遅れていれば、基準となる縦線は右側に突出する。

　進捗線を書くことにより、一目で各工程の進捗状況を見ることができる。進捗線は、各工程の進捗状況を確認することにおいては、ネットワーク工程表よりも優れている。

(2) 累積出来高曲線（S字曲線）

　累積出来高曲線とは、縦軸に出来高率を、横軸に工期を取り、各作業の出来高を工程ごとに累積して表したグラフのことである。累積出来高曲線は、工程計画を立てるときに書く予定累積出来高曲線に、実際の出来高を示す実施累積出来高曲線を併せて書く。実施累積出来高曲線は、工事が予定より遅れていれば、予定累積出来高曲線の下側になり、工事が予定より進んでいれば、予定累積出来高曲線の上側になる。

　予定累積出来高曲線と実施累積出来高曲線を重ねてバーチャート工程表に記入することにより、一目で工事全体の進捗状況を見ることができる。

| 解答例 | 設問 5 | (1) | 進捗線（イナズマ線） | 各作業の進捗状況が一目でわかる。 |
| 解答例 | 設問 5 | (2) | 累積出来高曲線 | 工事全体の進捗状況が一目でわかる。 |

工程管理

| 問題4 | バーチャート工程表・累積出来高曲線・バーチャート工程表の欠点 |

ある工事の作業について、次の 設問1 ～ 設問5 の答えを解答欄に記入しなさい。

ある工事の作業(作業日数、工事比率)の相互関係等は、以下の通りである。

(イ) 作業A(3日、3%)は、工事着工とともに着手する。

(ロ) 作業B(3日、3%)及び作業C(5日、10%)は、作業Aの完了後すぐに着手する。

(ハ) 作業D(4日、8%)は、作業Cの完了後、施工を3日間休止した後に着手する。

(ニ) 作業E(6日、24%)は、作業Dの完了後に着手する。

(ホ) 作業F(4日、16%)及び作業G(6日、18%)は、作業Eに着手した後、3日遅れて着手する。

(ヘ) 作業H(5日、15%)は、作業Eの完了後に着手する。

(ト) 作業I(2日、3%)は、作業Hの完了後に着手する。

| 設問1 | 横線式工程表(バーチャート工程表)を完成させなさい。ただし、工事はできるだけ早く終了させるものとし、土曜日、日曜日等の休日は考慮しない。 |

| 設問2 | 予定累積出来高曲線を記入し、各作業の開始及び完了日ごとに累積出来高の数字を記入しなさい。ただし、各作業の出来高は、作業日数内において均等とする。 |

| 設問3 | 予定累積出来高曲線が、その形状から呼ばれる別の名称を述べなさい。 |

| 設問4 | 実施累積出来高曲線による工程管理の方法を簡潔に述べなさい。 |

| 設問5 | ネットワーク工程表に対する横線式工程表(バーチャート工程表)の欠点を簡単に述べなさい。 |

作業名	工事比率(%)	日（1～31）	累積比率(%)
作業A	3		100
作業B	3		90
作業C	10		80
作業D	8		70
作業E	24		60
作業F	16		50
作業G	18		40
作業H	15		30
作業I	3		20
	0	3	10 / 0

問題文を整理するため、作業名・日程・出来高・1日の出来高を下記のような表にまとめる。

施工順序	1	2	3	4	5	6	7	8	9
作業名	A	B	C	D	E	F	G	H	I
日程・出来高	3日・3%	3日・3%	5日・10%	4日・8%	6日・24%	4日・16%	6日・18%	5日・15%	2日・3%
1日の出来高	1%	1%	2%	2%	4%	4%	3%	3%	1.50%

（イ）　バーチャート工程表に横棒を記入する。なお、作業Aは、既に記入されている。

（ロ）　作業Bは、作業Aが終わった次の日から開始できる。

　　　　作業Bは4日〜6日に横棒を記入する。

　　　　作業Cは、作業Aが終わった次の日から開始できる。

　　　　作業Cは4日〜8日に横棒を記入する。

（ハ）　作業Dは、作業Cが終わった後、3日（9日〜11日）間休止してから開始できる。

　　　　作業Dは12日〜15日に横棒を記入する。

（ニ）　作業Eは、作業Dが終わった次の日から開始できる。

　　　　作業Eは16日〜21日に横棒を記入する。

（ホ）　作業Fは、作業Eに着手した後、3日（16日〜18日）間経過してから開始できる。

　　　　作業Fは19日〜22日に横棒を記入する。

　　　　作業Gは、作業Eに着手した後、3日（16日〜18日）間経過してから開始できる。

　　　　作業Gは19日〜24日に横棒を記入する。

（ヘ）　作業Hは、作業Eが終わった次の日から開始できる。

　　　　作業Hは22日〜26日に横棒を記入する。

（ト）　作業Iは、作業Hが終わった次の日から開始できる。

　　　　作業Iは27日〜28日に横棒を記入する。

　併せて、各横棒の右側に1日の出来高（%/日）を記入する。また、作業手順を考えるときは、同時並行作業（作業Bと作業C、作業Eと作業Fと作業G）があるときでも、それらを同時に考えず、それぞれを単独の作業と考えて別々に日程を定めるとわかりやすい。

　累積出来高とは、それを算定する日までの1日の出来高の合計である。設問1で示した各工事の出来高と、バーチャート工程表を参照しながら、下記のような表を作成し、各作業日の累積出来高を算出する。

工程・日程	1	2	3	4	5	6	7	8	9	10	11	12	13	14	15	16	17	18	19	20	21	22	23	24	25	26	27	28
作業	A	A	A	B	B	B						D	D	D	D	E	E	E	E	E	E	H	H	H	H	H	I	I
作業の出来高	1	1	1	1	1	1	0	0	0	0	0	2	2	2	2	4	4	4	4	4	4	3	3	3	3	3	1.5	1.5
並行作業				C	C	C	C	C																				
並行作業の出来高				2	2	2	2	2																				
並行作業																			F	F	F	F						
並行作業の出来高																			4	4	4	4						
並行作業																			G	G	G	G	G	G				
並行作業の出来高																			3	3	3	3	3	3				
1日の出来高	1	1	1	3	3	3	2	2	0	0	0	2	2	2	2	4	4	4	11	11	11	10	6	6	3	3	1.5	1.5
累積出来高	1	2	③	6	9	⑫	14	⑯	16	16	⑯	18	20	22	㉔	28	32	㊱	47	58	69	79	85	91	94	97	98.5	100

○: 累積出来高曲線に記入する数値

　下記のバーチャート工程表のように、各作業の開始日および完了日にその日までの累積出来高を書き、点をプロットする。次に、その点同士を結ぶグラフ（累積出来高曲線）を書く。

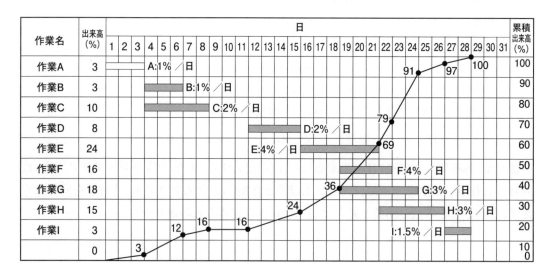

　予定累積出来高曲線は、その形状から、S字曲線またはS字カーブと呼ばれることもある。

解答例	設問3	S字曲線 または S字カーブ

工程管理

問題4	設問4	実施累積出来高曲線による工程管理方法	解答・解説

　予定累積出来高曲線と実施累積出来高曲線をバーチャート工程表に重ねて記入したとき、実施累積出来高曲線が予定累積出来高曲線より下側にあれば、工事が予定より遅れていることを示し、実施累積出来高曲線が予定累積出来高曲線より上側にあれば、工事が予定より進んでいることを示す。そのため、実施累積出来高曲線による管理では、施工速度を調節し、実施累積出来高曲線を予定累積出来高曲線に近づけるようにする。

解答例	設問4	施工速度を調節し、実施累積出来高曲線を予定累積出来高曲線に近づける。

問題4	設問5	バーチャート工程表の欠点	解答・解説

　バーチャート工程表は、下記の解答例に示す点において、ネットワーク工程表よりも劣っている。解答としては、下記①〜③のうちどれかひとつまたは複数を記入する。

解答例	設問5	①工期に影響する作業である重点管理作業が不明であること。 ②作業の相互関係が漠然としていること。 ③どの工程を短縮すれば合理的な工期短縮ができるかが不明なこと。

参考　平成22年度 問題4 工程管理　解答・解説

問題4	バーチャート・累積出来高曲線・配管の施工順序・配管の埋設深さ

　ある建築物の便所の衛生設備工事の作業（日数、工事比率%）は、以下のとおりである。次の設問の答えを解答欄に記入しなさい。

（作　　業）墨出し・吊り金具（1日、2%）、器具A（和風大便器）取付け（2日、12%）、器具B（洋風大便器、小便器、洗面器）取付け（3日、40%）、配管（5日、20%）、保温（2日、8%）、水圧試験（2日、4%）、試運転・調整（2日、12%）、後片付け（1日、2%）

（施工条件）① 先行する作業と後続する作業は、並行作業はできない。

　　　　　　② 配管は、建築仕上げ内の隠ぺい配管とし、建築仕上げ工事には3日間要する。

　　　　　　③ 工事はできる限り早く終了させるものとし、土、日曜日等の休日は考慮しない。

設問1	横線式工程表（バーチャート）の作業名欄に、作業を作業順に並べ替えて記入しなさい。

設問2	横線式工程表（バーチャート）を完成させなさい。

設問3	累積出来高曲線を記入し、各作業の開始又は完了日ごとに累積出来高の数字を記入しなさい。
設問4	給水管、給湯管及び雑排水管のうち、優先して施工する配管の用途とその理由を簡潔に記述しなさい。
設問5	屋外の埋設配管の埋設深さを決定する要因を簡潔に記述しなさい。

作業名		工事比率(%)	日 1〜25	累積比率(%)
墨出し・吊り金具	A	2		100
器具A取付け	B	12		90
	C			80
	D			70
	E			60
器具B取付け	F	40		50
試運転・調整	G	12		40
後片付け	H	2		30
			14	20
			2	10 / 0

問題4	設問1	作業順序を記入する	解答・解説

便所の衛生設備工事における施工順序は、下表の通りである。1日の出来高も同時に示す。

施工順序	1	2	3	4	5	6	7	8
作業名	墨出し・吊り金具	器具A取付け	配管	水圧試験	保温	器具B取付け	試運転・調整	後片付け
作業(記号)	A	B	C	D	E	F	G	H
日程・出来高	1日・2%	2日・12%	5日・20%	2日・4%	2日・8%	3日・40%	2日・12%	1日・2%
1日の出来高	2%	6%	4%	2%	4%	13.3%	6%	2%

各作業にA〜Hの記号を付ける。また、3日間の建築仕上げ工事は、保温(5番目の作業)と器具取付け(6番目の作業)の間に行う。

バーチャートに横棒を記入する。なお、A・Bの作業は、既に記入されている。

① 配管は、器具A取付けが終わった次の日から開始できる。

　配管(C)は4日〜8日に横棒を記入する。

② 水圧試験は、配管が終わった次の日から開始できる。

　水圧試験(D)は9日〜10日に横棒を記入する。

③ 保温は、水圧試験が終わった次の日から開始できる。

　保温(E)は11日〜12日に横棒を記入する。

④ 器具B取付けは、保温の後、3日間の建築仕上げ工事が終わった次の日から開始できる。

　器具B取付け(F)は16日〜18日に横棒を記入する。

⑤ 試運転・調整は、器具B取付けが終わった次の日から開始できる。

　試運転・調整(G)は19日〜20日に横棒を記入する。

⑥ 後片付けは、試運転・調整が終わった次の日から開始できる。

　後片付け(H)は21日のみに横棒を記入する。

　併せて、各横棒の右側に1日の出来高(%/日)を記入する。完成したバーチャート工程表を、設問3の最下部に示す。なお、工期は21日となる。

| 問題4 | 設問3 | 累積出来高曲線と、累積出来高の数値 | 解答・解説 |

　累積出来高とは、それを算定する日までの1日の出来高の合計である。設問1で示した各工事の出来高と、設問2で完成させたバーチャート工程表を参照しながら、下記のような表を作成し、各作業日の累積出来高を算出する。

工程・日程	1	2	3	4	5	6	7	8	9	10	11	12	13	14	15	16	17	18	19	20	21
作業(記号)	A	B	B	C	C	C	C	C	D	D	E	E	建築 仕上げ			F	F	F	G	G	H
1日の出来高	2	6	6	4	4	4	4	4	2	2	4	4	0	0	0	13.3	13.3	13.3	6	6	2
累積出来高	②	8	⑭	18	22	26	30	㉞	36	㊳	42	㊻	46	46	㊻	59	72	㊼	92	㊽	⑩⑩

○: 累積出来高曲線に記入する数値

　次頁のバーチャート工程表のように、各作業の開始日および完了日にその日までの累積出来高を書き、点をプロットする。次に、その点同士を結ぶグラフ(累積出来高曲線)を書く。

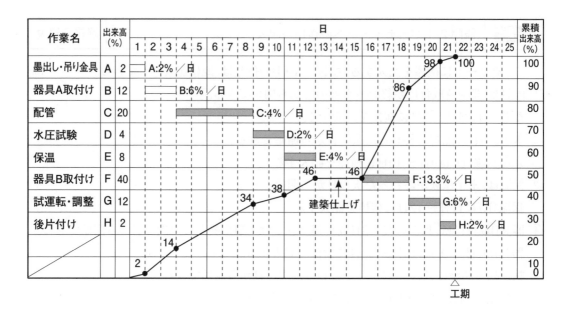

作業名		出来高(%)	日																								累積出来高(%)
			1	2	3	4	5	6	7	8	9	10	11	12	13	14	15	16	17	18	19	20	21	22	23	24	25	
墨出し・吊り金具	A	2	A:2%／日																				98	100				100
器具A取付け	B	12	B:6%／日																		86							90
配管	C	20				C:4%／日																							80
水圧試験	D	4									D:2%／日																		70
保温	E	8											E:4%／日																60
器具B取付け	F	40													46			46	F:13.3%／日										50
試運転・調整	G	12							34	38			建築仕上げ									G:6%／日							40
後片付け	H	2				14																		H:2%／日					30
				2																									20
																													10 / 0

工期

問題 4 | **設問 4** | 配管の施工順序 | 解答・解説

　複数の種類の給排水管を施工するときは、切り回し工事ができない管・勾配を有する管など、施工の変更が困難な管を先に施工する。一般的な給排水管の施工順序は、①汚水排水管→②雑排水管→③通気管→④給湯管→⑤給水管である。

解答例 | **設問 4** | 雑排水管 | 給水管や給湯管よりも施工の変更が難しいため。

問題 4 | **設問 5** | 屋外埋設配管の深さを決定する要因 | 解答・解説

　屋外埋設配管の深さは、配管にかかる荷重・凍結深さ・法的な規制・浄化槽の位置などにより決定される。このうち、法的な規制を例に挙げると、排水管は200mm以上の深さ・車道下の給水管は600mm以上の深さ・敷地内の給水管は300mm以上の深さなどとなっている。

解答例 | **設問 5** | 凍結深さ・法的な規制(地上の用途や配管の種類)などで決定される。

参考 | **平成21年度** | **問題4** | **工程管理　解答・解説**

問題 4 | バーチャート工程表・累積出来高曲線・真空引き・屋外ユニットの据付け

　建築物にルームエアコンを設置する工事の作業(日数、工事比率%)は以下のとおりである。次の設問の答えを解答欄に記入しなさい。

ただし、①屋外作業(地業、基礎コンクリート打設)とその他の作業は並行して作業できるが、先行する作業と後続する作業は並行作業できない。

②配管は、建築仕上げ内の隠ぺい配管とし、ルームエアコンの屋外ユニットは地上の基礎コンクリートに置くものとする。

③建築仕上げ工事に5日、基礎コンクリート養生に7日を要する。

④工事はできる限り早く終了させるものとし、土曜日、日曜日等の休日は考慮しない。

(作業) 墨出し(支持金物、地縄張りを含む)(2日、2%)、機器設置(3日、60%)、気密試験(2日、6%)、真空乾燥(真空引き)(冷媒追加充填を含む)(2日、6%)、配管(渡り配線を含む)(3日、15%)、試運転調整(3日、4%)、後片付け(清掃を含む)(1日、1%)、地業(1日、2%)、基礎コンクリート打設(型枠・配筋を含む)(2日、4%)とする。

設問1	横線式工程表(バーチャート工程表)の作業名欄に、作業名を作業順に並び替えて記入しなさい。
設問2	横線式工程表(バーチャート工程表)を作成しなさい。
設問3	累積出来高曲線を記入し、各作業の開始及び完了日ごとに累積出来高の数字を記入しなさい。ただし、各作業の出来高は作業日数内において均等とする。
設問4	真空乾燥(真空引き)する目的を簡潔に記述しなさい。
設問5	屋外ユニットを据え付ける場合の留意事項又は措置を簡潔に記述しなさい。

作業名	工事比率(%)	日 1 2 3 4 5 6 7 8 9 10 11 12 13 14 15 16 17 18 19 20 21 22 23 24 25	累積比率(%)
墨出し	2		100
			90
			80
			70
			60
試運転調整	4		50
後片付け	1		40
			30
地業	2		20
基礎コンクリート打設	4	2	10 / 0

| 問題4 | 設問1 | 作業順序を記入する | 解答・解説 |

建築物にルームエアコンを設置する工事における施工順序は、下表の通りである。1日の出来高も同時に示す。また、並行して行う作業があるので、それも表に記す。

施工順序	1	2		3	4	5	6	7
作業名	墨出し	配管		気密試験	機器設置	真空乾燥	試運転調整	後片付け
作業(記号)	A	B		C	D	E	F	G
日程・出来高	2日·2%	3日·15%		2日·6%	3日·60%	2日·6%	3日·4%	1日·1%
1日の出来高	1%	5%		3%	20%	3%	1.3%	1%
並行作業名		地業	基礎コンクリート打設					
作業(記号)		H	I					
日程・出来高		1日·2%	2日·4%					
1日の出来高		2%	2%					
1日の出来高(合計)	1%	7%	7%	3%	20%	3%	1.3%	1%

　各作業にA～Iの記号を付ける。また、5日間の建築仕上げ工事は、気密試験(3番目の作業)と機器設置(4番目の作業)の間に行う。7日間の基礎コンクリート養生は、基礎コンクリート打設(並行作業)が終わった後に行う。基礎コンクリート養生中は、機器設置を行うことはできない。

問題 4	設問 2	バーチャート工程表への横棒の記入	解答・解説

バーチャート工程表に横棒を記入する。なお、A・H・Iの作業は、既に記入されている。

① 配管は、墨出しが終わった次の日から開始できる。

　配管(B)は3日～5日に横棒を記入する。

② 気密試験は、配管が終わった次の日から開始できる。

　気密試験(C)は6日～7日に横棒を記入する。

③ 機器設置は、気密試験の後、5日間の建築仕上げ工事が終わった次の日から開始できる。このとき、7日間の基礎コンクリート養生が終わっていなければならない。

　機器設置(D)は13日～15日に横棒を記入する。

④ 真空乾燥は、機器設置が終わった次の日から開始できる。

　真空乾燥(E)は16日～17日に横棒を記入する。

⑤ 試運転調整は、真空乾燥が終わった次の日から開始できる。

　試運転調整(F)は18日～20日に横棒を記入する。

⑥ 後片付けは、試運転調整が終わった次の日から開始できる。

　後片付け(G)は21日のみに横棒を記入する。

　併せて、各横棒の右側に工事比率を記入する。完成したバーチャート工程表を、設問 3 の最下部に示す。なお、工期は21日となる。

問題 4	設問 3	累積出来高曲線と、累積出来高の数値	解答・解説

　累積出来高とは、それを算定する日までの1日の出来高の合計である。ここでは、設問 1 で示した各工事の出来高と、設問 2 で完成させたバーチャート工程表を参照しながら、下記のような表を作成し、各作業日の累積出来高を算出する。

工程・日程	1	2	3	4	5	6	7	8	9	10	11	12	13	14	15	16	17	18	19	20	21
作業	A	A	B	B	B	C	C	建築仕上げ工事					D	D	D	E	E	F	F	F	G
並行作業			H	I	I	基礎コンクリート養生															
1日の出来高	1	1	7	7	7	3	3	0	0	0	0	0	20	20	20	3	3	1.3	1.3	1.3	1
累積出来高 （端数切捨て）	1	②	⑨	16	㉓	26	㉙	29	29	29	29	㉙	49	69	(89)	92	(95)	96	97	(99)	(100)

○：累積出来高曲線に記入する数値

下記のバーチャート工程表のように、各作業の開始日および完了日にその日までの累積出来高を書き、点をプロットする。次に、その点同士を結ぶグラフ（累積出来高曲線）を書く。

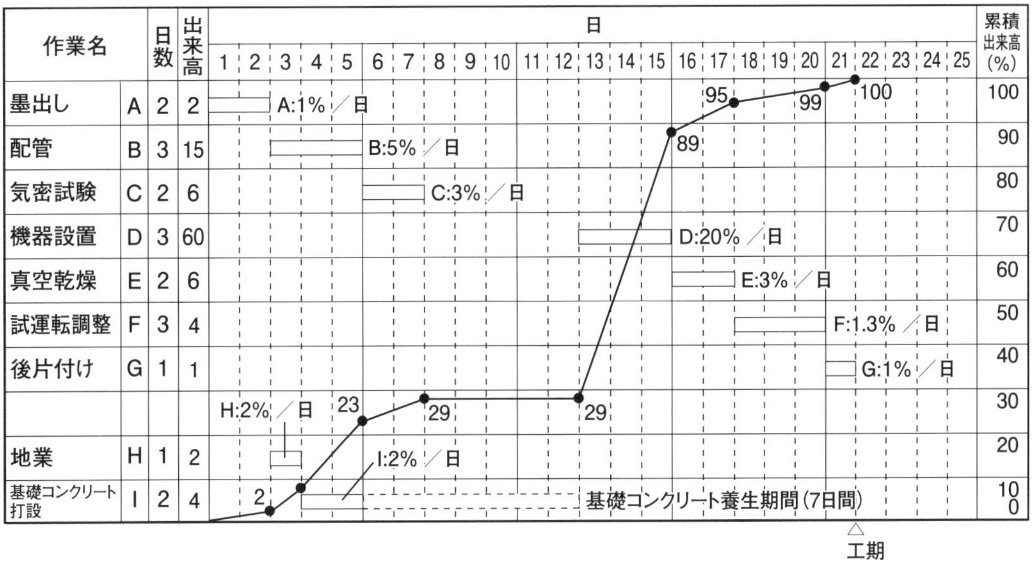

問題 4	設問 4	真空乾燥の目的	解答・解説

真空乾燥は、気密試験で用いた冷媒管中の不活性ガスおよびその際に発生した水分を、完全に除去するために行う。

解答例	設問 4	冷媒管中の不活性ガスおよび水分を完全に除去すること。

問題 4	設問 5	屋外ユニットを据え付けるときの留意点	解答・解説

屋外ユニットの据付けにおける留意点では、主に屋外ユニットから発生する騒音・振動・排気などの影響を防止するための措置を記述するとよい。

解答例	設問 5	隣地に騒音が届いたり、通路に排気が漏れ出したりしないよう、屋外ユニットの周囲に囲いを設ける。

第5章

管工事法規（選択）

　問題5 の管工事法規では、現場業務における就業時の安全管理事項に関する問題が、主に出題されている。例えば、「**10人以上50人未満**の労働者を使用する事業者は、**安全衛生推進者**を選任すること」「有害で危険な業務を行わせる事業者は、**作業主任者**を選任すること」「**特別の教育**を修了した者は、**1トン未満**の移動式クレーンの運転を行えること」などである。管工事法規を正しく解答するためには、こうした数値と単語を理解し、記述する必要がある。

　2級管工事施工管理技術検定試験第二次検定の 問題5 管工事法規は、選択問題であったが、今後の試験では必須問題になると思われる。過去10年間の出題の傾向は、下表の通りである。

最新10年間の出題分析表

出題項目		令和5	令和4	令和3	令和2	令和元	平成30	平成29	平成28	平成27	平成26
安全管理体制	管理者の選任			◯◯				◯			◯
	作業主任者					◯	◯	◯	◯	◯	◯
	技能講習		◯							◯	◯
	特別の教育					◯			◯		
	安全衛生教育			◯							
	年少者の就業制限		◯◯								
	届出				◯						
各種作業の安全	高所作業		◯	◯◯	◯		◯			◯	
	脚立と梯子					◯	◯	◯			◯
	架設通路	◯◯				◯◯		◯		◯	
	屋内通路	◯◯					◯			◯	
	地山の掘削						◯				◯
	建設機械		◯		◯◯			◯	◯		
	工作機械	◯									
	溶接作業				◯				◯		
	熱中症予防						◯				
	酸素欠乏危険作業										

※すべての年度が空白の項目は、平成25年度以前にのみ出題があった項目です。

出題のポイント　本年度の試験に向けて、**管理者の選任・作業主任者・特別の教育・高所作業・建設機械・酸素欠乏危険作業**に関する学習は、特に欠かせない項目である。

※「管工事法規」の分野名は、試験実施団体では「安全管理」としていますが、本書では出題内容が「労働安全衛生法とその関連法規」を中心としたものであることを鑑み、分野名を「管工事法規」としています。

5−1 技術検定試験 重要項目集

5−1−1 問題5 現場の安全管理体制（選任・設置）

現場の安全管理体制を確保するために選任・設置する必要のある者は、その現場における労働者の人数・その現場の体制(ひとつの企業の労働者のみを使用する単一事業場であるか複数の企業の労働者を使用する混在事業場であるか)などにより、異なる。

(1) 100人以上の労働者を使用する単一事業場

事業者は、この事業場に、次の者を選任・設置する。

① 総括安全衛生管理者　　② 安全管理者　　　　③ 衛生管理者
④ 産業医　　　　　　　　⑤ 安全委員会　　　　⑥ 衛生委員会

(2) 50人以上100人未満の労働者を使用する単一事業場

事業者は、この事業場に、次の者を選任・設置する。

① 安全管理者　　　　　　② 衛生管理者　　　　③ 産業医
④ 安全委員会　　　　　　⑤ 衛生委員会

(3) 10人以上50人未満の労働者を使用する単一事業場

事業者は、この事業場に、次の者を選任する。

① 安全衛生推進者

(4) 50人以上の労働者を使用する混在事業場(元請負人と関係請負人の労働者が混在)

元請負人の事業者は、この事業場に、次の者を選任・設置する。

① 統括安全衛生責任者　　② 元方安全衛生管理者　　③ 協議組織

関係請負人の事業者は、この事業場に、次の者を選任・設置する。
① 安全衛生責任者

⑸ **20人以上50人未満の労働者を使用する混在事業場**(元請負人と関係請負人の労働者が混在)

　元請負人の事業者は、この事業場に、次の者を選任・設置する。

① 店社安全衛生管理者　　② 協議組織

管理者名	事業場の労働者数	事業場の体制	事業者の種別
総括安全衛生管理者	100人以上	単一事業場	事業者
安全管理者	50人以上	単一事業場	事業者
衛生管理者	50人以上	単一事業場	事業者
産業医	50人以上	単一事業場	事業者
安全委員会	50人以上	単一事業場	事業者
衛生委員会	50人以上	単一事業場	事業者
安全衛生推進者	10人以上50人未満	単一事業場	事業者
統括安全衛生責任者	50人以上	混在事業場	元請負人の事業者
元方安全衛生管理者	50人以上	混在事業場	元請負人の事業者
協議組織	人数に関係なく	混在事業場	元請負人の事業者
安全衛生責任者	50人以上	混在事業場	関係請負人の事業者
店社安全衛生管理者	20人以上50人未満	混在事業場	元請負人の事業者

5-1-2 問題5　作業主任者の選任

　事業者は、下表に掲げる危険または有害な業務を労働者に行わせるときは、作業主任者を選任し、その者に直接指揮させる。

作業主任者名	選任が必要な業務	必要となる資格
足場の組立て等作業主任者	高さ5m以上の足場の組立て等の作業	技能講習の修了
地山の掘削作業主任者	高さ2m以上の地山の掘削作業	技能講習の修了
型枠支保工の組立て等作業主任者	その高さに関係なく、型枠・支保工の組立て等の作業	技能講習の修了
石綿作業主任者	石綿(含有量が0.1%を超えるもの)の取扱い・解体等の作業	技能講習の修了
酸素欠乏危険作業主任者	マンホール・ピット内での作業	技能講習の修了
土止め支保工作業主任者	土止めの切梁・腹起こしの取付け等の作業	技能講習の修了
ガス溶接作業主任者	アセチレンガスによる金属の溶接・溶断等の作業	都道府県労働局長が発行する免許の所持

5-1-3 問題5 特別の教育の修了が必要な業務・技能講習の修了が必要な業務

　危険または有害な業務を行う労働者は、その業務内容に応じた特別の教育の修了者または技能講習の修了者または免許の所持者でなければならない。事業者は、その資格を持たない労働者に、危険または有害な業務を行わせてはならない。

(1) 特別の教育の修了者が必要な業務

① 吊り上げ荷重が1トン未満の移動式クレーンの運転

② 吊り上げ荷重が1トン未満の玉掛作業

③ 作業床の高さが2m以上10m未満の高所作業車の運転

④ 石綿(含有量が0.1%以上のもの)が吹き付けられた建築物の解体作業

⑤ 酸素欠乏危険作業

⑥ アーク溶接作業

(2) 技能講習の修了者が必要な業務

① 吊り上げ荷重が1トン以上5トン未満の移動式クレーンの運転

② 作業床の高さが10m以上の高所作業車の運転

③ ガス溶接作業

5-1-4 問題5 足場・架設通路・はしご・脚立を用いた作業の安全

　足場・架設通路・はしご・脚立を用いた作業では、労働災害などの危険を防止するため、下記のような規則が定められている。

(1) 足場に関する規則

① 作業場所の高さが2m以上となるときに設ける作業床は、幅が40cm以上かつ床材間の隙間が3cm以下でなければならない。

② 作業場所の高さが2m以上となるときに設ける作業床には、高さが85cm以上の位置に手すり・高さが35cm〜50cmの位置に中桟・10cm以上の幅木を設けなければならない。

③ 足場上で作業をするときは、必要な照度を確保し、労働者に要求性能墜落制止用器具(安全帯)を使用させる。

(2) 架設通路に関する規則

① 高さが8m以上の登り桟橋には、高さ7m以内ごとに踊場を設ける。

② 高さが2m以上の架設通路の勾配が30度を超えるときは、昇降のための階段を設ける。

③ 高さが2m未満の箇所には、昇降のための丈夫な手掛を設ける。

④ 架設通路の勾配が15度を超えるときは、踏桟を設ける。

⑤ 屋内に設ける通路では、通路面からの高さが1.8m以内の場所に障害物を置いてはならない。

⑥ 高さまたは深さが1.5mを超える箇所で作業をするときは、昇降設備を設ける。

(3) はしごに関する規則

① 移動梯子の幅は、30cm以上とする。

(4) 脚立に関する規則

① 脚立の脚と水平面との角度は、75度以下とする。また、脚部にはすべり止めを設ける。

5-1-5 問題5 掘削・酸素欠乏危険作業・建設機械・ガス溶接の安全

地山の掘削作業・酸素欠乏危険作業・建設機械を用いた作業・ガス溶接作業では、労働災害などの危険を防止するため、下記のような規則が定められている。

(1) 地山の掘削作業に関する規則

① 岩盤または堅い粘土からなる地山の勾配は、その高さが5m未満であれば90度以下、その高さが5m以上であれば75度以下とする。

② 砂からなる地山の勾配は、その高さが5m未満であれば90度以下、その高さが5m以上であれば35度以下とする。

③ 岩盤・硬い粘土・砂以外の材料からなる地山の勾配は、その高さが2m未満であれば90度以下、その高さが2m以上5m未満であれば75度以下、その高さが5m以上であれば60度以下とする。

地山の土質に応じた安全を確保できる掘削勾配

地山の種類	掘削面の高さ	掘削面の勾配	備考
岩盤または堅い粘土からなる地山	5m未満	90度以下	
	5m以上	75度以下	
砂からなる地山	5m未満	90度以下	
	5m以上	35度以下	
発破などにより崩壊しやすい状態の地山	2m未満	90度以下	
	2m以上	45度以下	
その他の地山	2m未満	90度以下	
	2m以上5m未満	75度以下	
	5m以上	60度以下	

掘削面とは、2m以上の水平段で区切られた個々の面である。

(2) 酸素欠乏危険作業に関する規則

① 酸素欠乏危険場所で作業を行うときは、酸素濃度が18%以上になるよう換気する。

(3) 建設機械を用いた作業に関する規則

① 建設機械が段差などから転落するのを防止するため、誘導者を選任し、合図をさせる。

(4) ガス溶接作業に関する規則

① 可燃性ガスまたは酸素を用いる溶接では、器具の温度を40℃以下に保つ。

近年では猛暑の増加により、工事現場等における熱中症の危険が増大しており、その対策が急務となっている。熱中症とは、高温多湿の環境下において、体内の水分・塩分が失われることにより、意識障害や高体温などの症状が現れることをいう。熱中症の予防対策としては、厚生労働省の通達において、次のような事項が挙げられている。

① 気温・湿度・輻射熱に関係する値によって算出される暑さ指数(WBGT/Wet Bulb Globe Temperature/湿球黒球温度)を常に測定し、作業環境を改善する。

② 休止時間・休憩時間を確保し、高温多湿作業の時間を短縮する。

③ 定期的な水分及び塩分の摂取の徹底を図る。

④ 透湿性及び通気性の良い作業着を着用させる。

⑤ 高温多湿作業場所における作業中は、巡視を頻繁に行う。

コラム

(1) 暑さ指数(WBGT/Wet Bulb Globe Temperature/湿球黒球温度)は、温度・湿度・輻射熱などの影響による熱中症へのかかりやすさを示した指数である。暑さ指数(WBGT)は、次の3つの指標を基にして算出される。

① **黒球温度**：黒く塗られた球体の内部に置かれた温度計の温度である。日射や輻射による熱を含めた周辺環境の温度を表している。周辺環境から受ける熱が多いと、熱中症にかかりやすくなる。

② **自然湿球温度**：水で湿らせた布の内部に置かれた温度計の温度である。湿度の影響による汗の蒸発しにくさを含めた周辺環境の温度を表している。周辺環境の湿度が高くなり、汗が蒸発しにくくなると、熱中症にかかりやすくなる。

③ **乾球温度**：通常の環境下に置かれた温度計の温度である。気温を表している。気温が高くなると、熱中症にかかりやすくなる。

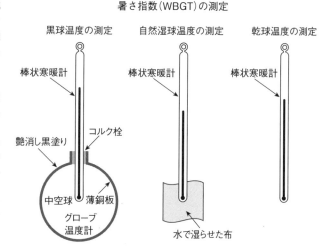

暑さ指数(WBGT)の測定

(2) 屋外環境における暑さ指数(WBGT)を算出するための式は、次の通りである。
 ● 暑さ指数(WBGT) = 自然湿球温度 × 0.7 + 黒球温度 × 0.2 + 乾球温度 × 0.1

(3) 屋内環境における暑さ指数(WBGT)を算出するための式は、次の通りである。
 ● 暑さ指数(WBGT) = 自然湿球温度 × 0.7 + 黒球温度 × 0.3

(4) したがって、黒球温度・自然湿球温度・乾球温度のうち、暑さ指数(WBGT)への影響が最も大きいのは、**自然湿球温度**である。熱中症へのかかりやすさには、周辺環境の湿度が大きく影響していることが分かる。

(5) 暑さ指数(WBGT)の単位は、気温と同様に「℃」であるが、その値は気温そのものとは異なっている。

(6) 暑さ指数(WBGT)が28℃以上になった場合は、熱中症への厳重警戒が必要になるので、工事現場での作業においては、休息・水分補給・塩分補給などを適切に行う必要がある。暑さ指数(WBGT)が31℃以上になった場合は、工事現場での作業などは中止することが望ましい。

管工事法規

5-2 最新問題解説

令和5年度 問題5 管工事法規 解答・解説

問題5 労働安全衛生法

次の設問1及び設問2の答えを解答欄に記述しなさい。

〔設問1〕 建設工事現場における、労働安全衛生に関する文中、［ A ］～［ D ］に当てはまる「労働安全衛生法」上に**定められている語句又は数値**を選択欄から選択して記入しなさい。

(1) 事業者は、作業場に通ずる場所及び作業場内には、労働者が使用するための安全な［ A ］を設け、かつ、これを常時有効に［ B ］しなければならない。

(2) 事業者は、架設通路については、階段を設けたもの又は高さが［ C ］m未満で丈夫な手掛を設けたものを除き、勾配は、［ D ］度以下としたものでなければ使用してはならない。

選択欄

2、	3、	5、	30、	45、	60、	階段、	空間、	保持、	変更、	開放、	通路

〔設問2〕 建設工事現場における、労働安全衛生に関する文中、［ E ］に当てはまる「労働安全衛生法」上に**定められている語句**を記述しなさい。

(3) 事業者は、ボール盤、面取り盤等の回転する刃物に作業中の労働者の手が巻き込まれるおそれのあるときは、当該労働者に［ E ］を使用させてはならない。

A	通路	労働安全衛生規則第540条「通路」
B	保持	

　事業者は、作業場に通じる場所および作業場内には、労働者が使用するための安全な**通路**を設け、かつ、これを常時有効に**保持**しなければならない。この通路で主要なものには、これを保持するため、通路であることを示す表示をしなければならない。

　管工事の現場では、作業場所での作業中だけではなく、作業場所に移動する過程において、労働災害が発生することがある。一般には、労働災害のうちの4個に1個は、通路において発生すると言われている。そのため、作業場に通じる通路や作業場内にある通路が安全な状態でなかったり、一時的にでも通路が有効に保持されていなかったりすると、労働者が通路上で転倒したり、労働者が通路から墜落したりするなどの労働災害が発生しやすくなる。

解答

(1)事業者は、作業場に通ずる場所及び作業場内には、労働者が使用するための安全な **A：通路** を設け、かつ、これを常時有効に **B：保持** しなければならない。

※選択欄にある「階段」は、通路のうち、昇降するための段差があるものだけを指す。通路を安全な状態に保持する規定は、階段以外の(段差がない平坦な)通路にも適用されるため、この語句は適切でない。
※選択欄にある「空間」は、下記の②**3**のような通路の上空に関することだけを指す。通路を安全な状態に保持する規定は、下記の②**2**のように通路面そのものにも適用されるため、この語句は適切でない。

※選択欄にある「変更」では、「安全な通路を常時有効に変更する」という著しく不自然な文章になる。通路が安全な状態になっていれば、その通路を変更する必要はないので、この語句は適切でない。
※選択欄にある「開放」は、下記の②**3**のような通路の上空の状態だけを指す。通路の安全な状態を維持する規定は、下記の②**2**のように通路面そのものにも適用されるため、この語句は適切でない。

※通路を安全な状態に保持するための規定は、次のように定められている。
①事業者は、通路には、正常の通行を妨げない程度に、採光または照明の方法を講じなければならない。ただし、坑道・常時通行の用に供しない地下室などで通行する労働者に、適当な照明具を所持させるときは、この限りでない。
②事業者は、屋内に設ける通路については、次に定めるところによらなければならない。
　1用途に応じた幅を有すること。
　2通路面は、つまずき・すべり・踏抜きなどの危険がない状態に保持すること。
　3通路面から高さ1.8m以内に障害物を置かないこと。
③事業者は、機械間またはこれと他の設備との間に設ける通路については、幅80cm以上のものとしなければならない。

管工事法規

問題5	設問1	(2) 架設通路の安全基準　　　　　　　　　　　　　　解答・解説

C	2[m]	労働安全衛生規則第552条「架設通路」
D	30[度]	

　事業者は、架設通路（一般には地面から離れた高所に設けられる通路）については、次に定めるところに適合したものでなければ使用してはならない。

①丈夫な構造とすること。

②勾配は、**30度以下**とすること。ただし、階段を設けたものまたは高さが**2m未満**で丈夫な手掛を設けたものはこの限りでない。

③勾配が15度を超えるものには、踏桟・その他の滑止めを設けること。

④墜落の危険のある箇所には、高さ85cm以上の手すり等と、高さ35cm以上50cm以下の中桟等を設けること。

⑤たて坑内の架設通路で、その長さが15m以上であるものは、10m以内ごとに踊場を設けること。

⑥建設工事に使用する高さ8m以上の登り桟橋には、7m以内ごとに踊場を設けること。

解答

(2)事業者は、架設通路については、階段を設けたもの又は高さが **C：2** m未満で丈夫な手掛を設けたものを除き、勾配は、 **D：30** 度以下としたものでなければ使用してはならない。

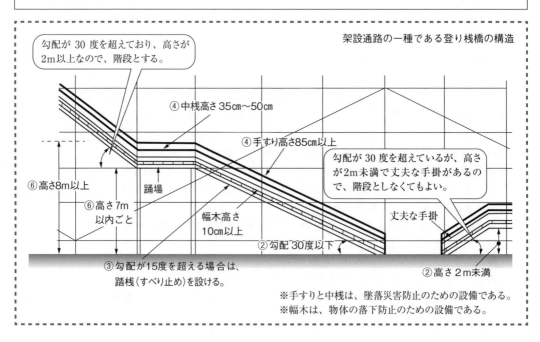

架設通路の一種である登り桟橋の構造

勾配が30度を超えており、高さが2m以上なので、階段とする。

④中桟高さ35cm～50cm

④手すり高さ85cm以上

勾配が30度を超えているが、高さが2m未満で丈夫な手掛があるので、階段としなくてもよい。

⑥高さ8m以上

踊場

⑥高さ7m以内ごと

幅木高さ10cm以上

②勾配30度以下

丈夫な手掛

③勾配が15度を超える場合は、踏桟（すべり止め）を設ける。

②高さ2m未満

※手すりと中桟は、墜落災害防止のための設備である。
※幅木は、物体の落下防止のための設備である。

| E | 手袋 | 労働安全衛生規則第111条「手袋の使用禁止」 |

　事業者は、ボール盤・面取り盤などの回転する刃物に作業中の労働者の手が巻き込まれるおそれのあるときは、その労働者に**手袋**を使用させてはならない。労働者は、この場合において、手袋の使用を禁止されたときは、これを使用してはならない。

　日常生活のことを考えると、「刃物から手を守る（切り傷を作らない）ために手袋をした方がよいのでは？」と思うかもしれないが、手袋程度の弱い防護では、回転する刃物から労働者の手を守ることはできない。しかも、手袋を着用した手は、素手に比べて、回転する刃物に引っかかりやすい（巻き込まれやすい）という問題がある。このことが、回転する刃物を使用するときに、手袋の使用を禁止する理由である。

解答

(3)事業者は、ボール盤、面取り盤等の回転する刃物に作業中の労働者の手が巻き込まれるおそれのあるときは、当該労働者に **E：手袋** を使用させてはならない。

回転する刃物に作業中の労働者の手が巻き込まれるおそれのある作業の例

素手で作業→

モーター
軸が上下する
回転する刃物
（ドリルの刃）
　　　　　　　配管
　　　　　　作業台
ボール盤（配管にネジ穴をあけるときなどに
使われる削孔機）

※ 他の作業で使用した手袋を外さないままで作業をしたり、小さな怪我（切り傷）から手を守ろうとして手袋を使用したりすると、下図のような大きな怪我（指の切断など）を負うことになる。

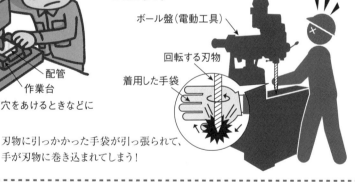

ボール盤（電動工具）
回転する刃物
着用した手袋

刃物に引っかかった手袋が引っ張られて、
手が刃物に巻き込まれてしまう！

問題5 労働安全衛生法・労働基準法

次の設問1及び設問2の答えを解答欄に記述しなさい。

〔設問1〕 クレーン機能付き油圧ショベルの運転業務に関する文中、 A ～ D に当てはまる「労働安全衛生法」又は「労働基準法」に定められている語句又は数値を選択欄から選択して解答欄に記入しなさい。

クレーン機能付き油圧ショベルを操作して掘削作業を行う場合、操作する車両の重量（機体重量）が3トン以上の場合は、車両系建設機械の運転の業務に係る A を修了した者等の有資格者が行わなければならない。また、クレーン機能を利用してつり上げ作業を行う場合は、つり上げ荷重に応じた B クレーン運転の有資格者が車両を操作し、つり上げ作業に伴う玉掛けの作業は、つり上げ荷重に応じた玉掛け作業の有資格者が行わなければならない。

なお、 C 歳未満の者をクレーンの運転業務、補助作業を除く玉掛けの業務及び高さが D メートル以上の墜落のおそれがある場所での業務に就かせてはならない。

選択欄

| 2、 | 5、 | 15、 | 18、 | 特別教育、 | 技能講習、 | 床上操作式、 | 移動式 |

〔設問2〕 建設工事現場における労働安全衛生に関する文中、 E に当てはまる「労働安全衛生法」に定められている数値を解答欄に記述しなさい。

事業者は、足場（一側足場及び吊り足場を除く。）における高さ2メートル以上の作業場所に設ける作業床は、幅 E センチメートル以上とし、床材間のすき間は3センチメートル以下としなければならない。

| 問題5 | 設問1 | クレーン機能付き油圧ショベルの運転資格 | 解答・解説 |

A	技能講習	労働安全衛生法第 61 条「就業制限」
B	移動式	労働安全衛生法施行令第 20 条「就業制限に係る業務」

　事業者は、クレーンの運転・その他の業務で、政令で定めるもの(就業制限に係る業務)については、都道府県労働局長の当該業務に係る免許を受けた者・都道府県労働局長の登録を受けた者が行う当該業務に係る**技能講習**を修了した者・その他厚生労働省令で定める資格を有する者でなければ、当該業務に就かせてはならない。

①機体重量が 3 トン以上の「整地・運搬・積込み用機械」・「掘削用機械」・「基礎工事用機械」・「解体用機械」に該当する建設機械のうち、動力を用いて不特定の場所に自走することができるものの運転(道路上を走行させる運転を除く)の業務は、上記の「就業制限に係る業務」に含まれている。

②吊上げ荷重が 1 トン以上のクレーン・**移動式**クレーン・デリックによる玉掛けの業務は、上記の「就業制限に係る業務」に含まれている。

③「クレーン機能付き油圧ショベル」は、車両系建設機械と移動式クレーンの機能を併せ持つ建設機械である。

- ●掘削作業を行う場合、クレーン機能付き油圧ショベルは、上記①の「掘削用機械」に含まれるので、その業務に係る技能講習を修了した者に行わせる。
- ●クレーン機能を利用して吊上げ作業を行う場合、クレーン機能付き油圧ショベルは、上記②の「移動式クレーン」に含まれるので、移動式クレーンの有資格者に操作させる。

| 解答 |

クレーン機能付き油圧ショベルを操作して掘削作業を行う場合、操作する車両の重量(機体重量)が 3 トン以上の場合は、車両系建設機械の運転の業務に係る **A:技能講習**を修了した者等の有資格者が行わなければならない。また、クレーン機能を利用してつり上げ作業を行う場合は、つり上げ荷重に応じた **B:移動式**クレーン運転の有資格者が車両を操作し、つり上げ作業に伴う玉掛けの作業は、つり上げ荷重に応じた玉掛け作業の有資格者が行わなければならない。

※選択欄にある「特別教育」は、各々の建設業者が実施するものであり、その実施に都道府県労働局長の免許や登録は不要である。特別教育では、技能講習のような高度な教育は行われないので、特別教育を修了しただけの(技能講習を修了していない)者に、機体重量が 3 トン以上のクレーン機能付き油圧ショベルによる掘削作業を行わせてはならない。

※選択欄にある「床上操作式クレーン」は、床上で運転し、運転をする者が荷の移動と共に移動する方式のクレーンである。移動式クレーンは、原動機を内蔵し、不特定の場所に移動させることができるクレーンである。クレーン機能付き油圧ショベルは、床上で運転するものではないので、床上操作式クレーンではなく移動式クレーンに該当する。

管工事法規

| 問題5 | 設問1 | 建設業における年少者の就業制限 | 解答・解説 |

| C | 18[歳] | 労働基準法第 62 条「危険有害業務の就業制限」 |
| D | 5[m] | 年少者労働基準規則第 8 条「年少者の就業制限の業務の範囲」 |

　使用者は、満 18 歳に満たない者に、運転中の機械・動力伝導装置の危険な部分の掃除・注油・検査・修繕をさせたり、運転中の機械・動力伝導装置にベルト・ロープの取付け・取外しをさせたり、動力によるクレーンの運転をさせたり、その他厚生労働省令で定める危険な業務に就かせたり、厚生労働省令で定める重量物を取り扱う業務に就かせたりしてはならない。

①「クレーン・デリック・揚貨装置の運転の業務」は、上記の「厚生労働省令で定める危険な業務」に該当するため、18 歳未満の者を就かせてはならない。

②「クレーン・デリック・揚貨装置の玉掛けの業務」は、上記の「厚生労働省令で定める危険な業務」に該当するため、18 歳未満の者を就かせてはならない。ただし、2 人以上の者によって行う玉掛けの業務における補助作業の業務には、18 歳未満の者を就かせてもよい。

③「高さが 5 m 以上の場所で、墜落により労働者が危害を受けるおそれのあるところにおける業務」は、上記の「厚生労働省令で定める危険な業務」に該当するため、18 歳未満の者を就かせてはならない。

解答

なお、C：18 歳未満の者をクレーンの運転業務、補助作業を除く玉掛けの業務及び高さが D：5 メートル以上の墜落のおそれがある場所での業務に就かせてはならない。

※選択欄にある「15 歳」未満の者(児童が満 15 歳に達した日以後の最初の 3 月 31 日が終了するまでの者)は、原則として、使用してはならない。(建設業の現場ではいかなる業務にも就業させてはならない)

| 問題5 | 設問2 | 足場に設ける作業床の寸法 | 解答・解説 |

| E | 40［cm］ | 労働安全衛生規則第563条「作業床」 |

　事業者は、足場（一側足場を除く）における高さ2m以上の作業場所には、作業床を設けなければならない。この作業床は、吊り足場の場合を除き、幅・床材間の隙間・床材と建地との隙間は、次に定めるところによらなければならない。

①作業床の幅は、**40cm**以上とすること。

②作業床の床材間の隙間は、3cm以下とすること。

③作業床の床材と建地との隙間は、12cm未満とすること。

解答

事業者は、足場（一側足場及び吊り足場を除く。）における高さ2メートル以上の作業場所に設ける作業床は、幅 **E:40** センチメートル以上とし、床材間のすき間は3センチメートル以下としなければならない。

管工事法規

問題5　労働安全衛生法

次の設問1及び設問2の答えを解答欄に記述しなさい。

〔設問1〕　建設業における労働安全衛生に関する文中、　A　～　C　に当てはまる「労働安全衛生法」に定められている語句又は数値を選択欄から選択して解答欄に記入しなさい。

(1)　安全衛生推進者の選任は、　A　の登録を受けた者が行う講習を修了した者その他法に定める業務を担当するため必要な能力を有すると認められる者のうちから、安全衛生推進者を選任すべき事由が発生した日から　B　日以内に行わなければならない。

(2)　事業者は、新たに職務につくこととなった　C　その他の作業中の労働者を直接指導又は監督する者に対し、作業方法の決定及び労働者の配置に関すること、労働者に対する指導又は監督の方法に関すること等について、安全又は衛生のための教育を行わなければならない。

選択欄

厚生労働大臣、	都道府県労働局長、	7、	14、	職長、	作業主任者

〔設問2〕　墜落等による危険の防止に関する文中、　D　及び　E　に当てはまる「労働安全衛生法」に定められている数値を解答欄に記述しなさい。

(3)　事業者は、高さが　D　メートル以上の作業床の端、開口部等で墜落により労働者に危険を及ぼすおそれのある箇所には、囲い、手すり、覆い等を設けなければならない。

(4)　高さ又は深さが　E　メートルをこえる箇所の作業に従事する労働者は、安全に昇降するための設備等が設けられたときは、当該設備等を使用しなければならない。

| (1) | A | 都道府県労働局長 | 労働安全衛生規則第 12 条の 3「安全衛生推進者等の選任」 |
| | B | 14[日] | |

　事業者は、常時 10 人以上 50 人未満の労働者を使用する建設業の事業場には、安全衛生推進者を選任し、その者に安全衛生に係る業務を担当させなければならない。

　安全衛生推進者の選任は、**都道府県労働局長**の登録を受けた者が行う講習を修了した者・その他安全衛生に係る業務を担当するために必要な能力を有すると認められる者のうちから、次の①～②に定めるところにより行わなければならない。

①安全衛生推進者を選任すべき事由が発生した日から **14 日**以内に選任すること。

②原則として、その事業場に専属の者を選任すること。

| (2) | C | 職長 | 労働安全衛生法第60条「安全衛生教育」 |

　事業者は、建設業の事業場において、新たに職務に就くこととなった**職長**・その他の作業中の労働者を直接指導又は監督する者(作業主任者を除く)に対し、次の①～③の事項について、安全又は衛生のための教育を行わなければならない。

①作業方法の決定及び労働者の配置に関すること。

②労働者に対する指導又は監督の方法に関すること。

③その他、労働災害を防止するために必要な事項。

※有資格者である作業主任者は、その資格を得る際に、既にこうした教育を受けていると見なされるので、作業主任者を職長とするときに、改めて安全衛生教育を行う必要はない。

---

(1)安全衛生推進者の選任は、**A：都道府県労働局長**の登録を受けた者が行う講習を修了した者その他法に定める業務を担当するため必要な能力を有すると認められる者のうちから、安全衛生推進者を選任すべき事由が発生した日から **B：14** 日以内に行わなければならない。

(2)事業者は、新たに職務につくこととなった **C：職長** その他の作業中の労働者を直接指導又は監督する者に対し、作業方法の決定及び労働者の配置に関すること、労働者に対する指導又は監督の方法に関すること等について、安全又は衛生のための教育を行わなければならない。

| 問題 5 | 設問 2 | 墜落等による危険の防止 | 解答・解説 |

| (3) | D | 2[メートル] | 労働安全衛生法第519条「作業床の設置等」 |

　事業者は、高さが 2 m 以上の箇所(作業床の端・開口部等を除く)で作業を行う場合において、墜落により労働者に危険を及ぼすおそれのあるときは、足場を組み立てる等の方法により作業床を設けなければならない。

事業者は、上記の規定により作業床を設けることが困難なときは、防網を張り、労働者に要求性能墜落制止用器具を使用させる等、墜落による労働者の危険を防止するための措置を講じなければならない。

　事業者は、高さが2m以上の作業床の端・開口部等で、墜落により労働者に危険を及ぼすおそれのある箇所には、囲い・手すり・覆い等を設けなければならない。

　事業者は、上記の規定により囲い・手すり・覆い等を設けることが著しく困難なときや、作業の必要上臨時に囲い・手すり・覆い等を取り外すときは、防網を張り、労働者に要求性能墜落制止用器具を使用させる等、墜落による労働者の危険を防止するための措置を講じなければならない。

| (4) | E | 1.5[メートル] | 労働安全衛生法第526条「昇降するための設備の設置等」 |

　事業者は、高さ又は深さが1.5mを超える箇所で作業を行うときは、当該作業に従事する労働者が安全に昇降するための設備等を設けなければならない。ただし、安全に昇降するための設備等を設けることが作業の性質上著しく困難なときは、この限りでない。

　この作業に従事する労働者は、安全に昇降するための設備等が設けられたときは、当該設備等を使用しなければならない。

高所作業の安全管理
(墜落・飛来・落下による危険を防止するために把握しておくべき事項)

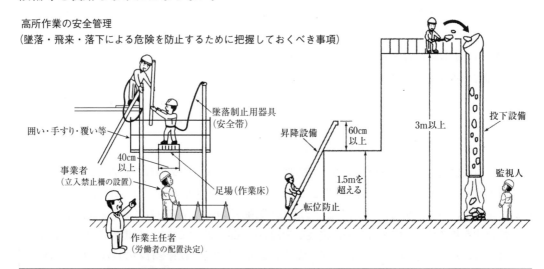

(3)事業者は、高さが D:2 メートル以上の作業床の端、開口部等で墜落により労働者に危険を及ぼすおそれのある箇所には、囲い、手すり、覆い等を設けなければならない。

(4)高さ又は深さが E:1.5 メートルをこえる箇所の作業に従事する労働者は、安全に昇降するための設備等が設けられたときは、当該設備等を使用しなければならない。

解答

A	B	C	D	E
都道府県労働局長	14	職長	2	1.5

問題5	労働安全衛生法

次の 設問1 及び 設問2 の答えを解答欄に記入しなさい。

設問1 建設工事現場における、労働安全衛生に関する文中、 ◻︎ 内に当てはまる「労働安全衛生法」に**定められている語句又は数値**を選択欄から選択して解答欄に記入しなさい。

(1) 移動式クレーン検査証の有効期間は、原則として、 **A** 年とする。ただし、製造検査又は使用検査の結果により当該期間を **A** 年未満とすることができる。

(2) 事業者は、移動式クレーンを用いて作業を行うときは、 **B** に、その移動式クレーン検査証を備え付けておかなければならない。

(3) 足場(一側足場、つり足場を除く。)における高さ2m以上の作業場に設ける作業床の床材と建地との隙間は、原則として、 **C** cm未満とする。

(4) 事業者は、アーク溶接のアークその他強烈な光線を発散して危険のおそれのある場所については、原則として、これを区画し、かつ、適当な **D** を備えなければならない。

選択欄

> 1、2、3、5、10、12、
>
> **現場事務所、当該移動式クレーン、保管場所、避難区画、休憩区画、保護具**

設問2 小型ボイラーの設置に関する文中、 ◻︎ 内に当てはまる「労働安全衛生法」に**定められている語句**を解答欄に記述しなさい。

事業者は、小型ボイラーを設置したときは、原則として、遅滞なく、小型ボイラー設置報告書に所定の構造図等を添えて、所轄 **E** 長に提出しなければならない。

問題5	設問1	建設工事現場における安全基準	解答・解説

(1)　**A：2年**（クレーン等安全規則第60条「検査証の有効期間」）

　移動式クレーン検査証の有効期間は、**2年**とする。ただし、製造検査又は使用検査の結果により当該期間を**2年**未満とすることができる。

　上記の規定にかかわらず、製造検査又は使用検査を受けた後、設置されていない移動式クレーンであって、その間の保管状況が良好であると都道府県労働局長が認めたものについては、当該移動式クレーンの検査証の有効期間を、製造検査又は使用検査の日から起算して3年を超えず、かつ、当該移動式クレーンを設置した日から起算して2年を超えない範囲内で延長することができる。

(2) **B：当該移動式クレーン**（クレーン等安全規則第63条「検査証の備付け」）

　　事業者は、移動式クレーンを用いて作業を行うときは、**当該移動式クレーン**に、その移動式クレーン検査証を備え付けておかなければならない。

(3) **C：12cm未満**（労働安全衛生規則第563条「作業床」）

　　事業者は、足場（一側足場を除く）における高さ2m以上の作業場所には、次に定めるところにより、作業床を設けなければならない。

①床材は、支点間隔及び作業時の荷重に応じて計算した曲げ応力の値が、木材の種類に応じ、所定の許容曲げ応力の値を超えないこと。

②吊り足場の場合を除き、幅・床材間の隙間・床材と建地との隙間は、次に定めるところによること。

　■ 幅は、40cm以上とすること。

　■ 床材間の隙間は、3cm以下とすること。

　■ 床材と建地との隙間は、**12cm未満**とすること。

（参考）　**作業床の構造**：高さが2m以上となる足場では、次のような安全対策を講じなければならない。（次の6つの項目は特に出題されやすい）

　●作業床の幅は40cm以上とする。

　●床材間の隙間は3cm以下とする。

　●床材と建地との隙間は12cm未満とする。

　●床材は2つ以上の支持物に取り付ける。

　●高さ85cm以上の手すりを設ける。

　●高さ10cm以上（枠組足場では15cm以上）の幅木を設ける。

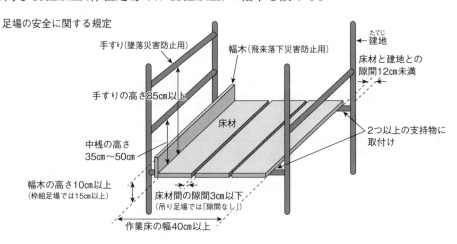

足場の安全に関する規定

単管足場と枠組足場の構造

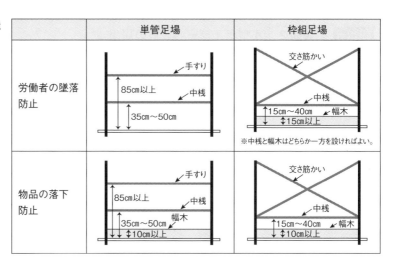

	単管足場	枠組足場
労働者の墜落防止	手すり／85cm以上／中桟／35cm～50cm	交さ筋かい／中桟／15cm～40cm／幅木／15cm以上／※中桟と幅木はどちらか一方を設ければよい。
物品の落下防止	手すり／85cm以上／中桟／幅木／35cm～50cm／10cm以上	交さ筋かい／中桟／15cm～40cm／幅木／10cm以上

(4) **D：保護具**（労働安全衛生規則第325条「強烈な光線を発散する場所」）

　　事業者は、アーク溶接のアーク・その他強烈な光線を発散して危険のおそれのある場所については、これを区画しなければならない。ただし、作業上やむを得ないときは、この限りでない。

　　事業者は、上記の場所については、適当な**保護具**を備えなければならない。

参考　中央労働災害防止協会安全衛生情報センターの「金属製品製造業における作業環境改善の手法について」では、アーク溶接工程における有害光線への対策として、次のような事項が定められている。

　　①遮光用保護具の使用：アーク点火時における暴露を防止するため、通常の遮光面の他に、常時遮光度番号1.4～2.5の眼鏡を着用させる。周辺労働者にも、周辺直射光による暴露を防止するため、作業態様に応じた適切な遮光眼鏡を着用させる。

　　②作業区域の遮蔽：溶接作業場の周りに遮光幕を張り、周辺作業場への有害光線の伝播を防ぐ。通路上等にいる立位の労働者に影響が及ばないよう、遮光幕は床から1.5 m以上の高さを有することが望ましい。

(1)移動式クレーン検査証の有効期間は、原則として、**A：2**年とする。ただし、製造検査又は使用検査の結果により当該期間を**A：2**年未満とすることができる。

(2)事業者は、移動式クレーンを用いて作業を行うときは、**B：当該移動式クレーン**に、その移動式クレーン検査証を備え付けておかなければならない。

(3)足場（一側足場、つり足場を除く。）における高さ2m以上の作業場に設ける作業床の床材と建地との隙間は、原則として、**C：12**cm未満とする。

(4)事業者は、アーク溶接のアークその他強烈な光線を発散して危険のおそれのある場所については、原則として、これを区画し、かつ、適当な**D：保護具**を備えなければならない。

管工事法規

E：労働基準監督署（ボイラー及び圧力容器安全規則第91条「設置報告」）

　事業者は、小型ボイラーを設置したときは、遅滞なく、小型ボイラー設置報告書に所定の構造図及び小型ボイラー明細書並びに当該小型ボイラーの設置場所の周囲の状況を示す図面を添えて、所轄**労働基準監督署**長に提出しなければならない。ただし、認定を受けた事業者については、この限りでない。

> 　事業者は、小型ボイラーを設置したときは、原則として、遅滞なく、小型ボイラー設置報告書に所定の構造図等を添えて、所轄 **E：労働基準監督署**長に提出しなければならない。

解答

A	B	C	D	E
2	当該移動式クレーン	12	保護具	労働基準監督署

令和元年度 問題5 管工事法規　解答・解説

問題5　労働安全衛生法

　次の **設問1** 及び **設問2** の答えを解答欄に記入しなさい。

設問1　建設工事現場における、労働安全衛生に関する文中、□□□内に当てはまる「労働安全衛生法」に**定められている語句又は数値**を選択欄から選択して解答欄に記入しなさい。

(1) 脚立については、脚と水平面との角度を □ A □ 度以下とし、かつ、折りたたみ式のものにあっては、脚と水平面との角度を確実に保つための金具等を備えなければならない。

(2) 架設通路の勾配は、階段を設けたもの又は高さが2メートル未満で丈夫な手掛を設けたものを除き、□ B □ 度以下にしなければならない。また、勾配が □ C □ 度を超えるものには、踏桟その他の滑止めを設けなければならない。

(3) 事業者は、高さが5メートル以上の構造の足場の組立ての作業については、当該作業の区分に応じて、□ D □ を選任しなければならない。

選択欄

> 15、20、30、45、60、75、80、
> **安全衛生推進者、作業主任者、専門技術者**

設問2 建設工事現場における、労働安全衛生に関する文中、□□□□内に当てはまる「労働安全衛生法」に**定められている語句**を解答欄に記述しなさい。

(4) 事業者は、つり上げ荷重が1トン未満の移動式クレーンの運転(道路上を走行させる運転を除く。)の業務に労働者を就かせるときは、当該労働者に対し、当該業務に関する安全のための E を行わなければならない。

問題5	設問1	建設工事現場における安全基準	解答・解説

(1) **A:75度以下**（労働安全衛生規則第528条「脚立」）

事業者は、脚立については、次に定めるところに適合したものでなければ使用してはならない。

① 丈夫な構造とすること。

② 材料は、著しい損傷・腐食等がないものとすること。

③ 脚と水平面との角度を**75度以下**とし、かつ、折りたたみ式のものにあっては、脚と水平面との角度を確実に保つための金具等を備えること。

④ 踏み面は、作業を安全に行うため必要な面積を有すること。

必要な面積を有する踏み面の確保
丈夫な構造であることの確認
脚と水平面との角度を確実に保つための金具（開き止め金具）
著しい損傷・腐食がないことの確認
折りたたみ式の脚立の構造
75°以下
脚と水平面との角度は75度以下

(2) **B:30度以下**（労働安全衛生規則第552条「架設通路」）

　　C:15度を超える（労働安全衛生規則第552条「架設通路」）

事業者は、架設通路については、次に定めるところに適合したものでなければ使用してはならない。

① 丈夫な構造とすること。

② 勾配は、**30度以下**とすること。ただし、階段を設けたもの又は高さが2m未満で丈夫な手掛を設けたものは、この限りでない。

③ 勾配が**15度を超える**ものには、踏桟その他の滑止めを設けること。

④墜落の危険のある箇所には、高さ85cm以上の手すり等と、高さ35cm以上50cm以下の中桟等を設けること。

⑤建設工事に使用する高さ8m以上の登り桟橋には、7m以内ごとに踊場を設けること。

架設通路の一種である登り桟橋の構造

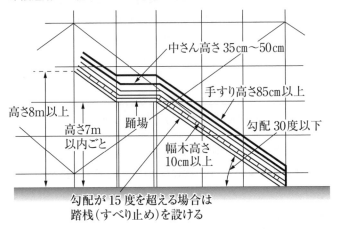

※手すりと中さんは、墜落災害防止のための設備である。
※幅木は、物体の落下防止のための設備である。

(3) D：作業主任者 （労働安全衛生法第14条「作業主任者」）

　事業者は、高圧室内作業その他の労働災害を防止するための管理を必要とする作業で、政令で定めるものについては、当該作業の区分に応じて、**作業主任者**を選任し、その者に当該作業に従事する労働者の指揮等を行わせなければならない。

　次のような作業は、労働災害を防止するための管理を必要とする作業に該当する。

①高さが5m以上の構造の足場の組立ての作業

②掘削面の高さが2m以上となる地山の掘削の作業

③型枠支保工の組立て又は解体の作業

④石綿等を取り扱う作業

---

(1) 脚立については、脚と水平面との角度を **A：75** 度以下とし、かつ、折りたたみ式のものにあっては、脚と水平面との角度を確実に保つための金具等を備えなければならない。

(2) 架設通路の勾配は、階段を設けたもの又は高さが2メートル未満で丈夫な手掛を設けたものを除き、**B：30** 度以下にしなければならない。また、勾配が **C：15** 度を超えるものには、踏桟その他の滑止めを設けなければならない。

(3) 事業者は、高さが5メートル以上の構造の足場の組立ての作業については、当該作業の区分に応じて、**D：作業主任者** を選任しなければならない。

(4) **E：特別の教育** (労働安全衛生法第59条「安全衛生教育」)

　　事業者は、危険又は有害な業務で、厚生労働省令で定めるものに労働者を就かせる
ときは、厚生労働省令で定めるところにより、当該業務に関する安全又は衛生のため
の**特別の教育**を行わなければならない。

　　次のような業務は、厚生労働省令で定める危険又は有害な業務に該当する。

①吊上荷重が１t未満の移動式クレーンの運転の業務

②吊上荷重が１トン未満の移動式クレーン又はデリックによる玉掛けの業務

③作業床の高さが2m以上10m未満の高所作業車の運転の業務

④高さが５m以上の足場の組立て等の業務

⑤石綿等が使用されている建築物の解体等の作業に係る業務

⑥アーク溶接機を用いて行う金属の溶接・溶断等の業務

---

(4)事業者は、つり上げ荷重が１トン未満の移動式クレーンの運転(道路上を走行させる
　運転を除く。)の業務に労働者を就かせるときは、当該労働者に対し、当該業務に関
　する安全のための**E：特別の教育**を行わなければならない。

（参考）**移動式クレーンの就業制限に関するまとめ**

　　移動式クレーンの運転業務・玉掛け業務に就くことができる者(必要な資格)は、
その移動式クレーンの吊上荷重に応じて、次のように定められている。

移動式クレーンの吊上荷重 / 運転業務に就くことができる者	5トン以上	1トン以上 5トン未満	1トン未満
移動式クレーン運転士免許を受けた者	○	○	○
小型移動式クレーン運転技能講習を修了した者	×	○	○
移動式クレーンに関する特別の教育を受けた者	×	×	○

移動式クレーンの吊上荷重 / 玉掛け業務に就くことができる者	5トン以上	1トン以上 5トン未満	1トン未満
玉掛け技能講習を修了した者	○	○	○
玉掛けに関する特別の教育を受けた者	×	×	○

管工事法規

解答

A	B	C	D	E
75	30	15	作業主任者	特別の教育

問題5 労働安全衛生法

次の 設問1 及び 設問2 の答えを解答欄に記入しなさい。

設問1 建設工事現場における、労働安全衛生に関する文中、□□□□内に当てはまる「労働安全衛生法」上に**定められている語句又は数値**を選択欄から選択して記入しなさい。

(1)事業者は、手掘りによる **A** からなる地山の掘削の作業を行うときは、掘削面のこう配を35度以下とし、又は掘削面の高さを5m未満としなければならない。

(2)事業者は、足場(一側足場及びつり足場を除く)における高さ **B** m以上の作業場所に設ける作業床は、幅40cm以上とし、床材間のすき間は3cm以下としなければならない。

(3)事業者は、移動はしごを使用するときは、 **C** の取付けその他転位を防止するために必要な措置を講じなければならない。

(4)事業者は、屋内に設ける通路の通路面から高さ **D** m以内に障害物を置いてはならない。

選択欄

> 岩盤、堅い粘土、砂、1、1.5、1.8、
> 2、手すり、すべり止め装置

設問2 建設工事現場における、安全衛生に関する文中、□□□□内に**当てはまる語句**を記述しなさい。

(5)事業者は、高温多湿作業場所で作業を行うときは、労働者に透湿性・通気性の良い服装を着用させたり、塩分や水分を定期的に摂取させたりして、 **E** 症予防に努めなければならない。

問題5 設問1 建設工事現場における安全基準 解答・解説

(1) **A：砂**（労働安全衛生規則第357条「掘削面の勾配の基準」）

事業者は、手掘りにより砂からなる地山又は発破等により崩壊しやすい状態になっている地山の掘削の作業を行うときは、次に定めるところによらなければならない。

①**砂**からなる地山にあっては、掘削面の勾配を35度以下とし、又は掘削面の高さを5m未満とすること。

②発破等により崩壊しやすい状態になっている地山にあっては、掘削面の勾配を45度以下とし、又は掘削面の高さを2m未満とすること。

地山の土質に応じた安全を確保できる掘削勾配

地山の種類	掘削面の高さ	掘削面の勾配	備考
岩盤または堅い粘土か らなる地山	5m未満	90度以下	
	5m以上	75度以下	
砂からなる地山	5m未満	90度以下	
	5m以上	35度以下	
発破などにより崩壊し やすい状態の地山	2m未満	90度以下	
	2m以上	45度以下	
その他の地山	2m未満	90度以下	
	2m以上5m未満	75度以下	
	5m以上	60度以下	掘削面とは、2m以上の水平段で区切られた個々の面である。

(2) **B：2 m以上**（労働安全衛生規則第563条「作業床」）

　事業者は、足場（一側足場を除く）における高さ**2m以上**の作業場所には、作業床を設けなければならない。その作業床は、吊り足場の場合を除き、幅・床材間の隙間・床材と建地との隙間が、次に定めるところによるものでなければならない。

①幅は、**40cm以上**とすること。

②床材間の隙間は、**3cm以下**とすること。

③床材と建地との隙間は、**12cm未満**とすること。

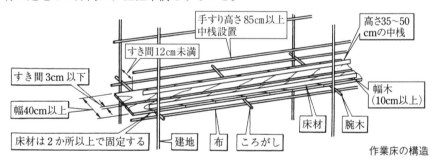

作業床の構造

(3) **C：すべり止め装置**（労働安全衛生規則第527条「移動はしご」）

　事業者は、移動はしごについては、次に定めるところに適合したものでなければ使用してはならない。

①丈夫な構造とすること。

②材料は、著しい損傷・腐食等がないものとすること。

③幅は、**30cm以上**とすること。

④**すべり止め装置**の取付けその他転位を防止するために必要な措置を講ずること。

(4) **D：1.8 m以内**（労働安全衛生規則第542条「屋内に設ける通路」）

　事業者は、屋内に設ける通路については、次に定めるところによらなければならない。

①用途に応じた幅を有すること。

②通路面は、つまずき・すべり・踏抜等の危険のない状態に保持すること。

③通路面から高さ**1.8m以内**に障害物を置かないこと。

管工事法規

(1) 事業者は、手掘りによる 砂 からなる地山の掘削の作業を行うときは、掘削面のこう配を35度以下とし、又は掘削面の高さを5m未満としなければならない。

(2) 事業者は、足場（一側足場及びつり足場を除く）における高さ 2 m以上の作業場所に設ける作業床は、幅40cm以上とし、床材間のすき間は3cm以下としなければならない。

(3) 事業者は、移動はしごを使用するときは、すべり止め装置 の取付けその他転位を防止するために必要な措置を講じなければならない。

(4) 事業者は、屋内に設ける通路の通路面から高さ 1.8 m以内に障害物を置いてはならない。

| 問題5 | 設問2 | 熱中症の予防 | 解答・解説 |

(5) E：熱中 （職場における熱中症の予防について）

　　近年では猛暑の増加により、工事現場等における熱中症の危険が増大しており、その対策が急務となっている。熱中症とは、高温多湿の環境下において、体内の水分・塩分が失われることにより、意識障害や高体温などの症状が現れることをいう。熱中症の予防対策として、事業者が行うべきことは、厚生労働省の通達「職場における**熱中**症の予防について」の「作業管理」の項において、次のように定められている。（一部抜粋）

① 作業時間の短縮等：作業の休止時間及び休憩時間を確保し、高温多湿作業場所の作業を連続して行う時間を短縮すること、身体作業強度（代謝率レベル）が高い作業を避けること、作業場所を変更することなどの熱中症予防対策を、作業の状況等に応じて実施するよう努めること。

② 熱への順化：高温多湿作業場所において労働者を作業に従事させる場合には、熱への順化（熱に慣れ当該環境に適応すること）の有無が、熱中症の発生リスクに大きく影響することを踏まえて、計画的に、熱への順化期間を設けることが望ましいこと。

③ 水分及び塩分の摂取：自覚症状以上に脱水状態が進行していることがあること等に留意の上、自覚症状の有無にかかわらず、水分及び塩分の作業前後の摂取及び作業中の定期的な摂取を指導するとともに、労働者の水分及び塩分の摂取を確認するための表の作成、作業中の巡視における確認などにより、定期的な水分及び塩分の摂取の徹底を図ること。特に、加齢や疾患によって脱水状態であっても自覚症状に乏しい場合があることに留意すること。

④ 服装等：熱を吸収し、又は保熱しやすい服装は避け、透湿性及び通気性の良い服装を着用させること。また、これらの機能を持つ身体を冷却する服の着用も望ましいこと。なお、直射日光下では通気性の良い帽子等を着用させること。

⑤ 作業中の巡視：定期的な水分及び塩分の摂取に係る確認を行うとともに、労働者の健康状態を確認し、熱中症を疑わせる兆候が表れた場合において速やかな作業の中断その他必要な措置を講ずること等を目的に、高温多湿作業場所の作業中は巡視を頻繁に行うこと。

(5) 事業者は、高温多湿作業場所で作業を行うときは、労働者に透湿性・通気性の良い服装を着用させたり、塩分や水分を定期的に摂取させたりして、**熱中** 症予防に努めなければならない。

A	B	C	D	E
砂	2	すべり止め装置	1.8	熱中

平成29年度 問題5 管工事法規 解答・解説

問題5 労働安全衛生法

次の 設問1 及び 設問2 の答えを解答欄に記入しなさい。

設問1 建設工事現場における、労働安全衛生に関する文中、□□□内に当てはまる「労働安全衛生法」上に定められている語句又は数値を選択欄から選びなさい。

(1) 事業者は、作業所内で使用する脚立については、脚と水平面との角度を A 度以下とし、折りたたみ式のものにあっては、脚と水平面との角度を確実に保つための金具等を備えなければならない。

(2) 事業者は、常時労働者の数が10人以上50人未満の事業場には B を選任し、安全管理者と衛生管理者の行う業務を担当させなければならない。

(3) 掘削面の高さが2m以上となる地山の掘削（ずい道及びたて坑以外の坑の掘削を除く。）の作業を行う場合は C を選任しなければならない。

(4) 事業者は、移動式クレーンを用いて作業を行うときは、移動式クレーンの運転者及び玉掛けをする者が当該移動式クレーンの D を常時知ることができるよう、表示その他の措置を講じなければならない。

選択欄	安全衛生推進者、主任技術者、75、80、定格荷重、 作業主任者、専門技術者、統括安全衛生管理者、傾斜角

設問2 建設工事現場における、労働安全衛生に関する文中、□□□内に当てはまる「労働安全衛生法」上に定められている数値を記入しなさい。

(5) 事業者は、架設通路については、こう配を E 度以下としなければならない。ただし、階段を設けたもの又は高さが2m未満で丈夫な手掛を設けたものはこの限りでない。

(1) **A：75度以下**（労働安全衛生規則第528条「脚立」）

事業者は、脚立については、次に定めるところに適合したものでなければ使用してはならない。

①丈夫な構造とすること。

②材料は、著しい損傷・腐食等がないものとすること。

③脚と水平面との角度を75度以下とし、かつ、折りたたみ式のものにあっては、脚と水平面との角度を確実に保つための金具等を備えること。

④踏み面は、作業を安全に行うため必要な面積を有すること。

(2) **B：安全衛生推進者**（労働安全衛生規則第12条の2「安全衛生推進者等を選任すべき事業場」）

事業者は、常時10人以上50人未満の労働者を使用する事業場ごとに、**安全衛生推進者**を選任し、その者に次の業務を担当させなければならない。（これらの業務は、常時50人以上の労働者を使用する事業場においては、安全管理者と衛生管理者が行う業務である）

①労働者の危険又は健康障害を防止するための措置に関すること。

②労働者の安全又は衛生のための教育の実施に関すること。

③健康診断の実施その他健康の保持増進のための措置に関すること。

④労働災害の原因の調査及び再発防止対策に関すること。

⑤上記の他、労働災害を防止するため必要な業務で、厚生労働省令で定めるもの。

(3) **C：作業主任者**（労働安全衛生規則第359条「地山の掘削作業主任者の選任」）

事業者は、掘削面の高さが2m以上となる地山の掘削（ずい道及びたて坑以外の坑の掘削を除く）の作業については、地山の掘削及び土止め支保工作業主任者技能講習を修了した者のうちから、地山の掘削**作業主任者**を選任しなければならない。

(4) **D：定格荷重**（クレーン等安全規則第70条の2「定格荷重の表示等」）

事業者は、移動式クレーンを用いて作業を行うときは、移動式クレーンの運転者及び玉掛けをする者が、当該移動式クレーンの**定格荷重**を常時知ることができるよう、表示その他の措置を講じなければならない。

---

(1)事業者は、作業所内で使用する脚立については、脚と水平面との角度を 75 度以下とし、折りたたみ式のものにあっては、脚と水平面との角度を確実に保つための金具等を備えなければならない。

(2)事業者は、常時労働者の数が10人以上50人未満の事業場には **安全衛生推進者** を選任し、安全管理者と衛生管理者の行う業務を担当させなければならない。

(3)掘削面の高さが2m以上となる地山の掘削（ずい道及びたて坑以外の坑の掘削を除く。）の作業を行う場合は **作業主任者** を選任しなければならない。

(4)事業者は、移動式クレーンを用いて作業を行うときは、移動式クレーンの運転者及び玉掛けをする者が当該移動式クレーンの **定格荷重** を常時知ることができるよう、表示その他の措置を講じなければならない。

(5) E：30度以下（労働安全衛生規則第552条「架設通路」）

事業者は、架設通路については、次に定めるところに適合したものでなければ使用してはならない。

① 丈夫な構造とすること。

② 勾配は、30度以下とすること。ただし、階段を設けたもの又は高さが2m未満で丈夫な手掛を設けたものはこの限りでない。

③ 勾配が15度を超えるものには、踏桟その他の滑止めを設けること。

④ 墜落の危険のある箇所には、高さ85cm以上の手すり等と、高さ3cm以上50cm以下の中桟等（丈夫な構造の設備であって、たわみが生ずるおそれがなく、かつ、著しい損傷・変形・腐食がないものに限る）を設けること。

⑤ たて坑内の架設通路でその長さが15m以上であるものは、10m以内ごとに踊場を設けること。

⑥ 建設工事に使用する高さ8m以上の登り桟橋には、7m以内ごとに踊場を設けること。

架設通路の一種である登り桟橋の構造

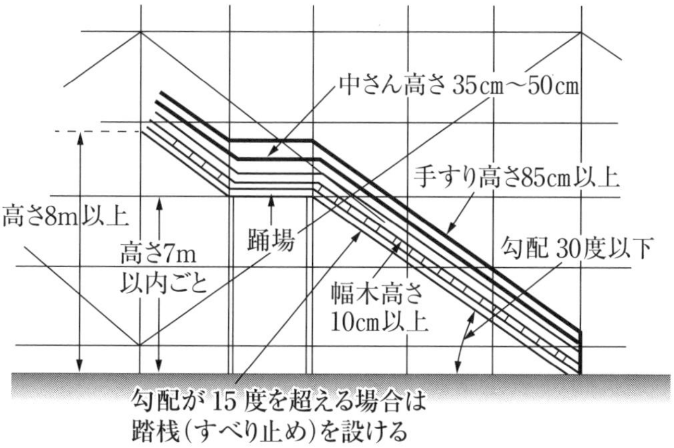

※手すりと中さんは、墜落災害防止のための設備である。
※幅木は、物体の落下防止のための設備である。

(5) 事業者は、架設通路については、こう配を 30 度以下としなければならない。ただし、階段を設けたもの又は高さが2m未満で丈夫な手掛を設けたものはこの限りでない。

解答

A	B	C	D	E
75	安全衛生推進者	作業主任者	定格荷重	30

管工事法規

問題5	労働安全衛生法

次の **設問1** 及び **設問2** の答えを解答欄に記入しなさい。

設問1 建設工事現場における労働安全衛生に関する文中、⬜内に当てはまる「労働安全衛生法」上に**定められている数値**を記入しなさい。

(1)事業者は、高さが **A** m以上の箇所で作業を行う場合において、労働者に安全帯等を使用させるときは、安全帯等を安全に取り付けるための設備等を設けなければならない。

(2)事業者は、可燃性ガス及び酸素を用いて行う金属の溶接作業に使用するガス等の容器の温度を、**B** 度以下に保たなければならない。

設問2 建設工事現場における、労働安全衛生に関する文中、⬜内に当てはまる「労働安全衛生法」上に**定められている用語を選択欄から選び**なさい。

(3)事業者は、石綿等が使用されている建築物の解体等の作業に係る業務に労働者を就かせるときは、当該労働者に対し、当該業務に関する衛生のための **C** を行わなければならない。

(4)事業者は、明り掘削の作業を行う場合において、運搬機械等が転落するおそれのあるときは、**D** 者を配置し、その者にこれらの機械を **D** させなければならない。

(5)事業者は、型枠支保工の組立て作業については、当該作業に従事する労働者の指揮などを行わせるために、**E** を選任しなければならない。

選択欄	安全講習、技能講習、特別の教育、 監視、警備、誘導、 作業主任者、主任技術者、専門技術者

法改正情報	平成30年の法改正により、現在では、労働安全衛生規則上の「安全帯」の名称は「要求性能墜落制止用器具」に置き換えられている。ただし、工事現場で「安全帯」の名称を使い続けることに問題はないとされている。古い時代の過去問題では、その時代の法令に基づいた解答とするため、「安全帯」を解答としているものもあるが、同じ問題が再度出題された場合には「要求性能墜落制止用器具」と解答する必要がある。

管工事法規

(1) A：2m以上（労働安全衛生規則第521条）

事業者は、高さが2m以上の箇所で作業を行う場合において、労働者に安全帯等を使用させるときは、安全帯等を安全に取り付けるための設備等を設けなければならない。

事業者は、労働者に安全帯等を使用させるときは、安全帯等及びその取付け設備等の異常の有無について、随時点検しなければならない。

(2) B：40度以下（労働安全衛生規則第263条）

事業者は、ガス溶接等の業務（可燃性ガス及び酸素を用いて行う金属の溶接・溶断・加熱の業務）に使用するガス等の容器については、その温度を40度以下に保たなければならない。

---

(1) 事業者は、高さが ［ 2 ］ m以上の箇所で作業を行う場合において、労働者に安全帯等を使用させるときは、安全帯等を安全に取り付けるための設備等を設けなければならない。

(2) 事業者は、可燃性ガス及び酸素を用いて行う金属の溶接作業に使用するガス等の容器の温度を、［ 40 ］ 度以下に保たなければならない。

---

(3) C：特別の教育（石綿障害予防規則第27条）

石綿等が使用されている建築物・工作物・船舶の解体等の作業に労働者を就かせるときは、当該労働者に対し、当該業務に関する衛生のための特別の教育を行わなければならない。

(4) D：誘導者（労働安全衛生規則第365条）

事業者は、明り掘削の作業を行う場合において、運搬機械等が、労働者の作業箇所に後進して接近するとき、又は転落するおそれのあるときは、誘導者を配置し、その者にこれらの機械を誘導させなければならない。

運搬機械等の運転者は、誘導者が行う誘導に従わなければならない。

(5) E：作業主任者（労働安全衛生規則第246条）

事業者は、型枠支保工の組立て又は解体の作業については、型枠支保工の組立て等作業主任者技能講習を修了した者のうちから、型枠支保工の組立て等作業主任者を選任しなければならない。

事業者は、型枠支保工の組立て等作業主任者に、作業の方法を決定させ、作業を直接指揮させなければならない。

管工事法規

(3) 事業者は、石綿等が使用されている建築物の解体等の作業に係る業務に労働者を就かせるときは、当該労働者に対し、当該業務に関する衛生のための 特別の教育 を行わなければならない。

(4) 事業者は、明り掘削の作業を行う場合において、運搬機械等が転落するおそれのあるときは、 誘導 者を配置し、その者にこれらの機械を 誘導 させなければならない。

(5) 事業者は、型枠支保工の組立て作業については、当該作業に従事する労働者の指揮などを行わせるために、 作業主任者 を選任しなければならない。

解答

A	B	C	D	E
2	40	特別の教育	誘導	作業主任者

平成27年度 問題5 管工事法規 解答・解説

問題5 労働安全衛生法

次の 設問1 及び 設問2 の答えを解答欄に記入しなさい。

設問1 建設工事現場における労働安全衛生に関する文中、　　　内に当てはまる「労働安全衛生法」上に定められている数値を解答欄に記入しなさい。

(1) 事業者は、架設通路については、こう配を A 度以下としなければならない。

ただし、階段を設けたもの又は高さが2m未満で丈夫な手掛を設けたものはこの限りでない。

(2) 事業者は、高さが B m以上の箇所で作業を行うときは、当該作業を安全に行うため必要な照度を保持しなければならない。

設問2 建設工事現場における労働安全衛生に関する文中、□□□内に当てはまる「労働安全衛生法」上に**定められている用語又は数値を選択欄から選び**、解答欄に記入しなさい。

(3) 事業者は、掘削面の高さが 2m以上となる地山の掘削(ずい道及びたて坑以外の坑の掘削を除く。)の作業を行う場合は、□C□を選任しなければならない。

(4) 事業者は、屋内に設ける通路については、通路面から高さ□D□m以内に障害物を置いてはならない。

(5) 事業者は、つり上げ荷重 1トンの移動式クレーンの運転(道路上を走行させる運転を除く。)の業務は、都道府県労働局長の当該業務に係る免許を受けた者又は都道府県労働局長の登録を受けた者が行う当該業務に係る□E□を修了した者その他厚生労働省令で定める資格を有する者でなければ、当該業務に就かせてはならない。

選択欄	1.5、1.8、2.0、 安全管理者、作業主任者、作業責任者、 特別の教育、技能講習、安全研修

問題5	設問1	架設通路の勾配・照度の保持	解答・解説

(1) A：30度以下

架設通路の勾配は、30度以下とする。また、架設通路の勾配が15度を超える場合、踏桟などの滑り止めを設ける必要がある。架設通路の勾配が30度を超えるような場合は、階段とする。

高さが2m未満の作業場への通路には、丈夫な手掛けを設ける。

(2) B：2m以上

高さが2m以上の箇所で作業を行わせるときは、当該作業を安全に行うため、必要な照度を保持しなければならない。また、手すり・中桟・幅木を取り付けた作業床を設け、労働者に安全帯・保護帽を着用させなければならない。これらの措置は、労働者の墜落を防止するために行われるものである。

(1) 事業者は、架設通路については、こう配を□30□度以下としなければならない。ただし、階段を設けたもの又は高さが2m未満で丈夫な手掛を設けたものはこの限りでない。

(2) 事業者は、高さが□2□m以上の箇所で作業を行うときは、当該作業を安全に行うため必要な照度を保持しなければならない。

(3) C：作業主任者

事業者は、掘削面の高さが2m以上となる地山の掘削の作業を行う場合、地山の掘削作業主任者を選任しなければならない。

(4) D：1.8m以内

事業者は、屋内に設ける通路については、下記のような規定を守らなければならない。

①用途に応じた幅を有すること。

②通路面は、つまずき・すべり・踏み抜き等の危険がない状態に保持すること。

③通路面から高さ1.8m以内に障害物を置かないこと。

(5) E：技能講習

移動式クレーンの運転の業務に就くことができる者は、その吊り上げ荷重に応じて、下記のように定められている。

①吊り上げ荷重が**5トン以上**の移動式クレーンの運転は、移動式クレーン運転士の**免許**を受けている者が行える。

②吊り上げ荷重が**1トン以上5トン未満**の移動式クレーンの運転は、都道府県労働局長の登録を受けた者が行う小型移動式クレーン運転**技能講習**を修了した者が行える。

③吊り上げ荷重が**1トン未満**の移動式クレーンの運転は、小型移動式クレーンに関する**特別の教育**を修了した者が行える。

---

(3) 事業者は、掘削面の高さが2m以上となる地山の掘削(ずい道及びたて坑以外の坑の掘削を除く。)の作業を行う場合は、 $\boxed{\text{作業主任者}}$ を選任しなければならない。

(4) 事業者は、屋内に設ける通路については、通路面から高さ $\boxed{\text{1.8}}$ m以内に障害物を置いてはならない。

(5) 事業者は、つり上げ荷重1トンの移動式クレーンの運転(道路上を走行させる運転を除く。)の業務は、都道府県労働局長の当該業務に係る免許を受けた者又は都道府県労働局長の登録を受けた者が行う当該業務に係る $\boxed{\text{技能講習}}$ を修了した者その他厚生労働省令で定める資格を有する者でなければ、当該業務に就かせてはならない。

問題5	労働安全衛生法

次の 設問1 及び 設問2 の答えを解答欄に記入しなさい。

設問1 労働安全衛生に関する文中、＿＿＿＿内に当てはまる「労働安全衛生法」上に**定められ**
ている数値を解答欄に記入しなさい。

(1)事業者は、使用する移動はしごについては、丈夫な構造とし、材料は著しい
損傷や腐食等がないものとしなければならない。
また、その幅は ＿A＿ cm以上とし、すべり止め装置の取付けその他転位を
防止するために必要な措置を講じなければならない。

(2)事業者は、手掘りにより、砂からなる地山の掘削の作業を行う場合は、掘削
面のこう配を ＿B＿ 度以下とし、又は掘削面の高さを5m未満としなけれ
ばならない。

設問2 労働安全衛生に関する文中、＿＿＿＿内に当てはまる「労働安全衛生法」上に**定めら**
れている用語を選択欄から選んで解答欄に記入しなさい。

(1)事業者は、常時 10人以上 50人未満の労働者を使用する建設業の事業場に
あっては、 ＿C＿ を選任し、その者に安全衛生に係る業務を担当させなけ
ればならない。

(2)事業者は、型枠支保工の組立て又は解体の作業については、 ＿D＿ を選任
し、その者に当該作業に従事する労働者の指揮等を行わせなければならない。

(3)事業者は、作業床の高さが 10m以上の高所作業車の運転(道路上を走行さ
せる運転を除く。)の業務については、都道府県労働局長の登録を受けた者
が行う当該業務に係る ＿E＿ を修了した者でなければ、当該業務に就か
せてはならない。

選択欄	安全衛生推進者、作業主任者、主任技術者、専門技術者、 総括安全衛生管理者、技能講習、特別の教育

問題5	設問1	移動梯子の幅・手掘り掘削作業における掘削面の勾配	解答・解説

(1) A：30cm以上

移動はしごの幅は、30cm以上とする。また、移動はしごには、すべり止め装置を取り付
け、転位を防止するために必要な措置を講じる。

管工事法規

(2) B：35度以下

砂からなる地山の掘削の作業を行う場合は、掘削面の高さが5m以上の場合、掘削面の勾配を35度以下とする。

---

(1)事業者は、使用する移動はしごについては、丈夫な構造とし、材料は著しい損傷や腐食等がないものとしなければならない。

また、その幅は $\boxed{30}$ cm以上とし、すべり止め装置の取付けその他転位を防止するために必要な措置を講じなければならない。

(2)事業者は、手掘りにより、砂からなる地山の掘削の作業を行う場合は、掘削面のこう配を $\boxed{35}$ 度以下とし、又は掘削面の高さを5m未満としなければならない。

| 問題5 | 設問2 | 現場の安全管理体制・作業主任者 | 解答・解説 |

(1) C：安全衛生推進者

事業者は、常時10人以上50人未満の労働者を使用する作業場には、安全衛生推進者を選任し、安全衛生に係る業務を担当させる。

(2) D：作業主任者

事業者は、型枠支保工の組立てまたは解体の作業を行う場合、作業主任者(型枠支保工の組立て等作業主任者)を選任する。

(3) E：技能講習

作業床の高さが10m以上となる高所作業車の運転者は、当該業務に係る技能講習を修了した者でなければならない。10m未満では特別教育の修了者ができる。

---

(1)事業者は、常時10人以上50人未満の労働者を使用する建設業の事業場にあっては、 安全衛生推進者 を選任し、その者に安全衛生に係る業務を担当させなければならない。

(2)事業者は、型枠支保工の組立て又は解体の作業については、 作業主任者 を選任し、その者に当該作業に従事する労働者の指揮等を行わせなければならない。

(3)事業者は、作業床の高さが10m以上の高所作業車の運転(道路上を走行させる運転を除く。)の業務については、都道府県労働局長の登録を受けた者が行う当該業務に係る 技能講習 を修了した者でなければ、当該業務に就かせてはならない。

※本章では、令和5年度～平成26年度の問題・解説・解答に加えて、平成25年度～平成19年度の問題・解答・解説(やや簡略的なもの)を採録しています。管工事法規の分野では、10年以上前の問題から繰り返して出題されることがあるので、こうした古い問題についても一通り目を通しておくと、似たような問題が出題されたときに、対応しやすくなります。

| 問題5 | 労働安全衛生法 |

次の 設問1 及び 設問2 の答えを解答欄に記入しなさい。

設問1 労働安全衛生に関する文中、　　　内に当てはまる、「労働安全衛生法」上に**定められている数値**を解答欄に記入しなさい。

(1) 事業者は、高さが　A　m以上の箇所で作業を行うときは、当該作業を安全に行うため必要な照度を保持しなければならない。

(2) 事業者は、酸素欠乏危険作業に労働者を従事させる場合は、当該作業を行う場所の空気中の酸素の濃度を　B　%以上に保つように換気しなければならない。

設問2 労働安全衛生に関する文中、　　　内に当てはまる、「労働安全衛生法」上に**定められている用語**を選択欄から選び、解答欄に記入しなさい。

(1) 事業者は、掘削面の高さが2m以上となる地山の掘削(ずい道及びたて杭以外の坑の掘削を除く。)の作業を行う場合は　C　を選任しなければならない。

(2) 事業者は、労働者の数が常時100人以上となる建設業の事業場には　D　を選任しなければならない。

(3) 事業者は、石綿等が使用されている建築物の解体等の作業に係る業務に労働者を就かせるときは、当該業務に関する衛生のための　E　を行わなければならない。

| 選択欄 | 安全衛生推進者、 作業主任者、 安全責任者、
総括安全衛生管理者、 主任技術者、
特別の教育、 管理講習、 実技指導 |

| 問題5 | 設問1 | 高所作業における照度の確保・酸素欠乏危険作業 | 解答・解説 |

(1) A：2m以上

高さが2m以上の箇所で作業を行うときは、作業床を設け、必要な照度を確保しなければならない。

(2) B：18%以上

マンホール内・ピット内などで酸素欠乏危険作業を行うときは、酸素濃度が常時18%以上になるよう換気しなければならない。また、作業主任者は、酸素濃度を測定・確認しなければならない。

(1) 事業者は、高さが <u>2</u> m以上の箇所で作業を行うときは、当該作業を安全に行うため必要な照度を保持しなければならない。

(2) 事業者は、酸素欠乏危険作業に労働者を従事させる場合は、当該作業を行う場所の空気中の酸素の濃度を <u>18</u> %以上に保つように換気しなければならない。

| 問題 5 | 設問 2 | 作業主任者・安全管理体制・特別の教育 | 解答・解説 |

(1) C：作業主任者
高さが2m以上となる地山を掘削するときは、作業主任者を選任しなければならない。

(2) D：総括安全衛生管理者
100人以上の労働者を使用する単一事業場では、安全管理体制として、総括安全衛生管理者・安全管理者・衛生管理者・産業医を選任しなければならない。

(3) E：特別の教育
石綿が吹き付けられた建築物の解体作業・作業床の高さが2m以上10m未満の高所作業車の運転・吊り上げ荷重が1トン未満の移動式クレーンの運転・吊り上げ荷重が1トン未満の玉掛作業・酸素欠乏危険作業に就業する者は、当該業務に関する特別の教育を修了していなければならない。

(1) 事業者は、掘削面の高さが2m以上となる地山の掘削（ずい道及びたて杭以外の坑の掘削を除く。）の作業を行う場合は <u>作業主任者</u> を選任しなければならない。

(2) 事業者は、労働者の数が常時100人以上となる建設業の事業場には <u>総括安全衛生管理者</u> を選任しなければならない。

(3) 事業者は、石綿等が使用されている建築物の解体等の作業に係る業務に労働者を就かせるときは、当該業務に関する衛生のための <u>特別の教育</u> を行わなければならない。

参考　平成24年度　問題5　管工事法規　解答・解説

| 問題 5 | 労働安全衛生法 |

次の 設問1 及び 設問2 の答えを解答欄に記入しなさい。

設問1 労働安全衛生に関する文中、□□□内に当てはまる、労働安全衛生法上に**定められている数値**を解答欄に記入しなさい。

(1) 事業者は、手掘りにより、岩盤（崩壊又は岩石の落下の原因となるき裂がない岩盤を除く。）又は堅い粘土からなる地山の掘削の作業を行なう場合、掘削面の高さが <u>A</u> m未満のときは、掘削面のこう配を90度以下とすることができる。

(2) 事業者は、架設通路については、こう配は、　**B**　度以下としなければならない。ただし、階段を設けたもの又は高さが2m未満で丈夫な手掛を設けたものはこの限りでない。

設問2　労働安全衛生に関する文中、　　　　　内に当てはまる、労働安全衛生法上に**定められている用語を選択欄から選び、解答欄に記入しなさい。**

(1) 建設業を行う事業者は、常時10人以上50人未満の労働者を使用する事業場には、　**C**　を選任しなければならない。

(2) 事業者は、型枠支保工の組立て又は解体の作業を行う場合には、　**D**　を選任しなければならない。

(3) 事業者は、つり上げ荷重が1トン未満の移動式クレーンの玉掛けの業務などの危険又は有害な業務で、厚生労働省令で定めるものに労働者をつかせるときは、厚生労働省令で定めるところにより、当該業務に関する安全又は衛生のための　**E**　を行なわなければならない。

選択欄	作業主任者、　専門技術者、　安全管理者、 衛生管理者、　安全衛生推進者、 安全衛生講習、　特別の教育、　技能講習

問題5	**設問1**	地山の掘削勾配・架設通路の勾配	解答・解説

(1) A：5m未満

地山の掘削作業において、安全を確保できる掘削勾配は、下表の通りである。岩盤又は堅い粘土からなる地山を掘削するときは、掘削面の高さが5m未満であれば、掘削面の勾配を90度以下とすることができる。

地山の土質に応じた安全を確保できる掘削勾配

地山の種類	掘削面の高さ	掘削面の勾配	備考
岩盤または堅い粘土 からなる地山	5m未満	90度以下	
	5m以上	75度以下	
砂からなる地山	5m未満	90度以下	
	5m以上	35度以下	
発破などにより崩壊し やすい状態の地山	2m未満	90度以下	
	2m以上	45度以下	
その他の地山	2m未満	90度以下	
	2m以上5m未満	75度以下	掘削面とは、2m以上の水平段で
	5m以上	60度以下	区切られた個々の面である。

(2) B：30度以下

架設通路の勾配に関しては、下記のような規則が定められている。

①高さが2m以上の架設通路の勾配が30度を超えるときは、階段を設ける。

②高さが2m未満の箇所には、昇降のための丈夫な手掛を設ける。

③架設通路の勾配が15度を超えるときは、踏桟を設ける。

---

(1) 事業者は、手掘りにより、岩盤（崩壊又は岩石の落下の原因となるき裂がない岩盤を除く。）又は堅い粘土からなる地山の掘削の作業を行なう場合、掘削面の高さが　5　m未満のときは、掘削面のこう配を90度以下とすることができる。

(2) 事業者は、架設通路については、こう配は、　30　度以下としなければならない。ただし、階段を設けたもの又は高さが2m未満で丈夫な手掛を設けたものはこの限りでない。

| 問題5 | 設問2 | 安全管理体制・作業主任者・特別の教育 | 解答・解説 |

(1) C：安全衛生推進者

10人以上50人未満の労働者を使用する単一事業場では、安全管理体制として、安全衛生推進者を選任しなければならない。また、50人以上100人未満の労働者を使用する単一事業場では、安全管理体制として、安全管理者・衛生管理者・産業医を選任しなければならない。

(2) D：作業主任者

型枠支保工の組立て又は解体・高さ5m以上の足場の組立て・高さ2m以上の地山の掘削・土止め支保工の設置・石綿を含む物の取扱いなど、危険または有害な業務を行うときは、作業主任者を選任しなければならない。

(3) E：特別の教育

つり上げ荷重が1トン未満の移動式クレーンの運転・つり上げ荷重が1トン未満の玉掛け作業に就業する者は、当該業務に関する特別の教育を修了していなければならない。

---

(1) 建設業を行う事業者は、常時10人以上50人未満の労働者を使用する事業場には、**安全衛生推進者** を選任しなければならない。

(2) 事業者は、型枠支保工の組立て又は解体の作業を行う場合には、**作業主任者** を選任しなければならない。

(3) 事業者は、つり上げ荷重が1トン未満の移動式クレーンの玉掛けの業務などの危険又は有害な業務で、厚生労働省令で定めるものに労働者をつかせるときは、厚生労働省令で定めるところにより、当該業務に関する安全又は衛生のための **特別の教育** を行なわなければならない。

| 問題5 | 労働安全衛生法 |

次の 設問1 及び 設問2 の答えを解答欄に記入しなさい。

設問1　労働安全衛生に関する文中、□□□内に当てはまる「労働安全衛生法」上に**定められている数値**を解答欄に記入しなさい。

(1) 事業者は、可燃性ガス及び酸素を用いて行なう金属の溶接、溶断の業務に使用するガスの容器の温度を　A　度以下に保たなければならない。

(2) 事業者は、架設通路を設置する場合、こう配が　B　度をこえるものには、踏さんその他の滑止めを設けなければならない。

設問2　労働安全衛生に関する文中、□□□内に当てはまる、「労働安全衛生法」上に**定められている用語又は数値**を選択欄から選び、解答欄に記入しなさい。

(1) 事業者は、石綿若しくは石綿をその重量の0.1%を超えて含有する製剤その他の物を取り扱う作業(試験研究のため取り扱う作業を除く。) については、　C　を選任し、その者に作業に従事する労働者が石綿等の粉じんにより汚染され、又はこれらを吸入しないように、作業の方法を決定させ、労働者を指揮させなければならない。

(2) 事業者は、移動はしごについては、丈夫な構造とし、材料は著しい損傷、腐食等がなく、幅は、　D　cm以上とし、すべり止め装置の取付けその他転位を防止するために必要な措置を講じなければ使用してはならない。

(3) 事業者は、作業床の高さが2m以上10m未満の高所作業車の運転(道路上を走行させる運転を除く。) の業務に労働者をつかせるときは、厚生労働省令で定めるところにより、当該業務に関する安全又は衛生のために　E　を行わなければならない。

| 選択欄 | 主任技術者、　作業主任者、　安全管理者、　20、　30、　45、技能講習、　特別の教育、　運転講習 |

| 問題5 | 設問1 | ガスの容器の温度・架設通路の勾配 | 解答・解説 |

⑴ **A：40度以下**

可燃性ガス及び酸素を用いる溶接作業では、ガスの容器の温度が常時40度以下になるようにしなければならない。

(2) B：15度を超える

　架設通路の勾配に関しては、下記のような規則が定められている。

①架設通路の勾配が15度を超えるときは、踏桟を設ける。

②高さが2m未満の箇所には、昇降のための丈夫な手掛を設ける。

③高さが2m以上の架設通路の勾配が30度を超えるときは、階段を設ける。

---

(1) 事業者は、可燃性ガス及び酸素を用いて行なう金属の溶接、溶断の業務に使用するガスの容器の温度を　40　度以下に保たなければならない。

(2) 事業者は、架設通路を設置する場合、こう配が　15　度をこえるものには、踏さんその他の滑止めを設けなければならない。

| 問題5 | 設問2 | 作業主任者・移動梯子・特別の教育 | 解答・解説 |

(1) C：作業主任者

　石綿（含有量が0.1%を超えるもの）を取り扱うときは、作業主任者を選任しなければならない。作業主任者は、労働者が石綿の粉塵に汚染されないよう、労働者を直接指揮する。

(2) D：30cm以上

　移動梯子の幅は、30cm以上としなければならない。

(3) E：特別の教育

　作業床の高さが2m以上10m未満の高所作業車の運転の業務に就業する者は、当該業務に関する特別の教育を修了していなければならない。

---

(1) 事業者は、石綿若しくは石綿をその重量の0.1%を超えて含有する製剤その他の物を取り扱う作業（試験研究のため取り扱う作業を除く。）については、作業主任者を選任し、その者に作業に従事する労働者が石綿等の粉じんにより汚染され、又はこれらを吸入しないように、作業の方法を決定させ、労働者を指揮させなければならない。

(2) 事業者は、移動はしごについては、丈夫な構造とし、材料は著しい損傷、腐食等がなく、幅は、　30　cm以上とし、すべり止め装置の取付けその他転位を防止するために必要な措置を講じなければ使用してはならない。

(3) 事業者は、作業床の高さが2m以上10m未満の高所作業車の運転（道路上を走行させる運転を除く。）の業務に労働者をつかせるときは、厚生労働省令で定めるところにより、当該業務に関する安全又は衛生のために特別の教育を行わなければならない。

管工事法規

問題5 労働安全衛生法

次の 設問1 及び 設問2 の答えを解答欄に記入しなさい。

設問1 労働安全衛生に関する文中、□ 内に当てはまる「労働安全衛生法」上に**定められている数値**を解答欄に記入しなさい。

(1) 事業者は、作業所内で使用する脚立については、脚と水平面の角度を [A] 度以下とし、かつ、折りたたみ式のものにあっては、脚と水平面の角度を確実に保つための金具等を備えたものとしなければならない。

(2) 事業者は、高さが [B] m以上の箇所で作業を行なう場合において、労働者に安全帯等を使用させるときは、安全帯等を安全に取り付けるための設備等を設けなければならない。

設問2 労働安全衛生に関する文中、□ 内に当てはまる、「労働安全衛生法」上に**定められている用語又は数値**を選択欄から選び、解答欄に記入しなさい。

(1) 建設業を行う事業者は、常時 10人以上 50人未満の労働者を使用する事業場には、[C] を選任しなければならない。

(2) 事業者は、労働者をつり上げ荷重が1トン未満の移動式クレーンの運転(道路上を走行させる運動を除く。)の業務につかせるときは、[D] を行わなければならない。

(3) 事業者は、手掘りにより、砂からなる地山の掘削の作業を行なうときは、掘削面のこう配を [E] 度以下とし、又は掘削面の高さを5m未満としなければならない。

選択欄	安全衛生推進者、 安全衛生責任者、 安全管理者 安全教育、 特別の教育、 運転講習、35、45、60

| 問題5 | 設問1 | 脚立・高さが2m以上となる高所作業 | 解答・解説 |

(1) A：75度以下

　　脚立の脚と水平面との角度は、75度以下としなければならない。

(2) B：2m以上

　　作業場所の高さが2m以上となるときは、作業床を設け、労働者に安全帯等を使用させなければならない。このとき、作業床には、高さが85cm以上の位置に手すり・高さが35cm～50cmの位置に中桟・高さが10cm以上の位置に幅木を設ける。

---

(1) 事業者は、作業所内で使用する脚立については、脚と水平面の角度を 75 度以下とし、かつ、折りたたみ式のものにあっては、脚と水平面の角度を確実に保つための金具等を備えたものとしなければならない。

(2) 事業者は、高さが 2 m以上の箇所で作業を行なう場合において、労働者に安全帯等を使用させるときは、安全帯等を安全に取り付けるための設備等を設けなければならない。

| 問題5 | 設問2 | 安全管理体制・特別の教育・地山の掘削勾配 | 解答・解説 |

(1) C：安全衛生推進者

　　10人以上50人未満の労働者を使用する単一事業場では、安全管理体制として、安全衛生推進者を選任しなければならない。

(2) D：特別の教育

　　つり上げ荷重が1トン未満の移動式クレーンの運転・つり上げ荷重が1トン未満の玉掛けの業務に就業する者は、当該業務に関する特別の教育を修了していなければならない。

(3) E：35度以下

　　砂からなる地山を掘削するときは、その掘削面の高さが5m以上であれば、掘削面の勾配を35度以下としなければならない。

---

(1) 建設業を行う事業者は、常時10人以上50人未満の労働者を使用する事業場には、 安全衛生推進者 を選任しなければならない。

(2) 事業者は、労働者をつり上げ荷重が1トン未満の移動式クレーンの運転（道路上を走行させる運動を除く。）の業務につかせるときは、 特別の教育 を行わなければならない。

(3) 事業者は、手掘りにより、砂からなる地山の掘削の作業を行なうときは、掘削面のこう配を 35 度以下とし、又は掘削面の高さを5m未満としなければならない。

管工事法規

| 問題5 | 労働安全衛生法 |

次の 設問1 及び 設問2 の答えを解答欄に記入しなさい。

設問1　労働安全衛生に関する文中、[　　]内に当てはまる「労働安全衛生法」上に定められている**数値**を解答欄に記入しなさい。

(1) 事業者は、手掘りにより、岩盤又は堅い粘土からなる地山の掘削作業を行うとき、掘削面の高さが[　A　]m未満のときは、掘削面のこう配を90度以下としなければならない。

(2) 事業者は、酸素欠乏危険作業に労働者を従事させる場合は、当該作業を行う場所の空気中の酸素の濃度を[　B　]%以上に保つように換気しなければならない。

設問2　労働安全衛生に関する文中、[　　]内に当てはまる、「労働安全衛生法」上に定められている**用語又は数値**を選択欄から選び、解答欄に記入しなさい。

(1) 事業者は、石綿若しくは石綿をその重量の0.1%を超えて含有する製剤その他の物を取り扱う作業（試験研究のため取り扱う作業を除く。）については、[　C　]を選任し、その者に当該作業に従事する労働者の指揮その他の厚生労働省令で定める事項を行わせなければならない。

(2) 事業者は、架設通路については、こう配は、[　D　]度以下としなければならない。ただし、階段を設けたもの又は高さが2m未満で丈夫な手掛を設けたものはこの限りでない。

(3) 事業者は、アーク溶接機を用いて行う金属の溶接、溶断等の業務に労働者をつかせるときは、当該業務に関する安全又は衛生のための[　E　]を行わなければならない。

| 選択欄 | 主任技術者、　作業主任者、　安全管理者、15、20、30、　安全教育、　特別の教育、　技能講習 |

(1) A：5m未満

岩盤又は硬い粘土からなる地山を掘削するときは、その掘削面の高さが5m未満であれば、掘削面の勾配を90度以下としなければならない。また、その掘削面の高さが5m以上であれば、掘削面の勾配を75度以下としなければならない。

(2) B：18%以上

マンホール内・ピット内などで酸素欠乏危険作業を行うときは、酸素濃度が常時18%以上になるよう換気しなければならない。また、作業主任者は、酸素濃度を測定・確認しなければならない。

---

(1) 事業者は、手掘りにより、岩盤又は堅い粘土からなる地山の掘削作業を行うとき、掘削面の高さが 5 m未満のときは、掘削面のこう配を90度以下としなければならない。

(2) 事業者は、酸素欠乏危険作業に労働者を従事させる場合は、当該作業を行う場所の空気中の酸素の濃度を 18 %以上に保つように換気しなければならない。

---

(1) C：作業主任者

石綿（含有量が0.1%を超えるもの）を取り扱う作業では、作業に従事する労働者を指揮する者として、作業主任者を選任しなければならない。作業に従事する労働者は、特別の教育を修了していなければならない。

(2) D：30度以下

架設通路の勾配に関しては、下記のような規則が定められている。

① 高さが2m以上の架設通路の勾配が30度を超えるときは、階段を設ける。

② 高さが2m未満の箇所には、昇降のための丈夫な手掛を設ける。

③ 架設通路の勾配が15度を超えるときは、踏桟を設ける。

(3) E：特別の教育

アーク溶接機を用いた業務に就業する者は、当該業務に関する特別の教育を修了していなければならない。

(1) 事業者は、石綿若しくは石綿をその重量の0.1%を超えて含有する製剤その他の物を取り扱う作業(試験研究のため取り扱う作業を除く。)については、 作業主任者 を選任し、その者に当該作業に従事する労働者の指揮その他の厚生労働省令で定める事項を行わせなければならない。

(2) 事業者は、架設通路については、こう配は、 30 度以下としなければならない。ただし、階段を設けたもの又は高さが2m未満で丈夫な手掛を設けたものはこの限りでない。

(3) 事業者は、アーク溶接機を用いて行う金属の溶接、溶断等の業務に労働者をつかせるときは、当該業務に関する安全又は衛生のための 特別の教育 を行わなければならない。

問題5 労働安全衛生法

次の 設問1 及び 設問2 の答えを解答欄に記入しなさい。

設問1 労働安全衛生に関する文中、[ ]内に当てはまる「労働安全衛生法」上に**定められている数値**を解答欄に記入しなさい。

(1) 事業者は、足場(一側足場を除く。)における高さ2m以上の作業場所に設ける作業床で、墜落により労働者に危険を及ぼすおそれのある箇所には、わく組足場以外の足場にあっては、高さ A cm以上の手すり等を設けなければならない。

(2) 建設現場で使用する移動はしごは、著しい損傷、腐食等がない材料を使用した丈夫な構造で、その幅は B cm以上とし、すべり止め装置の取付けその他転位を防止するために必要な措置を講じなければならない。

設問2 労働安全衛生に関する文中、[ ]内に当てはまる「労働安全衛生法」上に**定められている数値又は用語を選択欄から選び**、解答欄に記入しなさい。

(1) 事業者は、つり上げ荷重が 1トン未満のクレーン、移動式クレーン又はデリックの玉掛けの業務に労働者をつかせるときは、当該労働者に対し、当該業務に関する安全のための C を行わなければならない。

(2) 事業者は、屋内に設ける通路について、通路面から高さ D m以内に障害物を置いてはならない。

(3) 事業者は、型わく支保工の組立て又は解体の作業を行う場合には E を選任しなければならない。

選択欄	特別の教育、 安全教育、 技能講習、 1.5、 1.8、 2、 専門技術者、 作業主任者、 安全管理者

(1) **A：85cm以上**

　高さが2m以上の作業場所に設けられた作業床には、高さが85cm以上の位置に手すり・高さが35cm〜50cmの位置に中桟・高さが10cm以上の幅木を設けなければならない。

(2) **B：30cm以上**

　移動はしごの幅は、30cm以上としなければならない。

---

(1) 事業者は、足場（一側足場を除く。）における高さ2m以上の作業場所に設ける作業床で、墜落により労働者に危険を及ぼすおそれのある箇所には、わく組足場以外の足場にあっては、高さ　85　cm以上の手すり等を設けなければならない。

(2) 建設現場で使用する移動はしごは、著しい損傷、腐食等がない材料を使用した丈夫な構造で、その幅は　30　cm以上とし、すべり止め装置の取付けその他転位を防止するために必要な措置を講じなければならない。

---

(1) **C：特別の教育**

　つり上げ荷重が1トン未満のクレーンまたは移動式クレーンの運転・つり上げ荷重が1トン未満の玉掛けの業務に就業する者は、当該業務に関する特別の教育を修了していなければならない。

(2) **D：1.8m以内**

　屋内に設ける通路では、通路面からの高さが1.8m以内の箇所に障害物を置いてはならない。

(3) **E：作業主任者**

　型枠支保工・土止め支保工の組立て又は解体の作業を行うときは、その高さに関係なく、作業主任者を選任しなければならない。

---

(1) 事業者は、つり上げ荷重が1トン未満のクレーン、移動式クレーン又はデリックの玉掛けの業務に労働者をつかせるときは、当該労働者に対し、当該業務に関する安全のための　特別の教育　を行わなければならない

(2) 事業者は、屋内に設ける通路について、通路面から高さ　1.8　m以内に障害物を置いてはならない。

(3) 事業者は、型わく支保工の組立て又は解体の作業を行う場合には　作業主任者　を選任しなければならない。

管工事法規

問題5 労働安全衛生法

次の 設問1 及び 設問2 の答えを解答欄に記入しなさい。

設問1　労働安全衛生に関する文中、　　　　内に当てはまる「労働安全衛生法」上に**定められている数値**を解答欄に記入しなさい。

(1) 事業者は、作業所内で使用する脚立については、脚と水平面の角度を　A　度以下とし、折りたたみ式のものにあっては角度を確実に保つための金具等を備えたものとしなければならない。

(2) 事業者は、足場（一側足場を除く）における高さ　B　m以上の作業場所に設ける作業床で、墜落等の危険がある箇所には、わく組足場以外の足場にあっては高さ、85cm以上の手すり等を設けなければならない。

設問2　労働安全衛生に関する文中、　　　　内に当てはまる「労働安全衛生法」上に**定められている用語を選択欄から選び**、解答欄に記入しなさい。

(1) 事業者は、明り掘削の作業を行う場合において、運搬機械等が、労働者の作業箇所に後進して接近するとき、又は転落するおそれのあるときは、　C　者を配置し、その者に　C　させなければならない。

(2) 事業者は、地山の崩壊又は土石の落下により労働者に危険を及ぼすおそれのあるときは、地山を安全な　D　とし、落下のおそれのある土石を取り除き、又は擁壁、土止め支保工等を設けなければならない。

(3) 建設業を行う事業者は、常時10人以上50人未満の労働者を使用する事業場には、　E　を選任しなければならない。

選択欄	監視、警備、誘導、掘削、こう配、高さ、安全衛生管理者、安全衛生推進者、安全管理者、衛生管理者

管工事法規

| 問題5 | 設問1 | 脚立・足場(作業床) | 解答・解説 |

(1) A：75度以下

脚立の脚と水平面との角度は、75度以下としなければならない。

(2) B：2m以上

高さが2m以上の作業場所に設ける作業床は、幅を40cm以上・床材間の隙間を3cm以下とする。また、高さが85cm以上の位置に手すり・高さが35cm～50cmの位置に中桟・高さが10cm以上の位置に幅木を設ける。

> (1) 事業者は、作業所内で使用する脚立については、脚と水平面の角度を　75　度以下とし、折りたたみ式のものにあっては角度を確実に保つための金具等を備えたものとしなければならない。
>
> (2) 事業者は、足場(一側足場を除く)における高さ　2　m以上の作業場所に設ける作業床で、墜落等の危険がある箇所には、わく組足場以外の足場にあっては高さ、85cm以上の手すり等を設けなければならない。

| 問題5 | 設問2 | 建設機械・地山の掘削勾配・安全管理体制 | 解答・解説 |

(1) C：誘導

建設機械を後進・旋回させるなど、労働者や第三者に対する災害・事故が生じる恐れがあるときは、誘導者を配置し、その者に建設機械を誘導させなければならない。

(2) D：こう配

地山を掘削するときは、地山の種類ごとに定められた安全を確保できる勾配となるよう施工しなければならない

(3) E：安全衛生推進者

10人以上50人未満の労働者を使用する単一事業場では、安全管理体制として、安全衛生推進者を選任しなければならない。

> (1) 事業者は、明り掘削の作業を行う場合において、運搬機械等が、労働者の作業箇所に後進して接近するとき、又は転落するおそれのあるときは、　誘導　者を配置し、その者に　誘導　させなければならない。
>
> (2) 事業者は、地山の崩壊又は土石の落下により労働者に危険を及ぼすおそれのあるときは、地山を安全な　こう配　とし、落下のおそれのある土石を取り除き、又は擁壁、土止め支保工等を設けなければならない。
>
> (3) 建設業を行う事業者は、常時10人以上50人未満の労働者を使用する事業場には、　安全衛生推進者　を選任しなければならない。

攻略編

2級管工事施工管理技術検定試験 第二次検定

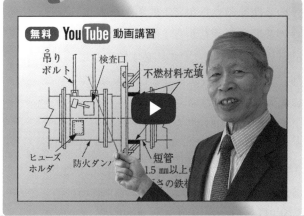

1	令和6年度　虎の巻（精選模試）第一巻　120分間

2	令和6年度　虎の巻（精選模試）第二巻　120分間

← スマホ版無料動画コーナー QRコード
URL　https://get-supertext.com/
（注意）スマートフォンでの長時間聴講は、Wi-Fi環境が整ったエリアで行いましょう。

「虎の巻解説講習」の動画講習を、GET研究所ホームページから視聴できます。
https://get-ken.jp/

| GET研究所 | 検索 | ➡ | 無料動画公開中 | ➡ | 動画を選択 |

令和6年度
2級管工事施工管理技術検定試験
第二次検定 虎の巻（精選模試）第一巻

実施要項

■ 虎の巻（精選模試）第一巻には、令和6年度の第二次検定に向けて、極めて重要であると思われる問題が集約されています。

■ 試験時間は120分間です。

■ 問題1 は必須問題です。必ず解答してください。

■ 問題2 と 問題3 の2問題のうちから1問題を選択し、解答してください。

■ 問題4 と 問題5 の2問題のうちから1問題を選択し、解答してください。

■ 問題6 は必須問題（施工経験記述）です。必ず解答してください。

■ 以上の結果、全部で4問題を解答することになります。

■ 解答は、解答欄に記入してください。

■ 選択した問題は、選択欄に○印を記入してください。

■ 選択問題は、指定数を超えて解答した場合、減点となりますから十分注意してください。

■ 解答は、HB の鉛筆又はシャープペンシルで記入してください。

■ 解答を訂正する場合は、プラスチック消しゴムできれいに消してから訂正してください。

■ 余白は、計算等に使用しても差し支えありません。

■ 採点は、解答・解答例を参考にして、自己評価してください。

試験問題の見直し（本書490ページ参照）に対応するための取り組み方

■ 問題2 と 問題3 については、それぞれの留意事項を、できるだけ「受検者自身のこれまでの管工事の経験」に基づいて記述することを心がけてください。

■ 問題4 と 問題5 については、両方の問題が必須問題になると思われるので、選択していない方の問題についても、採点後に一通り取り組むようにしてください。

■ 問題6 については、出題方式が大きく変わると思われるので、本書の492ページ～502ページに記載されている予想問題を、虎の巻（精選模試）の一環として必ず学習してください。

■ 試験問題の見直しの詳細については、発表されておりません。そのため、本書の「虎の巻（精選模試）」の内容は、令和5年度までの試験問題に基づく出題方式になっています。

自己評価・採点表（100点満点）

問題	問題1	問題2	問題3	問題4	問題5	問題6
分野	施工要領図	空気調和設備	給排水設備	工程管理	管工事法規	施工経験記述
選択欄	○					○
配点	30	20	20	20	20	30
得点						

合計得点	点

60点以上で合格

※ 問題1 の 設問1 は施工管理知識に関する問題です。
※ 配点は、GET研究所の推定によるものです。

問題1 は必須問題です。必ず解答してください。

虎の巻（精選模試）第一巻 問題1 設問1 施工管理知識 選択欄 ○

　　次の(1)～(5)の記述について、**適当な場合には○を、適当でない場合には×を記入しな**さい。

(1) 冷却塔は、補給水口の高さが補給水タンクの低水位から3m以上となるように据え付ける。

(2) 給水管を地中埋設配管にて建物内へ引き込む部分には、絶縁継手を設ける。

(3) 呼び径40以下の鋼管の施工では、形鋼振れ止め支持は、原則として不要である。

(4) スパイラルダクトの差込み接合では、継手をビスで固定し、ダクト用テープで1重巻きを行う。

(5) ダクトの防火ダンパーの温度ヒューズの作動温度は、一般排気及び厨房排気ともに72℃とする。

解答欄　　　　　　　　　　　　　　　　　　　　　　　　　　　（各2点×5＝10点）

(1)	(2)	(3)	(4)	(5)

虎の巻（精選模試）第一巻

虎の巻（精選模試）第一巻 問題1 設問2 施工要領図 　選択欄 ○

(6)～(9)に示す図について、**適切でない部分の理由又は改善策**を具体的かつ簡潔に記述しなさい。

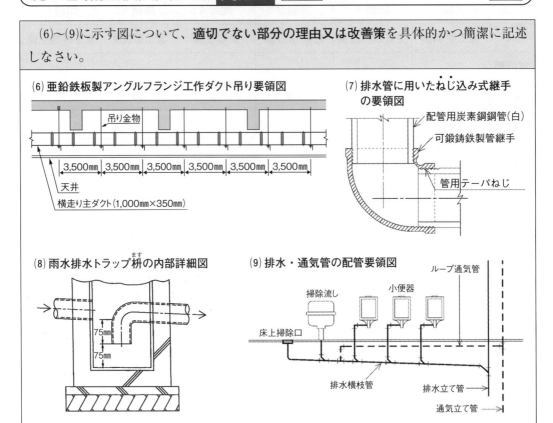

(6) 亜鉛鉄板製アングルフランジ工作ダクト吊り要領図

吊り金物
3,500mm 3,500mm 3,500mm 3,500mm 3,500mm 3,500mm
天井
横走り主ダクト(1,000mm×350mm)

(7) 排水管に用いたねじ込み式継手の要領図

配管用炭素鋼鋼管(白)
可鍛鋳鉄製管継手
管用テーパねじ

(8) 雨水排水トラップ枡の内部詳細図

75mm
75mm

(9) 排水・通気管の配管要領図

ループ通気管
掃除流し　小便器
床上掃除口
排水横枝管　排水立て管
通気立て管

解答欄　　　　　　　　　　　　　　　　　　　（各4点×4＝16点）

図	適切でない部分の理由又は改善策
(6)	……………………………………………………………………………………………………
(7)	……………………………………………………………………………………………………
(8)	……………………………………………………………………………………………………
(9)	……………………………………………………………………………………………………

虎の巻（精選模試）第一巻　問題 1　設問 3　施工要領図　　選択欄 ○

⑽に示すテーパねじ用リングゲージを用いた加工ねじの検査において、ねじ径が合格となる場合の**加工ねじの管端面の位置**について記述しなさい。

⑽ 加工ねじとテーパねじ用リングゲージ

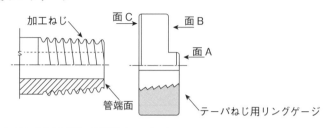

解答欄　　　　　　　　　　　　　　　　　　　　　　　　　　　　　　（4 点）

図	ねじ径が合格となる場合の加工ねじの管端面の位置
⑽	···

問題 2 と 問題 3 の 2 問題のうちから、1 問題を選択し、解答してください。
選択した問題は、解答用紙の選択欄に○印を記入してください。

虎の巻（精選模試）第一巻　問題 2　空気調和設備の施工　　選択欄 □

　事務所ビルの屋上機械室に、片吸込み多翼送風機（呼び番号 4）を据え付ける場合、次の(1)～(4)に関する**留意事項**を、それぞれ解答欄の(1)～(4)に具体的かつ簡潔に記述しなさい。ただし、工程管理及び安全管理に関する事項は除く。

(1) 送風機の周囲の空間に関する留意事項
(2) 送風機の天井吊りに関する留意事項
(3) 送風機とモーターの軸の調整に関する留意事項
(4) 防振に関する留意事項

解答欄　　　　　　　　　　　　　　　　　　　　　　　（各5点×4＝20点）

	多翼送風機を据え付ける場合の留意事項
(1)	....
(2)	....
(3)	....
(4)	....

虎の巻（精選模試）第一巻　問題3　給排水設備の施工　　　選択欄 □

　車椅子使用者用洗面器を軽量鉄骨ボード壁（乾式工法）に取り付ける場合、次の(1)～(4)に関する**留意事項**を、それぞれ解答欄の(1)～(4)に具体的かつ簡潔に記述しなさい。ただし、工程管理及び安全管理に関する事項は除く。

(1) 洗面器の設置高さに関する留意事項
(2) 洗面器の取付けに関する留意事項
(3) 洗面器と給排水管との接続に関する留意事項
(4) 洗面器設置後の器具の調整に関する留意事項

解答欄　　　　　　　　　　　　　　　　　　　　　　　（各5点×4＝20点）

	車椅子使用者用洗面器を取り付ける場合の留意事項
(1)	....
(2)	....
(3)	....
(4)	....

問題4 と 問題5 の2問題のうちから、1問題を選択し、解答してください。

選択した問題は、解答用紙の選択欄に○印を記入してください。

虎の巻（精選模試）第一巻 問題4 工程管理（バーチャート） 選択欄 [　]

　建築物の空気調和設備工事において、冷温水の配管工事の作業が下記の表及び施工条件のとき、次の 設問1 ～ 設問5 の答えを解答欄に記述しなさい。

作業名	作業日数	工事比率
準備・墨出し	2日	5%
後片付け・清掃	1日	3%
配管	12日	48%
保温	6日	30%
水圧試験	2日	14%

(注) 表中の作業名の記載順序は、作業の実施順序を示すものではない。

〔施工条件〕　①準備・墨出しの作業は、工事の初日に開始する。

　　　　　　　②各作業は、相互に並行作業しないものとする。

　　　　　　　③各作業は、最早で完了させるものとする。

　　　　　　　④土曜日、日曜日は、現場での作業を行わないものとする。

設問1 　バーチャート工程表及び累積出来高曲線を作成し、次の(1)及び(2)に答えなさい。ただし、各作業の出来高は、作業日数内において均等とする。（バーチャート工程表及び累積出来高曲線の作成は、採点対象外です。）

(1)工事全体の工期は、何日になるか答えなさい。

(2)29日目の作業終了時点の累積出来高（%）を答えなさい。

設問2 　工期短縮のため、配管、保温及び水圧試験については、作業エリアをA、Bの2つに分け、下記の条件で並行作業を行うこととした。バーチャート工程表を作成し、次の(3)及び(4)に答えなさい。（バーチャート工程表の作成は、採点対象外です。）

(条件)①配管の作業は、作業エリアAとBの作業を同日に行うことはできない。作業日数は、作業エリアA、Bとも6日である。

　　　②保温の作業は、作業エリアAとBの作業を同日に行うことはできない。作業日数は、作業エリアA、Bとも3日である。

　　　③水圧試験は、作業エリアAとBの試験をエリアごとに単独で行うことも同日に行うこともできるが、作業日数は、作業エリアA、Bを単独で行う場合も、両エリアを同日に行う場合も2日である。

(3)工事全体の工期は、何日になるか答えなさい。

(4)作業エリアAと作業エリアBの保温の作業が、土曜日、日曜日以外で中断することなく、連続して作業できるようにするには、保温の作業の開始日は、工事開始後何日目になるか答えなさい。

〔設問1〕 作業用

作業名	工事比率(%)	月1	火2	水3	木4	金5	土6	日7	月8	火9	水10	木11	金12	土13	日14	月15	火16	水17	木18	金19	土20	日21	月22	火23	水24	木25	金26	土27	日28	月29	火30	水31	累積比率(%)
準備・墨出し		■																															100 90
																																	80
																																	70
																																	60
																																	50
																																	40
																																	30
																																	20
																																	10
																																	0

〔設問2〕 作業用

作業名	工事比率(%)	月1	火2	水3	木4	金5	土6	日7	月8	火9	水10	木11	金12	土13	日14	月15	火16	水17	木18	金19	土20	日21	月22	火23	水24	木25	金26	土27	日28	月29	火30	水31	累積比率(%)
準備・墨出し		■																															100 90
																																	80
																																	70
																																	60
																																	50
																																	40
																																	30
																																	20
																																	10
																																	0

解答欄　　　　　　　　　　　　　　　　　　　　　　　　　　（各5点×4＝20点）

設問1 (1)	設問1 (2)	設問2 (3)	設問2 (4)

虎の巻（精選模試）第一巻　問題5　管工事法規（労働安全衛生法）　選択欄 ☐

次の 設問1 及び 設問2 の答えを解答欄に記入しなさい。

設問1 　建設業における労働安全衛生に関する文中、 A に当てはまる「労働安全衛生法」に定められている数値を解答欄に記入しなさい。

(1) 事業者は、可燃性ガス及び酸素を用いて行う金属の溶接、溶断の業務に使用するガスの容器の温度を A 度以下に保たなければならない。

設問2 　建設業における労働安全衛生に関する文中、 B ～ E に当てはまる「労働安全衛生法」に定められている語句又は数値を選択欄から選択して解答欄に記入しなさい。

(1) 事業者は、常時 10 人以上 50 人未満の労働者を使用する建設業の事業場にあっては、 B を選任し、安全管理者と衛生管理者の行う業務を担当させなければならない。

(2) 事業者は、石綿若しくは石綿をその重量の 0.1% を超えて含有する製剤その他の物を取り扱う作業（試験研究のため取り扱う作業を除く。）については、 C を選任し、その者に作業に従事する労働者が石綿等の粉じんにより汚染され、又はこれらを吸入しないように、作業の方法を決定させ、労働者を指揮させなければならない。

(3) 事業者は、移動はしごについては、丈夫な構造とし、材料は著しい損傷、腐食等がなく、幅は、 D cm以上とし、すべり止め装置の取付けその他転位を防止するために必要な措置を講じなければ使用してはならない。

(4) 事業者は、作業床の高さが 2m以上10m未満の高所作業車の運転（道路上を走行させる運転を除く。）の業務に労働者をつかせるときは、厚生労働省令で定めるところにより、当該業務に関する安全又は衛生のために E を行わなければならない。

| 選択欄 | 主任技術者、作業主任者、安全管理者、安全衛生推進者、総括安全衛生管理者、統括安全衛生責任者、20、30、45、技能講習、特別の教育、運転講習 |

解答欄　　　　　　　　　　　　　　　　　　　　　　　（各4点×5＝20点）

A	B	C	D	E

問題6 は必須問題です。必ず解答してください。

虎の巻(精選模試)第一巻 問題6 施工経験記述(工程管理・安全管理) 選択欄 ◯

あなたが経験した**管工事**のうちから、**代表的な工事**を1つ選び、次の 設問1 ～ 設問3 の答えを解答欄に記述しなさい。

(各設問10点×3＝30点)

設問1 その工事につき、次の事項について記述しなさい。

(1)**工事名**〔例：◎◎ビル(◇◇邸)□□設備工事〕

------

(2)**工事場所**〔例：◎◎県◇◇市〕

------

(3)**設備工事概要**〔例：工事種目、工事内容、主要機器の能力・台数等〕

------

(4)**現場でのあなたの立場又は役割** ------

設問2 上記工事を施工するにあたり「**工程管理**」上、あなたが**特に重要**と考えた事項を解答欄の(1)に記述しなさい。また、それについて**とった措置又は対策**を解答欄の(2)に簡潔に記述しなさい。

(1)**特に重要と考えた事項** ------

------

(2)**とった措置又は対策** ------

設問3 上記工事を施工するにあたり「**安全管理**」上、あなたが**特に重要**と考えた事項を解答欄の(1)に記述しなさい。また、それについて**とった措置又は対策**を解答欄の(2)に簡潔に記述しなさい。

(1)**特に重要と考えた事項** ------

------

(2)**とった措置又は対策** ------

※令和6年度については、試験制度が大幅に変更されることが発表されているため、前年度以前に実施されていた施工経験記述添削講座は休止し、その代替として施工経験記述予想問題の採点講座を開催します。試験制度の変更の詳細については、本書の490ページに掲載されている特集記事「令和6年度以降の試験問題の見直しについて」を参照してください。また、本書の492ページ～502ページに記載されている施工経験記述の予想問題を、虎の巻(精選模試)の一環として必ず学習してください。

令和6年度
虎の巻（精選模試）第一巻　解答・解答例

問題1 設問1 施工管理知識　解答　　　　　　　　　　　　　　（各2点×5＝10点）

(1)	(2)	(3)	(4)	(5)
○	○	○	×	×

問題1 設問2 施工要領図　解答例　　　　　　　　　　　　　　（各4点×4＝16点）

図	適切でない部分の理由又は改善策
(6)	横走り主ダクトには、耐震支持のため、3640㎜以下の間隔での吊り金物による支持だけではなく、12m以下の間隔で、形鋼振れ止め支持を行う。
(7)	排水管内の固形物を円滑に流せるよう、継手の奥にリセスと肩を設けると共に、継手に0°35′の勾配をつける。
(8)	雨水排水トラップ桝の泥溜めが浅すぎるので、トラップ管末端とトラップ桝底部との距離を150㎜以上にする。
(9)	ループ通気管を、最高位の器具（この図では掃除流し）のあふれ縁よりも150㎜以上高くまで立ち上げてから、通気立て管に接続する。

問題1 設問3 施工要領図　解答例　　　　　　　　　　　　　　　　　　（4点）

図	ねじ径が合格となる場合の加工ねじの管端面の位置
(10)	加工ねじの管端面の位置が、面Aと面Bとの間にあれば、ねじ径が合格となる。

問題2 空気調和設備の施工　解答例　　　　　　　　　　　　　（各5点×4＝20点）

	多翼送風機を据え付ける場合の留意事項
(1)	ダクト施工用・保守点検用・羽根車や軸受けの交換用などのスペースを確保する。
(2)	形鋼で組み立てた鋼製架台に送風機を載せ、その架台を天井スラブに固定する。
(3)	送風機とモーターのカップリングは、定規と水糸を用いて正確に行い、水平度を確保する。
(4)	架台と基礎との間に、防振ゴムや防振バネを取り付ける。

問題3　給排水設備の施工　解答例 （各5点×4＝20点）

	車椅子使用者用洗面器を取り付ける場合の留意事項
(1)	車椅子使用者の膝が入るよう、床面から洗面器下端までの高さを65cm程度とする。
(2)	壁面に補強部材を取り付けておき、その補強部材にバックハンガーを固定する。
(3)	洗面器の排水口周辺と排水管との隙間には、耐熱性・不乾性のシール材を詰める。
(4)	洗面器設置後に、器具の位置がずれた場合は、ルーズホールを利用して調整する。

問題4　工程管理（バーチャート）　解答 （各5点×4＝20点）

設問1 (1)	設問1 (2)	設問2 (3)	設問2 (4)
31 日	92%	26 日	18 日目

〔設問1〕　作業用

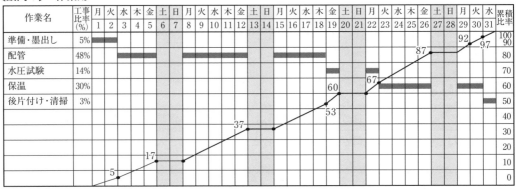

〔設問2〕　作業用

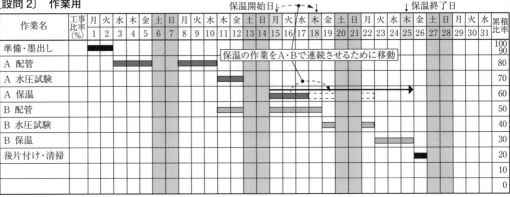

問題5　管工事法規（労働安全衛生法）　解答 （各4点×5＝20点）

A	B	C	D	E
40	安全衛生推進者	作業主任者	30	特別の教育

問題6 施工経験記述（工程管理・安全管理） 解答例 （各設問 10 点×3＝30 点）

設問 1 その工事につき、次の事項について記述しなさい。

(1)**工事名**〔例：◎◎ビル（◇◇邸）□□設備工事〕
神戸市立福祉支援センター設備工事（空調設備工事）

(2)**工事場所**〔例：◎◎県◇◇市〕
兵庫県神戸市北区北長町

(3)**設備工事概要**〔例：工事種目、工事内容、主要機器の能力・台数等〕
熱源機器等据付けと配管工事、直焚き吸収冷温水機（800kW,1 台）、空気調和機（80kW・1 基）、冷媒配管（総延長 802m）、冷温水配管（260m）、換気扇（8 台）

(4)**現場でのあなたの立場又は役割** 現場主任

設問 2 上記工事を施工するにあたり「**工程管理**」上、あなたが**特に重要と考えた事項**を解答欄の(1)に記述しなさい。また、それについて**とった措置又は対策**を解答欄の(2)に簡潔に記述しなさい。

(1)**特に重要と考えた事項** 空気調和機の機種変更の要請があり、室外機の納入日が遅れたので、作業順序の変更などによる工程調整が重要であると考えた。

(2)**とった措置又は対策** 材料や寸法などに変更がない配管や換気扇の施工を、室外機の据付け前に行う工程に変更した。②冷温水配管の水圧試験は、1 階から順に行う予定であったが、作業班を 2 つに分割し、2 つの階ごとに行うことにした。

設問 3 上記工事を施工するにあたり「**安全管理**」上、あなたが**特に重要と考えた事項**を解答欄の(1)に記述しなさい。また、それについて**とった措置又は対策**を解答欄の(2)に簡潔に記述しなさい。

(1)**特に重要と考えた事項** 地下 2 階における直だき吸収冷温水機の据付け作業であるため、労働者の酸素欠乏症防止対策を行う事が重要であると考えた。

(2)**とった措置又は対策** ①作業主任者を選任し、酸素濃度が 18％以上になるよう換気した。②要求性能墜落制止用器具・空気呼吸器の点検を行い、安全を確認した。③酸素欠乏危険作業には、特別の教育を修了した労働者を就業させた。

※ この記述例は架空の工事なので、本試験でそのまま転記すると不合格になります。

←**スマホ版無料動画コーナー QRコード**
URL https://get-supertext.com/
（注意）スマートフォンでの長時間聴講は、Wi-Fi 環境が整ったエリアで行いましょう。

「施工経験記述の考え方・書き方講習」の動画講習を、GET 研究所ホームページから視聴できます。
https://get-ken.jp/
GET 研究所 検索 ➡ 無料動画公開中 ➡ 動画を選択

令和6年度
2級管工事施工管理技術検定試験
第二次検定 虎の巻(精選模試)第二巻

実施要項

■ 虎の巻(精選模試)第二巻には、令和6年度の第二次検定に向けて、比較的重要であると思われる問題が集約されています。

■ 試験時間は120分間です。

■ 問題1 は必須問題です。必ず解答してください。

■ 問題2 と 問題3 の2問題のうちから1問題を選択し、解答してください。

■ 問題4 と 問題5 の2問題のうちから1問題を選択し、解答してください。

■ 問題6 は必須問題(施工経験記述)です。必ず解答してください。

■ 以上の結果、全部で4問題を解答することになります。

■ 解答は、解答欄に記入してください。

■ 選択した問題は、選択欄に○印を記入してください。

■ 選択問題は、指定数を超えて解答した場合、減点となりますから十分注意してください。

■ 解答は、HBの鉛筆又はシャープペンシルで記入してください。

■ 解答を訂正する場合は、プラスチック消しゴムできれいに消してから訂正してください。

■ 余白は、計算等に使用しても差し支えありません。

■ 採点は、解答・解答例を参考にして、自己評価してください。

試験問題の見直し(本書490ページ参照)に対応するための取り組み方

■ 問題2 と 問題3 については、それぞれの留意事項を、できるだけ「受検者自身のこれまでの管工事の経験」に基づいて記述することを心がけてください。

■ 問題4 と 問題5 については、両方の問題が必須問題になると思われるので、選択していない方の問題についても、採点後に一通り取り組むようにしてください。

■ 問題6 については、出題方式が大きく変わると思われるので、本書の492ページ〜502ページに記載されている予想問題を、虎の巻(精選模試)の一環として必ず学習してください。

■ 試験問題の見直しの詳細については、発表されておりません。そのため、本書の「虎の巻(精選模試)」の内容は、令和5年度までの試験問題に基づく出題方式になっています。

自己評価・採点表（100点満点）

問題	問題1	問題2	問題3	問題4	問題5	問題6
分野	施工要領図	空気調和設備	給排水設備	工程管理	管工事法規	施工経験記述
選択欄	○					○
配点	30	20	20	20	20	30
得点						

合計得点	点

60点以上で合格

※ 問題1 の 設問1 は施工管理知識に関する問題です。
※ 配点は、GET研究所の推定によるものです。

問題1 は必須問題です。必ず解答してください。

虎の巻（精選模試）第二巻 問題1 設問1 施工管理知識　　　選択欄 ○

　次の(1)〜(5)の記述について、**適当な場合には○**を、**適当でない場合には×**を記入しなさい。

(1) 建物内に設置する飲料用受水タンク上部と天井との距離は、600mm以上とする。

(2) 揚水ポンプの吐出し側には、ポンプに近い順に、防振継手、仕切弁、逆止め弁を取り付ける。

(3) 配管用炭素鋼鋼管を雑排水系統に使用する場合、配管用鋼製突合せ溶接式管継手で接続する。

(4) 浴室の排気に長方形ダクトを使用する場合は、ダクトの角の継目が下面とならないように取り付ける。

(5) 風量調整は、給排気口のシャッターや分岐部の風量調整ダンパーを全閉にした後に行う。

解答欄　　　　　　　　　　　　　　　　　　　　　　　　　　（各2点×5＝10点）

(1)	(2)	(3)	(4)	(5)

虎の巻（精選模試）第二巻 問題1 設問2 施工要領図　　　選択欄 ◯

(6)～(10)に示す図について、**適切でない部分の理由又は改善策を具体的かつ簡潔に記**述しなさい。

(6) 風量調整ダンパの取付け要領図（平面図）

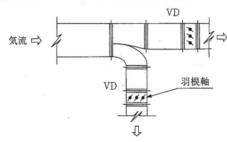

気流 ⇨

VD

VD　　羽根軸

(7) ダクトの防火区画貫通の施工要領図

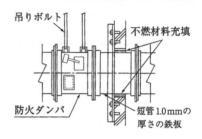

吊りボルト

不燃材料充填

防火ダンパ

短管1.0mmの厚さの鉄板

(8) 単式伸縮管継手の施工要領図

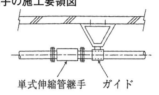

単式伸縮管継手　　ガイド

(10) 水飲み器の間接排水要領図

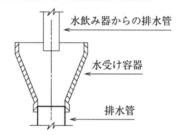

水飲み器からの排水管

水受け容器

排水管

(9) インバート枡の肩の施工要領図

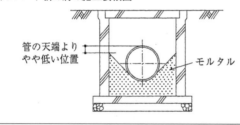

管の天端よりやや低い位置

モルタル

解答欄

（各4点×5＝20点）

図	適切でない部分の理由又は改善策
(6)	
(7)	
(8)	
(9)	
(10)	

問題2 と 問題3 の2問題のうちから、1問題を選択し、解答してください。

選択した問題は、解答用紙の選択欄に〇印を記入してください。

虎の巻（精選模試）第二巻　問題2　空気調和設備の施工　　選択欄 ☐

換気設備のダクト及びダクト付属品を施工する場合、次の(1)～(4)に**関する留意事項**を、それぞれ解答欄の(1)～(4)に具体的かつ簡潔に記述しなさい。ただし、工程管理及び安全管理に関する事項は除く。

(1) コーナーボルト工法ダクトの接合に関する留意事項

(2) ダクトの拡大・縮小部又は曲がり部の施工に関する留意事項

(3) 風量調整ダンパーの取付けに関する留意事項

(4) 吹出口・吸込口の天井面又は壁面への取付けに関する留意事項

解答欄　　　　　　　　　　　　　　　　　　　　　　　　（各5点×4＝20点）

換気設備のダクト及びダクト付属品を施工する場合の留意事項	
(1)	....
(2)	....
(3)	....
(4)	....

虎の巻（精選模試）第二巻　問題3　給排水設備の施工　　選択欄 ☐

建物内に排水管・通気管を施工する場合、次の(1)～(4)に**関する留意事項**を、それぞれ解答欄の(1)～(4)に具体的かつ簡潔に記述しなさい。ただし、工程管理及び安全管理に関する事項は除く。

(1) 排水管のトラップに関する留意事項

(2) 排水管の掃除口に関する留意事項

(3) ループ通気管に関する留意事項

(4) 汚水タンクの通気管に関する留意事項

解答欄 （各5点×4＝20点）

排水管・通気管を施工する場合の留意事項
(1) ………
(2) ………
(3) ………
(4) ………

問題 4 と 問題 5 の2問題のうちから、1問題を選択し、解答してください。
選択した問題は、解答用紙の選択欄に〇印を記入してください。

虎の巻（精選模試）第二巻　問題4　工程管理（バーチャート）　選択欄 ☐

　ある建築物の設備工事にあたり、衛生設備工事の工程が解答欄のバーチャートに示すとおりであり、ルームエアコンを設置する空気調和設備工事の作業名・作業日数・工事比率が下記の作業及び施工条件のとき、次の 設問1 ～ 設問5 の答えを解答欄に記述しなさい。なお、現場の休日（土曜日・日曜日などの休日）は考慮しないものとする。

作　　業　機器設置（4日、24%）、気密試験（真空引きを含む）（3日、6%）、試運転調整（2日、2%）、準備・墨出し（1日、1%）、配管（渡り配線を含む）（4日、12%）

施工条件　①先行する作業が完了してから後続する作業に着手するものとし、出来る限り早く完了させるものとする。
　　　　　②エアコンは壁付け、配管は露出配管とする。
　　　　　③内装仕上げは、別工事とする。

設問1　空気調和設備工事に関する横線式工程表（バーチャート工程表）の作業名欄に、作業名を作業順に記入しなさい。

設問2　空気調和設備工事に関する横線式工程表（バーチャート工程表）を完成させなさい。（あなたが完成させた横線式工程表が採点対象です）

設問3　設備工事全体の累積出来高曲線を記入し、各作業の開始及び完了日ごとに累積出来高の数字を記入しなさい。ただし、各作業の出来高は、作業日数内において均等とする。（あなたが記入した累積出来高曲線と累積出来高の数字が採点対象です）

設問 4　冷媒管の気密試験を窒素ガスで行う理由を簡潔に記述しなさい。

設問 5　工程管理に使用される次の曲線のうちから1つ選び、解答欄に選択した曲線
　　　　の名称を記入し、その曲線の利点を簡潔に記述しなさい。

　　　（1）進捗線（イナズマ線）

　　　（2）累積出来高曲線

解答欄　　　　　　　　　　　　　　　　　　　　　　　　　　　　（各4点×5＝20点）

設問1・設問2・設問3（下記のバーチャート工程表に記入）

種別	作業名		工事比率(%)	日 1-29	累積比率(%)
衛生設備	準備・墨出し	A	2		100 / 90
	配管	B	18		80
	水圧試験	C	8		70
	保温	D	6		60
	器具取付け	E	18		50
	試運転調整	F	3		40
空気調和設備	準備・墨出し	G	1		30
		H			20
		I			10
		J		2	0
		K			
	内装仕上げ		0		

	冷媒管の気密試験を窒素ガスで行う理由
設問 4	

	選択した曲線の名称	その曲線の利点
設問 5		

虎の巻（精選模試）第二巻 問題5 管工事法規（労働安全衛生法） 選択欄 □

次の 設問1 及び 設問2 の答えを解答欄に記入しなさい。

設問1 建設業における労働安全衛生に関する文中、 A ～ C に当てはまる「労働安全衛生法」に定められている**数値**を解答欄に記入しなさい。

(1) 事業者は、脚立については、脚と水平面との角度を A 度以下とし、かつ、折りたたみ式のものにあっては、脚と水平面との角度を確実に保つための金具等を備えなければならない。

(2) 事業者は、高さが B m以上の箇所で作業を行う場合において、労働者に要求性能墜落制止用器具（安全帯）等を使用させるときは、要求性能墜落制止用器具（安全帯）等を安全に取り付けるための設備等を設けなければならない。

(3) 事業者は、酸素欠乏危険作業に労働者を従事させる場合は、当該作業を行う場所の空気中の酸素の濃度を C ％以上に保つように換気しなければならない。

設問2 建設業における労働安全衛生に関する文中、 D 及び E に当てはまる「労働安全衛生法」に定められている**語句又は数値**を選択欄から選択して解答欄に記入しなさい。

(1) 事業者は、石綿等が使用されている建築物の解体等の作業に係る業務に労働者を就かせるときは、当該労働者に対し、当該業務に関する衛生のための D を行わなければならない。

(2) 事業者は、手掘りにより、砂からなる地山の掘削の作業を行うときは、掘削面のこう配を E 度以下とし、又は掘削面の高さを5m未満としなければならない。

選択欄 安全教育、特別の教育、技能講習、35、45、60

解答欄　　　　　　　　　　　　　　　　　　　　（各4点×5＝20点）

A	B	C	D	E

問題 6 は必須問題です。必ず解答してください。

虎の巻(精選模試)第二巻 問題6 施工経験記述(工程管理・品質管理) 選択欄 ○

あなたが経験した**管工事**のうちから、**代表的な工事**を1つ選び、次の 設問1 ～ 設問3 の答えを解答欄に記述しなさい。

(各設問 10 点×3 = 30 点)

設問1 その工事につき、次の事項について記述しなさい。

(1)**工事名**〔例:◎◎ビル(◇◇邸)□□設備工事〕

----

(2)**工事場所**〔例:◎◎県◇◇市〕

----

(3)**設備工事概要**〔例:工事種目、工事内容、主要機器の能力・台数等〕

----

(4)**現場でのあなたの立場又は役割**

設問2 上記工事を施工するにあたり「**工程管理**」上、あなたが**特に重要と考えた事項**を解答欄の(1)に記述しなさい。また、それについて**とった措置又は対策**を解答欄の(2)に簡潔に記述しなさい。

(1)**特に重要と考えた事項**

----

(2)**とった措置又は対策**

設問3 上記工事を施工するにあたり「**品質管理**」上、あなたが**特に重要と考えた事項**を解答欄の(1)に記述しなさい。また、それについて**とった措置又は対策**を解答欄の(2)に簡潔に記述しなさい。

(1)**特に重要と考えた事項**

----

(2)**とった措置又は対策**

※令和6年度については、試験制度が大幅に変更されることが発表されているため、前年度以前に実施されていた施工経験記述添削講座は休止し、その代替として施工経験記述予想問題の採点講座を開催します。試験制度の変更の詳細については、本書の490ページに掲載されている特集記事「令和6年度以降の試験問題の見直しについて」を参照してください。また、本書の492ページ～502ページに記載されている施工経験記述の予想問題を、虎の巻(精選模試)の一環として必ず学習してください。

令和6年度
虎の巻（精選模試）第二巻　解答・解答例

問題1 **設問1** 施工管理知識　解答 (各2点×5＝10点)

(1)	(2)	(3)	(4)	(5)
×	×	×	○	×

問題1 **設問2** 施工要領図　解答例 (各4点×5＝20点)

図	適切でない部分の理由又は改善策
(6)	ダンパの羽根軸の取付け方向を、気流に対して水平となるよう変更する。
(7)	防火区画を貫通するダクトの短管に用いる鉄板を、厚さ1.5mm以上のものに変更する。
(8)	単式伸縮管継手は、伸縮継手本体を固定せず、その片側を固定支持とし、もう片側をガイド支持とする。この図では、単式伸縮管継手の左側の管を固定支持する。
(9)	インバート桝のモルタルは、管の天端よりもやや高い位置まで施工する。管に接する部分でも、管の中心線の高さまで施工する。
(10)	水飲み器からの排水管の末端と、水受け容器のあふれ縁との間に、150mm以上の排水口空間を確保する。

問題2 空気調和設備の施工　解答例 (各5点×4＝20点)

	換気設備のダクト及びダクト付属品を施工する場合の留意事項
(1)	ダクトの四隅をボルトとナットで締め、フランジ押さえ金具で接合する。
(2)	ダクトの拡大部の傾斜角は15度以内、縮小部の傾斜角は30度以内とする。
(3)	風量調整ダンパーは、エルボ部からダクト幅の8倍以上離れた直線部分に取り付ける。
(4)	ユニバーサル形吹出口の上端から天井面までの間隔は、150mm以上とする。

問題3 給排水設備の施工　解答例　　　　　　　　　（各5点×4＝20点）

	排水管・通気管を施工する場合の留意事項
(1)	排水管は、二重トラップとならないように配管する。
(2)	横走り管の最上端部および排水立て管の最下端部には、掃除口を設ける。
(3)	ループ通気管は、その階に取り付けた器具のあふれ線のうち、最も高いものよりも150mm以上高い位置まで立ち上げる。
(4)	汚水タンクに設ける通気管は、単独で大気中に開放する。

問題4 工程管理（バーチャート）　解答例　　　　　　　（各4点×5＝20点）

設問1・設問2・設問3（下記のバーチャート工程表に記入）

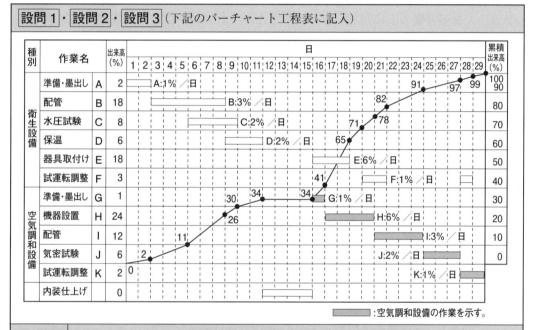

	冷媒管の気密試験を窒素ガスで行う理由
設問4	冷媒管内に水分を残留させないため。

	選択した曲線の名称	その曲線の利点
設問5	進捗線（イナズマ線）	各作業の進捗状況が一目でわかる。

参考　累積出来高曲線の利点は、工事全体の進捗状況が一目でわかることである。

問題5 管工事法規（労働安全衛生法）　解答　　　　　　（各4点×5＝20点）

A	B	C	D	E
75	2	18	特別の教育	35

虎の巻（精選模試）第二巻

問題6 施工経験記述（工程管理・品質管理） 解答例 （各設問10点×3＝30点）

設問1 その工事につき、次の事項について記述しなさい。

(1) **工事名**〔例：◎◎ビル（◇◇邸）□□設備工事〕

新宿三丁目ビルディング新築工事（給排水設備工事）

(2) **工事場所**〔例：◎◎県◇◇市〕

東京都新宿区新宿

(3) **設備工事概要**〔例：工事種目、工事内容、主要機器の能力・台数等〕

給排水配管工事、給水管（20A,180m）、排水管（VU,100A,160m）、高架水槽

（18m³,1台）、屋内消火栓設備の加圧送水装置（6kW,1台）

(4) **現場でのあなたの立場又は役割** 現場主任

設問2 上記工事を施工するにあたり「**工程管理**」上、あなたが**特に重要**と考えた**事項**を解答欄の(1)に記述しなさい。また、それについて**とった措置又は対策**を解答欄の(2)に簡潔に記述しなさい。

(1) **特に重要と考えた事項** 施工用地の取得の遅れにより、着工日が遅れたため、給排水設備の配管工程を短縮することが重要と考えた。

(2) **とった措置又は対策** ①関連工事業者との協議を行い、短縮工程表を作成した。

②配管継手・切断加工は、現場加工の予定であったが、工場加工に変更した。

③配管作業班は2班であったが、3人1組の1班を増員し、3班体制で行った。

設問3 上記工事を施工するにあたり「**品質管理**」上、あなたが**特に重要**と考えた**事項**を解答欄の(1)に記述しなさい。また、それについて**とった措置又は対策**を解答欄の(2)に簡潔に記述しなさい。

(1) **特に重要と考えた事項** 高架水槽方式の加圧送水装置は、消火設備として使われるため、その運転に異常がないことを確認することが重要と考えた。

(2) **とった措置又は対策** ①ポンプ廻りの接合部からの漏水がないことを確認した。

②ノズル先端の放水圧力が、0.17MPa以上0.7MPa以下であることを確認した。

③水圧試験により、配管耐力が、締切圧力の1.5倍以上であることを確認した。

※この記述例は架空の工事なので、本試験でそのまま転記すると不合格になります。

← **スマホ版無料動画コーナー QRコード**
URL https://get-supertext.com/
（注意）スマートフォンでの長時間聴講は、Wi-Fi環境が整ったエリアで行いましょう。

「施工経験記述の考え方・書き方講習」の動画講習を、GET研究所ホームページから視聴できます。

https://get-ken.jp/

GET研究所 検索 → 無料動画公開中 → 動画を選択

　令和3年度の第二次検定からは、新規出題分野として、**問題1**の**設問1**に、施工管理知識に関する問題（各種の管工事の施工管理に関する記述の正誤を判断する問題）が追加されています。これは、受検者が主任技術者として「管工事の施工の管理を適確に行うために必要な知識を有すること」を確認するための出題となっています。

　令和5年度〜令和3年度の第二次検定における「施工管理知識」の問題は、そのすべてが過去の第一次検定または学科試験（第一次検定の旧称）の「工事管理」分野に出題された内容となっていました。一例として、令和5年度の第二次検定に出題された【問題1】〔設問1〕記述(4)の内容と、令和4年度の第一次検定（後期）に出題された【No.35】の内容を比較してみることにします。

令和5年度の第二次検定に出題された【問題1】〔設問1〕記述(4)の内容

【問題1】　次の設問1及び設問2の答えを解答欄に記述しなさい。

〔設問1〕　次の(1)〜(5)の記述について、**適当な場合には〇を、適当でない場合には✕を記入**しなさい。

(4)　送風機の接続ダクトに風量測定口を設ける場合は、送風機の吐出し口の直後に取り付ける。

| 正解 | ✕ | ※送風機の風量測定口は、送風機の吐出し口から離れた直管部に取り付ける。 |

令和4年度の第一次検定（後期）に出題された【No.35】の内容

【No. 35】　ダクト及びダクト附属品の施工に関する記述のうち、**適当でないもの**はどれか。

(1)　給排気ガラリの面風速は、騒音の発生等を考慮して決定する。
(2)　ダクトの断面を変形させるときの縮小部の傾斜角度は、30度以下とする。
(3)　送風機の接続ダクトに風量測定口を設ける場合は、送風機の吐出し口の直後に取り付ける。
(4)　浴室等の多湿箇所の排気ダクトは、一般的に、その継目及び継手にシールを施す。

| 正解 | (3) | ※送風機の風量測定口は、送風機の吐出し口から離れた直管部に取り付ける。 |

これを見て分かる通り、両者の試験内容の違いは、「適当であるかないかを○×で答えるか」と「適当でないものを四肢択一で答えるか」などの解答方式の違いだけであり、その出題内容は完全に一致しています。令和6年度の第二次検定においても、令和5年度～令和3年度の第二次検定と同様に、過去の第一次検定および学科試験の「工事管理」分野に出題されていた内容が、そのまま出題されることが予想されます。

　本書では、このような出題に対応できるよう、弊社出版予定の書籍「スーパーテキストシリーズ 令和6年度 分野別問題解説集 2級管工事施工管理技術検定試験 第一次検定」から、管工事の施工の管理を適確に行うために必要な知識に関する問題を抜粋し、「施工管理知識重要事項と演習問題」として、ここに採録しています。

　特筆すべき点として、令和5年度および令和4年度の第二次検定における「施工管理知識」の問題は、すべての記述の出典が、直前の年度(令和4年度および令和3年度)の第一次検定(前期および後期)に出題された「工事管理」分野のうち、「機器の据付け」・「配管の施工」・「ダクトの施工」の内容に集中しています。したがって、令和6年度の第二次検定における「施工管理知識」の問題に解答できるようにするためには、少なくとも令和5年度の第一次検定に出題された【No.33】【No.34】【No.35】【No.50】【No.51】【No.52】のすべての選択肢について、その正誤(○×)を確実に把握できるようにしておく必要があると考えられます。

施工管理知識(工事管理分野)の重要事項について

①本書の重要事項には、各問題の関連ページを示す「➡(ページ数)」の下部に、2つのチェック欄が付いています。このチェック欄は、自らの学習の進み具合を記録するときに使用してください。

②本書の重要事項は、過去の第一次検定および学科試験の内容をまとめたものであるため、同じ内容が複数の年度に記されている場合があります。これは、同じ内容の問題が繰り返し出題されていたことを意味します。その項目は、特に重要と考えられるので、確実に習得してください。

③本書の重要事項では、過去の第一次検定および学科試験の要点をできる限り短い文章に集約しているため、表現が必ずしも正確ではない場合(前提条件や例外規定の省略など)があります。しかし、各選択肢の正誤(○×)を判断することだけを考えるなら、ここに記載されている内容を理解すれば十分です。

←スマホ版無料動画コーナー QRコード
URL　https://get-supertext.com/
(注意)スマートフォンでの長時間聴講は、Wi-Fi環境が整ったエリアで行いましょう。

「施工管理知識の総まとめ」の動画講習を、GET研究所ホームページから視聴できます。
https://get-ken.jp/

GET研究所　検索　➡　無料動画公開中 　➡　動画を選択

施工管理知識（工事管理分野）の重要事項

問題33（問題34）	完全合格ターゲット	これだけは完全に理解しよう！

最重要事項（最新5年間の出題内容）		工事管理	機器の据付け（基礎）	➡	452ページ	
R5後	飲料用受水タンクの上部と天井との距離は、**1000mm以上**とする。					
R5前	防振機器や地震力が大きくなる重量機器は、可能な限り**低層階**に設置する。					
R4後	壁付洗面器のバックハンガーは、ボード壁に設けた**下地材**に取り付ける。					
R4前	吸収冷温水機は、振動が小さいため、防振基礎に**据え付けなくてもよい**。					
R3後	大型ボイラーの基礎は、床スラブに打設した**鉄筋**コンクリート基礎とする。					
R3前	遠心送風機の心出し調整は、製造者が出荷前に行うが、**据付け時にも行う**。					
R2後	ファンコイルユニットに接続するドレン管の勾配は、**100分の1以上**とする。					
R元後	小便器のバックハンガーは、軽量鉄骨に設けた**下地材**にビス止めする。					
R元前	大型ボイラーの基礎は、床スラブに打設した**鉄筋**コンクリート基礎とする。					

▶ **冷却塔の据付け**：ボールタップを作動させるために必要な水頭圧を確保するため、冷却塔の補給水口の高さは、高置タンクの低水位よりも3m以上低くなるようにする

▶ **大型ボイラーの据付け**：床スラブ上に打設した厚さ150mm程度の鉄筋コンクリート基礎に固定する。その基礎鉄筋は床スラブの鉄筋と緊結する。

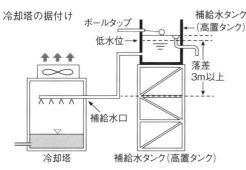

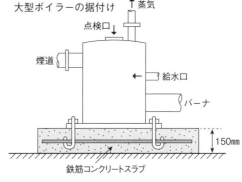

▶ **ポンプの吸込み管**：空気だまりの発生を防止するため、先上がり勾配とする。

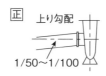

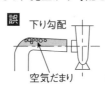

※ ページ左上の問題番号は、「令和3年度以降の第一次検定の問題番号（令和2年度以前の学科試験の問題番号）」を表しています。（以降のページに掲載されている最重要事項についても同様です）

※ 令和2年度の前期学科試験は、新型コロナウイルス感染症の影響により中止されたので、「R2前」の最重要事項は存在しません。（以降のページに掲載されている最重要事項についても同様です）

※ このページは、弊社出版予定の書籍「スーパーテキストシリーズ 令和6年度 分野別問題解説集 2級管工事施工管理技術検定試験 第一次検定」所収の「完全合格ターゲット」を再録・再編集したものです。

新規出題分野

問題50（問題35）	完全合格ターゲット	これだけは完全に理解しよう！		
最重要事項（最新5年間の出題内容）		工事管理　機器の据付け（施工）　➡	456ページ	

R5後	冷却塔の補給水口の高さは、高置タンクの低水位よりも **3m以上低くする。**		
	送風機の心出し調整は、出荷前に行われているが、現場での調整が**必要**である。		
R5前	揚水ポンプ（吐出側）から近い順に、防振継手➡**逆止め弁**➡**仕切弁**を設ける。		
	埋込式アンカーボルトとコンクリート基礎の端部は、**150mm以上**離す。		
R4後	冷却塔を建物の屋上に設置する場合は、防振装置を**取り付ける。**		
	排水用水中モーターポンプは、ピットの壁から**200mm以上**離して設置する。		
R4前	液体燃料タンクからボイラー側面までの距離は、**2.0m以上**とする。		
	飲料用給水タンクから天井の梁下面までの距離は、**450mm以上**とする。		
R3後	機器四隅の耐震ストッパーは、**2本以上**のアンカーボルトで基礎に固定する。		
	排水用のポンプは、排水槽への排水流入口から**離れた**位置に据え付ける。		
R3前	呼び番号が3の天吊り送風機の架台は、**アンカーボルト**でスラブに固定する。		
	冷却塔は、補給水口の高さを補給水タンクの低水位から**3m以上**とする。		
R2後	アンカーボルトの許容引抜き荷重は、**J型の方がL型よりも大きい。**		
R元後	吸収冷温水機は、振幅が**小さい**ため、防振基礎に**据え付けなくてもよい。**		
R元前	排水用水中ポンプは、排水槽への排水流入部から**離れた**位置に据え付ける。		

▶**揚水ポンプの近接継手**：吐出し側には、ポンプから近い順に、防振継手➡逆止め弁➡仕切弁を取り付ける。吸込み側には、ポンプから近い順に、防振継手➡仕切弁を取り付ける。

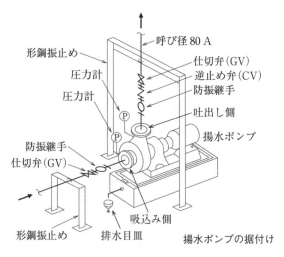

揚水ポンプの据付け

▶**送風機の心出し調整**：継手の軸心を一致させることをいう。据付け前に軸心が一致していても、据付け時に軸心がずれることがあるので、据付け後に再心出しを行って調整する。

※令和3年度以降の第二次検定の **問題50** は、その解答方式が四肢二択であったため、「R5後」～「R3前」の最重要事項は2つ存在します。
※このページは、弊社出版予定の書籍「スーパーテキストシリーズ 令和6年度 分野別問題解説集 2級管工事施工管理技術検定試験 第一次検定」所収の「完全合格ターゲット」を再録・再編集したものです。

問題 34（問題 36）	完全合格ターゲット	これだけは完全に理解しよう！

最重要事項（最新5年間の出題内容）		工事管理	配管の施工（切断と接続） ➡	461 ページ		
R5 後	雑排水用の配管用炭素鋼鋼管は、**排水用ねじ込み式鋳鉄製管継手**で接続する。					
R5 前	給水管を地中埋設配管にて建物内へ引き込む部分には、**絶縁継手**を設ける。					
R4 後	呼び径 100 の屋内横走り排水管の最小勾配は、**100 分の 1** とする。					
R4 前	排水立て管は、**どの階においても同じ**管径としなければならない。					
R3 後	汚水槽の通気管は、他の排水系統の通気立て管を**介さずに**大気に開放する。					
R3 前	雑排水用の配管用炭素鋼鋼管は、**排水用**ねじ込み式**鋳鉄**製管継手で接続する。					
R2 後	横走り配管は、その管種や管径に関係なく、**別の管から吊ることはできない**。					
R元 後	給湯配管の熱伸縮の吸収には、**スイベル**ジョイントを使用する。					
R元 前	硬質ポリ塩化ビニル管の接着接合では、**受口と差口の両方**に接着剤を塗る。					

▶ **排水横枝管の勾配**：管径が小さいほど、勾配を急にする必要がある。

排水横枝管の管径	最小勾配
65A 以下（直径 65mm 以下）	50 分の 1
75A 又は 100A（直径 75mm 又は100mm）	100 分の 1
125A（直径 125mm）	150 分の 1
150A 以上（直径 150mm 以上）	200 分の 1

▶ **硬質ポリ塩化ビニル管の接着接合**：受け口側と差し口側の両方に、接着剤を均一に塗布する。

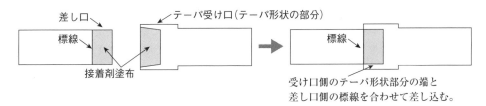

受け口側のテーパ形状部分の端と
差し口側の標線を合わせて差し込む。

▶ **スイベルジョイント**：熱による管軸方向の伸縮を吸収する耐熱用の継手である。

▶ **フレキシブルジョイント**：管軸と直交する方向の変形を吸収する耐震用の継手である。

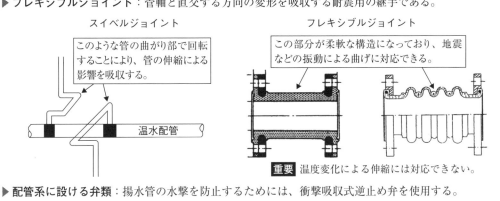

重要 温度変化による伸縮には対応できない。

▶ **配管系に設ける弁類**：揚水管の水撃を防止するためには、衝撃吸収式逆止め弁を使用する。

新規出題分野

※このページは、弊社出版予定の書籍「スーパーテキストシリーズ 令和6年度 分野別問題解説集 2級管工事施工管理技術検定試験 第一次検定」所収の「完全合格ターゲット」を再録・再編集したものです。

問題 51（問題 37）	完全合格ターゲット	これだけは完全に理解しよう！

最重要事項（最新 5 年間の出題内容）		工事管理	配管の施工（設計と支持） ➡	467 ページ	
R5 後	飲料用冷水器の排水管は、雑排水系統の排水管に**直接連結させてはならない**。				
	大便器に接続する汚水管の最小管径は、**75mm**とする。				
R5 前	排水横枝管が合流する場合は、合流する排水管の**側面**に接続する。				
	飲料用受水タンクのオーバーフロー管には、トラップを**設けてはならない**。				
R4 後	雨水桝には、**泥溜め**を設ける。**汚水桝**には、インバートを設ける。				
	樹脂ライニング鋼管の切断は、**帯鋸盤**などの自動金鋸盤を用いて行う。				
R4 前	飲料用タンクに設ける間接排水管の最小排水口空間は、**150mm以上**とする。				
	スイベルジョイントは、温水配管の熱収縮を吸収するために使用する。				
R3 後	ループ通気管の取出しの向きは、**垂直**または**垂直**から 45 度以内とする。				
	ループ通気管の取出し位置は、最上流の器具排水管の接続点の**下流側**とする。				
R3 前	汚水排水管に雨水管を接続する場合は、**トラップ桝**を介して接続する。				
	揚水管のウォーターハンマーを防止するためには、**エアチャンバー**を設ける。				
R2 後	水道用硬質塩化ビニルライニング鋼管の接合には、**管端防食継手**を使用する。				
R元 後	飲料用受水槽の水抜管を、雑排水系統の排水管に直接**接続してはならない**。				
R元 前	ねじ加工の検査では、リングゲージを**手**で締め込み、ねじ径を確認する。				

▶ **二重トラップの禁止**：器具トラップと配管トラップは、どちらか一方のみをひとつだけ設ける。排水管にふたつ以上のトラップを設けると、排水が詰まりやすくなる。

▶ **伸縮する配管の支持**：伸縮する配管は、横走り管のすべての支持点で堅固に固定してはならない。一例として、複式伸縮管継手を用いた場合は、継手本体を固定し、その両側にはガイドを設けて伸縮に対応できるようにする。

伸縮する配管の支持方法の例

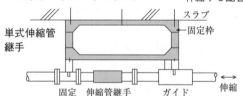
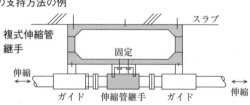

▶ **排水横枝管への接続**：器具排水管は、排水横枝管の側面（45 度以内の鋭角で水平）に接続する。通気管は、排水横枝管の上部（垂直または垂直から 45 度以内の角度）に接続する。

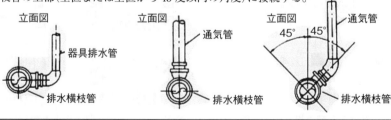

※令和 3 年度以降の第二次検定の 問題 51 は、その解答方式が四肢二択であったため、「R 5 後」～「R 3 前」の最重要事項は 2 つ存在します。

※このページは、弊社出版予定の書籍「スーパーテキストシリーズ 令和 6 年度 分野別問題解説集 2 級管工事施工管理技術検定試験 第一次検定」所収の「完全合格ターゲット」を再録・再編集したものです。

問題35（問題38）	完全合格ターゲット	これだけは完全に理解しよう！

最重要事項（最新5年間の出題内容）		工事管理	ダクトの施工（設計）	➡ 472ページ		
R5後	スパイラルダクトの差込み接合では、継手をダクト用テープで**二重巻き**する。					
R5前	コーナーボルト工法は、フランジ押え金具・**ボルト・ナットを必要とする。**					
R4後	送風機の風量測定口は、送風機の吐出し口から**離れた**直管部に取り付ける。					
R4前	防火区画を貫通するダクトの周囲には、**ロックウール**保温材を充填する。					
R3後	共板フランジ工法とアングルフランジ工法では、許容最大吊り間隔が**異なる**。					
R3前	送風機の風量測定口は、送風機の吐出し口から**離れた**直管部に取り付ける。					
R2後	大型のダクトには、保温の有無に関係なく、**形鋼による補強が必要**である。					
R元後	ダクトの断面寸法を小さくすると、必要となる送風動力は**大きくなる**。					
R元前	防火区画を貫通するダクトの周囲には、**ロックウール**保温材を充填する。					

▶ **スパイラルダクト**：亜鉛鉄板を螺旋状に加工した円形ダクトである。

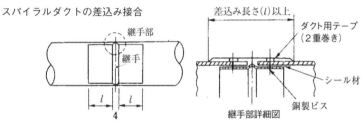

▶ **防火ダンパーの温度ヒューズの溶融温度**：一般排気ダクトでは72℃、厨房排気ダクトでは120℃、排煙ダクトでは280℃と定められている。

▶ **送風機の風量測定口**：接続ダクトに取り付ける場合は、送風機の吐出し口から、ダクト長辺幅（W）の5.5倍以上離れた直管部に取り付ける。

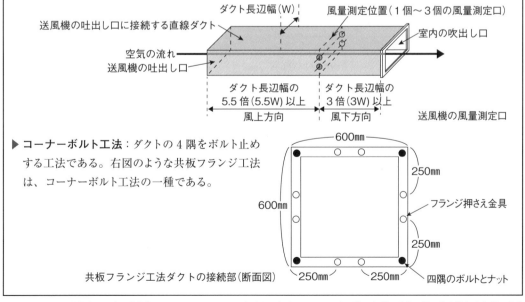

▶ **コーナーボルト工法**：ダクトの4隅をボルト止めする工法である。右図のような共板フランジ工法は、コーナーボルト工法の一種である。

共板フランジ工法ダクトの接続部（断面図）

※このページは、弊社出版予定の書籍「スーパーテキストシリーズ 令和6年度 分野別問題解説集 2級管工事施工管理技術検定試験 第一次検定」所収の「完全合格ターゲット」を再録・再編集したものです。

新規出題分野

問題 52（問題 39）	完全合格ターゲット	これだけは完全に理解しよう！

最重要事項（最新 5 年間の出題内容）		工事管理	ダクトの施工（設計）	➡	477 ページ

R 5 後	温度ヒューズの作動温度は、一般排気では 72℃、厨房排気では **120℃**とする。		
	長方形ダクトは、アスペクト比が 1 に近いほど、圧力損失が**少なくなる**。		
R 5 前	フレキシブルダクトは、吸込口ボックスの接続用に**使用することができる**。		
	変風量ユニットの上流側が整流でないと、風量制御特性に**悪影響を及ぼす**。		
R 4 後	ダクトの長辺が 300mm〜700mm の場合は、風量測定口の数を **2 個**とする。		
	防火区画と防火ダンパーとの間のダクトは、厚さ **1.5mm 以上**の鋼板製とする。		
R 4 前	送風機とダクトの接続には、振動伝播防止のために、**たわみ継手**を使用する。		
	消音エルボや消音チャンバーの消音内貼材は、**グラスウール保温材**とする。		
R 3 後	接合用フランジの取付け間隔は、ダクトの寸法が**大きいほど小さく**する。		
	落下防止用ワイヤーは、シーリングディフューザーの**中コーン**に取り付ける。		
R 3 前	厨房排気ダクトの防火ダンパーは、温度ヒューズの作動温度を **120℃**とする。		
	共板フランジ工法ダクトのフランジは、ダクト本体を成型加工した物である。		
R 2 後	長方形ダクトの剛性は、継目（はぜ）の箇所数が**多い**ほど、高くなる。		
R 元 後	コーナーボルト工法では、アングルフランジ工法と**同じ**板厚とする。		
R 元 前	送風機の吐出口に接続するダクトは、**緩やかに**拡大させて抵抗を緩和する。		

▶ **防火ダンパー**：一定以上の熱を受けると溶融し、シャッターを閉じてダクトを遮断することで、火災の広がりを防止する器具である。火災で脱落しないよう、小型のものを除き、4 点吊り（4 本の吊りボルトで固定すること）とする。

吊りボルトの配置
（表裏あわせて 4 本）

排煙ダクトに設ける防火ダンパーの施工図

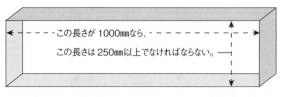

▶ **長方形ダクトの施工**：長方形ダクトの板厚は、ダクトの長辺の長さにより決定する。ダクトの短辺の長さは考慮しない。また、ダクトのアスペクト比は 4 以下とする。

この長さが 1000mm なら、この長さは 250mm 以上でなければならない。

ダクトのアスペクト比
※ 長方形ダクトの短辺と長辺の長さの比を、アスペクト比という。
※ 長方形ダクトは、正方形に近いほど強度が高いため、アスペクト比は 4 以下とする。

※ 令和 3 年度以降の第二次検定の 問題 52 は、その解答方式が四肢二択であったため、「R 5 後」〜「R 3 前」の最重要事項は 2 つ存在します。
※ このページは、弊社出版予定の書籍「スーパーテキストシリーズ 令和 6 年度 分野別問題解説集 2 級管工事施工管理技術検定試験 第一次検定」所収の「完全合格ターゲット」を再録・再編集したものです。

問題36(問題40)	完全合格ターゲット	これだけは完全に理解しよう！

最重要事項(最新5年間の出題内容)		工事管理	塗料と保温材の特性 ➡	481ページ		
R5後	給水ポンプ回りの防振継手には、原則として、保温は**行わない**。					
R5前	グラスウールは、ポリスチレンフォームに比べて、防湿性が**劣っている**。					
R4後	塗料の調合は、原則として、工事現場ではなく**製造所**で行う。					
R4前	アルミニウムペイントは、蒸気管や放熱器の塗装に**使用することができる**。					
R3後	塗料の調合は、原則として、工事現場ではなく**製造所**で行う。					
R3前	アルミニウムペイントは、蒸気管や放熱器の塗装に**使用することができる**。					
R2後	塗料の調合は、原則として、工事現場ではなく**製造所**で行う。					
R元後	ロックウールは、グラスウールに比べて、使用できる最高温度が**高い**。					
R元前	ポリエチレンフィルムは、保温材への**透湿や結露**を防ぐために使用する。					

▶ **保温材の最高使用温度(耐熱温度)**：ロックウール保温材では600℃程度、グラスウール保温材では350℃程度、防湿性が良いポリスチレンフォーム保温材では70℃〜80℃程度である。

▶ **保温外装材のテープ巻き**：埃の堆積や水の浸入などを防止するため、下部から上部に向かって行う。

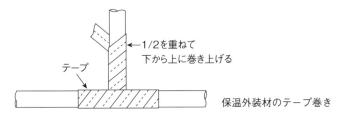

←1/2を重ねて　下から上に巻き上げる

テープ

保温外装材のテープ巻き

▶ **保温筒の継目**：隣接する保温筒の継目は相互にずらす。(一直線上に配置してはならない)

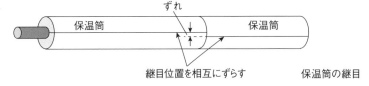

ずれ

保温筒　　　保温筒

継目位置を相互にずらす　　　保温筒の継目

▶ **ポリエチレンフィルム**：水に濡れても熱を通しにくい材料である。冷温水管の保温施工では、防湿や防水のため(透湿や結露を防ぐため)に、補助材として使用されている。

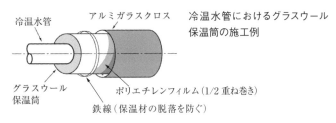

冷温水管

アルミガラスクロス

冷温水管におけるグラスウール保温筒の施工例

グラスウール保温筒

ポリエチレンフィルム(1/2重ね巻き)

鉄線(保温材の脱落を防ぐ)

▶ **エッチングプライマー**：塗装前に、亜鉛めっき塗装面に塗布し、塗装の付着性を良くする材料である。亜鉛めっきが施された白ガス管では、エッチングプライマーによる下地処理が必要である。亜鉛めっきが施されていない黒ガス管では、この下地処理は不要である。

※ このページは、弊社出版予定の書籍「スーパーテキストシリーズ 令和6年度 分野別問題解説集 2級管工事施工管理技術検定試験 第一次検定」所収の「完全合格ターゲット」を再録・再編集したものです。

新規出題分野

問題 37（問題 41）	完全合格ターゲット	これだけは完全に理解しよう！		

最重要事項（最新 5 年間の出題内容）		工事管理	配管の試験と試運転調整 ➡	483 ページ	
R 5 後	メカニカルシール部からの水滴の滴下が**ほとんどない**ことを確認する。				
R 5 前	多翼送風機の試運転では、V ベルトが**適度にたわんでいる**ことを確認する。				
R 4 後	配管用炭素鋼鋼管とステンレス鋼管は、**絶縁継手**を介して接合する。				
R 4 前	送風機の吐出しダンパーは、**全閉**にして運転を開始し、**徐々に開いて**ゆく。				
R 3 後	給水設備における残留塩素の測定は、高置タンクから最も**遠い**水栓で行う。				
R 3 前	排水ポンプ吐出し管の試験では、満水試験ではなく**水圧試験**を行う。				
R 2 後	給水設備における残留塩素の測定は、高置タンクから最も**遠い**水栓で行う。				
R 元 後	ガス管を施工したときは、**気密**試験を実施する。（通水試験は不要である）				
R 元 前	試運転調整では、設計図書などが必要である。（**完了検査済証は不要**である）				

▶ **渦巻きポンプの試運転調整**：ポンプは、軸封部の方式により、メカニカルシール方式とグランドパッキン方式に分類される。メカニカルシール方式のポンプの試運転では、メカニカルシール部からの漏水がほとんどないことを確認する。水滴が連続滴下している場合は、不良が生じているので、締付けなどを調整する。グランドパッキン方式のポンプの試運転では、グランドパッキン部から水滴が連続滴下していることを確認する。パッキンを冷却するためには、滴下する程度の水を漏らす必要がある。

ポンプの試運転調整

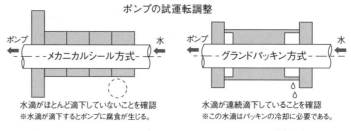

水滴がほとんど滴下していないことを確認
※水滴が滴下するとポンプに腐食が生じる。

水滴が連続滴下していることを確認
※この水滴はパッキンの冷却に必要である。

▶ **給水設備の試運転調整**：高置タンクから最も遠い水栓において、遊離残留塩素濃度が 0.2mg/L 以上であることを確認する。

▶ **配管の試験方法**：各種の配管に対して行われる試験には、次のようなものがある。
　■給水管：水圧試験
　■排水管：満水試験、通水試験、煙試験
　■油管　：空気圧試験
　■冷媒管：気密試験
　■ガス管：気密試験

▶ **水圧試験の要否**：自然流下の排水設備では、水圧がかからないため不要である。ポンプを用いた排水設備では、水圧がかかるため必要である。

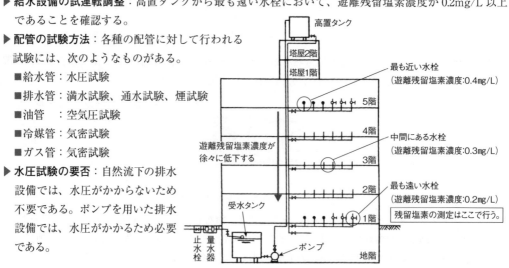

※ このページは、弊社出版予定の書籍「スーパーテキストシリーズ 令和 6 年度 分野別問題解説集 2 級管工事施工管理技術検定試験 第一次検定」所収の「完全合格ターゲット」を再録・再編集したものです。

新規出題分野

問題38(問題42)	完全合格ターゲット	これだけは完全に理解しよう！

最重要事項（最新5年間の出題内容）	工事管理	配管の接合と試運転調整	➡ 487ページ

R5後	ダクト内の風量調整は、風量調整ダンパーを**全開**にした後に行う。		
R5前	蒸気配管の識別色は、**暗い赤**である。**水**配管の識別色は、青である。		
R4後	ダクト内圧力は、**マノメーター**で測定する。気体濃度は、検知管で測定する。		
R4前	蒸気配管の識別色は、**暗い赤**である。**水**配管の識別色は、青である。		
R3後	ダクト内圧力は、**マノメーター**で測定する。気体濃度は、検知管で測定する。		
R3前	渦巻ポンプの試運転調整では、**吐出し側**の弁を全閉から徐々に開いてゆく。		
R2後	油配管の識別色は、**茶色**である。**空気**配管の識別色は、白である。		
R元後	多翼送風機の試運転調整では、Vベルトが**適度にたわむ**ことを確認する。		
R元前	油配管の識別色は、**茶色**である。**空気**配管の識別色は、白である。		

▶ **多翼送風機の試運転調整**：次のような手順で進めてゆく。

①軸受けに注油し、据付けの状態を点検する。

②Vベルトを点検する。（中央部を指で押した時、Vベルトの厚さ程度にたわむなら適正）

③送風機の軸を手で回してみる。（接触や異常音がなく、円滑に回転することを確認）

④風量調整ダンパーを全閉にする。（開きすぎていると送風機が破損するおそれがある）

⑤送風機を瞬時運転させて回転方向を確認する。

⑥吐出し側の風量調整ダンパーを徐々に開きながら運転し、風量を調整する。

⑦軸受けの温度を確認する。

▶ **配管の識別表示**：配管内を流れる物質の種類と、配管の識別色との関係は、下記のように定められている。

物質の種類	水	蒸気	油	ガス	空気
配管の識別色	青	暗い赤	茶色	薄い黄	白

▶ **異種管の接合方法**：鋼管と銅管を接合するときや、ステンレス管と鋼管を接合するときは、異種管の接触による鋼管の発錆を避けるため、絶縁継手による接合とする。

▶ **鋼管の腐食**：外面被覆されていない鋼管は、コンクリート壁内にある鉄筋に接触すると、電位差が生じるため、鋼管から地中に腐食電流が流れ、陽極となった鋼管が腐食する。

鉄筋

腐食電流

陽極 ＋ − 陰極

外面被覆されていない鋼管

＋

腐食

土(地中)

コンクリート

電位差による鋼管の腐食

※このページは、弊社出版予定の書籍「スーパーテキストシリーズ 令和6年度 分野別問題解説集 2級管工事施工管理技術検定試験 第一次検定」所収の「完全合格ターゲット」を再録・再編集したものです。

新規出題分野

施工管理知識（工事管理分野）の演習問題

※本書の 452 ページ～ 489 ページは、弊社出版予定の書籍「スーパーテキストシリーズ 令和 6 年度 分野別問題解説集 2 級管工事施工管理技術検定試験 第一次検定」所収の「工事管理 最新問題解説」のうち、令和 5 年度・令和 4 年度の問題と、令和 5 年度・令和 4 年度・令和 3 年度の第二次検定における【問題1】〔設問1〕の出典と思われる令和 3 年度以前の問題を、抜粋・再録・再編集したものです。

※この問題の各記述は、令和 6 年度の第二次検定に出題される可能性が比較的高いと考えられます。

問題 33	工事管理	機器の据付け	R5後期

機器の据付けに関する記述のうち、**適当でないもの**はどれか。

(1) 防振基礎には、地震時の移動、転倒防止のための耐震ストッパーを設ける。
(2) 建物内に設置する飲料用受水タンク上部と天井との距離は、600 mm 以上とする。
(3) 機器を据え付けるコンクリート基礎は、水平に仕上げる。
(4) 洗面器をコンクリート壁に取り付ける場合は、一般的に、エキスパンションボルト又は樹脂製プラグを使用する。

解説 飲料用受水タンクの上部と天井との距離は、**1000mm以上**とする。　　　**正解(2)**

(1) 正 送風機などの防振基礎には、地震による横ずれや転倒を防止するための耐震ストッパーを設けなければならない。この耐震ストッパーは、機器の四隅またはそれ以上の箇所に設置し、それぞれ 2 本以上のアンカーボルトで基礎に固定する。

(2) 誤 建物内に設置する飲料用受水タンクと構造物との離隔距離は、次のように定められている。この離隔距離が短すぎると、その方向からの目視点検が困難になる。
　①飲料用受水タンクの上部から天井までの距離は、**1000mm以上**とする。
　②飲料用受水タンクの側部から壁面までの距離は、600mm以上とする。
　③飲料用受水タンクの下部から床面までの距離は、600mm以上とする。
　よって、(2)は**不適当**。

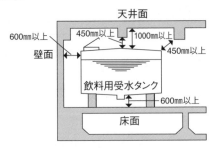

飲料用受水タンクの周囲に設ける空間

(3) 正 コンクリート基礎は、その上に管工事機器を水平に据え付けることができるよう、水平に仕上げなければならない。

(4) 正 壁付きの管工事機器(洗面器や手洗器など)は、エキスパンションボルトまたは樹脂製プラグを使用してコンクリート壁に取り付けることが一般的である。

| 問題33 | 工事管理 | 機器の据付け | R5前期 |

機器の据付けに関する記述のうち、**適当でないもの**はどれか。

(1) 防振装置付きの機器や地震力が大きくなる重量機器は、可能な限り高層階に設置する。
(2) 送風機は、レベルを水準器で確認し、水平が出ていない場合には基礎と共通架台の間にライナーを入れて調整する。
(3) 冷凍機を据え付ける場合は、凝縮器のチューブ引出しのための有効な空間を確保する。
(4) パッケージ形空気調和機を据え付けた場合、冷媒名又はその記号及び冷媒封入量を表示する。

解説 防振機器や地震力が大きくなる重量機器は、可能な限り**低層階**に設置する。 | **正解(1)**

(1) **誤** 防振装置付きの機器や地震力が大きくなる重量機器は、可能な限り**低層階**に設置する。防振装置付きの機器や重量機器（人が持ち運べないような重さの機器）を高層階に設置すると、機器が地震動を受けたときに、設置された建物に大きな負担を与えてしまう。よって、(1)は不適当。

(2) **正** 送風機は、レベル（送風機の各位置の高さが均等であるか）を水準器で確認し、水平に据え付けなければならない。水平にならないときは、送風機の基礎と共通架台との間にライナー（くさび）を入れることで、送風機の各位置の高さを調整する。

(3) **正** 冷凍機を据え付けるときは、凝縮器のチューブの引出し作業ができるよう、冷凍機の周囲に1m以上の空間を確保する。

(4) **正** パッケージ形空気調和機には、冷媒漏れなどが生じた場合に適切な冷媒を追加できるよう、冷媒の名称または記号と、冷媒の封入量を表示する。

新規出題分野

※この問題の(4)は、令和5年度の第二次検定に出題された【問題1】〔設問1〕(3)の出典と考えられます。

| 問題33 | 工事管理 | 機器の据付け | R4後期 |

機器の据付けに関する記述のうち、適当でないものはどれか。

(1) 飲料用受水タンクの上部には、排水設備や空気調和設備の配管等、飲料水以外の配管は通さないようにする。

(2) 送風機及びモーターのプーリーの芯出しは、プーリーの外側面に定規、水糸等を当て出入りを調整する。

(3) 汚物排水槽に設ける排水用水中モーターポンプは、点検、引上げに支障がないように、点検用マンホールの真下近くに設置する。

(4) 壁付洗面器を軽量鉄骨ボード壁に取り付ける場合は、ボードに直接バックハンガーを取り付ける。

解説 壁付洗面器のバックハンガーは、ボード壁に設けた**下地材**に取り付ける。　**正解(4)**

(1) **正** 飲料用受水タンクの上部には、飲料水以外の配管を通さないようにする。
　　①排水設備や空気調和設備などの配管が、飲料用受水タンクの上部にあると、万が一その配管が破損した場合に、排水や冷媒水によって飲料水が汚染されてしまう。
　　②やむを得ず、飲料用受水タンクの上部に飲料水以外の配管を通すときは、その配管の下に受け皿を設置し、その受け皿と受水タンクとの間隔を1m以上とする。

(2) **正** 送風機やモーター(電動機)のプーリー(滑車)の芯出しは、プーリーの外側面に定規や水糸などを当てて出入りを調整し、正確に行わなければならない。この芯出しが不正確であると、ベルトがプーリーから外れてしまうなどの不具合が生じやすくなる。

(3) **正** 汚物排水層に設ける排水用水中モーターポンプは、その点検や引上げ(交換)が容易に行えるよう、点検用マンホールの真下付近に設置しなければならない。

(4) **誤** 軽量鉄骨ボード壁に、壁付洗面器などの器具を取り付ける場合は、そのバックハンガーを、軽量鉄骨ボード壁に設けた下地材(堅木またはアングル加工材)にビス止めして取り付ける。ボード(仕上げボードや下地ボード)は構造的な耐力が弱いので、バックハンガーをボードに直接取り付けてはならない。よって、(4)は不適当。

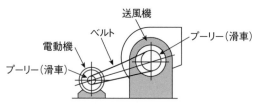

(2)プーリーの芯出し
滑車の位置や傾きのずれをなくすために、滑車の軸の中心線に印を付ける作業を、「芯出し」という。

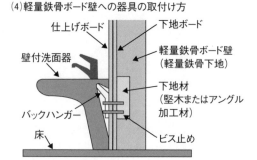

(4)軽量鉄骨ボード壁への器具の取付け方

問題33	工事管理	機器の据付け	R4前期

機器の据付けに関する記述のうち、**適当でないもの**はどれか。

(1) 吸収冷温水機は、運転時の振動が大きいため、一般的に、防振基礎に据え付ける。

(2) アンカーボルトは、機器の据付け後、ボルトの頂部のねじ山がナットから3山程度出る長さとする。

(3) パッケージ形空気調和機は、コンクリート基礎上に防振ゴムパッドを敷いて水平に据え付ける。

(4) アンカーボルトを選定する場合、常時荷重に対する許容引抜き荷重は、長期許容引抜き荷重とする。

解説 吸収冷温水機は、振動が小さいため、防振基礎に据え付けなくてもよい。　　**正解(1)**

(1) **誤** 吸収冷温水機は、電動機や圧縮機などの機械的な部分が少ないため、運転時における振動が小さいという特長がある。したがって、吸収冷温水機は、防振基礎に据え付けなくてもよい。ただし、吸収冷温水機の据付け後には、工場出荷時の気密が保持されていることを確認する必要がある。よって、(1)は不適当。

(2) **正** アンカーボルトを使用して機器を固定する場合は、機器の据付け後にボルト頂部のねじ山がナットから3山程度出る長さとなるように、アンカーボルトの埋込み深さを調整しなければならない。このねじ山が2山以下しか出ていないと、機器の据付け強度が不足したり、アンカーボルトのナットが変形しやすくなったりする。

(3) **正** パッケージ形空気調和機は、高さが150mm程度のコンクリート基礎上に、厚さが15mm程度の防振ゴムパッドを敷いて、水平に据え付けなければならない。

(4) **正** アンカーボルトは、長期許容引抜き荷重と短期許容引抜き荷重を考慮して選定する。
①常時荷重に対する許容引抜き荷重は、長期許容引抜き荷重として計算する。
②地震力などに対する許容引抜き荷重は、短期許容引抜き荷重として計算する。
※短期許容引抜き荷重は、長期許容引抜き荷重の1.5倍として算定される。

※この問題の(4)は、令和4年度の第二次検定に出題された【問題1】〔設問1〕(1)の出典と考えられます。

問題33	工事管理	機器の据付け	R3前期

機器の据付けに関する記述のうち、**適当でないもの**はどれか。

(1) パッケージ形空気調和機の屋外機の騒音対策には、防音壁の設置等がある。

(2) 遠心送風機の心出し調整は、製造者が出荷前に行うこととし、据付け時には行わない。

(3) 床置き形のパッケージ形空気調和機の基礎の高さは、150mm程度とする。

(4) 縦横比の大きい自立機器への頂部支持材の取付けは、原則として、2箇所以上とする。

解説 遠心送風機の心出し調整は、製造者が出荷前に行うが、**据付け時にも行う**。　　**正解(2)**

(1) **正** パッケージ形空気調和機の屋外機は、その内部にある圧縮機などが騒音を発生させるので、その据付けにあたっては、防音壁を設置するなどの騒音対策が必要になる。

新規出題分野

(2) 誤 送風機やモーターなどの機器は、製造者が出荷前に心出し調整を行っているが、据付け時に軸心がずれる可能性があるので、据付け時には改めて心出し調整（軸の中心線に印を付ける作業）を行わなければならない。この心出しは、送風機やモーターの外側面に当てた定規や水糸などを用いて行う。よって、(2)は不適当。

(3) 正 パッケージ形空気調和機は、高さが150mm程度のコンクリート基礎上に、厚さが15mm程度の防振ゴムパッドを敷いて、水平に据え付けなければならない。

(4) 正 縦横比の大きい（縦方向の高さが横方向の幅に比べて大きい）自立機器は、転倒しやすいので、原則として、その頂部の2箇所以上に、支持材を取り付けなければならない。

※この問題の各記述は、令和6年度の第二次検定に出題される可能性が比較的高いと考えられます。
※この問題は、施工管理法（基礎的な能力）の問題であるため、解答方式が四肢二択になっています。

| 問題50 | 工事管理 | 機器の据付け | R5後期 |

機器の据付けに関する記述のうち、**適当でないもの**はどれか。
適当でないものは二つあるので、二つとも答えなさい。

(1) ポンプは、現場にて電動機との軸心に狂いのないことを確認する。
(2) 高さが2mを超える高置タンクの昇降タラップには、転落防止防護柵を設ける。
(3) 冷却塔は、補給水口の高さが高置タンクの低水位と同じ高さとなるように据え付ける。
(4) 送風機は、あらかじめ心出し調整されて出荷されているので、現場での調整は不要である。

解説 冷却塔の補給水口の高さは、高置タンクの低水位よりも **3m以上低くする**。
送風機の心出し調整は、出荷前に行われているが、現場での調整が**必要**である。

正解 (3) (4)

(1) 正 ポンプを据え付けるときは、現場で次のような事項を確認しなければならない。
　①ポンプと電動機との軸心に狂いがない（軸の中心が揃っている）こと
　②カップリング（軸の継手）の外周の段違いがないこと
　③カップリング（軸の継手）の面間寸法の誤差がないこと

(2) 正 高置タンクを据え付ける架台の高さが2mを超えている場合は、作業者の転落を防止するため、その架台に昇降するためのタラップ（梯子や階段）に、防護柵を設置する。

(3) 誤 冷却塔は、ボールタップを作動させるために必要な水頭圧を確保するため、補給水口の高さが、高置タンクの低水位よりも**3m以上低く**なるように（3m以上の落差が確保できるように）据え付けなければならない。よって、(3)は不適当。

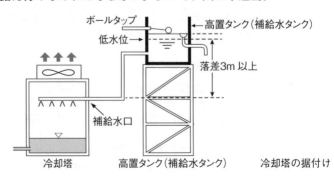

冷却塔の据付け

(4) **誤** 送風機やモーターなどの機器は、製造者が出荷前に心出し調整を行っているが、据付け時に軸心がずれる可能性があるので、据付け時には現場で改めての心出し調整（軸の中心線に印を付ける作業）が必要である。よって、(4)は不適当。

> ※この問題の各記述は、令和6年度の第二次検定に出題される可能性が比較的高いと考えられます。
> ※この問題は、施工管理法（基礎的な能力）の問題であるため、解答方式が四肢二択になっています。

問題50	工事管理	機器の据付け	R5前期

機器の据付けに関する記述のうち、**適当でないもの**はどれか。
適当でないものは二つあるので、二つとも答えなさい。

(1) 揚水ポンプの吐出し側には、ポンプに近い順に、防振継手、仕切弁、逆止め弁を取り付ける。
(2) ファンコイルユニットの床置形は、一般的に、室の外壁の窓下等に据え付ける。
(3) 送風機の振動が躯体に伝搬するおそれがある場合は、防振基礎とする。
(4) 埋込式アンカーボルトとコンクリート基礎の端部は、50 mm 程度離す。

解説 揚水ポンプ（吐出側）から近い順に、防振継手 ➡ 逆止め弁 ➡ 仕切弁 を設ける。
埋込式アンカーボルトとコンクリート基礎の端部は、150mm以上離す。

正解 (1) (4)

(1) **誤** 揚水ポンプの吐出し側にある給水管には、ポンプから近い順に、防振継手 ➡ 逆止め弁 ➡ 仕切弁を取り付けなければならない。仕切弁を逆止め弁よりも下に取り付けてしまうと、逆止め弁の交換をするときに、その部分に水で落ちてきてしまうため、作業が行いにくくなる。よって、(1)は不適当。

(2) **正** 床置形のファンコイルユニット（主として窓際などの温度変化が激しい場所の空調を行うための機器）は、室の外壁の窓下などに、壁面から 50㎜〜60㎜程度離して据え付けることが一般的である。

(3) **正** 送風機の振動が建築物の躯体に伝搬するおそれがあるときは、その振動を遮断するため、防振基礎上に送風機を据え付ける。

(4) **誤** 埋込式アンカーボルトは、コンクリート基礎の破断を防止するため、コンクリート基礎の端部から 150㎜以上離して取り付けなければならない。よって、(4)は不適当。

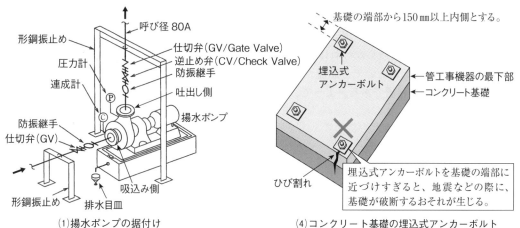

(1)揚水ポンプの据付け

(4)コンクリート基礎の埋込式アンカーボルト

新規出題分野

※この問題は、施工管理法(基礎的な能力)の問題であるため、解答方式が四肢二択になっています。

問題50	工事管理	機器の据付け	R4後期

機器の据付けに関する記述のうち、**適当でないもの**はどれか。
適当でないものは二つあるので、二つとも答えなさい。

(1) ユニット形空気調和機の基礎の高さは、ドレンパンからの排水に空調機用トラップを設けるため150mm程度とする。
(2) 冷却塔を建物の屋上に設置する場合は、防振装置を取り付けてはならない。
(3) 冷凍機に接続する冷水、冷却水の配管は、荷重が直接本体にかからないようにする。
(4) 排水用水中モーターポンプは、ピットの壁から50mm程度離して設置する。

解説 冷却塔を建物の屋上に設置する場合は、防振装置を**取り付ける**。
排水用水中モーターポンプは、ピットの壁から**200mm以上**離して設置する。

正解 (2)
(4)

(1) **正** 空気調和機のドレンパンからの排水管には、送風機の全静圧以上の落差(封水の逆流を防止するために十分な水深)をとった空調機用トラップを設けることが定められている。この空調機用トラップの落差を確保するため、ユニット形空気調和機を据え付ける基礎の高さは、150mm程度とする。

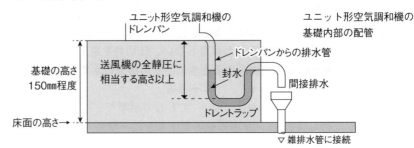

(2) **誤** 冷却塔を建物の屋上に設置する場合は、防振装置を取り付けるなどの防振対策を講じなければならない。冷却塔は運転時に騒音や振動が発生するので、防振装置が取り付けられていないと、冷却塔の直下にある居室などに、冷却塔の騒音や振動が伝わってしまうことがある。よって、(2)は不適当。

(3) **正** 冷凍機に接続されている冷水・冷却水の配管は、その配管の荷重が直接冷凍機本体にかからないように、天井や床などから直接支持する方法で施工する。

(4) **誤** 排水用水中モーターポンプは、排水流入部から離れた位置に、ピットの壁から200mm以上離して設置しなければならない。これは、保守点検を容易にすると共に、ポンプの吸込み部において、渦流が生じないようにする(ポンプの吸込み性能を低下させない)ための措置である。よって、(4)は不適当。

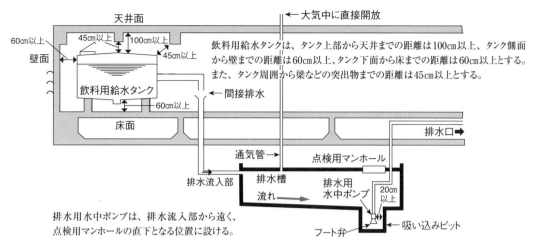

飲料用給水タンクは、タンク上部から天井までの距離は100cm以上、タンク側面から壁までの距離は60cm以上、タンク下面から床までの距離は60cm以上とする。また、タンク周囲から梁などの突出物までの距離は45cm以上とする。

排水用水中ポンプは、排水流入部から遠く、点検用マンホールの直下となる位置に設ける。

飲料用給水タンクと排水用水中ポンプの据付け

※この問題は、施工管理法(基礎的な能力)の問題であるため、解答方式が四肢二択になっています。

問題50	工事管理	機器の据付け	R4前期

機器の据付けに関する記述のうち、適当でないものはどれか。
適当でないものは二つあるので、二つとも答えなさい。

(1) 小型温水ボイラーをボイラー室内に設置する場合、ボイラー側面からボイラー室の壁面までの距離は、原則として、450mm以上とする。

(2) 送風機やポンプのコンクリート基礎をあと施工する場合、当該コンクリート基礎は、ダボ鉄筋等で床スラブと一体化する。

(3) ボイラー室内の燃料タンクに液体燃料を貯蔵する場合、当該燃料タンクからボイラー側面までの距離は、原則として、1.2m以上とする。

(4) 飲料用給水タンクの直上に天井スラブの梁がある場合、当該タンク上面から梁下面までの距離は、300mm以上を標準とする。

解説 液体燃料タンクからボイラー側面までの距離は、**2.0m以上**とする。
飲料用給水タンクから天井の梁下面までの距離は、**450mm以上**とする。

正解 (3) (4)

(1) 正 ボイラー室内にボイラー(小型温水ボイラーを含む)を設置する場合は、そのボイラーの側面(外壁)からボイラー室の壁面(側部構造物)までの距離を、原則として、450mm以上としなければならない。

(2) 正 送風機やポンプのコンクリート基礎を、あと施工とする(既設の床面上に設置する)場合は、そのコンクリート基礎を、補強用のダボ鉄筋などで、床スラブと一体化させる(基礎底面と床スラブ上面が互いにずれないようにする)必要がある。

(3) 誤 ボイラー室内の燃料タンクに液体燃料を貯蔵する場合は、その液体燃料タンクからボイラー側面までの距離を、原則として、2.0m以上としなければならない。この距離がこれよりも短くなると、液体燃料タンクから漏洩した液体燃料が、ボイラーの火気に触れて、火災の原因になることがある。よって、(3)は不適当。

新規出題分野

(4) **誤** 飲料用給水タンクの周囲から天井や壁などにある突出物までの距離は、450mm以上を標準とする。この距離がこれよりも短くなると、飲料用給水タンクの保守点検が困難になる。よって、(4)は不適当。

参考 労働安全衛生法に基づく「労働安全衛生規則」および「ボイラー及び圧力容器安全規則」では、ボイラー室に設置するボイラーについて、次のような事項が定められている。

①ボイラーの最上部から上部構造物(天井など)までの距離は、原則として、1.2m以上とする。

②ボイラーの外壁から側部構造物(壁など)までの距離は、原則として、0.45m以上とする。

③ボイラーの外側から液体燃料の貯蔵場所までの距離は、原則として、2.0m以上とする。

④ボイラーの外側から固体燃料の貯蔵場所までの距離は、原則として、1.2m以上とする。

⑤ボイラー相互間またはボイラーと他設備との間に設ける通路の幅は、80cm以上とする。

⑥ボイラー室には、労働者の避難に支障がない場合を除き、2箇所以上の出入口を設ける。

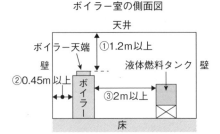

ボイラー室の側面図

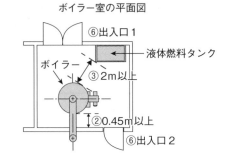

ボイラー室の平面図

※令和2年度以前の学科試験(第一次検定の旧称)では、令和3年度の第一次検定とは問題番号の割り振りが異なる部分がありました。ここでは、過去の試験における問題番号をそのまま表示しています。

※この問題の(3)は、令和3年度の第二次検定に出題された【問題1】〔設問1〕(1)の出典と考えられます。

問題35	工事管理	アンカーボルト	R2後期

機器の据付けに使用するアンカーボルトに関する記述のうち、適当でないものはどれか。

(1) アンカーボルトを選定する場合、常時荷重に対する許容引抜き荷重は、長期許容引抜き荷重とする。

(2) ボルト径が M12以下のL型アンカーボルトの短期許容引抜き荷重は、一般的に、同径のJ型アンカーボルトの短期許容引抜き荷重より大きい。

(3) アンカーボルトは、機器の据付け後、ボルト頂部のねじ山がナットから3山程度出る長さとする。

(4) アンカーボルトの径は、アンカーボルトに加わる引抜き力、せん断力、アンカーボルトの本数等から決定する。

解説 アンカーボルトの許容引抜き荷重は、J型の方がL型よりも大きい。　　**正解(2)**

(1) **正** アンカーボルトは、長期許容引抜き荷重と短期許容引抜き荷重を考慮して選定する。

①常時荷重に対する許容引抜き荷重は、長期許容引抜き荷重として計算する。

②地震力などに対する許容引抜き荷重は、短期許容引抜き荷重として計算する。

※短期許容引抜き荷重は、長期許容引抜き荷重の1.5倍として算定される。

(2) 誤 機器の据付けに使用するアンカーボルトは、その先端の形状により、J型（フックを有する形状）とL型（フックを有さない形状）に分類されている。
アンカーボルトの許容引抜き荷重（引抜きに対する抵抗力）は、短期・長期を問わず、ボルト径が同じであれば、J型アンカーボルトの方が、L型アンカーボルトよりも大きい。よって、(2)は不適当。

J形（強度：大）　　　　　　　L形（強度：小）

(3) 正 アンカーボルトは、機器の据付け後に、ボルト頂部のネジ山がナットから3山程度出る長さとする。このネジ山が2山以下しか出ていないと、強度不足になり、アンカーボルトのナットが変形しやすくなる。

(4) 正 機器の据付けに使用するアンカーボルトの径は、次のような項目を考慮して決定する。
　①アンカーボルトに加わる引抜き力（引抜き力が大きいほど径を大きくする）
　②アンカーボルトに加わるせん断力（せん断力が大きいほど径を大きくする）
　③使用するアンカーボルトの本数（使用する本数が少ないほど径を大きくする）

※この問題の各記述は、令和6年度の第二次検定に出題される可能性が比較的高いと考えられます。

| 問題34 | 工事管理 | 各種の配管の施工 | R5後期 |

配管及び配管附属品の施工に関する記述のうち、**適当でないもの**はどれか。
(1) 配管用炭素鋼鋼管を雑排水系統に使用する場合、配管用鋼製突合せ溶接式管継手で接続する。
(2) 給水用の塩ビライニング鋼管に用いる仕切弁には、管端防食ねじ込み形弁がある。
(3) 鋼管の突合せ溶接による接合は、開先加工等を行い、ルート間隔を保持して行う。
(4) 排水・通気用耐火二層管の接合には、接着接合、ゴム輪接合（伸縮継手用）がある。

解説 雑排水用の配管用炭素鋼鋼管は、排水用ねじ込み式鋳鉄製管継手で接続する。　　正解(1)

(1) 誤 雑排水系統に使用する配管用炭素鋼鋼管は、排水用ねじ込み式鋳鉄製管継手（旧名称：ねじ込み式排水管継手）などで接続しなければならない。よって、(1)は不適当。
配管用鋼製突合せ溶接式管継手は、溶接された部分が腐食しやすい（錆びやすい）ので、汚染された（腐食の原因となる）水が流れる雑排水系統などの配管には使用できない。

(2) 正 給水用の塩化ビニルライニング鋼管の仕切弁には、管端防食ねじ込み形弁などが使用されている。管端防食ねじ込み形弁は、腐食しにくい（錆びにくい）ので、給水用の配管の仕切弁として適している。

(3) 正 突合せ溶接による鋼管の接合をするときは、鋼管の先端（接合部）に開先加工を行い、ルート間隔（開先間隔）を保持できるようにしてから、突合せ溶接を行う。

(4) 正 排水用または通気用として使用される耐火二層管は、管の接合については接着接合とし、伸縮継手についてはゴム輪接合とすることが定められている。

新規出題分野

参考 各種の配管に適用できる施工方法(主として過去の試験に出題されたもの)

配管の種類	○正しい施工方法	×誤った施工方法
水道用硬質ポリ塩化ビニル管	○接着接合	(出題なし)
水道用硬質塩化ビニルライニング鋼管	○帯鋸盤による切断 ○管端防食継手 ○管端防食ねじ込み形弁	×パイプカッターによる切断 ×ねじ込み式鋼管製管継手
排水用硬質塩化ビニルライニング鋼管	○排水鋼管用可とう継手 ○MDジョイント	(出題なし)
硬質塩化ビニルライニング鋼管	○帯鋸盤による切断	×チップソーカッターによる切断
一般配管用ステンレス鋼管	○メカニカル形管継手 ○ハウジング形管継手	×B形ソケット接合
雑排水用の配管用炭素鋼鋼管	○排水用ねじ込み式鋳鉄製管継手 ○ねじ込み式排水管継手	×配管用鋼製突合せ溶接式管継手 ×ねじ込み式鋼管製管継手
銅管	○メカニカル接合 ○フランジ接合 ○差込接合	(出題なし)
冷媒用の銅管	○冷媒用フレア継手 ○フランジ接合 ○差込接合(蝋付け継手)	(出題なし)
架橋ポリエチレン管	○電気融着式接合 ○メカニカル接合	(出題なし)
鋼管とステンレス鋼管	○絶縁フランジ接合	(出題なし)
熱伸縮を受ける給湯配管	○スイベルジョイント	×フレキシブルジョイント
排水・通気用耐火二層管	○接着接合 ○ゴム輪接合(伸縮継手用)	(出題なし)

※この問題の各記述は、令和6年度の第二次検定に出題される可能性が比較的高いと考えられます。

問題34	工事管理	給水管と排水管の施工	R5前期

配管及び配管附属品の施工に関する記述のうち、適当でないものはどれか。

(1) 地中埋設配管で給水管と排水管が交差する場合には、給水管を排水管より上方に埋設する。

(2) 絶縁フランジ接合は、鋼管とステンレス鋼管を接続する場合等に用いられる。

(3) 給水管を地中埋設配管にて建物内へ引き込む部分には、防振継手を設ける。

(4) 排水管の満水試験の保持時間は、最小30分とする。

解説 給水管を地中埋設配管にて建物内へ引き込む部分には、**絶縁継手**を設ける。 　　正解(3)

(1) 正 地中に埋設された給水管と排水管が交差する箇所では、給水管を上方に、排水管を下方に配管しなければならない。排水管を上方に配管すると、その排水管が破損したときに、漏れ出した排水が給水管内を汚染するおそれが大きくなるからである。

新規出題分野

(2) 正 鋼管とステンレス管は、直接接触させると錆びやすくなるので、絶縁フランジ接合(絶縁性を有する詰め物が挟まれた継手を使用する接合方法)などの方法で接続する。

(3) 誤 地中に埋設された配管を建物内に引き込む部分には、絶縁継手を設けなければならない。防振継手は、絶縁処理(配管とコンクリートとの直接接触を防ぐための処理)が施されていないので、コンクリートに接触した配管が腐食する(錆びる)おそれが生じる。よって、(3)は不適当。

(4) 正 排水管を施工したときは、満水試験を実施する。この満水試験では、排水管を満水にしてから30分が経過しても、減水がないことを確認する。

問題34	工事管理	排水管の施工	R4後期

配管及び配管附属品の施工に関する記述のうち、**適当でないもの**はどれか。

(1) 呼び径100の屋内横走り排水管の最小勾配は、$\frac{1}{200}$とする。
(2) 排水トラップの封水深は、50mm以上100mm以下とする。
(3) 便所の床下排水管は、一般的に、勾配を考慮して排水管を給水管より先に施工する。
(4) 3階以上にわたる排水立て管には、各階ごとに満水試験継手を取り付ける。

解説 呼び径100の屋内横走り排水管の最小勾配は、100分の1とする。 　　**正解(1)**

(1) 誤 呼び径100(直径100mm)の屋内横走り排水管の勾配は、100分の1以上としなければならない。横走りする排水管(排水横枝管など)は、その管径が小さいほど、流れが妨げられやすくなるので、急勾配にする必要がある。よって、(1)は不適当。

屋内横走り排水管の勾配		最小勾配
呼び径(A)65以下	(直径65mm以下)	50分の1
呼び径(A)75又は100	(直径75mm又は100mm)	100分の1
呼び径(A)125	(直径125mm)	150分の1
呼び径(A)150以上	(直径150mm以上)	200分の1

(2) 正 排水トラップの封水深(排水管内の臭気・害虫などの移動を防止するために有効な深さ)は、阻集器(排水管内のごみや油脂などを取り除くための設備)を兼ねる排水トラップの場合を除き、5cm以上10cm以下としなければならない。

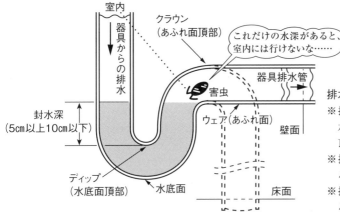

排水トラップに関する用語
※排水トラップの封水深とは、トラップの水封上部(あふれ面)と底部上端(水底面頂部)との垂直距離のことである。
※排水トラップの封水深は、阻集器を兼ねる場合を除き、5cm以上10cm以下とする。
※排水トラップの封水深は、阻集器を兼ねる場合は、5cm以上(上限なし)とする。

新規出題分野

(3) 正 便所などにおいて、給水管と排水管を同一の床下空間に施工するときは、勾配を必要とする排水管を先に施工し、その後に給水管を施工することが一般的である。

(4) 正 3階以上にわたる排水立て管には、施工完了後に満水試験を行えるよう、原則として、各階に満水試験継手(排水管内の水を堰き止めることができる継手)を取り付ける。

問題34	工事管理	配管の施工	R4前期

配管の施工に関する記述のうち、**適当でないもの**はどれか。

(1) 冷媒配管の銅管の接合には、差込接合(ろう付け)、フランジ接合、フレア接合がある。
(2) 水道用硬質塩化ビニルライニング鋼管のねじ接合においては、配管切断後、ライニング部の面取りを行う。
(3) 排水立て管は、下層階に行くに従い、途中で合流する排水量に応じて管径を大きくする。
(4) 給水管の埋設深さは、私道内の車両通路(重車両通路部は除く。)では600 mm以上とする。

解説 排水立て管は、どの階においても同じ管径としなければならない。　　　　正解(3)

(1) 正 冷媒配管として使用する銅管の接合方法には、次のようなものがある。
　①差込接合:銅管の管端に接着性のある蝋を付け、もう一方の銅管を差し込む。
　②フランジ接合:銅管の接合部にリング状の部材を入れ、その部材をボルト止めする。
　③フレア接合:銅管の管端を押し広げて重ね合わせ、特殊なナットで締め込む。
　※一般的な銅管の接合方法のうち、「メカニカル接合」は、冷媒配管には適していない。

(2) 正 水道用硬質塩化ビニルライニング鋼管のねじ接合をするときは、配管を切断した後に、管の接合部を滑らかにするため、ライニング部(塩化ビニルによる表面被覆がされている部分)の面取りを行う。

(3) 誤 排水立て管の管径は、最も負荷が大きくなる最下階の排水量に応じて定める。
ここで定めた排水立て管の管径は、どの階においても同じとしなければならない。
途中で合流する排水量に応じて、下層階に行くに従い管径を大きくする(上層階に行くに従い管径を小さくする)と、伸頂通気管が機能しにくくなる。よって、(3)は不適当。

(4) 正 給水管の埋設深さ(土被り)は、次のように定められている。
　①敷地内の歩道(車両が全く通行しない部分)では、300㎜以上とする。
　②私道内の車両通路(重車両が通行しない部分)では、600㎜以上とする。
　③公道(重車両が通行する部分)では、原則として、1200㎜以上とする。
　この埋設深さ(土被り)が不足していると、地上を人や車が通ったときに、その衝撃により給水管が破損するおそれが生じる。

※この問題の(1)は、令和4年度の第二次検定に出題された【問題1】〔設問1〕(2)の出典と考えられます。

| 問題34 | 工事管理 | 配管の施工 | R3後期 |

配管の施工に関する記述のうち、適当でないものはどれか。

(1) 汚水槽の通気管は、その他の排水系統の通気立て管を介して大気に開放する。
(2) 給水管の分岐は、チーズによる枝分かれ分岐とし、クロス形の継手は使用しない。
(3) 飲料用の受水タンクのオーバーフロー管は、排水口空間を設け、間接排水とする。
(4) 給水横走り管から上方へ給水する場合は、配管の上部から枝管を取り出す。

解説 汚水槽の通気管は、他の排水系統の通気立て管を**介さずに**大気に開放する。 | **正解(1)**

(1) **誤** 汚水槽・雑排水槽・雨水槽の通気管は、その管径を50mm以上とし、単独で(その他の排水系統の通気立て管を介さずに)大気に開放しなければならない。
汚水槽・雑排水槽・雨水槽の通気管は、その内部の臭いが他の通気管に流入することを防ぐため、それ以外の通気管と接続せず、独立した系統としなければならない。
よって、(1)は不適当。

(2) **正** 給水管を分岐させるときは、チーズ管(T字継手)による枝分かれ分岐とする。
給水管を分岐させるときに、クロス形の継手(十字管)を使用してはならない。

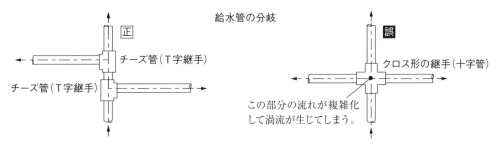

給水管の分岐

(3) **正** 飲料用の受水タンクのオーバーフロー管は、排水口空間を設けて間接排水とする。これは排水管内の水がタンク内に逆流することを防ぐための措置である。

(4) **正** 横走りする給水管から上方に給水するときは、その給水管の中心線よりも上の位置から、枝管を取り出さなければならない。

※この問題の(3)は、令和4年度の第二次検定に出題された【問題1】〔設問1〕(3)の出典と考えられます。

| 問題34 | 工事管理 | 配管の施工 | R3前期 |

配管及び配管附属品の施工に関する記述のうち、適当でないものはどれか。

(1) 給水立て管から各階への分岐管には、分岐点に近接した部分に止水弁を設ける。
(2) 雑排水用に配管用炭素鋼鋼管を使用する場合は、ねじ込み式鋼管製管継手で接続する。
(3) パイプカッターは、管径が小さい銅管やステンレス鋼管の切断に使用される。
(4) 地中で給水管と排水管を交差させる場合は、給水管を排水管より上方に埋設する。

解説 雑排水用の配管用炭素鋼鋼管は、**排水用**ねじ込み式**鋳鉄**製管継手で接続する。 | **正解(2)**

(1) 正 給水立て管から各階への分岐管には、その分岐点の近くに止水弁を設けるとよい。分岐点に止水弁が設けられていると、各階において分岐管の点検や修理をするときに、給水立て管の水を止めることなく、各階の分岐管の水だけを止めることができる。

(2) 誤 **雑排水用の配管用炭素鋼鋼管を使用する場合は、排水用ねじ込み式鋳鉄製管継手(旧名称:ねじ込み式排水管継手)などで接続しなければならない。よって、(2)は不適当。**

(3) 正 パイプカッターは、切断時の発熱が多いので、熱に強い管(銅管・ステンレス鋼管など)の切断には使用できるが、熱に弱い管(ライニング鋼管など)の切断には使用できない。熱に弱い管は、切断時の発熱が少ない帯鋸盤・金鋸盤などで切断する必要がある。

(4) 正 地中に埋設された給水管と排水管が交差する箇所では、給水管を上方に、排水管を下方に配管しなければならない。排水管を上方に配管すると、その排水管が破損したときに、漏れ出した排水が給水管内を汚染するおそれが大きくなるからである。

参考 ねじ込み式鋼管製管継手は、配管用炭素鋼鋼管を使用する場合、その管が雑用水管・消火用水管・工業用水管・空調用冷温水管・冷却水管などの一般配管であれば使用できるが、飲料用水管・排水管・雑排水管であれば使用できない。
特に、雑排水管として使用する配管用炭素鋼鋼管に、ソケットなどが付いたねじ込み式鋼管製管継手を使用すると、雑排水管中のゴミがソケットに引っかかってしまい、円滑な排水ができなくなる。

※この問題の(2)は、令和3年度の第二次検定に出題された【問題1】〔設問1〕(2)の出典と考えられます。

問題36	工事管理	各種の配管の接合方式	R元前期

配管の接合に関する記述のうち、**適当でないもの**はどれか。

(1) 銅管の接合には、差込接合、メカニカル接合、フランジ接合等がある。
(2) 硬質ポリ塩化ビニル管の接着接合では、テーパ形状の受け口側のみに接着剤を塗布する。
(3) 架橋ポリエチレン管の接合方式には、電気融着式等がある。
(4) 鋼管の突合せ溶接による接合は、開先加工を行い、ルート間隔を保持して行う。

解説 硬質ポリ塩化ビニル管の接着接合では、**受口と差口の両方**に接着剤を塗る。 | **正解(2)**

(1) 正 銅管の接合は、差込み接合・メカニカル接合・フランジ接合のいずれかとすることが一般的である。

(2) 誤 **硬質ポリ塩化ビニル管の接着接合では、受け口側と差し口側の両方に、接着剤を均一に塗布しなければならない。よって、(2)は不適当。**

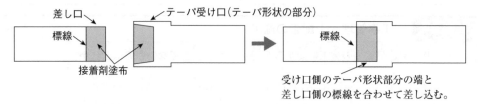

硬質ポリ塩化ビニル管の接着接合

(3) 正 架橋ポリエチレン管の接合は、電気融着式継手またはメカニカル式継手を用いて行うことが一般的である。

(4) 正 鋼管の溶接接合をするときは、鋼管の先端(接合部)に開先加工を行い、ルート間隔(開先間隔)を保持できるようにセットしてから、突合せ溶接を行う。

※この問題の各記述は、令和6年度の第二次検定に出題される可能性が比較的高いと考えられます。
※この問題は、施工管理法（基礎的な能力）の問題であるため、解答方式が四肢二択になっています。

問題51	工事管理	各種の配管の施工	R5後期

配管の施工に関する記述のうち、適当でないものはどれか。
適当でないものは二つあるので、二つとも答えなさい。

(1) 飲料用冷水器の排水管は、雑排水系統の排水管に直接連結する。
(2) 呼び径40以下の鋼管の場合、形鋼振れ止め支持は、原則として不要である。
(3) 汚水管（大便器）の最小管径は、50mmとする。
(4) 冷媒用断熱材被覆銅管の接合には、フレア接合、差込接合等がある。

解説 飲料用冷水器の排水管は、雑排水系統の排水管に**直接連結させてはならない。**
大便器に接続する汚水管の最小管径は、**75mm**とする。　**正解** (1) (3)

(1) **誤** 飲料用の冷水器に接続する排水管は、他の（雑排水系統などの）排水管に直接連結させてはならない。その排水管は、排水口空間を確保して間接排水としなければならない。よって、(1)は不適当。

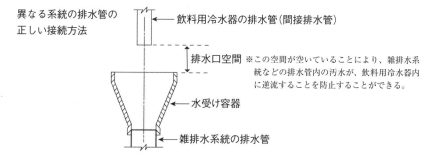

異なる系統の排水管の正しい接続方法

飲料用冷水器の排水管（間接排水管）

排水口空間 ※この空間が空いていることにより、雑排水系統などの排水管内の汚水が、飲料用冷水器内に逆流することを防止することができる。

水受け容器

雑排水系統の排水管

(2) **正** 鋼管は、その呼び径に応じた間隔で、形鋼振れ止め支持を行わなければならない。
①呼び径が40以下の鋼管は、形鋼振れ止め支持が不要である。（吊り支持だけでよい）
②呼び径が50以上100以下の鋼管は、8m以下の間隔で形鋼振れ止め支持を行う。
③呼び径が125以上の鋼管は、12m以下の間隔で形鋼振れ止め支持を行う。

(3) **誤** 排水管は、固形物を円滑に流すために必要な管径を確保しなければならない。
①一般的な排水管の最小管径は、トラップ口径以上かつ30mmとする。
②固形物が流れる排水管や地中・床下に設ける排水管の最小管径は、50mmとする。
③大便器などの大きな固形物が流れる汚水管の最小管径は、75mmとする。
よって、(3)は不適当。

(4) **正** 冷媒用の断熱材被覆銅管の接合方法には、次のようなものがある。
①差込接合：銅管の管端に接着性のある蝋を付け、もう一方の銅管を差し込む。
②フランジ接合：銅管の接合部にリング状の部材を入れ、その部材をボルト止めする。
③フレア接合：銅管の管端を押し広げて重ね合わせ、特殊なナットで締め込む。
※一般的な銅管の接合方法のうち、「メカニカル接合」は、冷媒配管には適していない。

※この問題の各記述は、令和6年度の第二次検定に出題される可能性が比較的高いと考えられます。

※この問題は、施工管理法（基礎的な能力）の問題であるため、解答方式が四肢二択になっています。

問題51	工事管理	各種の配管の施工	R5前期

配管及び配管附属品の施工に関する記述のうち、適当でないものはどれか。

適当でないものは二つあるので、二つとも答えなさい。

(1) 架橋ポリエチレン管の接合は、電気融着接合又はメカニカル接合とする。

(2) 一般配管用ステンレス鋼鋼管の管継手には、メカニカル形、ハウジング形等がある。

(3) 排水横枝管が合流する場合は、合流する排水管の上部に接続する。

(4) 飲料用受水タンクのオーバーフロー管には、トラップを設ける。

解説 排水横枝管が合流する場合は、合流する排水管の**側面**に接続する。
飲料用受水タンクのオーバーフロー管には、トラップを設けて**はならない**。

正解 (3) (4)

(1) **正** 架橋ポリエチレン管の接合方法は、電気融着接合（電熱線からの熱により管端部を溶融させて接合する方法）またはメカニカル接合とすることが定められている。

(2) **正** 一般配管用ステンレス鋼管の継手は、メカニカル形管継手またはハウジング形管継手（専用の器具により管の接続部を挟み込む継手）とすることが一般的である。

(3) **誤** 排水横枝管などが合流する場合は、45度以内の鋭角をもって水平に近く合流させなければならない。したがって、排水横枝管が合流する場合は、合流する排水管の側面に接続しなければならない。よって、(3)は不適当。

(4) **誤** 飲料用の給水タンクや受水タンクのオーバーフロー管には、トラップを設けてはならない。オーバーフロー管にトラップを設けると、円滑な排水が妨げられてしまう。オーバーフロー管には、トラップの代わりに防虫網を設けて虫の侵入を防止する。よって、(4)は不適当。

(3)排水横枝管は、合流する排水管の「側面」に「水平」に近い状態で接続する。

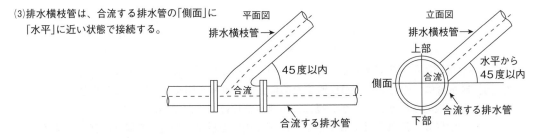

(3)通気管は、横走りする排水管の「上部」に「垂直」に近い状態で接続する。

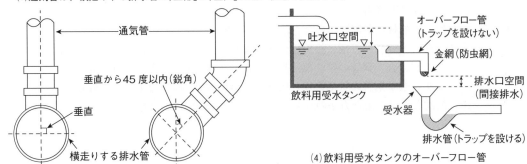

(4)飲料用受水タンクのオーバーフロー管

※この問題の(2)は、令和5年度の第二次検定に出題された【問題1】〔設問1〕(5)の出典と考えられます。
※この問題は、施工管理法(基礎的な能力)の問題であるため、解答方式が四肢二択になっています。

| 問題51 | 工事管理 | 配管の加工と付属品 | R4後期 |

配管及び配管附属品の施工に関する記述のうち、**適当でないもの**はどれか。
適当でないものは二つあるので、二つとも答えなさい。

(1) 雨水ますには、ます内に排水や固形物が滞留しないようにインバートを設ける。
(2) 排水用硬質塩化ビニルライニング鋼管の接続には、排水鋼管用可とう継手(MDジョイント)を使用する。
(3) 鋼管のねじ加工には、切削ねじ加工と転造ねじ加工がある。
(4) 樹脂ライニング鋼管を切断する場合には、ねじ加工機に附属するパイプカッターを使用する。

解説 雨水桝には、泥溜めを設ける。汚水桝には、インバートを設ける。
樹脂ライニング鋼管の切断は、帯鋸盤などの自動金鋸盤を用いて行う。

正解 (1) (4)

(1) 誤 雨水桝には、土砂が下流側の下水管に流入しないように、泥溜めを設ける。
雨水桝にインバートを設けると、下水管に土砂が流れ込み、下水管の内面が削られる。
汚水桝には、桝内に排水や固形物が滞留しないように、インバートを設ける。
汚水桝に泥溜めを設けると、そこに汚物が沈殿し、桝の腐食や悪臭の原因となる。
よって、(1)は不適当。

(2) 正 排水用硬質塩化ビニルライニング鋼管の接続には、排水鋼管用可とう継手(下図のようなMDジョイント)を使用しなければならない。

(3) 正 鋼管のねじ加工は、切削ねじ加工と転造ねじ加工に分類されている。
①鋼管のねじ接合に、切削ねじ(ねじ山の谷部を切削して製造されるねじ)を使用すると、切削ねじ加工されたねじ部の強度が、鋼管本体の強度よりも小さくなる。
②鋼管のねじ接合に、転造ねじ(ねじ山の谷部を圧縮して製造されるねじ)を使用すると、転造ねじ加工されたねじ部の強度が、鋼管本体の強度とほぼ同程度となる。

(4) 誤 樹脂ライニング鋼管を切断する場合には、帯鋸盤・丸鋸盤などの自動金鋸盤を用いて、管軸に対して直角に管を切断しなければならない。ねじ加工機に附属するパイプカッターで樹脂ライニング鋼管を切断すると、切断時の熱により防食のためのライニング膜が傷ついてしまい、管の接合に悪影響が生じる。よって、(4)は不適当。

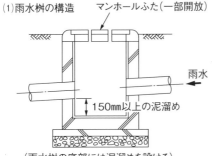

(1)雨水桝の構造　マンホールふた(一部開放)

雨水

150mm以上の泥溜め

(雨水桝の底部には泥溜めを設ける)

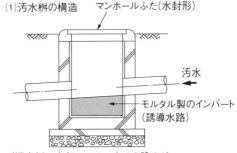

(1)汚水桝の構造　マンホールふた(水封形)

汚水

モルタル製のインバート(誘導水路)

(汚水桝の底部にはインバートを設ける)

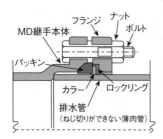

フランジ　ナット
MD継手本体　　　　ボルト
パッキン
カラー　ロックリング
排水管
（ねじ切りができない薄肉管）

(2)排水鋼管用可とう継手（MDジョイント /Mechanical Drainage Joint）の構造
※排水用硬質塩化ビニルライニング鋼管は、ねじ加工ができない薄肉管であるため、排水系統の圧力変動の大小に関係なく、ねじ込み式排水管継手を使用することはできない。

※この問題の(2)は、令和5年度の第二次検定に出題された【問題1】〔設問1〕(2)の出典と考えられます。
※この問題は、施工管理法（基礎的な能力）の問題であるため、解答方式が四肢二択になっています。

| 問題51 | 工事管理 | 配管の施工と付属品 | R4前期 |

配管及び配管附属品の施工に関する記述のうち、**適当でないもの**はどれか。
適当でないものは二つあるので、二つとも答えなさい。

(1) 飲料用タンクに設ける間接排水管の最小排水口空間は、100 mm とする。
(2) フレキシブルジョイントは、温水配管の熱収縮を吸収するために使用する。
(3) 給水栓には、クロスコネクションが起きないように吐水口空間を設ける。
(4) 鋼管のねじ接合においては、余ねじ部に錆止めペイントを塗布する。

解説 飲料用タンクに設ける間接排水管の最小排水口空間は、**150mm以上**とする。
スイベルジョイントは、温水配管の熱収縮を吸収するために使用する。

| 正解 | (1) (2) |

(1) 誤 飲料用タンクに設ける間接排水管の排水口空間は、その間接排水管の管径に関係なく、150mm以上としなければならない。よって、(1)は不適当。

(2) 誤 温水配管の熱収縮を吸収するためには、フレキシブルジョイントではなくスイベルジョイントまたは伸縮管継手を使用しなければならない。フレキシブルジョイントは、振動による管軸と直交する方向の揺動を吸収するための耐震用継手であり、熱による管軸と平行する方向の伸縮を吸収することはできないので、温水配管の継手に使用してはならない。よって、(2)は不適当。

(3) 正 給水栓には、クロスコネクション（給水管と排水管との直接接続）が起きないように、吐水口空間を設けなければならない。

(4) 正 鋼管のねじ接合における余ねじ部とパイプレンチ跡は、特に錆びやすいので、切削油などを拭き取ってから、防錆塗料を塗布しなければならない。

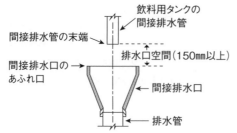

飲料用タンクの間接排水管
間接排水管の末端
排水口空間（150mm以上）
間接排水口のあふれ口
間接排水口
排水管

(1)排水口空間の構造例
飲料用タンク以外に設ける間接排水管の排水口空間は、管径が25mm以下なら50mm以上、管径が30mm～50mmなら100mm以上、管径が65mm以上なら150mm以上とする。

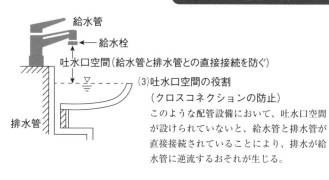

給水管

給水栓

吐水口空間（給水管と排水管との直接接続を防ぐ）

(3)吐水口空間の役割
（クロスコネクションの防止）
このような配管設備において、吐水口空間が設けられていないと、給水管と排水管が直接接続されていることにより、排水が給水管に逆流するおそれが生じる。

排水管

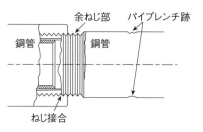

余ねじ部　パイプレンチ跡

鋼管　　　　　　　　鋼管

ねじ接合

(4)鋼管のねじ接合における余ねじ部・パイプレンチ跡

※この問題の(3)は、令和3年度の第二次検定に出題された【問題1】〔設問1〕(3)の出典と考えられます。

問題37	工事管理	各種の配管の施工方法	R元前期

配管の施工に関する記述のうち、**適当でないもの**はどれか。

(1) 青銅製の水栓と硬質塩化ビニルライニング鋼管との接続には、絶縁継手又はコア付き青銅製継手を使用する。

(2) 排水横枝管に大便器の器具排水管を接続する場合の接続角度は、水平から上方45°以内とする。

(3) 鋼管のねじ加工の検査では、テーパねじリングゲージをパイプレンチで締め込み、ねじ径を確認する。

(4) 給水管と排水管を平行して埋設する場合、両配管の間隔は500mm以上とし、かつ、給水管を排水管の上方に配置する。

解説 ねじ加工の検査では、リングゲージを手で締め込み、ねじ径を確認する。　**正解(3)**

(1) 正 青銅製の水栓と硬質塩化ビニルライニング鋼管を接続するときは、絶縁継手またはコア付き青銅製継手を使用する。これらの継手を使用しないと、異種金属が直接接することにより、硬質塩化ビニルライニング鋼管が腐食することがある。

(2) 正 排水横枝管に器具排水管を接続する場合は、排水管の流れが妨げられないよう、その接続角度を水平から上方45°以内とする。

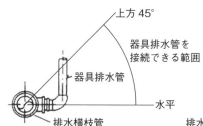

上方45°

器具排水管を接続できる範囲

器具排水管

水平

排水横枝管

排水横枝管と器具排水管との接続

(3) 誤 鋼管のねじ加工の検査では、テーパねじリングゲージを手で締め込み、ねじ径を確認する。パイプレンチを使用すると、締付け力が強すぎるため、加工ねじやリングゲージが破壊されることがある。よって、(3)は不適当。

(4) 正 給水管と排水管を平行して埋設するときは、配管の相互間隔を500mm以上とする。また、給水管を排水管の上方に配置する。これは、排水管が破損したときに、その排水が給水管に流れ込まないようにするための措置である。

※この問題の各記述は、令和6年度の第二次検定に出題される可能性が比較的高いと考えられます。

| 問題35 | 工事管理 | 各種のダクトの施工 | R5後期 |

ダクト及びダクト附属品の施工に関する記述のうち、適当でないものはどれか。

(1) 長辺が300mm以下の防火ダンパーの支持は、2点吊りとする。

(2) スパイラルダクトの差込み接合では、継手をビスで固定しダクト用テープで1重巻きを行う。

(3) 厨房の排気フードの吊りは、4隅のほか1,500mm以下の間隔で行う。

(4) 浴室の排気ダクトは、排気ガラリに向けて下がり勾配とするか、水抜きを設ける。

解説 スパイラルダクトの差込み接合では、継手をダクト用テープで**二重巻き**する。　**正解(2)**

(1) **正** 防火ダンパーの支持方法は、火災による脱落を防止するため、原則として、4点吊り（4本の吊りボルトで固定する方法）としなければならない。ただし、小型の（一般には長辺が300mm以下の）防火ダンパーの支持方法は、2点吊りとしてもよい。

(2) **誤** 小口径のスパイラルダクトの接合方法は、差込み接合とすることが一般的である。
　①差込み継手外面の接合部には、シール材を塗布して差し込み、鋼製ビスで固定する。
　②差込み継手の外周には、差込み長さ以上の長さを、ダクト用テープで**二重巻き**する。
　よって、(2)は**不適当**。

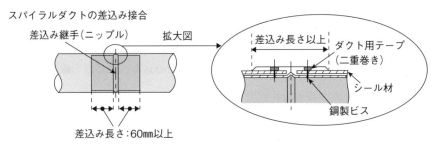

スパイラルダクトの差込み接合

差込み継手（ニップル）　　拡大図
差込み長さ以上
ダクト用テープ（二重巻き）
シール材
鋼製ビス
差込み長さ：60mm以上

(3) **正** 排気フードは、その四隅に吊り支持をしなければならない。その中間部においても、1500mm以下の間隔で吊り支持をしなければならない。

(4) **正** 浴室の排気ダクトは、浴室内の湿気によって付着する水滴をダクト内から排除するため、排気ガラリに向かって下がり勾配とするか、水抜きを設ける必要がある。

※この問題の各記述は、令和6年度の第二次検定に出題される可能性が比較的高いと考えられます。

| 問題35 | 工事管理 | 各種のダクトの施工 | R5前期 |

ダクト及びダクト附属品の施工に関する記述のうち、適当でないものはどれか。

(1) 変風量（VAV）ユニットを天井内に設ける場合は、制御部を点検できるようにする。

(2) フレキシブルダクトを使用する場合は、有効断面を損なわないよう施工する必要がある。

(3) 厨房の排気は、油等が含まれるため、ダクトの継目及び継手にシールを施す。

(4) コーナーボルト工法は、フランジ押え金具で接合するので、ボルト・ナットを必要としない。

解説 コーナーボルト工法は、フランジ押え金具・**ボルト・ナットを必要とする**。　**正解(4)**

(1) 正 天井内に変風量(VAV/Variable Air Volume)ユニットを設けたときは、その制御部を容易に点検できるよう、その制御部の近くに点検口を設ける。

(2) 正 フレキシブルダクトは、吹出口とダクトとの接続部において、気密を保って取り付ける。気密を保つための施工では、ダクト内の有効断面積が狭くならないよう注意する。

(3) 正 厨房の排気ダクトには、油や結露水などが滞留するおそれがあるため、ダクトの継目や継手に、耐熱性の材料でシールを施す。また、ダクト内の油汚れなどの点検が定期的にできるよう、点検口を設ける。

(4) 誤 コーナーボルト工法(共板フランジ工法およびスライドオンフランジ工法)は、ダクトの四隅をボルトとナットで締め付け、フランジ押え金具を用いて接合する工法である。したがって、コーナーボルト工法は、フランジ押え金具・ボルト・ナットのすべてを必要とする工法である。よって、(4)は不適当。

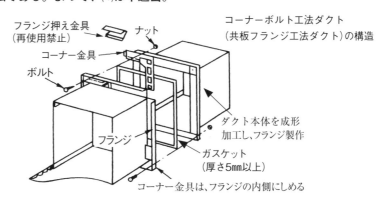

フランジ押え金具
(再使用禁止) ナット
コーナー金具
ボルト
コーナーボルト工法ダクト
(共板フランジ工法ダクト)の構造
フランジ
ダクト本体を成形
加工し、フランジ製作
ガスケット
(厚さ5mm以上)
コーナー金具は、フランジの内側にしめる

※この問題の(3)は、令和5年度の第二次検定に出題された【問題1】〔設問1〕(4)の出典と考えられます。

問題35	工事管理	ダクトの施工	R4後期

ダクト及びダクト附属品の施工に関する記述のうち、**適当でないもの**はどれか。

(1) 給排気ガラリの面風速は、騒音の発生等を考慮して決定する。

(2) ダクトの断面を変形させるときの縮小部の傾斜角度は、30度以下とする。

(3) 送風機の接続ダクトに風量測定口を設ける場合は、送風機の吐出し口の直後に取り付ける。

(4) 浴室等の多湿箇所の排気ダクトは、一般的に、その継目及び継手にシールを施す。

解説 送風機の風量測定口は、送風機の吐出し口から**離れた**直管部に取り付ける。　**正解(3)**

(1) 正 建物の外壁に設ける給排気ガラリ(通風口)の面風速は、次の事項を考慮して決定する。
　　①給排気ガラリの面風速は、騒音の発生を抑制できる程度には小さくする。
　　②給排気ガラリの面風速は、雨水の浸入を防止できる程度には大きくする。

(2) 正 ダクトの断面を変形させる場合は、急激な拡大や縮小を避けなければならない。
　　①ダクトの拡大部の傾斜角度は、15度以内とすることが望ましい。
　　②ダクトの縮小部の傾斜角度は、30度以内とすることが望ましい。
　　ダクトの傾斜角度がこれよりも大きい部分では、渦流が生じて空気が流れにくくなる。

新規出題分野

(3) 誤 送風機の接続ダクトに設ける風量測定口は、送風機の吐出し口から離れた位置に取り付けなければならない。ダクトの風量測定口は、送風機の吐出し口の直後から、ダクト径の5.5倍以上離れた直管部に取り付けることが望ましいとされている。

送風機の吐出し口の直後に風量測定口を取り付けると、吐出し口付近の乱流による風量の乱れを受けて、正確な風量が測定できなくなる。よって、(3)は不適当。

(4) 正 浴室などの湿度の高い場所に施工する排気ダクトには、ダクトの内部に湿気が侵入しないよう、継手および継目(はぜ)の外側からシールを施す。

(2)ダクトの傾斜角度

ダクトの拡大部の傾斜角度(15度以内)　　ダクトの縮小部の傾斜角度(30度以内)

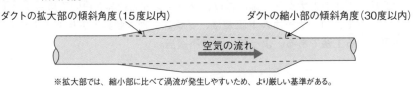

空気の流れ

※拡大部では、縮小部に比べて渦流が発生しやすいため、より厳しい基準がある。

(3)ダクトの風量測定口

ダクト長辺幅(W)　　風量測定位置(1個～3個の風量測定口)

送風機の吐出し口に接続する直線ダクト

空気の流れ
送風機の吐出し口

室内の吹出し口

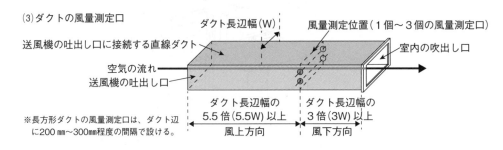

ダクト長辺幅の
5.5倍(5.5W)以上　　ダクト長辺幅の
3倍(3W)以上

風上方向　　風下方向

※長方形ダクトの風量測定口は、ダクト辺に200mm～300mm程度の間隔で設ける。

※この問題の(1)は、令和5年度の第二次検定に出題された【問題1】〔設問1〕(1)の出典と考えられます。

問題35	工事管理	ダクトの施工	R4前期

ダクト及びダクト附属品の施工に関する記述のうち、**適当でないもの**はどれか。

(1) 低圧ダクトに用いるコーナーボルト工法ダクトの板厚は、アングルフランジ工法ダクトの板厚と同じとしてよい。

(2) 防火区画を貫通するダクトと当該防火区画の壁又は床との隙間には、グラスウール保温材を充てんする。

(3) 送風機吸込口がダクトの直角曲り部近くにあるときは、直角曲がり部にガイドベーンを設ける。

(4) アングルフランジ工法ダクトの横走り主ダクトでは、ダクトの末端部にも振れ止め支持を行う。

解説 防火区画を貫通するダクトの周囲には、**ロックウール保温材**を充填する。

正解(2)

(1) 正　低圧ダクトに用いるコーナーボルト工法ダクトの板厚は、アングルフランジ工法ダクトの板厚と同じ板厚にしなければならない。低圧ダクトの板厚は、そのダクトの長辺の長さに応じて、その工法に関係なく、下表のように定められている。

低圧ダクトの長辺の長さ	低圧ダクトの板厚
450mm以下	0.5mm
450mmを超え 750mm以下	0.6mm
750mmを超え 1500mm以下	0.8mm
1500mmを超え 2200mm以下	1.0mm
2200mmを超える	1.2mm

(2) 誤　防火区画を貫通するダクトと、その防火区画の壁または床との隙間には、ロックウール保温材やモルタルなどの不燃材料を充填しなければならない。
　①ロックウール保温材は、耐熱温度が 600℃程度であるため、防火性能を確保できる。
　②グラスウール保温材は、耐熱温度が 350℃程度であるため、防火性能を確保できない。
よって、(2)は不適当。

(3) 正　送風機の吸込口が、ダクトを直角に曲げている部分の近くにあるときは、ダクト内における風の流れを円滑にするため、その部分にガイドベーン（案内羽根）を設ける。

(4) 正　横走りする主ダクトには、振れを防止する（地震に耐えられるようにする）ため、形鋼による振れ止め支持を 12m以下の間隔で行わなければならない。そのダクトがアングルフランジ工法で造られている場合は、ダクトの末端部にも振れ止め支持を行う。

※この問題の(1)は、令和4年度の第二次検定に出題された【問題1】〔設問1〕(4)の出典と考えられます。
※この問題の(4)は、令和4年度の第二次検定に出題された【問題1】〔設問1〕(5)の出典と考えられます。

問題35	工事管理	ダクトの施工	R3後期

ダクト及びダクト附属品の施工に関する記述のうち、**適当でないもの**はどれか。

(1) 送風機とダクトを接続するたわみ継手の両端のフランジ間隔は、150 mm以上とする。
(2) 共板フランジ工法ダクトとアングルフランジ工法ダクトでは、横走りダクトの許容最大吊り間隔は同じである。
(3) 風量調整ダンパーは、原則として、気流の整流されたところに取り付ける。
(4) 長方形ダクトのかどの継目（はぜ）は、ダクトの強度を保つため、原則として、2箇所以上とする。

解説　共板フランジ工法とアングルフランジ工法では、許容最大吊り間隔が**異なる**。　　正解 (2)

(1) 正　送風機を設置するときは、送風機の振動がダクトに直接伝わらないよう、送風機とダクトとの間に、たわみ継手を設けなければならない。このたわみ継手の両端部におけるフランジ間隔は、150mm以上とすることが定められている。

新規出題分野

(2) 誤 共板フランジ工法ダクトは、アングルフランジ工法ダクトよりも強度が低いので、横走りダクトの吊り支持間隔を短くする(異なる値とする)必要がある。

①アングルフランジ工法ダクトの許容最大吊り間隔は、3640mm以下である。

②共板フランジ工法ダクトの許容最大吊り間隔は、2000mm以下である。

③コーナーボルト工法ダクトの許容最大吊り間隔は、2000mm以下である。

よって、(2)は不適当。

(3) 正 風量調整ダンパーは、原則として、気流が整流されたところ(風量が安定している箇所)に取り付けなければならない。一般に、ダクト幅の8倍以上の直線部を通過した気流は、整流されていると考えてよい。

(4) 正 長方形ダクトの角の継目(はぜ)は、ダクト強度を保持するため、原則として、2箇所以上としなければならない。

※この問題の(3)は、令和3年度の第二次検定に出題された【問題1】〔設問1〕(4)の出典と考えられます。

| 問題38 | 工事管理 | ダクト、ダクト付属品 | R元後期 |

ダクト及びダクト付属品の施工に関する記述のうち、**適当でないもの**はどれか。

(1) 建物の外壁に設置する給排気ガラリの面風速は、騒音の発生や雨水の浸入を考慮して決定する。

(2) 送風機のダクト接続に使用するたわみ継手は、送風機の振動をダクトに伝えないために用いる。

(3) ダクト内を流れる風量が同一の場合、ダクトの断面寸法を小さくすると、必要となる送風動力は小さくなる。

(4) ダクトに設けるリブ補強は、ダクトの変形や、騒音及び振動の発生を防止するために設ける。

解説 ダクトの断面寸法を小さくすると、必要となる送風動力は**大きくなる**。 | 正解(3)

(1) 正 建物の外壁に設置する給排気ガラリ(通風口)の面風速は、騒音の発生を抑制できる程度には小さくしなければならず、雨水の浸入を防止できる程度としなければならない。

(2) 正 送風機とダクトを接続するときは、送風機の振動をダクトに伝えないようにする(送風機の振動によるダクトの変形を防止する)ため、たわみ継手を使用する。

(3) 誤 ダクト内を流れる風量が同一である場合、ダクトの断面寸法を小さくすると、ダクト内面の抵抗(圧力損失)が大きくなるため、必要となる送風動力は**大きくなる**。よって、(3)は不適当。

抵抗(圧力損失):10
風速10m/s×断面寸法0.04m²=風量0.4m³/s

※ダクト内面の 抵抗(圧力損失) は、風速の二乗に比例して大きくなる。

抵抗(圧力損失):160
風速40m/s×断面寸法0.01m²=風量0.4m³/s

20cm / 20cm
10cm / 10cm

ダクト内面の抵抗(圧力損失)

(4) 正 ダクトには、変形・騒音・振動などを防止するため、リブ補強を行う。ただし、保温が施されたダクトでは、変形・騒音・振動のおそれが少ないため、リブ補強を行わなくてもよい。

※この問題の各記述は、令和6年度の第二次検定に出題される可能性が比較的高いと考えられます。
※この問題は、施工管理法（基礎的な能力）の問題であるため、解答方式が四肢二択になっています。

問題52	工事管理	防火ダンパーとアスペクト比	R5後期

ダクト及びダクト附属品の施工に関する記述のうち、**適当でないもの**はどれか。
適当でないものは二つあるので、二つとも答えなさい。

(1) 隠ぺい部に防火ダンパーを設置する場合には、450 mm × 450 mm 以上の点検口を設ける。
(2) 防火ダンパーの温度ヒューズの作動温度は、一般排気及び厨房排気ともに72℃とする。
(3) ダクトのアスペクト比（長辺と短辺の比）は、原則として4以下とする。
(4) 長方形ダクトは、断面積が同じ場合、アスペクト比を変えても圧力損失は変わらない。

解説 温度ヒューズの作動温度は、一般排気では72℃、厨房排気では120℃とする。
長方形ダクトは、アスペクト比が1に近いほど、圧力損失が少なくなる。 **正解** (2) (4)

(1) 正 天井内などの隠蔽された部分に防火ダンパーを設置するときは、天井・壁などに、保守点検が容易に行える点検口を設けなければならない。その点検口の一辺の長さは、450㎜以上としなければならない。

(2) 誤 ダクトに設ける防火ダンパーの温度ヒューズの作動温度は、次のように定められている。
①火災による煙が通過する排煙ダクトでは、温度ヒューズの作動温度を280℃とする。
②火気を使用する厨房排気ダクトでは、温度ヒューズの作動温度を120℃とする。
③空調機などの一般排気ダクトでは、温度ヒューズの作動温度を72℃とする。
厨房排気ダクトの防火ダンパーの作動温度を72℃に設定してしまうと、厨房で火気を使用したときに、温度ヒューズが誤作動することがある。よって、(2)は不適当。

ダクトに設ける防火ダンパーの動作機構

平常時の防火ダンパー

防火ダンパー　温度ヒューズ
ストッパー

ストッパーが防火ダンパーの回転を妨げている。

火災発生時の防火ダンパー

←火災による熱い煙

温度ヒューズが融けると、ストッパーが外れ落ちて防火ダンパーが回転し、ダクトが閉鎖される。

※防火ダンパーは、その温度が一定以上になった（火災を検知した）場合に、温度ヒューズが作動する（溶融する）ことにより、ダクトを自動的に閉鎖する（ダクトを通して火災が広がることを防ぐ）機能を有している。

(3) 正 長方形ダクトのアスペクト比（長辺と短辺の長さの比）は、原則として、4以下としなければならない。長方形ダクトは、アスペクト比が1に近いほど、強度が高くなる。

(4) 誤 長方形ダクトは、断面積が同じであっても、アスペクト比が1に近い（ダクトの形状が正方形に近い）ほど、ダクト内面の抵抗が小さくなるので、圧力損失が少なくなる。よって、(4)は不適当。

新規出題分野

※この問題の各記述は、令和6年度の第二次検定に出題される可能性が比較的高いと考えられます。
※この問題は、施工管理法（基礎的な能力）の問題であるため、解答方式が四肢二択になっています。

問題52	工事管理	各種のダクトの施工	R5前期

ダクト及びダクト附属品の施工に関する記述のうち、**適当でないもの**はどれか。
適当でないものは二つあるので、二つとも答えなさい。

(1) フレキシブルダクトは、吸込口ボックスの接続用に使用してはならない。

(2) 変風量（VAV）ユニットの上流側が整流でなくても、風量制御特性に影響を及ぼすことはない。

(3) 浴室の排気に長方形ダクトを使用する場合は、ダクトの角の継目が下面とならないように取り付ける。

(4) 送風機に接続するたわみ継手のフランジ間隔は、たわみ量を考慮し決定する。

解説 フレキシブルダクトは、吸込口ボックスの接続用に**使用することができる。**
変風量ユニットの上流側が整流でないと、風量制御特性に**悪影響を及ぼす。**

正解	(1)
	(2)

(1) **誤** 空気調和設備の吸込口ボックス・吹出口ボックスとダクトとの接続用には、ダクトの振動を防止するため、フレキシブルダクト（蛇腹状の構造により曲げて施工できるダクト）を使用することが一般的である。よって、(1)は不適当。

(2) **誤** 変風量（VAV/Variable Air Volume）ユニットは、その上流側が整流でない（風量が安定していない）場合は、その風量制御特性に悪影響が及ぼされる（風量を正確に測定できなくなり風量の調節が不完全になる）ことになる。よって、(2)は不適当。
　　　ダクト内の風量を測定するための変風量ユニットは、原則として、気流が整流されたところ（風量が安定している箇所）に取り付けなければならない。

(3) **正** 浴室の排気に使用する長方形ダクトは、その内面に水滴が付着しやすいので、ダクトの継目からの漏水を防止するため、ダクトの角の継目が下面とならないように（ダクトの角の継目がダクトの上面だけに設けられるように）取り付けなければならない。

(4) **正** 送風機とダクトとの接続点には、送風機の振動がダクトに直接伝わらないよう、たわみ継手を設けなければならない。このたわみ継手の両端部におけるフランジ間隔は、たわみ量を考慮して、150mm以上とすることが定められている。

(1)フレキシブルダクト　　(3)ダクトの角の継目位置（強度の違いと浴室への適用の可否）
の構造

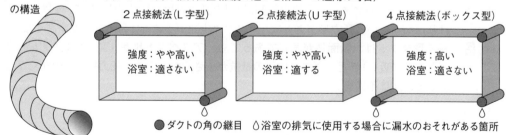

2点接続法（L字型）
強度：やや高い
浴室：適さない

2点接続法（U字型）
強度：やや高い
浴室：適する

4点接続法（ボックス型）
強度：高い
浴室：適さない

● ダクトの角の継目　　△浴室の排気に使用する場合に漏水のおそれがある箇所
※ダクトの角の継目は、強度を保持するため、原則として、2箇所以上とする。

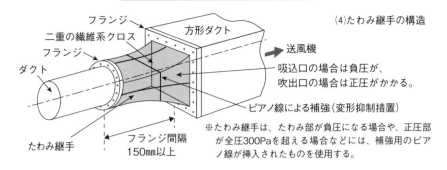

(4)たわみ継手の構造

フランジ
二重の繊維系クロス
フランジ
ダクト
方形ダクト
→ 送風機
吸込口の場合は負圧が、
吹出口の場合は正圧がかかる。
ピアノ線による補強(変形抑制措置)
たわみ継手
フランジ間隔
150mm以上

※たわみ継手は、たわみ部が負圧になる場合や、正圧部が全圧300Paを超える場合などには、補強用のピアノ線が挿入されたものを使用する。

※この問題は、施工管理法(基礎的な能力)の問題であるため、解答方式が四肢二択になっています。

問題52	工事管理	ダクトの構造	R4後期

ダクト及びダクト附属品に関する記述のうち、**適当でないもの**はどれか。
適当でないものは二つあるので、二つとも答えなさい。

(1) ダクトを拡大する場合は、15度以下の拡大角度とする。
(2) 風量測定口の数は、一般的に、ダクトの長辺が700㎜の場合は、1個とする。
(3) 防火区画と防火ダンパーとの間のダクトは、厚さ1.2㎜以上の鋼板製とする。
(4) 外壁に取り付けるガラリには、衛生上有害なものの侵入を防ぐため、金網等を設ける。

解説 ダクトの長辺が300㎜～700㎜の場合は、風量測定口の数を2個とする。
防火区画と防火ダンパーとの間のダクトは、厚さ1.5㎜以上の鋼板製とする。

正解 (2) (3)

(1) **正** ダクトの断面を変形させる場合は、急激な拡大や縮小を避けなければならない。
①ダクトを拡大する場合、その拡大角度は15度以下とすることが望ましい。
②ダクトの縮小する場合、その縮小角度は30度以下とすることが望ましい。
ダクトの拡大角度や縮小角度がこれよりも大きくなると、拡大部・縮小部で渦流が発生し、空気が流れにくくなる。

(2) **誤** ダクトに設ける風量測定口の数(取付け個数)は、次のように定められている。
①ダクトの長辺が300㎜以下の場合は、1個とする。
②ダクトの長辺が300㎜を超えるが700㎜以下の場合は、2個とする。
③ダクトの長辺が700㎜を超える場合は、3個とする。
したがって、ダクトの長辺が700㎜の場合は、風量測定口の数を2個とするのが一般的である。よって、(2)は不適当。

(3) **誤** 防火区画と防火ダンパーとの間にあるダクトは、厚さ1.5㎜以上の鋼板製としなければならない。このようなダクトは、市販品である厚さ1.6㎜の鋼板を用いた単管で被覆することが一般的である。よって、(3)は不適当。

(4) **正** 建物の外壁に取り付ける給排気ガラリには、衛生上有害なもの(害虫など)の侵入を防止するため、金網(防虫網)などを設ける。

※この問題は、施工管理法（基礎的な能力）の問題であるため、解答方式が四肢二択になっています。

問題52	工事管理	ダクトの施工	R4前期

ダクト及びダクト附属品の施工に関する記述のうち、**適当でないもの**はどれか。
適当でないものは二つあるので、二つとも答えなさい。

(1) フレキシブルダクトは、振動伝播防止のために、送風機とダクトの接続に使用する。
(2) 亜鉛鉄板製のスパイラルダクトは、一般的に、補強は不要である。
(3) 消音エルボや消音チャンバーの消音内貼材には、ポリスチレンフォーム保温材を使用する。
(4) 共板フランジ工法ダクトのフランジの板厚は、ダクトの板厚と同じとする。

解説 送風機とダクトの接続には、振動伝播防止のために、**たわみ継手**を使用する。
消音エルボや消音チャンバーの消音内貼材は、**グラスウール保温材**とする。

正解 (1) (3)

(1) **誤** 送風機とダクトの接続は、送風機の振動がダクトに伝播することを防止するため、たわみ継手(キャンバス継手)を使用して行わなければならない。フレキシブルダクト(蛇腹状の構造により曲げて施工できるダクト)は、吹出口ボックスや吸込口ボックスの接続に使用することはできるが、振動伝播防止の機能は有していないので、送風機とダクトとの接続に使用することはできない。よって、(1)は不適当。

(2) **正** 亜鉛鉄板を螺旋状に施工したスパイラルダクトは、強度が大きいので、長方形ダクトとは異なり、形鋼による補強は不要であることが多い。

(3) **誤** 消音エルボや消音チャンバーの消音内貼材には、低周波音の吸音性能に優れたグラスウール保温材またはロックウール保温材を使用しなければならない。ポリスチレンフォーム保温材は、低周波音の吸音性能に劣るので、使用してはならない。よって、(3)は不適当。

(4) **正** 共板フランジ工法ダクトのフランジは、ダクト本体を成型加工した(ダクトの端部を折り曲げて成形した)ものである。このフランジとダクト本体は、同じ材料で造られている(強度を同じにする必要がある)ため、その板厚は同じとしなければならない。

※この問題の(3)は、令和3年度の第二次検定に出題された【問題1】〔設問1〕(5)の出典と考えられます。

問題39	工事管理	ダクトの施工	R2後期

ダクト及びダクト付属品の施工に関する記述のうち、**適当でないもの**はどれか。

(1) 亜鉛鉄板製長方形ダクトの剛性は、継目(はぜ)の箇所数が少ないほど高くなる。
(2) 長方形ダクトのエルボの内側半径は、ダクト幅の1/2以上とする。
(3) 遠心送風機の吐出し口の近くにダクトの曲がりを設ける場合、曲がり方向は送風機の回転方向と同じ方向とする。
(4) 吹出口の配置は、吹き出し空気の拡散半径や到達距離を考慮して決定する。

解説 長方形ダクトの剛性は、継目(はぜ)の箇所数が**多い**ほど、高くなる。

正解(1)

(1) **誤** 亜鉛鉄板製長方形ダクトの剛性は、継目(はぜ)の箇所数が**多い**ほど高くなる。
ダクトの角の継目は、強度を保持するため、原則として、2箇所以上とする。
よって、(1)は不適当。

(2) 正 長方形ダクトのエルボ(屈曲部)の内側半径は、ダクト幅の2分の1以上とする。

(3) 正 遠心送風機の吐出し口の近くに、ダクトの曲がりを設ける場合は、風の流れが円滑になるよう、その曲がりの方向(風の流れの方向)を、送風機の回転方向と一致させる。

(4) 正 ダクトの吹出口は、吹き出し空気の拡散半径や到達距離を考慮し、目標となる地点まで吹き出し空気を届けられる位置に設ける。

問題36	工事管理	保温、塗装	R5後期

保温及び塗装に関する記述のうち、**適当でないもの**はどれか。

(1) 保温の厚さは、保温材のみの厚さとし、補助材及び外装材の厚さは含まない。
(2) 塗装場所の相対湿度が85％以上の場合、原則として塗装を行わない。
(3) 冷水配管を直接吊りバンドで支持する場合は、合成樹脂製支持受けを使用する。
(4) 給水ポンプ回りの防振継手は、原則として保温を行う。

解説 給水ポンプ回りの防振継手には、原則として、保温は**行わない**。　　正解(4)

(1) 正 保温の厚さは、保温材主体の厚さとすることが定められている。外装および補助材の厚さは、保温の厚さには含まないものとする。

(2) 正 次のいずれかに当てはまる塗装場所では、塗料が乾燥しにくくなる(塗料の硬化に時間がかかるために所定の品質を得られなくなる)ので、原則として、塗装は行わない。
①塗装場所の気温が5℃以下である。
②塗装場所の相対湿度が85％以上である。
③塗装場所の換気が不十分で結露が生じやすい。

(3) 正 冷水配管や温水配管を吊りバンドで直接支持する場合には、断熱性の高い合成樹脂製支持受けを使用する。冷水配管や温水配管を吊りバンドで直接支持する(配管と鋼材を直接接触させる)と、配管内の熱の影響により、吊りバンドに結露が生じるため、鋼材に錆や汚れが生じやすくなる。

(4) 誤 ポンプ類の周囲にある防振継手やフレキシブルジョイントには、原則として、保温は**行わない**。このような場所に保温を行うと、振動によって保温材が剥離するおそれが生じる。よって、(4)は**不適当**。

問題36	工事管理	保温材料の選定、塗装材料の選定	R5前期

保温及び塗装に関する記述のうち、**適当でないもの**はどれか。

(1) 露出配管の上塗り塗料は、一般的に、合成樹脂調合ペイント等を使用する。
(2) シートタイプの合成樹脂製カバーの固定は、専用のピンを使用する。
(3) 配管用炭素鋼鋼管(白)は、下塗り塗料として変性エポキシ樹脂プライマーを使用する。
(4) グラスウール保温材は、ポリスチレンフォーム保温材に比べて、防湿性が優れている。

解説 グラスウールは、ポリスチレンフォームに比べて、防湿性が**劣**っている。　　正解(4)

(1) 正 露出配管の上塗り塗料には、比較的安価で施工しやすい合成樹脂調合ペイントを使用することが一般的である。

(2) 正 保温に使用する合成樹脂製カバー(シートタイプ)は、重ね幅を25mm以上とし、直管方向の合わせ目を両面テープで貼り合わせた後、150mm以下の間隔で、専用のピンを使用して押さえる。

(3) 正 配管用炭素鋼鋼管(白)は、その表面に比較的薄い亜鉛めっきが施された鋼管である。亜鉛めっき面の下塗り塗料には、変性エポキシ樹脂プライマーを使用する必要がある。

(4) 誤 グラスウール保温材は、防湿性が劣っている(吸水性や透湿性が大きいために水濡れすると断熱性能が低下しやすい)ため、水に濡れやすい場所では使用できない。
ポリスチレンフォーム保温材は、防湿性が優れている(吸水性や透湿性が小さいために水濡れしても断熱性能が低下しにくい)ため、水に濡れやすい場所でも使用できる。
よって、(4)は不適当。

参考 各種の保温材の特徴(主として過去の試験に出題されたもの)

保温材	最高使用温度	吸水・吸湿・透湿	用途・その他
ロックウール	高い(耐火性に優れる)	比較的大きい(欠点) (防湿性に劣る)	密度で区分される。
グラスウール	中程度		
ポリスチレンフォーム	低い	比較的小さい(利点) (防湿性に優れる)	保冷・防露に使用できる。 蒸気管には使用できない。
ポリエチレンフォーム	低い		

問題36	工事管理	塗装の材料、塗装の条件	R4後期

塗装に関する記述のうち、**適当でないもの**はどれか。

(1) 塗料の調合は、原則として、工事現場で行う。
(2) 塗装の工程間隔時間は、材料の種類、気象条件等に応じて定める。
(3) 塗装場所の気温が5℃以下の場合、原則として、塗装は行わない。
(4) 下塗り塗料としては、一般的に、さび止めペイントが使用される。

解説 塗料の調合は、原則として、工事現場ではなく製造所で行う。 | 正解(1)

(1) 誤 管工事で使用する塗料は、原則として、その塗料の製造所で調合しなければならない。工事現場では、塗料を正確に調合することは困難である。よって、(1)は不適当。

(2) 正 塗装の工程間隔時間は、材料の種類・気象条件などに応じて定める。
①乾燥しにくい材料は、乾燥しやすい材料に比べて、工程間隔時間を長くとる。
②気温が低い冬季は、気温が高い夏季に比べて、工程間隔時間を長くとる。
※工程間隔時間は、下塗り・中塗り・上塗りの各工程において、塗料を塗ってから次の工程を始めるまでの時間(一般的には塗料の乾燥にかかる時間)を示すものである。

(3) 正 次のいずれかに当てはまる塗装場所では、塗料が乾燥しにくくなる(塗料の硬化に時間がかかるために所定の品質を得られなくなる)ので、原則として、塗装は行わない。

①塗装場所の気温が5℃以下である。

②塗装場所の相対湿度が85%以上である。

③塗装場所の換気が不十分で結露が生じやすい。

(4) 正 管工事では、下塗り塗料として、錆止めペイントを使用することが一般的である。

※露出配管や隠蔽配管の下塗り塗料には、錆止めペイントを使用する必要がある。

問題36	工事管理	保温、保冷、塗装	R4前期

保温、保冷、塗装等に関する記述のうち、**適当でないもの**はどれか。

(1) 冷温水配管の吊りバンドの支持部には、合成樹脂製の支持受けを使用する。

(2) 天井内に隠ぺいされる冷温水配管の保温は、水圧試験後に行う。

(3) アルミニウムペイントは、蒸気管や放熱器の塗装には使用しない。

(4) 塗装場所の相対湿度が85%以上の場合、原則として、塗装を行わない。

解説 アルミニウムペイントは、蒸気管や放熱器の塗装に**使用**することができる。 | 正解(3)

(1) 正 冷温水配管の吊りバンドの支持部には、冷温水配管と鋼材(鋼製の吊りバンド)との直接接触を避けるため、合成樹脂製の支持受けを取り付ける。

(2) 正 冷温水配管の保温は、その施工場所などに関係なく、水圧試験により漏水などがないことを確認した後に行わなければならない。保温材で覆われた冷温水配管は、水圧試験による漏水の有無の確認や、漏水箇所の修繕が困難になる。

(3) 誤 アルミニウムペイントは、耐水性・耐候性・耐食性に優れており、高熱を受けても剥がれ落ちにくいため、蒸気管・放熱器・オイルタンクなどの高温になる配管や機器の塗装に使用することができる。よって、(3)は不適当。

(4) 正 塗装場所の相対湿度が85%以上である場合は、塗料が乾燥しにくくなる(塗料の硬化に時間がかかるために所定の品質を得られなくなる)ので、原則として、塗装は行わない。

問題37	工事管理	渦巻ポンプの試運転調整	R5後期

渦巻ポンプの試運転調整に関する記述のうち、**適当でないもの**はどれか。

(1) ポンプを手で回して回転むらがないか確認する。

(2) 瞬時運転を行い、ポンプの回転方向を確認する。

(3) メカニカルシール部からの水滴の滴下が一定量継続してあることを確認する。

(4) 軸受温度が周囲空気温度より過度に高くなっていないことを確認する。

解説 メカニカルシール部からの水滴の滴下が**ほとんどない**ことを確認する。 | 正解(3)

(1) 正 渦巻ポンプの試運転調整では、ポンプを軽く手で回してみて、回転むらがない(回転速度がほぼ一定であり引っ掛かりがない)ことを確認する。

(2) 正 渦巻ポンプの試運転調整では、瞬時運転を行い、ポンプの回転方向が正しいことを確認すると共に、異常音や異常振動が生じないことを確認する。

(3) 誤 渦巻ポンプは、メカニカルシール方式とグランドパッキン方式に分類されている。

　①メカニカルシール方式の軸封部を有する渦巻ポンプの試運転では、メカニカルシール部からの水滴の滴下がほとんどないことを確認する。

　②グランドパッキン方式の軸封部を有する渦巻ポンプの試運転では、グランドパッキン部からの水滴の滴下が一定量継続してあることを確認する。

　よって、(3)は不適当。

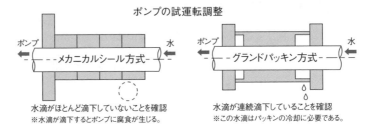

(4) 正 渦巻ポンプの試運転調整では、軸受けの温度を測定し、周囲の空気温度よりも 40℃ 以上高くなっていないことを確認する。軸受けの温度が高くなりすぎると、軸受けが破損してポンプが損傷するおそれが生じる。

問題 37	工事管理	多翼送風機の個別試運転調整	R5前期

多翼送風機の個別試運転調整に関する記述のうち、適当でないものはどれか。

(1) 軸受け部の温度と周囲の空気との温度差が、基準値以内であることを確認する。
(2) インバータ制御の場合は、回転数を徐々に上げながら規定風量となるように調整する。
(3) V ベルトがたわみなく強く張られた状態であることを確認する。
(4) 送風機を手で回し、異常のないことを確認する。

解説 多翼送風機の試運転では、V ベルトが適度にたわんでいることを確認する。 正解(3)

(1) 正 多翼送風機の試運転調整では、軸受け部の温度を測定し、周囲の空気温度との差が 40℃ 未満であることを確認する。軸受け部の温度が高くなりすぎると、軸受け部が破損して送風機が損傷するおそれが生じる。

(2) 正 インバータ制御の多翼送風機の試運転調整では、回転数を徐々に上げながら、規定風量となるように調整する。この調整では、大風量による送風機の破損を避けるため、最初から回転数を最大にして、回転数を徐々に下げるようなことをしてはならない。

(3) 誤 多翼送風機の試運転調整では、Vベルトが適度にたわんでいる(Vベルトの張りが強すぎない)ことを確認する。Vベルトがたわみなく強く張られていると、Vベルトと軸受け部との摩擦により、軸受け部が過熱状態になりやすくなる。よって、(3)は不適当。

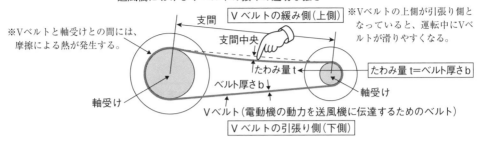

送風機におけるVベルトの張りの適切な強さ

※Vベルトと軸受けとの間には、摩擦による熱が発生する。

Vベルトの緩み側(上側)

※Vベルトの上側が引張り側となっていると、運転中にVベルトが滑りやすくなる。

支間　支間中央

たわみ量t　たわみ量t=ベルト厚さb

ベルト厚さb　軸受け

軸受け

Vベルト(電動機の動力を送風機に伝達するためのベルト)

Vベルトの引張り側(下側)

(4) 正 多翼送風機の試運転調整では、送風機を軽く手で回してみて、異常がない(接触や異常音がなく円滑に回転する)ことを確認する。

問題37	工事管理	異種管の接合方法	R4後期

異種管の接合に関する記述のうち、**適当でないもの**はどれか。

(1) 金属異種管の接合でイオン化傾向が大きく異なるものは、絶縁継手を介して接合する。
(2) 配管用炭素鋼鋼管と銅管の接合は、絶縁フランジ接合とする。
(3) 配管用炭素鋼鋼管とステンレス鋼管の接合は、防振継手を介して接合する。
(4) 配管用炭素鋼鋼管と硬質塩化ビニル管の接合は、ユニオン又はソケットを用いて接合する。

解説 配管用炭素鋼鋼管とステンレス鋼管は、**絶縁継手**を介して接合する。　正解(3)

(1) 正 異種金属管の接合において、イオン化傾向(電子の放出しやすさ)が大きく異なる金属管同士は、両管が直接接触しないよう、絶縁継手を介して接合しなければならない。イオン化傾向が大きく異なる金属管同士(例としては鋼管と銅管)が直接接触すると、イオン化傾向が大きい側の金属管(この例の場合は鋼管)に、腐食(錆)が生じてしまう。

異種管の組合せ	絶縁継手が必要であるか
鋼管と鋼管	必要
鋼管とステンレス鋼管	必要
銅管とステンレス鋼管	不要
鋼管と鋳鉄管	不要
鋼管とビニル管	不要

(2) 正 配管用炭素鋼鋼管と銅管との接合方法は、絶縁フランジ接合(絶縁性を有する詰め物が挟まれた継手を使用する接合方法)とすることが一般的である。

(3) 誤 配管用炭素鋼鋼管とステンレス鋼管は、両管が直接接触しないよう、絶縁継手を介して接合しなければならない。防振継手は、絶縁継手とは異なり、絶縁処理(両管が直接接触しないようにする処理)が施されていないので、配管用炭素鋼鋼管とステンレス鋼管との接合に使用してはならない。よって、(3)は不適当。

(4) 正 配管用炭素鋼鋼管と硬質塩化ビニル管との接合方法は、ユニオン接合(詰め物とねじ を使用する接合方法)またはソケット接合(ゴム輪に管を差し込む接合方法)とすることが一般的である。

問題37	工事管理	多翼送風機の試運転調整の手順	R4前期

吐出しダンパーにより風量を調整する多翼送風機の試運転調整における一般的な実施順序として**適当なもの**はどれか。

A：手元スイッチで瞬時運転し、回転方向を確認する。
B：吐出しダンパーを全開にする。
C：吐出しダンパーを全閉にする。
D：送風機を運転する。
E：軸受温度を点検する。
F：吐出しダンパーを徐々に開いて規定風量に調節する。
G：吐出しダンパーを徐々に閉じて規定風量に調節する。

(1)　A　→　B　→　D　→　G　→　E

(2)　A　→　B　→　D　→　E　→　G

(3)　B　→　A　→　D　→　G　→　E

(4)　C　→　A　→　D　→　F　→　E

解説 送風機の吐出しダンパーは、**全閉**にして運転を開始し、**徐々に**開いてゆく。 | 正解(4)

(4) 正 吐出しダンパー(吐出し側の風量調整ダンパー)により風量を調整する多翼送風機の試運転調整は、次のような手順で進めてゆくことが一般的である。

①軸受けに注油し、据付けの状態を点検する。
②Vベルトを点検する。(中央部を指で押してVベルトの厚さ程度にたわむなら適正)
③送風機の軸を手で回してみる。(接触や異常音がなく円滑に回転することを確認)
④[C]吐出しダンパーを全閉にする。(最初から全開で運転すると送風機が破損する)
⑤[A]手元スイッチで送風機を瞬時運転させて、回転方向を確認する。
⑥[D]吐出しダンパーが全閉の状態で、送風機の運転を開始する。
⑦[F]吐出しダンパーを徐々に開きながら、規定風量に調節する。
⑧[E]軸受けの温度を点検する。(「周囲の温度＋40」℃以下であることを確認)
よって、(4)が適当。

参考 多翼送風機の試運転調整では、規定風量に調節する前に、吐出しダンパーを全開にすると、いきなり大風量が流れてしまうため、送風機が破損するおそれが生じる。吐出しダンパーは、必ず全閉の状態で(風量がゼロの状態で)運転を開始し、徐々に開いてゆく(風量を徐々に大きくしてゆく)ことを心がける必要がある。

問題38	工事管理	ダクト内の風量の調整	R5後期

風量調整等に関する記述のうち、**適当でないもの**はどれか。

(1) 吹出口や吸込口の風量測定を行う場合は、補助ダクトを用いて行う。

(2) ダクト内の風量は、ダクト内の風速を測定して求める。

(3) 風量調整は、給排気口のシャッターや分岐部の風量調整ダンパーを全閉にした後に行う。

(4) 風量調整は、機器の試験成績表、ダクト図、風量計算書等を用いて行う。

解説 ダクト内の風量調整は、風量調整ダンパーを**全開**にした後に行う。 | 正解(3)

(1) 正 ダクトの吹出口や吸込口における風量は、直管部とは異なり偏流が生じやすいので、補助ダクト(直管ダクトやフード付きの風量計など)を用いて測定する。

(2) 正 ダクト内の風量は、熱線風速計などでダクト内の風速を測定して求める。具体的には、「ダクト内の風量＝ダクト内の中心軸における平均風速×ダクト内の断面積」とする。

(3) 誤 ダクト内の風量調整は、給排気口のシャッターや分岐部にある風量調整ダンパーを、全開にした後に行わなければならない。風量調整ダンパーが全閉の状態では、ダクト内の風量が小さくなりすぎるため、風量の測定が困難になる。よって、(3)は不適当。
①送風機の風量調整は、風量調整ダンパーが全閉であることを確認してから開始する。
②ダクト内の風量調整は、風量調整ダンパーが全開であることを確認してから開始する。
※この風量調整の方法は、全閉・全開を混同しないように認識しておく必要がある。

(4) 正 ダクト内の風量調整は、各機器の試験成績表・ダクトの図面・風量計算書などを参考にして行う必要がある。

問題38	工事管理	各種の配管の識別色	R5前期

JISで規定されている配管系の識別表示について、管内の「物質の種類」とその「識別色」の組合せのうち、**適当でないもの**はどれか。

　　　　[物質の種類]　　　　[識別色]

(1) 蒸気 —————— 青

(2) ガス —————— うすい黄

(3) 油 —————— 茶色

(4) 電気 —————— うすい黄赤

解説 蒸気配管の識別色は、**暗い赤**である。水配管の識別色は、青である。 | 正解(1)

新規出題分野

(1) 誤 配管内を流れる物質等の種類と、配管の識別色（管内の物質の種類を外から見分ける ために施す色）との関係は、JIS Z 9102「配管系の識別表示」において、下表のように 定められている。したがって、蒸気が流れる配管の識別色は、青ではなく暗い赤であ る。よって、(1)は不適当。

物質の種類	識別色
水	青
蒸気	暗い赤
空気	白
ガス	うすい黄
酸またはアルカリ	灰紫
油	茶色
電気	うすい黄赤

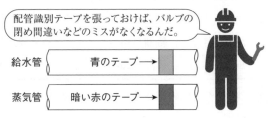

配管識別テープを張っておけば、バルブの 閉め間違いなどのミスがなくなるんだ。

給水管 青のテープ→

蒸気管 暗い赤のテープ→

※その他の物質についての識別色を必要とする場合は、 ここに規定した識別色以外のものを使用する。

| 問題38 | 工事管理 | 空気調和設備の各種性能の測定機器 | R4後期 |

空気調和設備の試運転調整における「測定対象」と「測定機器」の組合せのうち、 **適当でないもの**はどれか。

　　（測定対象）　　　　　　　　（測定機器）
(1) ダクト内圧力 ——————— 直読式検知管
(2) ダクト内風量 ——————— 熱線風速計
(3) 室内温湿度 ——————— アスマン通風乾湿計
(4) 室内気流 ——————— カタ計

解説 ダクト内圧力は、マノメーターで測定する。気体濃度は、検知管で測定する。 | 正解(1)

(1) 誤 空気調和設備の試運転調整において、ダクト内の圧力を測定するときは、マノメータ ー（差圧計）を使用する必要がある。マノメーターは、任意の2点間の圧力差を測定す る機器であり、2点間の圧力差が小さくても、それを拡大して測定することができる。 直読式検知管は、気体の濃度を測定するための機器であり、ダクト内の圧力を測定す るために使用することはできない。よって、(1)は不適当。

(2) 正 空気調和設備の試運転調整において、ダクト内の風量を測定するときは、熱線風速計 を使用する。熱線風速計は、白金・ニッケルなどから成る細い抵抗線に電流を流して 加熱し、そこに風を当てたときの抵抗値の変化から、風速を測定する機器である。

(3) 正 空気調和設備の試運転調整において、室内における温度と湿度を測定するときは、ア スマン通風乾湿計を使用する。アスマン通風乾湿計は、乾球温度と湿球温度を測定し、 その差から相対湿度を求めることができる温度計である。

(4) 正 空気調和設備の試運転調整において、室内における気流を測定するときは、カタ計を 使用する。カタ計は、方角の定まらない微小な気流を測定することで、体感温度を推 定することができる機器である。

参考 管工事機器の試運転調整における各種性能の測定機器には、次のようなものがある。

測定対象	測定機器
ダクト内圧力	マノメーター(差圧計)
ダクト内風量	熱線風速計
室内温湿度	アスマン通風乾湿計
室内気流	カタ計(微風速計)、熱線風速計
気体濃度	直読式検知管
石油類の流量	容積流量計

問題 38	工事管理	各種配管の識別色	R4前期

JISで規定されている配管系の識別表示について、管内の「物質等の種類」とその「識別色」の組合せのうち、適当でないものはどれか。

(物質等の種類)　　(識別色)

(1) 蒸気 ——— 青

(2) 油 ——— 茶色

(3) ガス ——— うすい黄

(4) 電気 ——— うすい黄赤

解説 蒸気配管の識別色は、暗い赤である。水配管の識別色は、青である。　　**正解(1)**

(1) **誤** 配管内を流れる物質等の種類と、配管の識別色(管内の物質の種類を外から見分けるために施す色)との関係は、JIS Z 9102「配管系の識別表示」において、下表のように定められている。したがって、蒸気が流れる配管の識別色は、青ではなく暗い赤である。よって、(1)は不適当。

物質の種類	識別色
水	青
蒸気	暗い赤
空気	白
ガス	うすい黄
酸またはアルカリ	灰紫
油	茶色
電気	うすい黄赤

※その他の物質についての識別色を必要とする場合は、ここに規定した識別色以外のものを使用する。

新規出題分野

特集　令和6年度以降の試験問題の見直しについて

令和6年2月26日に、試験実施団体である「一般財団法人 全国建設研修センター」から、次のような発表がありました。

令和6年2月26日
(一財) 全国建設研修センター
管工事試験部

■令和6年度以降の管工事施工管理技術検定試験問題の見直しについて

・第一次検定： 第二次検定の所要実務経験年数を学歴に拘わらず一定とすることから、1級と2級の第一次検定問題において、管工事施工管理に必要な工学基礎知識を確認できるようにする。

・第二次検定： 1級と2級の第二次検定において、工程管理、安全管理の設問を必須とする。また、受検者自身の経験に基づかない解答を防ぐ観点から、経験に基づく解答を求める設問をとりやめ、空調・衛生の施工に関する選択問題において、経験で得られた知識・知見を幅広い視点から確認するものとして見直しを行う。

※受検の公平性の観点から、試験問題に関する問い合わせはお受けできません。

出典：一般財団法人全国建設研修センターホームページ
(https://www.jctc.jp/kentei/info/kentei20240226_k.pdf)

この発表から考えると、令和6年度の2級管工事施工管理技術検定試験第二次検定では、令和5年度～令和3年度の第二次検定から出題内容が変更されることが予想されます。ただし、この変更は「出題の方向性の変更」であり、「学習すべき内容の変更」ではないので、従来の学習方法を大きく変える必要はないと思われます。出題内容そのものは、発表されていませんが、弊社では概ね次頁のようになると予想しています。

←スマホ版無料動画コーナー QRコード
URL　https://get-supertext.com/
（注意）スマートフォンでの長時間聴講は、Wi-Fi 環境が整ったエリアで行いましょう。

新規出題分野

「試験問題の見直しについて」の動画講習を、GET 研究所ホームページから視聴できます。
https://get-ken.jp/

| GET 研究所 | 検索 | ➡ | 無料動画公開中 | ➡ | 動画を選択 👉 |

令和6年度の 問題1 施工管理知識（必須問題）　　配点：10点

令和5年度～令和3年度の第二次検定における 問題1 設問1 の「施工管理知識」に関する内容（管工事に関する文章の正誤を○×で解答する問題）が、独立したひとつの問題として出題されることが予想されます。ただし、その出題傾向に、変わりはないと思われます。

令和6年度の 問題2 施工要領図（必須問題）　　配点：20点

令和5年度～令和3年度の第二次検定における 問題1 設問2 以降の「施工要領図」に関する内容（主として図の適切でない部分の理由または改善策を記述する問題）が、出題されることが予想されます。なお、その出題傾向に、変わりはないと思われます。

令和6年度の 問題3 空気調和設備の施工（選択問題）　　配点：30点

令和5年度以前の第二次検定における 問題2 「空気調和設備の施工」とは異なり、空気調和設備の施工について、受検者自身のこれまでの管工事経験で得られた知識・知見を記述する内容になることが予想されます。その出題傾向は、令和5年度以前の第二次検定における 問題6 「施工経験記述」に近いものになると思われます。この問題に対応できるようにするためには、工事経歴書の内容（試験実施団体に提出した実務経験証明書に記載した管工事で実際に行った事項）との整合性を確認したうえで、空気調和設備工事の施工管理（施工計画・工程管理・品質管理・安全管理・据付け・施工・試運転など）に関する技術的経験について、幅広い視点からひとつを選択し、その技術的内容を記述できるようにする必要があると思われます。

令和6年度の 問題4 給排水設備の施工（選択問題）　　配点：30点

令和5年度以前の第二次検定における 問題3 「給排水設備の施工」とは異なり、給排水設備の施工について、受検者自身のこれまでの管工事経験で得られた知識・知見を記述する内容になることが予想されます。その出題傾向は、令和5年度以前の第二次検定における 問題6 「施工経験記述」に近いものになると思われます。この問題に対応できるようにするためには、工事経歴書の内容（試験実施団体に提出した実務経験証明書に記載した管工事で実際に行った事項）との整合性を確認したうえで、給排水設備工事の施工管理（施工計画・工程管理・品質管理・安全管理・据付け・配管・試運転など）に関する技術的経験について、幅広い視点からひとつを選択し、その技術的内容を記述できるようにする必要があると思われます。

令和6年度の 問題5 工程管理（必須問題）　　配点：20点

令和5年度～令和3年度の第二次検定における 問題4 「工程管理」と同じような内容（バーチャート工程表に関する内容）が、出題されることが予想されます。この項目は、前頁の発表で示されている「工程管理の設問」に該当します。そのため、これまでの第二次検定とは異なり、この問題は「選択問題」ではなく「必須問題」になるので、すべての受検者がこの分野を学習しなければなりません。

令和6年度の 問題6 管工事法規（必須問題）　　配点：20点

令和5年度～令和3年度の第二次検定における 問題5 「管工事法規」と同じような内容（労働安全衛生法令に関する内容）が、出題されることが予想されます。この項目は、前頁の発表で示されている「安全管理の設問」に該当します。そのため、これまでの第二次検定とは異なり、この問題は「選択問題」ではなく「必須問題」になるので、すべての受検者がこの分野を学習しなければなりません。

新規出題分野

※ 令和5年度以前の第二次検定における 問題6「施工経験記述」は、前々頁の発表で示されている「経験に基づく解答を求める設問」に該当します。そのため、問題6「施工経験記述」は、問題3「空気調和設備の施工」または 問題4「給排水設備の施工」に統合されることになり、独立した問題としては出題されないことが予想されています。このことから考えると、令和5年度以前の 問題6「施工経験記述」について、十分な準備を行っておく(安全管理・品質管理・工程管理の3つの視点から、あらかじめ自身の工事経験を書いてみることで、事前に解答を準備する)ことが、令和6年度の 問題3「空気調和設備の施工」または 問題4「給排水設備の施工」に解答するための最も重要な対策になると思われます。

※ 弊社が予想した令和6年度の 問題3「空気調和設備の施工」および 問題4「給排水設備の施工」の予想問題およびその解答例は、次のようなものになります。ただし、弊社は試験実施団体ではないので、実際の出題がこの通りになると確約することはできません。

令和6年度の第二次検定における【問題3】と【問題4】に関する予想問題

> 【問題3】と【問題4】の2問題のうちから1問題を選び、解答は**解答用紙**に記述してください。
> 選択した問題は、解答用紙の**選択欄に○印**を記入してください。

【問題3】 あなたが経験した**空気調和設備工事**のうちから、**代表的な工事を1つ選び**、〔工事概要〕を具体的に記述したうえで、次の〔設問1〕と〔設問2〕の答えを解答欄に記述しなさい。

〔**工事概要**〕 その工事につき、次の事項を記述しなさい。

　　　　　⑴ 工事の名称〔例:◎◎ビル(◇◇邸)□□設備工事〕

　　　　　⑵ 工事の場所〔例:◎◎県◇◇市(町名)(番地)〕

　　　　　⑶ 工事の工期および請負金額〔例:令和◎年◇月～令和◎年◇月・□□万円〕

　　　　　⑷ 設備工事概要〔例:建物の階数・面積等、工事内容、機器の能力・台数等〕

　　　　　⑸ 現場でのあなたの立場および業務内容

〔**設問1**〕 工事概要であげた工事を施工するにあたり、最も留意した施工管理項目を a.**工程管理**・b.**品質管理**・c.**安全管理**の中から選び、解答欄の⑴の選んだ項目を○で囲みなさい。その施工管理上、あなたが**特に重要と考えた事項**を解答欄の⑵に記述しなさい。また、それについて**とった措置又は対策**を解答欄の⑶に簡潔に記述しなさい。

〔**設問2**〕 工事概要であげた工事に関わらず、あなたの今日までの空気調和設備工事の経験に照らし、空気調和設備工事の**配管作業における品質確保**のために実施した次の⑴と⑵に関する**留意事項**を、それぞれ解答欄の⑴と⑵に具体的かつ簡潔に記述しなさい。

　　　　　⑴ 配管の接続に関する留意事項

　　　　　⑵ 配管の吊りに関する留意事項

新規出題分野

【問題3】解答用紙　選択欄 □

〔工事概要〕解答欄				配点：10点
(1)	工事の名称			1
(2)	工事の場所			1
(3)	工事の工期		請負金額	3
(4)	設備工事概要	- -		3
(5)	あなたの立場		業務内容	2

〔設問1〕解答欄			配点：10点
(1)	施工管理項目（選んだ項目を○で囲む）	a.工程管理　b.品質管理　c.安全管理	1
(2)	特に重要と考えた事項	- -	3
(3)	とった措置又は対策	- -	6

〔設問2〕解答欄			配点：10点
(1)	配管の接続	- -	5
(2)	配管の吊り	- -	5

【問題3】解答例

〔工事概要〕解答例					配点：10点
(1)	工事の名称	彩光東都開発ビル空気調和設備工事			1
(2)	工事の場所	埼玉県東玉市中区彩光町4丁目3番地8号			1
(3)	工事の工期	令和3年8月～令和3年10月	請負金額	1890万円	3
(4)	設備工事概要	鉄筋コンクリート造、地上6階、延べ面積1200m^2、冷暖房機器据付工事、パッケージ形空気調和機(20台)、冷媒管(400m)			3
(5)	あなたの立場	現場代理人	業務内容	設備据付けの施工管理	2

新規出題分野

〔設問1〕解答例   配点：10点

(1)	施工管理項目（選んだ項目を○で囲む）	ⓐ.工程管理　b.品質管理　c.安全管理	1
(2)	特に重要と考えた事項	新型コロナウイルス感染症の影響により、工事開始日の遅れが生じたので、工程遅延を回復することが重要と考えた。	3
(3)	とった措置又は対策	①機材搬入時にチェックシートを使用し、確認を効率化した。 ②コンクリート基礎を、現場打ちからプレキャスト版に変更した。 ③冷媒管は、偶数階と奇数階を2班で同時施工した。	6

〔設問2〕解答例   配点：10点

(1)	配管の接続	管内の異物を事前に除去するため、冷媒管と機器との接続は、窒素ガスでフラッシングした後に行った。	5
(2)	配管の吊り	断熱材の支持金具への食い込みを防止するため、冷媒管の支持金具の下に、幅150mm以上の保護プレートを設置した。	5

※この解答例は、工事場所が実存しない架空の管工事です。本試験では、受検者自身が実際に行った管工事であるかを必ず確認されます。架空の（施工実績がない）工事に対する解答は、採点されません。

【問題4】あなたが経験した**給排水設備工事**のうちから、**代表的な工事を1つ選び**、〔工事概要〕を具体的に記述したうえで、次の〔設問1〕と〔設問2〕の答えを解答欄に記述しなさい。

〔**工事概要**〕その工事につき、次の事項を記述しなさい。

(1) 工事の名称〔例：◎◎ビル（◇◇邸）□□設備工事〕

(2) 工事の場所〔例：◎◎県◇◇市（町名）（番地）〕

(3) 工事の工期および請負金額〔例：令和◎年◇月～令和◎年◇月・□□万円〕

(4) 設備工事概要〔例：建物の階数・面積等、工事内容、機器の能力・台数等〕

(5) 現場でのあなたの立場および業務内容

〔**設問1**〕工事概要であげた工事を施工するにあたり、最も留意した施工管理項目をa.**工程管理**・b.**品質管理**・c.**安全管理**の中から選び、解答欄の(1)の選んだ項目を○で囲みなさい。その施工管理上、あなたが**特に重要と考えた事項**を解答欄の(2)に記述しなさい。また、それについて**とった措置又は対策**を解答欄の(3)に簡潔に記述しなさい。

〔**設問2**〕工事概要であげた工事に関わらず、あなたの今日までの給排水設備工事の経験に照らし、給排水設備工事の**配管作業における品質確保**のために実施した次の(1)と(2)**に関する留意事項**を、それぞれ解答欄の(1)と(2)に具体的かつ簡潔に記述しなさい。

(1) 配管の継手に関する留意事項

(2) 配管の支持に関する留意事項

新規出題分野

【問題4】解答用紙　選択欄☐

〔工事概要〕解答欄				配点：10点
(1)	工事の名称			1
(2)	工事の場所			1
(3)	工事の工期		請負金額	3
(4)	設備工事概要	- -		3
(5)	あなたの立場		業務内容	2

〔設問1〕解答欄			配点：10点
(1)	施工管理項目（選んだ項目を○で囲む）	a.工程管理　b.品質管理　c.安全管理	1
(2)	特に重要と考えた事項	- -	3
(3)	とった措置又は対策	- -	6

〔設問2〕解答欄		配点：10点
(1)	配管の継手	- -	5
(2)	配管の支持	- -	5

【問題4】解答例

〔工事概要〕解答例					配点：10点
(1)	工事の名称	南豊島区立下板橋図書館給排水設備工事			1
(2)	工事の場所	東京都南豊島区下板橋3丁目18－1			1
(3)	工事の工期	2020年5月～2020年9月	請負金額	960万円	3
(4)	設備工事概要	延べ面積5200m²、施設の敷地内の配管工事、本管から公設桝までの接続工事、マンホール設置(2基)、給排水管敷設(600m)			3
(5)	あなたの立場	工事主任	業務内容	給排水設備の施工管理	2

新規出題分野

495

〔設問1〕解答例			配点：10点
(1)	施工管理項目（選んだ項目を○で囲む）	a. 工程管理　　b. 品質管理　　ⓒ安全管理	1
(2)	特に重要と考えた事項	施設内外の配管工事は、高所作業や掘削作業を伴うので、労働者の墜落災害や地山の崩壊を防止することが重要と考えた。	3
(3)	とった措置又は対策	①天井裏の高所作業では、移動式足場を使用した。 ②地中排水管敷設工事では、鋼矢板で地山の崩落を防止した。 ③毎作業日の作業開始前に、仮設物の安全点検と安全朝礼を行った。	6

〔設問2〕解答例			配点：10点
(1)	配管の継手	給湯器と冷温水管との接合部の継手は、熱による管の伸縮に対応できるようにするため、ベローズ形伸縮管継手とした。	5
(2)	配管の支持	地下梁を貫通する給水管は、周囲からの地下水の浸入を防止するため、つば付き鋼管スリーブで覆い、隙間をシールした。	5

※この解答例は、工事場所が実存しない架空の管工事です。本試験では、受検者自身が実際に行った管工事であるかを必ず確認されます。架空の（施工実績がない）工事に対する解答は、採点されません。

※本書の 490 ページで紹介している「空調・衛生の施工に関する選択問題（経験で得られた知識・知見を幅広い視点から確認するもの）」は、ここまでの記載のように【問題3】と【問題4】に分かれて出題されるのではなく、この問題以外の4つの必須問題（施工管理知識・施工要領図・工程管理・管工事法規）の後に、【問題5】としてまとめて出題されることも考えられます。その場合の【問題5】は、次頁以降のような内容になることが予想されます。なお、問題文と解答用紙が一体化して出題されることも考えられるので、次頁以降の【問題5】では、ここまでの記載にある【問題3】や【問題4】とは異なり、問題文および解答欄（解答例が既に記載されたものを含む）をまとめて表示しています。また、その配点が30点ではなく40点になることも考えられるので、次頁以降の【問題5】では、各設問の予想配点を併記しています。

新規出題分野

【問題5】管工事経験に基づく記述（幅広い視点から空調技術・衛生技術を確認する）

あなたが管工事の現場で経験した事項について、次の〔設問1〕、〔設問2〕、〔設問3〕に答えなさい。なお、〔設問1〕と〔設問3〕は必須設問であるため、必ず解答すること。また、〔設問2〕は選択設問であるため、「空調」と「衛生」のうちから1つを選択し、解答すること。

必須問題（予想配点：40点）

〔設問1〕必須設問

あなたが経験した管工事のうち、代表的な工事例について、あなたの経験した代表的**な工事内容**を、解答欄に指定された行数以内で、**具体的に**記述しなさい。ただし、経験した管工事は、出願書類に提示した工事内容に適合するように記述すること。

（必須設問：予想配点：10点）

〔設問1〕解答欄　　　　　　　　　　　　　　　　　　　　　　　　　　（配点）

(1) 工事名 _____ (3)

(2) 発注者名 _____ (1)

(3) 工事場所 _____ (1)

(4) 工事概要 _____

_____ (2)

(5) 現場での施工管理上のあなたの立場または役割 _____ (3)

〔設問1〕解答例

(1) 工事名　北南高等学校給排水設備工事

(2) 発注者名　神奈川県建築部

(3) 工事場所　神奈川県北港区南町3丁目2号

(4) 工事概要　鉄筋コンクリート造3階建、延べ面積6000㎡、受水槽60㎡、給水管650m、排水管510m

(5) 現場での施工管理上のあなたの立場または役割　現場主任

〔設問 2-A〕選択設問「空調」　選択欄 □

　〔設問 1〕に示した工事例にかかわらず、あなたの管工事の経験に基づく**空調設備工事**の施工に関する技術的な知識や知見を、次の〔問 1〕、〔問 2〕、〔問 3〕の解答欄に記載された事項について、具体的かつ簡潔に記述しなさい。

（選択設問：予想配点：20 点）

〔問 1〕

　直だき吸収冷温水機について、中央（セントラル）方式と比較しての長所と短所について記述しなさい。ただし、安全管理および工程管理に関する事項は除く。

（予想配点：各 2 点×2 ＝ 4 点）

〔問 1〕解答欄

(1) 長所：--

----

(2) 短所：--

〔問 1〕解答例

(1) 長所：　吸収冷温水機は、中央方式の冷凍機とは異なり、冷凍機の駆動に電動機を使用せずに、臭化リチウムの化学反応を利用するため、騒音や振動が小さい。

(2) 短所：　吸収冷温水機は、中央方式の冷凍機に比べて、反応による効果が発生するまでに長い時間を要するため、中央方式よりも初期の始動が遅い。

〔問 2〕

　直だき吸収冷温水機について、据付けにおける施工上の留意点と、単体試運転調整における確認事項を記述しなさい。ただし、機材の搬入および工程管理に関する事項は除く。

（予想配点：各 2 点×4 ＝ 8 点）

〔問 2〕解答欄

(1) 基礎への据付け：--

----

(2) 保守点検の観点からの配置：-------------------------------

----

(3) 単体試運転における減水時の確認事項：---------------------

----

(4) 単体試運転における冷温水温度の制御：---------------------

新規出題分野

〔問2〕解答例

(1) 基礎への据付け：　直だき吸収冷温水機は、重量が大きいため、基礎コンクリートの打込み後、10日間以上の養生をした後に据え付ける。

(2) 保守点検の観点からの配置：　直だき吸収冷温水機は、一定期間ごとに伝熱管を交換する必要があるため、機体の左右どちらかに作業用スペースを設けられるように配置する。

(3) 単体試運転における減水時の確認事項：　冷却水や冷水が減少したときに、断水保護制御機能が作動するように、直だき吸収冷温水機の確認および調整を行う。

(4) 単体試運転における冷温水温度の制御：　冷温水の出入口における水温は、再生器に入る吸収溶液量と冷媒水量が比例するように調整し、その状況を確認する。

〔問3〕

　マルチパッケージ形空調機について、冷媒配管の施工上の留意点を記述しなさい。ただし、工程管理および安全管理に関する事項は除く。

(予想配点：各2点×4＝8点)

〔問3〕解答欄

(1) 冷媒管(銅管)の加工：

(2) 冷媒管の吊りボルトによる支持：

(3) 防火区画を貫通する冷媒管の施工：

(4) 冷媒管の気密試験の方法：

〔問3〕解答例

(1) 冷媒管(銅管)の加工：　冷媒管の曲げ加工をするときは、専用工具(ベンダー)を用いて、曲げ半径が銅管外径の4倍以上になるように曲げ加工する。

(2) 冷媒管の吊りボルトによる支持：　冷媒管は、遮熱被覆銅管の吊り位置に、粘着テープを二重巻きし、吊り金具を取り付けてから、吊り支持する。

(3) 防火区画を貫通する冷媒管の施工：　防火区画の壁に円形金具を取り付けた後、断熱材被覆銅管を貫通させる。円形金具と冷媒管との空隙は、熱膨張性断熱シール材で埋める。

(4) 冷媒管の気密試験の方法：　冷媒管を清掃して乾燥させた後、管に発泡液を塗布し、窒素ガスを封入して指定圧力以上に加圧し、24時間放置しても漏気しないことを確認する。

新規出題分野

〔設問 2-B〕選択設問「衛生」　選択欄 ☐

　〔設問1〕に示した工事例にかかわらず、あなたの管工事の経験に基づく**衛生設備工事**の施工に関する技術的な知識や知見を、次の〔問1〕、〔問2〕、〔問3〕の解答欄に記載された事項について、具体的かつ簡潔に記述しなさい。

（選択設問：予想配点：20点）

〔問1〕

　中央式の強制循環式給湯設備の施工上の留意点について、記述しなさい。ただし、(1)と(2)は保守管理のための貯湯槽の配置に関する観点から、(3)と(4)は給湯配管の熱伸縮に関する観点から、(5)は下り勾配で配管する送り管の施工に関する観点から、記述するものとする。また、安全管理および工程管理に関する事項は除く。

（予想配点：各2点×5 ＝ 10点）

〔問1〕解答欄

(1) 貯湯槽と天井・壁との離隔：

(2) 上記(1)の離隔を確保する理由：

(3) 2つの熱伸縮用の継手の名称：

(4) 横引き管の吊りボルトが短い場合の措置：

(5) 送り管を下り勾配で配管するときの空気弁の位置：

〔問1〕解答例

(1) 貯湯槽と天井・壁との離隔：　貯湯槽の周面と天井・壁との離隔は、45cm以上とする。

(2) 上記(1)の離隔を確保する理由：　伝熱管の交換をする空間を確保する必要があるため。

(3) 2つの熱伸縮用の継手の名称：　ベローズ形伸管縮継手またはスリーブ形伸管縮継手。

(4) 横引き管の吊りボルトが短い場合の措置：　継ぎ足しフックや鎖などで吊り支持する。

(5) 送り管を下り勾配で配管するときの空気弁の位置：　送り管の最高位に取り付ける。

〔問2〕

　給水管および排水管の工事完了後に、給水管に対して行う水圧試験の方法と、排水管に対して行う満水試験の方法について、記述しなさい。ただし、安全管理および工程管理に関する事項は除く。

（予想配点：各2点×2 ＝ 4点）

〔問2〕解答欄

(1) 給水管の水圧試験の方法：

(2) 排水管の満水試験の方法：

〔問2〕解答例

(1) 給水管の水圧試験の方法： 管内の水圧を 1.75MPa に高めた後、その水圧を 60 分間保持しても漏水がないことを確認する。加圧時間については、各自治体の規定も確認する。

(2) 排水管の満水試験の方法： 建物内にある排水管は、配管の末端を閉止し、管内の水圧を 0.03MPa 以上に高めた後、30 分間放置しても漏水がないことを確認する。

〔問3〕

　FRP 製パネル受水槽および給水ポンプユニットの製作図の審査をする場合の留意事項について、記述しなさい。ただし、安全管理および工程管理に関する事項は除く。

（予想配点：各2点×3＝6点）

〔問3〕解答欄

(1) 受水槽の配置：

(2) ポンプ吐出側の配管に取り付ける弁類の名称と順序：

(3) 受水槽と配管との間に取り付けるジョイントの名称とその目的：

〔問3〕解答例

(1) 受水槽の配置： 受水槽の天端から天井までの離隔は、1m以上とする。また、受水槽の下端と床との間には、60cm以上の作業空間を確保する。

(2) ポンプ吐出側の配管に取り付ける弁類の名称と順序： ポンプ側から屋外側に向かって、防振継手、逆止弁(CV)、仕切弁(GV)を、この順番通りに取り付ける

(3) 受水槽と配管との間に取り付けるジョイントの名称とその目的： 受水槽と配管との間には、配管の耐震性を高めるため、フレキシブルジョイントを取り付ける。

新規出題分野

〔設問 3〕必須設問

〔設問 1〕に示した工事例にかかわらず、あなたの管工事の施工管理の経験に基づき、施工管理技術の知識や知見を、次の〔問 1〕、〔問 2〕について、具体的かつ簡潔に記述しなさい。

（必須設問：予想配点：10 点）

〔問 1〕

あなたのこれまでの空調設備工事または衛生設備工事の経験に基づき、**安全管理上**、労働災害が予測された作業について、労働災害の名称、予測した理由、労働安全衛生法令に定められている労働災害防止のための措置または対策を記述しなさい。

（予想配点：各 2 点×3 ＝ 6 点）

〔問 1〕解答欄

(1) 労働災害の名称： _____

(2) 予測した理由： _____

_____

(3) 措置または対策： _____

_____

〔問 1〕解答例

(1) 労働災害の名称：　墜落災害

(2) 予測した理由：　高さが 5.2m になる吹抜け空間において、空調設備に 4 箇所の吹出し口を取り付ける作業を行うときに、労働者の墜落災害が予測されたから。

(3) 措置または対策：　ローリングタワーを用いて作業を行うこととし、作業開始前にローリングタワーの点検を入念に行い、作業中は労働者に墜落制止用器具を着用させた。

〔問 2〕

工事材料または管工事機器の**現場受入検査**において、あなたが特に重要と考えた事項と、そのときに実施した措置または対策を記述しなさい。

（予想配点：各 2 点×2 ＝ 4 点）

〔問 2〕解答欄

(1) 特に重要と考えた事項： _____

_____

(2) 措置または対策： _____

_____

〔問 2〕解答例

(1) 特に重要と考えた事項：　給水管および排水管について、現場受入時の品質確認の不足による品質の不良や、再施工が必要になることによる工程の遅延を防止すること。

(2) 措置または対策：　給水管および排水管は、設計図書と照合しながら受入れリストを作成し、その材料寸法を目視とスケールで確認した。

新規出題分野

2級管工事施工管理技術検定試験 第二次検定
有料 施工経験記述予想問題の採点講座 応募規定

(1) 受付期間

令和 6 年 9 月 12 日から 10 月 17 日(必着)までとします。

(2) 返信期間

令和 6 年 9 月 26 日から 10 月 31 日までの間に順次返信します。

※返信用の封筒が速達でない場合は、到着日が最大で 1 週間程度遅れる場合があります。

(3) 応募方法

① 本書の「505 ページ」・「507 ページまたは 509 ページ(あなたが選択した方)」・「511 ページ」にある記入用紙を切り取ってください。

② 切り取った記入用紙に、濃い鉛筆(2B 以上を推奨)またはボールペンで、あなたの施工経験記述を手書きで明確に記述してください。

③ お近くの銀行または郵便局(お客様本人名義の口座)から、下記の振込先(弊社の口座)に、採点料金をお振込みください。振込み手数料は受講者のご負担になります。

採点料金	:3000 円(税込)
金融機関名	:三井住友銀行
支店名	:池袋支店
口座種目	:普通口座
店番号	:225
口座番号	:3242646
振込先名義人	:株式会社建設総合資格研究社 (カブシキガイシャケンセツソウゴウシカクケンキュウシャ)

④ 採点料金振込時の領収書のコピーを、513 ページの申込用紙に貼り付けてください。

⑤ 下記の内容物を 23.5cm×12cm 以内の定形封筒に入れてください。記入用紙と申込用紙は、コピーしたものでも構いません。なお、採点は 1 人につき 1 通のみ受け付けております。

> **チェック**
>
> □ 施工経験記述 記入用紙(3枚)
> □ 施工経験記述 申込用紙(1枚)
> □ 返信用の封筒(1 枚)
>
> ※返信用の封筒には、返信先の郵便番号・住所・氏名を明記し、切手を貼り付けてください。

⑥ 上記の内容物を入れた封筒に切手を貼り、下記の送付先までお送りください。上記(2)の返信期間内に採点結果が確実に到着されることをご希望の方は、返信用の封筒を「速達」扱いにしてください。

〒 171-0021
東京都豊島区西池袋 3-1-7
藤和シティホームズ池袋駅前 1402
株式会社　建設総合資格研究社
(2 級管工事担当)

※この部分を切り取り、封筒宛名面にご利用いただけます。

※封筒には差出人の住所・氏名を明記してください。

(4) 注意事項

① **受付期間は、消印有効ではなく必着です。** 発送されてから弊社に到着するまでには、2日間〜5日間程度かかる場合があります。特に、北海道・沖縄・海外などからの発送では、余分な日数がかかることがあるので、早めに（期日が迫っている時は速達便で）応募してください。受付期間は、必ず守ってください。受付期間が過ぎてから到着したものについては、採点はせず、受講料金から1000円（現金書留送料および事務手数料）を差し引いた金額を、現金書留にて送付します。

② **施工経験記述予想問題の採点講座は、読者限定の有料講座です。** したがって、受講者が本書をお持ちでないこと（購入していないこと）が判明した場合は、採点が行えなくなる場合があります。

③ 施工経験記述を書く前に、 無料 You Tube 動画講習 にて、「施工経験記述の考え方・書き方講習」および「試験問題の見直しについて」を何回か視聴し、記入用紙をコピーするなどして十分に練習してください。この練習では、施工経験記述を繰り返し書いて推敲し、「これでよし！」と思ったものを提出してください。この推敲こそが、真の実力を身につけることに繋がります。施工経験記述は、要領よく要点を記述し、記述が行をはみ出さないようにしてください。記述のはみ出しがある場合、不合格と判定されます。

https://get-ken.jp/

GET研究所 検索 ➡ 無料動画公開中 ☞ ➡ 動画を選択 ☞

④ 文字が薄すぎたり乱雑であったりして判読不能なときは、採点の対象になりません。本試験においても、文字が判読不能なときはそれだけで不合格となります。本講座においても、本試験のつもりで明確に記述してください。本講座で、「手書き（パソコン文字は不可）」と指定しているのは、これが本試験を想定したものだからです。

⑤ 弊社は試験実施団体ではないので、令和6年度の第二次検定における実際の出題内容がこの通りになると確約することはできません。実際の出題内容が異なる場合は、本講座の採点が高得点であっても、合格にならない可能性があります。本講座にお申し込みの方は、採点についての保証ができないことをご了承ください。

⑥ **記入用紙については、必ず手元に原文またはコピーを保管してください。** 万が一、郵便事故などがあった場合には、記入用紙の原文またはコピーが必要になります。

⑦ 弊社から領収書は発行いたしません。**採点料金振込時の領収書は、必ず手元に保管してください。**

⑧ 記入用紙の発送後、11月6日を過ぎても返信の無い方は、弊社までご連絡ください。早急に対応いたします。なお、弊社では、記入用紙が到着した旨の個別連絡は行っておりませんが、弊社ホームページ（https://get-ken.jp/）にて毎週末を目安に到着情報を更新しています。

※受取に際し、認印が必要となる書留便や、宅急便・レターパック便のご利用はご遠慮ください。
※定形よりも大きな封筒は、弊社のポストに入らないのでご遠慮ください。

施工経験記述 記入用紙 ①

令和6年度 施工経験記述予想問題の採点講座　記入用紙（提出用）

※必ず本書を切り取った記入用紙に、解答を記述して送付してください。

※練習するときは、記入用紙をコピーをしてください。

※解答を記入した答案は、原本を送り、コピーをお手元に保管してください。

採点・評価表			
設問	〔設問1〕	〔設問2〕	〔設問3〕
評価点	10点	20点	10点
得点			
判定基準	合(8) 否(8未満)	合(12以上) 否(12未満)	合(6以上) 否(6未満)
総合得点		得点：合(26以上)　否(26未満)	
総合評価	基準達成	あと一歩、理解を深める	

【必須問題】管工事経験に基づく記述(幅広い視点から空調技術・衛生技術を確認する)

　あなたが管工事の現場で経験した事項について、次の〔設問1〕、〔設問2〕、〔設問3〕に答えなさい。なお、〔設問1〕と〔設問3〕は必須設問であるため、必ず解答すること。また、〔設問2〕は選択設問であるため、「空調」と「衛生」のうちから1つを選択し、解答すること。

※〔設問2〕について、「空調」と「衛生」の両方に解答した場合は、採点不可になりますので、ご注意ください。本試験においても、選択設問の両方に解答した場合は、その時点で不合格と判定されます。そのため、記入用紙②と記入用紙③については、あなたが選択した方のみ送付するようにしてください。

(予想配点：40点)

【必須】

得点：　　　点	氏　名	

〔設問1〕必須設問

　あなたが経験した管工事のうち、代表的な工事例について、あなたの経験した代表的な**工事内容**を、解答欄に指定された行数以内で、**具体的**に記述しなさい。ただし、経験した管工事は、出願書類に提示した工事内容に適合するように記述すること。

(必須設問：予想配点：10点)

〔設問1〕解答欄　　　　　　　　　　　　　　　　　　　　　　　　　　(配点)

①工事名：　　　　　　　　　　　　　　　　　　　　　　　　　　　　　　(3)

②発注者名：　　　　　　　　　　　　　　　　　　　　　　　　　　　　　(1)

③工事場所：　　　　　　　　　　　　　　　　　　　　　　　　　　　　　(1)

④工事概要：

　　　　　　　　　　　　　　　　　　　　　　　　　　　　　　　　　　(2)

⑤現場での施工管理上のあなたの立場または役割：　　　　　　　　　　　　(3)

施工経験記述 記入用紙 2

【選択】　A「空調」選択チェック欄□　得点：　　点｜氏 名｜

〔設問 2-A〕選択設問
　〔設問 1〕に示した工事例にかかわらず、あなたの管工事の経験に基づく**空調設備工事**の施工に関する技術的な知識や知見を、次の〔問 1〕、〔問 2〕、〔問 3〕の解答欄に記載された事項について、具体的かつ簡潔に記述しなさい。　　　　　　　　　（選択設問：予想配点：20 点）

〔問 1〕　あなたが施工した経験のある空気調和設備について、設備名を記述し、その設備の長所と短所について記述しなさい。ただし、安全管理および工程管理に関する事項は除く。
　　　　※設備名は「長所」と「短所」の各欄に明記すること。　　　　（予想配点：各 2 点×2 = 4 点）

〔問 1〕解答欄
(1)長所：

(2)短所：

〔問 2〕　〔問 1〕で記述した設備について、据付けにおける施工上の留意点と、単体試運転調整における確認事項を、それぞれ 2 つ記述しなさい。ただし、機材の搬入および工程管理に関する事項は除く。　　　　　　　　　　　（予想配点：各 2 点×4 = 8 点）

〔問 2〕解答欄
(1)据付けの留意点①：

(2)据付けの留意点②：

(3)単体試運転における確認事項①：

(4)単体試運転における確認事項②：

〔問 3〕　あなたが施工した経験のある空気調和設備について、冷媒配管の施工上の留意点を記述しなさい。ただし、工程管理および安全管理に関する事項は除く。（予想配点：各 2 点×4 = 8 点）

〔問 3〕解答欄
(1)冷媒管(銅管)の加工：

(2)冷媒管の吊りボルトによる支持：

(3)防火区画を貫通する冷媒管の施工：

(4)冷媒管の気密試験の方法：

施工経験記述 記入用紙 ③

【選択】　B「衛生」選択チェック欄□　得点：　　点│氏名│

〔設問 2-B〕選択設問

　〔設問1〕に示した工事例にかかわらず、あなたの管工事の経験に基づく**衛生設備工事**の施工に関する技術的な知識や知見を、次の〔問1〕、〔問2〕、〔問3〕の解答欄に記載された事項について、具体的かつ簡潔に記述しなさい。　　　　　　　　（選択設問：予想配点：20点）

〔問1〕　あなたが施工した経験のある給湯設備の施工上の留意点について、記述しなさい。
　　　　ただし、(1)と(2)は保守管理のための貯湯槽の配置に関する観点から、(3)と(4)は給湯配管の熱伸縮に関する観点から、(5)は下り勾配で配管する送り管の施工に関する観点から、記述するものとする。また、安全管理および工程管理に関する事項は除く。
　　　　　　　　　　　　　　　　　　　　　　　　　　　　（予想配点：各2点×5＝10点）

〔問1〕解答欄

(1) 貯湯槽と天井・壁との離隔距離：

(2) 離隔の確保を要する交換器の名称：

(3) 2つの熱伸縮用の継手の名称：

(4) 横引き管の吊下げ長さが短いときに用いる吊材の名称：

(5) 送り管を下り勾配で配管するときの空気弁の位置：

〔問2〕　給水管の工事完了後に行う水圧試験の方法と、屋内を横走りする排水管の勾配を決定するときの留意事項について、記述しなさい。ただし、安全管理および工程管理に関する事項は除く。　　　　　　　　　　　　　　（予想配点：各2点×2＝4点）

〔問2〕解答欄

(1) 給水管の水圧試験の方法：

(2) 排水管の勾配に関する留意事項：

〔問3〕　受水槽および給水ポンプユニットの製作図の審査をする場合の留意事項について、記述しなさい。ただし、安全管理および工程管理に関する事項は除く。
　　　　　　　　　　　　　　　　　　　　　　　　　　　　（予想配点：各2点×3＝6点）

〔問3〕解答欄

(1) 受水槽の配置：

(2) ポンプ吐出側の配管に取り付ける弁類の名称と順序：

(3) 受水槽と配管との間に取り付けるジョイントの名称とその目的：

施工経験記述 記入用紙 ④

【必須】

得点：　　点　氏名　　　　　　　　　

〔設問 3〕必須設問

　〔設問 1〕に示した工事例にかかわらず、あなたの管工事の施工管理の経験に基づき、施工管理技術の知識や知見を、次の〔問 1〕、〔問 2〕について、具体的かつ簡潔に記述しなさい。

（必須設問：予想配点：10 点）

〔問 1〕　あなたのこれまでの空調設備工事または衛生設備工事の経験に基づき、**工程管理上**、遅延が予測された作業について、作業名、予測された理由、遅延防止のために行った措置または対策を記述しなさい。　　（予想配点：各 2 点×3 ＝ 6 点）

〔問 1〕解答欄

(1) 遅延が予測された作業名：＿＿＿＿＿＿＿＿＿＿＿＿＿＿＿＿＿＿＿＿＿＿＿＿＿

(2) 予測された理由：＿＿＿＿＿＿＿＿＿＿＿＿＿＿＿＿＿＿＿＿＿＿＿＿＿＿＿＿＿

＿＿＿＿＿＿＿＿＿＿＿＿＿＿＿＿＿＿＿＿＿＿＿＿＿＿＿＿＿＿＿＿＿＿＿＿＿＿

(3) 措置または対策：＿＿＿＿＿＿＿＿＿＿＿＿＿＿＿＿＿＿＿＿＿＿＿＿＿＿＿＿＿

＿＿＿＿＿＿＿＿＿＿＿＿＿＿＿＿＿＿＿＿＿＿＿＿＿＿＿＿＿＿＿＿＿＿＿＿＿＿

〔問 2〕　空調設備工事または衛生設備工事の完了後に行われる**総合的な試運転調整または完成に伴う自主検査**において、あなたが関わった経験のある設備の名称と、そのときに実施した措置または対策を記述しなさい。　　（予想配点：各 2 点×2 ＝ 4 点）

〔問 2〕解答欄

(1) 関わった経験のある設備の名称：＿＿＿＿＿＿＿＿＿＿＿＿＿＿＿＿＿＿＿＿＿＿

(2) 措置または対策：＿＿＿＿＿＿＿＿＿＿＿＿＿＿＿＿＿＿＿＿＿＿＿＿＿＿＿＿＿

＿＿＿＿＿＿＿＿＿＿＿＿＿＿＿＿＿＿＿＿＿＿＿＿＿＿＿＿＿＿＿＿＿＿＿＿＿＿

施工経験記述 申込用紙

領収書のコピーをここに貼り付けてください。領収書の添付がない場合には、採点は行いません。なお、インターネットバンキングでの振込みなどの場合に、領収書のコピーを貼り付けることができない受講者は、代わりに、振込みに関する画面を印刷して貼り付けるか、銀行名と口座名義(本人名義のもの)を下記の枠内に記入してください。

銀行名	
口座名義	

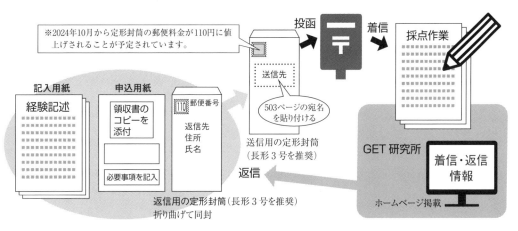

※2024年10月から定形封筒の郵便料金が110円に値上げされることが予定されています。

※記入用紙の送信・返信をお急ぎの場合は、送信用の定形封筒・返信用の定形封筒について、速達郵便をご利用できます。(速達料金は受講者のご負担となります)

連絡情報(できればご記入ください)

電話番号		メールアドレス	

GET 研究所管理用(必ず記入してください)

2級管工事第二次	投函日 月 日	都道府県名	フリガナ 氏 名

令和6年度 施工経験記述予想問題の採点講座　記入用紙（提出用）

※必ず本書を切り取った記入用紙に、解答を記述して送付してください。

※練習するときは、記入用紙をコピーをしてください。

※解答を記入した答案は、原本を送り、コピーをお手元に保管してください。

採点・評価表			
設問	〔設問1〕	〔設問2〕	〔設問3〕
評価点	10点	20点	10点
得点	4点	16点	8点
判定基準	合(8) 否(8未満)	合(12以上) 否(12未満)	合(6以上) 否(6未満)
総合得点	28点	得点: 合(26以上) 否(26未満)	
総合評価	基準達成	あと一歩、理解を深める	

ただし、誤字には注意すること

【必須問題】管工事経験に基づく記述（幅広い視点から空調技術・衛生技術を確認する）

あなたが管工事の現場で経験した事項について、次の〔設問1〕、〔設問2〕、〔設問3〕に答えなさい。なお、〔設問1〕と〔設問3〕は必須設問であるため、必ず解答すること。また、〔設問2〕は選択設問であるため、「空調」と「衛生」のうちから1つを選択し、解答すること。

※〔設問2〕について、「空調」と「衛生」の両方に解答した場合は、採点不可になりますので、ご注意ください。本試験においても、選択設問の両方に解答した場合は、その時点で不合格と判定されます。そのため、記入用紙2と記入用紙3については、あなたが選択した方のみ送付するようにしてください。

(予想配点：40点)

【必須】

得点:	4 点	氏名	管 二郎

〔設問1〕必須設問

あなたが経験した管工事のうち、代表的な工事例について、あなたの経験した代表的な**工事内容**を、解答欄に指定された行数以内で、**具体的に**記述しなさい。ただし、経験した管工事は、出願書類に提示した工事内容に適合するように記述すること。

(必須設問：予想配点：10点)

〔設問1〕解答欄 （配点）

① 工事名：　品川四丁目ビル新築工事（設備工事）←追加　(3)

② 発注者名：　品川区建築部都市計画課　(1)

③ 工事場所：　東京都品川区4丁目5-6　(1)

④ 工事概要：　鉄筋コンクリート造5F 延べ面積2780㎡, 高置水槽1台
加圧送水装置1台, 給水管20A（540m）　立場の誤字は大減点！　(2)

⑤ 現場での施工管理上のあなたの立場または役割：　現場主任←任　(3)

[著　者]　森　野　安　信

　　　　　著者略歴

　　　　　1963年　京都大学卒業

　　　　　1965年　東京都入職

　　　　　1991年　建設省中央建設業審議会専門委員

　　　　　1994年　文部省社会教育審議会委員

　　　　　1998年　東京都退職

　　　　　1999年　GET研究所所長

[著　者]　榎　本　弘　之

スーパーテキストシリーズ
令和6年度 分野別 問題解説集
2級管工事施工管理技術検定試験 第二次検定

2024年9月11日　　発行

発行者・編者　　　森　野　安　信
　　　　　　　　　GET 研究所
　　　　　　　　　〒171-0021 東京都豊島区西池袋 3-1-7
　　　　　　　　　藤和シティホームズ池袋駅前 1402
　　　　　　　　　https://get-ken.jp/
　　　　　　　　　株式会社　建設総合資格研究社

編集　　　　　　　榎　本　弘　之
デザイン　　　　　大久保泰次郎
　　　　　　　　　森　野　めぐみ

発売所　　　　　　丸善出版株式会社
　　　　　　　　　〒101-0051 東京都千代田区神田
　　　　　　　　　　　　　　神保町2丁目17番
　　　　　　　　　TEL：03-3512-3256
　　　　　　　　　FAX：03-3512-3270
　　　　　　　　　https://www.maruzen-publishing.co.jp/

印刷・製本　　　中央精版印刷株式会社
ISBN978-4-910965-27-7　C3053

●内容に関するご質問は、弊社ホームページのお問い合わせ（https://get-ken.jp/contact/）から受け付けております。（質問は本書の紹介内容に限ります）